L'ultime édition papier!

Par Thierry Debeur

Vous tenez entre vos mains la dernière édition format papier du ***Guide Debeur.*** (Snif!) Une 33e édition en 33 ans, un âge critique s'il en est! Mais le ***Debeur*** ne meurt pas, ***il s'adapte.*** Tout le contenu éditorial sera bientôt visible sur le web avec des mises à jour en continu. (Ah!)

Ce n'est pas un recul, mais bien un progrès. À l'ère numérique, le *Debeur* sera dorénavant publié de façon planétaire (on se fait plaisir!). Ainsi, de nombreuses possibilités s'ouvrent à lui: interactivité avec la lectrice ou le lecteur, mises à jour en direct, capsules vidéo, hyperliens permettant la visite d'autres sites dont nous parlons, etc.

Suivant le modèle d'affaires des grands médias américains et, plus près de nous, du fameux quotidien ***La Presse,*** le Debeur abandonne le papier pour le numérique. Un virage technologique adapté à notre temps.

Le *Guide Debeur* devient donc **debeur.com.** Un site web où vous pourrez nous suivre au quotidien plutôt qu'une fois l'an, et même communiquer directement avec nous, poser vos questions, donner votre opinion, échanger, interagir…

Conservez précieusement cette ultime édition papier de collection dans vos étagères. Elle a une valeur historique! (Là aussi on se fait plaisir.)

Cependant, la mission du *Debeur* reste et restera toujours la même: **«Notre plus grand souhait, le plus ambitieux, est de vous faire partager, dans la bonne humeur et la convivialité, nos découvertes, souvent excellentes, parfois moins, mais toujours inspirantes, intéressantes et enrichissantes, afin de vous aider dans vos recherches palpitantes et gourmandes. Sans prétention bien sûr!»**

Gastronomiquement vôtre!

Thierry Debeur
Journaliste gastronomique et vinicole
Chroniqueur radio
Éditeur et rédacteur en chef du ***Debeur, guide gourmand des Québécois***

Le *Debeur 2018* est offert également en version numérique à 9,95$
Suivez Debeur sur www.debeur.com
sur www.facebook.com/GuideDebeur
et sur www.twitter.com/GuideDebeur

SOMMAIRE VOL. 33 ANNÉE 2018

33 ans d'information gastronomique

Éditeur et rédacteur en chef
Thierry DEBEUR

Directrice de la publication
Huguette BÉRAUD

Secrétaire à la rédaction
Louise DULUDE-GAGNON

Recherchiste
Gemima MÉMÉ

Correctrices-réviseures
Huguette BÉRAUD
Louise DULUDE-GAGNON
Line LEBLOND

Rédacteurs
Huguette BÉRAUD
Charles-Henri DEBEUR
Thierry DEBEUR
Don Jean LÉANDRI
Françoise PITT
Guénaël REVEL

Photographe
Charles-Henri DEBEUR

Directeur de la production et conseiller technique
Jean-Paul FRANCESCHI

Comptabilité
Stéphane GAGNÉ
Carole JEAN-PIERRE

Conseillers en informatique
Benoit LAROCQUE (Blsol)
Daniel RHÉAULT (Publix Solution)

Conseiller juridique
Jeannette GIBARA, avocate

Conception de la couverture
Jean BUREAU

Infographiste
Lorraine ROBERGE

Mise au point des couleurs
Debeur Infographie

Vente et publicité
Jeanne ASSELIN
Jean-François COLLETTE
Jessica POLOMACK

Imprimé au Canada

RÉDACTION-ADMINISTRATION

Tél.: 450-465-1700
Courriel : redaction@debeur.com
Site Internet: **www.debeur.com**

AVIS IMPORTANTS

Nos listes de restaurants et de boutiques sont mises à jour chaque année et ne sont modifiées que s'il y a eu un changement significatif. Notre intention n'est pas de réécrire systématiquement tous les commentaires chaque année et ceux-ci resteront identiques si rien n'a changé. Il s'agit avant tout d'un guide.

De plus, nous n'avons pas la prétention de publier un annuaire exhaustif de ces établissements, mais bien de faire un choix délibéré et arbitraire qui se veut néanmoins représentatif de la gastronomie au Québec.

La rédaction

Vous pouvez facilement identifier les établissements recommandés par le guide **Debeur** grâce à cet autocollant.

ISBN 978-2-921377-62-1

LE PETIT DEBEUR des vins, etc. 163

Un choix de vins, cidres et spiritueux, classés par ordre de prix, et commentés par une équipe de passionnés

TOURISME ET GASTRONOMIE

par Huguette Béraud et Thierry Debeur

Les 27 restaurateurs courageux et persévérants

Hommage de Thierry Debeur et son équipe

Seulement 27 restaurants sur les 500 établissements publiés dans la première édition du guide Debeur, ont survécu à la rigueur du temps. C'est peu! Nous tenons ici à leur rendre hommage et à les féliciter pour leur professionnalisme. Nous profitons de cette ultime édition pour vous présenter ces restaurateurs courageux, passionnés et persévérants, et vous inciter à continuer à les encourager par vos visites. Mais ce n'est pas fini: vous les retrouverez dans l'édition virtuelle sur debeur.com. Les voici donc:

ALEXANDRE & FILS **** bistro fra. **p. 24**
MONTRÉAL | 514-288-5105

AUBERGE ET RESTAURANT CHEZ GIRARD ** français **p. 75**
SAINTE-AGATHE | 819-326-0922
et 1-800-663-0922

AUBERGE HANDFIELD *** québéc **p. 79**
SAINT-MARC-SUR-RICHELIEU
450-584-2226 et 514-990-0468

AUBERGE LOUIS-HÉBERT **** fra. **p. 90**
QUÉBEC | 418-525-7812

AUX ANCIENS CANADIENS
*** québécois **p. 100**
QUÉBEC | 418-692-1627

AZUMA *** japonais **p. 53**
MONTRÉAL | 514-271-5263

BIS ** italien **p. 51**
MONTRÉAL | 514-866-3234

BONAPARTE **** français **p. 27**
Auberge Bonaparte
VIEUX-MONTRÉAL | 514-844-4368

CHEZ LÉVÊQUE **** bistro français **p. 28**
MONTRÉAL | 514-279-7355

GIBBY'S ** continental **p. 19**
VIEUX-MONTRÉAL | 514-282-1837

HÔTEL TROIS TILLEULS **** fra. **p. 81**
SAINT-MARC-SUR-RICHELIEU
514-856-7787

LA CRÊPERIE DU VIEUX-BELOEIL
***** crêperie **p. 81**
BELOEIL | 450-464-1726

L'APSARA *** asiatique **p. 86**
QUÉBEC | 418-694-0232

LA RABASTALIÈRE **** français **p. 82**
SAINT-BRUNO | 450-461-0173

L'AUBERGE ST-GABRIEL **** fra. **p. 32**
VIEUX-MONTRÉAL | 514-878-3561

LE CASTEL 1954 *** (bistro) cont. **p. 116**
TROIS-RIVIÈRES | 819-375-4921

LE CONTINENTAL *** continental **p. 89**
QUÉBEC | 418-694-9995

LE MITOYEN ***** française **p. 73**
STE-DOROTHÉE, LAVAL | 450-689-2977

L'ÉTOILE DE L'OCÉAN *** portugal **p. 60**
MONTRÉAL | 514-844-4588

L'EXPRESS *** bistro français **p. 36**
MONTRÉAL | 514-845-5333

MILOS ***** grec **p. 40**
MONTRÉAL | 514-272-3522

MOISHES *** continental **p. 22**
MONTRÉAL | 514-845-3509

REST. DA TONI **** italien **p. 114**
SHERBROOKE | 819-346-8441

RIB'N REEF *** continental **p. 22**
MONTRÉAL | 514-735-1601

RISTORANTE MICHELANGELO
**** italien **p. 98**
SAINTE-FOY | 418-651-6262

SOLMAR ** portugais **p. 61**
VIEUX-MONTRÉAL | 514-861-4562

SZÉCHUAN **** chinois **p. 18**
VIEUX-MONTRÉAL | 514-844-4456

Les RESTAURANTS

YVAN LEBRUN
Chef cuisinier national de l'année
Chef propriétaire du Restaurant Initiale à Québec
www.restaurantinitiale.com

Le premier contact d'**Yvan Lebrun** avec la cuisine se fait dans sa Bretagne natale, en France. Il quitte sa famille à 14 ans pour rejoindre le chef **Jacques Gonthier,** à Saint-Malo. Durant les années 1980, diplômé des écoles de cuisine française, il fait le tour de la France pour découvrir et expérimenter différentes cuisines.

En 1986, il traverse l'Atlantique pour s'installer à Québec. La Vieille Capitale n'hésite pas à adopter ce jeune cuisinier breton. Sous la supervision du chef **Jean Soulard,** il y fait ses débuts au **Croquembroche** de l'hôtel Hilton.

En 1990, avec sa complice et copropriétaire, **Rolande Leclerc,** il ouvre le **Restaurant Initiale** (★★★★★ Debeur), avenue Maguire à Sillery. Le succès se fait sentir rapidement. L'année 1998 annonce un nouveau défi et c'est le déménagement à l'adresse actuelle, le 54, rue Saint-Pierre à Québec, dans le bâtiment centenaire d'une prestigieuse banque.

Dès lors, les succès s'enchaînent
L'an 2000, c'est le **Grand Prix du tourisme québécois,** catégorie gastronomie. En 2006, il entre dans le prestigieux cercle des Relais et Châteaux, en tant que **grand chef Relais & Châteaux.** En 2008, c'est une invitation par la **Délégation du Québec** à participer à l'élaboration du dîner gastronomique donné à Atlanta à l'occasion du jour de la francophonie et du 400e anniversaire de la fondation de la ville de Québec. La même année, la **Fédération des producteurs acériceles du Québec** en fait son ambassadeur; il présente nos produits du Québec au Japon et, par la même occasion, découvre des produits d'autres origines. En 2011, il participe à la célébration du 1er anniversaire de l'inscription de la gastronomie française au **patrimoine culturel immatériel de l'UNESCO.**

Au fil des ans, après avoir gravi les échelons du classement par diamants de la réputée association CAA/AAA, c'est la consécration en 2012: Initiale y décroche la cote 5 diamants. Également en 2012, Yvan Lebrun est nommé chevalier de l'Ordre du mérite agricole par le Consul général de France à Québec. Actuellement, le restaurant Initiale est coté 5 étoiles dans la 33e édition du fameux ***Guide Debeur,*** le doyen des guides gastronomiques indépendants québécois.

CHRISTIAN FAURE, MOF
Chef pâtissier national de l'année
Chef propriétaire de La Maison Christian Faure à Montréal
www.maisonchristianfaure.ca
www.facebook.com/MAISONCHRISTIANFAURE

Né à Villefranche-sur-Saône (France), **Christian Faure** entre en apprentissage à la Maison Lartaud puis au Centre de formation d'apprentis d'Écully à Lyon, sous l'égide des grands chefs Joseph Aimard, Jacques Joubert et Alain Berne; tous porteurs du titre de meilleur ouvrier de France (MOF).

Travailleur, avide de technique, il avance rapidement et devient dès 18 ans pâtissier à la vénérable **Maison Dalloyau** à Paris. Plus tard, il est recruté par **Jean-Paul Bucher** pour diriger la centrale pâtisserie des boutiques **Flô Prestige** de Paris. Puis, pour le même groupe, il s'occupera de l'ouverture de **Flô Nice.** En 1994, **Christian Willer,** chef du prestigieux **Palace Martinez** de Cannes, le placera au **Grand Hôtel** de Saint-Jean-Cap-Ferrat. Cette même année, Christian se verra décerner le **prix Jean-Louis Berthelot** dans la catégorie «dessert assiette». Par la suite, il prendra le poste de chef pâtissier à l'**Hôtel Royal-Riviera Palace ★★★★**, au service de **Willy De Bruyn.** Mais c'est en 1997 que viendra la plus grande consécration de sa carrière.

Christian Faure obtient le titre suprême de Meilleur ouvrier de France
Pourquoi la pâtisserie? Christian Faure fut séduit dès son plus jeune âge par l'aspect artistique de ce métier. Véritable alchimiste de la pâtisserie, Christian Faure mène sa carrière au palais princier de Monaco auprès des chefs **Mario Muratore** et **Alain Ducasse;** il y dirige une équipe de 65 pâtissiers. Plus tard viennent les palaces des pays arabes et une invitation d'honneur au **G8** et au **G20** de Toronto. Au passage, il exerce ses talents aux villages VIP des **Jeux olympiques de Vancouver** et de **Salt Lake City.**

Christian Faure régale ses convives par sa créativité et son ingéniosité. Il accumule les récompenses et les médailles. Aujourd'hui officier de l'**Ordre national du mérite agricole**, président de la **Société des Meilleurs ouvriers de France – section Nord-Amérique** et honoré comme étant le **meilleur chef pâtissier du monde** par **L'American Academy for Hospitality Sciences,** le maître garde toutefois une modestie et une générosité contagieuse avec une affinité toute particulière pour la formation de la jeunesse. Il fonde ainsi **La Maison Christian Faure** avec son école de pâtisserie, le premier établissement international d'enseignement spécialisé en pâtisserie française au Canada, offrant également des ateliers pour amateurs.

Véritable ambassadeur de la culture et de l'art de vivre à la française, Christian Faure a de nombreuses fois démontré ses capacités à dénicher dans chaque région du monde la richesse culinaire et sublimer les produits du terroir. La haute technicité qu'il conjugue aux produits authentiques et locaux donne vie à une pâtisserie toujours en ébullition, traditionnelle et innovante à la fois.

La relève

Les apprentis cuisiniers et pâtissiers de l'année

par Françoise Pitt

JUSTIN CHARETTE
Apprenti cuisinier de l'année

Il a participé à la compétition pour se perfectionner et se faire connaître, sans plus. Aussi a-t-il poussé un cri de joie quand il a su qu'il gagnait le titre d'apprenti cuisinier 2017. «Je ne m'y attendais vraiment pas, avoue-t-il. Je suppose que le jury a apprécié ma structure de travail et mon contrôle du stress. Un bon stress, qui me sert bien et me motive à aller toujours plus loin.»

C'est sa mère qui l'a aiguillonné vers la cuisine, après qu'il eut emprunté différentes voies (l'armée entre autres) qui ne le satisfaisaient pas. L'instinct maternel avait perçu le talent en devenir: «J'ai commencé mes cours et j'ai tout de suite eu un coup de cœur pour ce métier, devenu une véritable passion.» Il a obtenu un DEP en cuisine d'établissement et une ASP en cuisine du marché au Centre de formation professionnelle Relais de la Lièvre-Seigneurie à Gatineau. Parallèlement, il travaille au Château Montebello.

En mai 2016, grâce à son mentor et professeur au Centre de formation, Gaétan Lussier, il a eu la chance d'effectuer un stage à Lyon en France, au restaurant Le Centre de Georges Blanc. Une expérience extraordinaire pour un apprenti avide d'apprendre. Il participera aussi à une tournée culinaire en Italie, en France et en Espagne, comportant des visites de grands restaurants, de vignobles et de producteurs: «On a cuisiné, appris et... mangé ce qu'il y a de meilleur.»

Ses principales qualités: bonne planification, leadership, polyvalence, rapidité. Ses préférences: cuisiner les poissons, agencer les arômes avec des fines herbes et des plantes aromatiques. «J'aime faire voyager les gens à travers mes plats, conclut-il. Pas d'extravagance ni de flafla, mais un profond respect des bases et des produits.»

Depuis août dernier, Justin Charette est le chef de l'Hôtel Lac Carling, à Grenville-sur-la-Rouge. Pas mal pour un cuistot de 21 ans.

CLARA AKIKA
Apprentie pâtissière de l'année

Elle s'est lancée corps et âme en pâtisserie et en musique (flûte traversière) presque en même temps. Ce sont les deux passions de sa vie. Elle n'imagine pas l'une sans l'autre. Deux domaines bien différents qui se complètent, assure-t-elle: «La pâtisserie attire l'œil, la musique parle aux tripes.» C'est lors d'une fête à l'école primaire qu'elle a eu un coup de cœur pour le chocolat. Une élève avait apporté des truffes. Habituée à la cuisine tchèque, elle n'avait jamais goûté pareille merveille. Et elle a bien manigancé pour finir la boîte de truffes.

À la compétition, elle a donné le meilleur d'elle-même, sans espérer la première place qu'elle a pourtant décrochée haut la main. «Je gère bien le stress, explique-t-elle. Tout s'est donc parfaitement déroulé.» Le jury semble avoir apprécié son entremets, son dessert à l'assiette, sa créativité et son originalité. Les entremets, qu'elle adore travailler, lui permettent de donner libre cours à ses talents pour les saveurs et les textures.

Après avoir appris seule les bases, en testant et en ratant, elle a travaillé chez Première Moisson, puis elle s'est inscrite au Centre de formation professionnelle Jacques-Rousseau où elle vient d'obtenir son DEP. Cherchant du travail à temps partiel pour continuer ses études en musique, elle l'a trouvé dans l'équipe d'Arhoma avant de joindre, tout récemment, celle de Bertrand Bazin et Antonio Park. Ses principales qualités: recherche de la perfection, curiosité, immense besoin de comprendre les raisons du pourquoi et du comment, bonne gestion du stress.

Reste à concilier le tout, à faire en sorte que ses deux passions continuent de la combler. Pour l'instant, elle semble y être arrivée. Son métier de pâtissière l'autorise à mettre le cap sur un bac en musique. «Je veux aller aussi loin, et faire aussi bien, en pâtisserie qu'en musique», conclut-elle. À 22 ans, tout est possible. **D**

L'Atelier de Joël Robuchon, l'expérience ultime!

Incontournable! Impossible de ne pas y aller et même d'y résister. Il faut absolument s'offrir une soirée dans cet antre de la gastronomie qu'est L'Atelier de Joël Robuchon à Montréal

Par Thierry Debeur - Photos ©Debeur2017

Joël Robuchon, ce grand chef français de renommée internationale, le plus étoilé au monde, a posé ses pénates à Montréal, dans l'écrin naturel tout désigné qu'est le **Casino de Montréal,** sur l'île Notre-Dame. Le lieu, l'ambiance, le professionnalisme, le talent au plus haut niveau de la gastronomie font que Montréal peut s'enorgueillir d'un restaurant cinq étoiles «plus», une première au Québec.

Dès l'arrivée à **L'Atelier de Joël Robuchon,** on reçoit le choc d'un décor luxueux, pas ostentatoire, un décor convivial préparant à l'aventure gastronomique haut de gamme qui va suivre. L'harmonie entre le noir et le rouge, les lumières, les objets choisis, l'ambiance feutrée mais vivante prédisposent à l'émerveillement. On arrive dans un autre monde, un lieu spécial. Au centre d'un environnement chic et élégant, quelques tables laquées sombres de style japonais, mais tout de suite le regard est attiré par les rangées de sièges hauts, entourant une vaste cuisine ouverte. Là, sous la direction du chef **Éric Gonzalez,** un ballet de cuisiniers, pâtissiers et serveurs évolue selon une chorégraphie minutieuse où chacun connaît son chemin, les pas qu'il a à faire sans bousculer rien ni personne. Éric Gonzalez, maître de céans, est un chef précis, calme, pondéré et naturellement créatif. C'est tout un plaisir de le voir travailler avec une précision ciselée à la façon Robuchon. Son équipe est taillée dans le même moule. L'aboutissement, c'est la somptueuse assiette qui arrivera en douceur et avec délicatesse jusqu'à votre place, avec le verre de vin parfaitement adapté.

Tartare de saumon et caviar Kristal aux asperges vertes et mayonnaise de crustacés

Spaghetti au crabe, crème prise de crustacés, émulsion d'une bisque épicée, touche de caviar

Cochon Gaspor, la côte à basse température, l'épaule fondante, gratin de macaronis au comté, morilles, mousse de jambon

Salade de betterave à l'avocat, herbes fraîches, sorbet moutarde verte et wasabi

Foie gras au torchon de nos régions, abricots et cerises, saveur d'amande, pain toasté

Chaque assiette est montée comme une œuvre d'art. À l'aide d'une pince à épiler et de baguettes asiatiques, les cuisiniers construisent méthodiquement le mets en une véritable sculpture mangeable. Car, comme je le déclare: l'œil veut aussi sa part. Souvent, de petites feuilles d'or sont semées sur les aliments et donnent un reflet scintillant à la composition.

Tout est pensé, étudié, afin de faire de la soirée un événement gastronomique au souvenir inoubliable. Cette précision, presque chirurgicale, va jusqu'à la corbeille des merveilleux pains faits sur place par le pâtissier **Benjamin Oddo.** Il a suivi une formation complémentaire auprès d'un maître boulanger (imposé par le chef Robuchon) qui s'est rendu jusqu'à Montréal pour ce faire. Trop de détails et de raffinement? Non! Car c'est dans les détails qu'on reconnaît l'excellence.

L'objectif de cette aventure n'est pas de s'empiffrer avec des copains bruyants à la terrasse d'un bistro. Quoique cela m'est résolument très agréable et répond impérativement à des envies occasionnelles. Là non! C'est autre chose. Différent! On vient chercher ici un aboutissement du plaisir. Un nirvana de sensations gustatives et visuelles. C'est géant!

Le soir de notre passage, **Jean-Pierre Curtat,** le chef des chefs du Casino de Montréal et aussi directeur de L'Atelier de Joël Robuchon, allait de client en client pour raconter avec passion, comme à son habitude, l'expérience Robuchon. Plus qu'une expérience, c'est une philosophie que j'ai faite mienne très rapidement, je l'avoue. J'ai encore les yeux et le palais vibrants d'une sorte de plénitude du parcours sans faute que nous avons fait ce soir-là. Une sorte de satisfaction extrême des sens, qui frôle l'accoutumance, une drogue quoi!

Si vous pensez que je navigue dans un délire de plaisir incontrôlable et stimulant, allez y faire un tour et donnez-moi des nouvelles!

L'Atelier de Joël Robuchon ★★★★★+
1, avenue du Casino, Montréal
514-392-2781

Jean-Pierre Curtat
Chef des cuisines du Casino de Montréal et directeur de L'Atelier de Joël Robuchon

Éric Gonzalez
Chef de L'Atelier de Joël Robuchon

Benjamin Oddo
Chef pâtissier et boulanger

Jean-Michel Cartier
Maître d'hôtel et chef sommelier **D**

La fraise en harmonie de parfums, crème au yogourt et mélilot, coulis en surprise

L'ananas lentement confit à la citronnelle, sorbet pina colada, onctuosité au fromage

Jean-Pierre Curtat, chef des cuisines du Casino de Montréal et directeur de L'Atelier de Joël Robuchon et **Éric Gonzalez,** chef de L'Atelier de Joël Robuchon

Le Caribou (1999) de Charles Gaudelin
Sculpture en bronze - collection Loto-Québec

ÉVALUATION

10/20	★	: digne de mention.
12/20	★★	: bon.
14/20	★★★	: très bon.
16/20	★★★★	: excellent.
18/20	★★★★★	: haut de gamme.

[ER]: [en **É**valuation ou en **R**éévaluation]. Cette mention stipule que, soit l'établissement est trop récent, soit il a subi un changement lui valant une période probatoire (il sera donc évalué ou réévalué), soit les évaluateurs ont un doute.

Précisions

Chaque restaurant est évalué selon sa catégorie culinaire et son type de cuisine. Un trois étoiles cuisine française ne sera pas comparé à un trois étoiles cuisine italienne. Chaque catégorie a ses critères et concepts gastronomiques qui ne peuvent s'appliquer à tous les genres de cuisine. Les évaluateurs se basent sur des critères précis qui sont, par ordre d'importance, la cuisine, le service, le décor et l'ambiance.

Spécialités

Les mets que nous publions dans les spécialités y sont à titre indicatif, pour fournir une couleur culinaire, une idée de ce que les restaurants peuvent offrir. Il est évident que la plupart ne vont pas conserver le même menu toute l'année, sauf peut-être certains de ses classiques.

Qualité de l'information

Nos listes de restaurants et de boutiques sont mises à jour chaque année et modifiées en cas de changement notable. Les commentaires sont traités de la même façon. Cet ouvrage est avant tout un guide et non un annuaire exhaustif... Notre choix est délibéré et arbitraire, mais il se veut représentatif de la gastronomie au Québec. Enfin, tous les articles sont nouveaux afin de vous offrir une information actualisée.

Les informations contenues dans cet ouvrage ont été vérifiées avec grand soin et sont données à titre indicatif. Elles n'ont aucune valeur contractuelle et n'engagent ni leur auteur, ni l'éditeur, ni les personnes intéressées. Elles font partie de notre contenu rédactionnel et doivent être considérées comme un service à nos lecteurs, non comme de la publicité. **Aucun établissement n'a payé pour y figurer.** Le choix est à notre seule discrétion.

Politique d'évaluation

Tous les restaurants sont visités incognito. On réserve sous un faux nom, on déguste, on paye notre addition et on s'en va. C'est la seule façon valable, selon nous, de vous rapporter les expériences gastronomiques de façon honnête, objective et impartiale.

Nos évaluations sont TOUJOURS faites sur place, mais les renseignements complémentaires dont nous avons besoin sont obtenus par téléphone. Le restaurateur, qui n'a jamais été au courant de notre visite chez lui, peut se méprendre et penser que notre évaluation sera basée sur cet appel. Inconcevable! Pis encore lors de la mise à jour annuelle, juste avant de mettre sous presse: nos recherchistes appellent tous les restaurants pour vérifier certains points qui n'ont rien à voir avec nos évaluations ou nos commentaires. Ce travail indispensable à la bonne qualité de l'information est encore confondu avec celui de nos journalistes. Pourtant, nos factures sont la preuve de nos visites.

Enfin, les évaluations figurant sur cette liste sont subjectives et reflètent les opinions de nos journalistes gastronomiques. Au lecteur maintenant de faire sa propre expérience, de se forger une opinion.

Abréviations des prix

Prix: T.H. = **T**able d'**H**ôte **- C.** = **C**arte (moyenne de prix pour une entrée, un plat principal et un dessert, du moins cher au plus cher) - **F.** = **F**orfait (table d'hôte à laquelle il manque un plat)

Coups de cœur

Ce sont les établissements qui ont fait l'objet d'un coup de cœur des journalistes du **Debeur**

Restaurants avec sommelier

Le symbole de la grappe indique les restaurants qui ont un sommelier professionnel accrédité par l'**Association canadienne des sommeliers professionnels (ACSP)**

La bouteille

Cette bouteille indique qu'il s'agit d'un établissement où on peut apporter son vin, sa bière ou son cidre.
En Ontario, certains restaurants chargent malgré tout un droit de bouchon.

Restaurants de Montréal

AVIS

Il arrive que des établissements utilisent les heures habituelles d'ouverture pour recevoir des groupes. Il y en a d'autres aussi qui ferment avant l'heure indiquée s'il n'y a pas de client. Nous conseillons donc aux lecteurs de toujours vérifier si un restaurant est ouvert, en téléphonant avant de s'y rendre.

AFRICAIN

GRACIA AFRIKA ★★★

3506, rue Notre-Dame O., Mtl
Tél.: 514-713-1061 et 514-357-6699
www.graciaafrika.com

SPÉCIALITÉS: Cocktail de mangue. Mwambé, poulet sauce au beurre d'arachide. Cabri, viande de chèvre cuite, sauce aux épices africaines, le luba luba. Grillot des îles, cubes de viande de porc marinés, grillés (très épicés). Lambi: fruit de mer aphrodisiaque. Loboke Ngolo, poissons chats frais, sauce piquante.
PRIX Midi: (fermé)
Soir: C. 39$ à 44$
OUVERT le soir, du mar. au sam. Fermé dim. et lun.
NOTE: Plats à emporter. Service de traiteur.
COMMENTAIRE: La propriétaire, Bibi Ntumba, fait la cuisine avec des équipements improbables, un poêle et un réfrigérateur maison, tandis qu'un membre de sa famille s'occupe du service. Quelquefois, elle vient elle-même vous porter ses plats. Elle en profite alors pour vous parler, entre autres de sa culture et sa cuisine africaine. Originaire de Kinshasa, la capitale congolaise, elle propose des mets africains et créoles. Que c'est bon! Tout comme sa cuisine, la salle à manger n'est pas très grande. Cependant c'est chaleureux, un peu serré, mais on ne s'en plaindra pas tant nous avons aimé. Ici pas de chichi, tout est dans le goût et dans la bonne humeur. Petit dépaysement africain en plus.

ALGÉRIEN

AU TAROT ★★★

500, rue Marie-Anne E., Mtl
Tél.: 514-849-6860
www.restaurantautarot.ca

SPÉCIALITÉS: Pastilla (poulet, pigeon, pâte feuilletée). Couscous royal (agneau, merguez, poulet). Couscous à la souris d'agneau. Tajines (de canard au miel et épices, d'agneau aux pruneaux, de pintade aux abricots ou de poulet au citron). Gâteau au miel. Baklava. Pâte d'amande.
PRIX Midi: (fermé)
Soir: C. 23$ à 54$ T.H. 35$
OUVERT le soir, 7 jours.
NOTE: Couscous sans gluten ou couscous d'épeautre. Pâtisseries orientales. Service de traiteur. Valet de stationnement. Service de livraison. Musique orientale. Ouvert depuis 1981.
COMMENTAIRE: Nourédine Kara, le propriétaire, vous accueille dans son coin de pays, l'Algérie, pays d'Afrique du Nord bordant la mer Méditerranée. Au son d'une musique d'ambiance adéquate, Nourédine dépose tranquillement, un à un, les différents plats composant les fameux couscous de son pays. Les portions sont réellement généreuses et les cuissons justes. Le décor est sans prétention, mais confortable. On s'y sent bien. Le thé à la menthe est servi dans la plus pure tradition.

LES RITES BERBÈRES ★★

4697, rue de Bullion, Mtl
Tél.: 514-844-7863

SPÉCIALITÉS BERBÈRES: Assortiment d'entrées. Chekchouka. Shorba. Merguez faites maison. 10 sortes de couscous. Méchoui. Brochettes d'agneau. Baklava maison. Assortiment de desserts maison. Thé à la menthe.
PRIX Midi: (fermé)
Soir: C. 29$ à 40$
OUVERT le soir, du mar. au dim. Fermé lun.
COMMENTAIRE: C'est le propriétaire qui fait la cuisine. L'assiette est bonne dans l'ensem-

ble, mais le service manque d'attention. Il est lent et quelquefois désabusé. Musique berbère.

ARGENTIN

LA LAVANDERIA [ER]

340, av. Victoria, Westmount
Tél.: 514 303-4123
www.lavanderiaresto.com
SPÉCIALITÉS: Pupusa de pato, tortilla farcie de canard frit, œuf de cane miroir, curtido, sauce tomatillo. Pieuvre grillée, pommes de terre, céleri, sauce huancaina, olives. Chorizo, ragoût de lentilles. Côtes levées rôties. Contre-filet Black Angus. Frites de yuca sauce à l'ail. Tarte au sucre, pacanes givrées à l'érable.
PRIX Midi:
Soir: C. 31$ à 54$
OUVERT le midi, du mar. au ven. Le soir, du mar. au dim. Brunch sam. et dim.
NOTE: Jeudi soir, tapas 5 à 7, bière ou vin, 15$. Parillada completa (variété de grillades et de légumes rôtis, salade et sauce chimichurri, salsa rojo et criolla) 50$/pers. Bœuf kobé au poids.
COMMENTAIRE: Après le Park, le chef Antonio Park est en train de rouvrir son restaurant de fine cuisine argentine. Celui-ci devrait être partagé en deux cuisines distinctes: d'un côté on grillera les protéines animales, de l'autre on apprêtera tout ce qui est végétal. La passion pour cette cuisine lui est venue de son enfance passée en Amérique du Sud; son père préparait la parrillada (des viandes et poissons grillés) dans la cour de son usine du type lavanderia. [NDLR: Au moment de mettre sous presse, La Lavanderia n'est pas encore ouverte. Afin de vous informer de son existence, nous avons basé cette description d'après son site internet. Il est actuellement en évaluation et ne bénéficie donc d'aucun commentaire de l'équipe Debeur].

L'ATELIER D'ARGENTINE ★★★

1458, rue Crescent, Mtl
Tél.: 514-439-8383
www.atelierargentine.com
SPÉCIALITÉS: Empenadas et panqueques. Viande grillée à la parilla, chimichurri et salsa criolla. Raviolis à l'agneau braisé. Beignets chauds. Crème renversée à la vanille, au caramel et à la noix de coco. Compotée de poires.
PRIX Midi: T.H. 16$ à 24$
Soir: C. 41$ à 75$
OUVERT le midi et le soir, 7 jours.
NOTE: Paradilla complète, short ribs, onglet, contre-filet, saucisse argentine, boudin noir, 120$/2 pers. Tous les jours, 5 à 8, cocktails 6$. DJ du jeu. au sam. soir. La plus grande carte de vins argentins au Canada, 150 références.
COMMENTAIRE: Grande salle à manger qui gravite autour d'un bar central situé sous un puits de lumière. Une décoration moderne faite de métal et de bois dans un style qui rappelle un peu les entrepôts des années 1930, mais en plus chic. Le service est diligent et d'une extrême gentillesse. Certains devraient peut-être apprendre le français. L'assiette est toujours dans l'esprit du premier restaurant L'Atelier d'Argentine, autrefois situé dans le Vieux-Montréal, avec cependant un peu moins de recherche dans la présentation des assiettes. Mais le goût est là, surtout pour l'amateur de viande rouge. Selon la tradition culinaire argentine, on propose ici des viandes cuites sur la grille.

ASIATIQUE

CÔ BA ★★★★

1124, av. Laurier O., Outremont
Tél.: 514-908-1889
www.restaurantcoba.com
SPÉCIALITÉS: Salade mesclun et mangue. Homard Rockefeller. Thon tataki. Rouleau au homard. Nouilles pad thaï au poulet et aux crevettes. Rouleau Cô Ba: fraise, mangue, pétoncle épicé et crevette tempura. Millefeuille. Explosion, chocolat frit et crème glacée.
PRIX Midi: (fermé)
Soir: C. 28$ à 55$ T.H. 27$ à 35$
OUVERT le soir, du mar. au dim. Fermé lun.
NOTE: Bar à sushis. Menu 6 serv. pour deux, 90$ à 100$. Fenêtres coulissantes en été. Plats à emporter et livraison.
COMMENTAIRE: Une très bonne cuisine vietnamienne, savoureuse, avec un léger mélange de mets thaï et japonais. Il y a aussi un bar à sushis. Les très belles présentations sont un réel plaisir pour les yeux. Formule «apportez votre vin». Thé vert excellent, parfumé au jasmin et joliment présenté. Très beau salon privé avec tatami pour environ 14 personnes. Service professionnel et très courtois.

MISO ★★★[ER]

4000, rue Sainte-Catherine O., Mtl
Tél.: 514-908-6476
www.restaurantmiso.com
SPÉCIALITÉS CUISINE FUSION ASIATIQUE: Huîtres fraîches avec sauce ponzu gingembre. Suki Yaki. Sashimi de thon blanc poêlé aux épices japonaises, vinaigrette au yuzu sunomono. Sake no takaki, saumon grillé cajun, sauce wasabi. Soufflé au chocolat, nougat glacé, crème glacée tempura.
PRIX Midi: F. 12$ à 25$
Soir: C. 29$ à 55$ T.H. 32$ à 45$
OUVERT le midi, du lun. au ven. Le soir, 7 jours.
COMMENTAIRE: Restaurant au concept fusion asiatique et sushi-bar. Vaste sélection de plats du Japon et asiatiques. Cuisine de qualité naviguant entre le classicisme et l'innovation.

SOY ★★★★
5258, bd Saint-Laurent, Mtl
Tél.: 514-499-9399
www.restaurantsoy.com
SPÉCIALITÉS: Morue à la vapeur, fenouil avec graines de soya sucrées. Poulet à la balinaise aux arachides. Dumplings de porc. Panna cotta de thé vert.
PRIX Midi: T.H. 14$ à 18$
Soir: C. 17$ à 32$
OUVERT le midi, du lun. au ven. Le soir, du mer. au sam. Fermé dim.
NOTE: Dumplings frais du jour. Carte des vins. Service de traiteur.
COMMENTAIRE: Le restaurant est presque toujours plein. La cuisine de Suzanne Liu est toujours savoureuse et l'accueil est très sympathique. Les plats sont merveilleusement pensés. Subtil équilibre entre tradition et modernité.

CAJUN

LA LOUISIANE ★★
5850, rue Sherbrooke O., Mtl
Tél.: 514-369-3073
www.lalouisiane.ca
SPÉCIALITÉS: Crevettes à la créole. Galettes de crabe, mayonnaise créole. Alligator, frites, mayonnaise aux câpres. Jambalaya de crevettes et poulet. Poisson noirci. Entrecôte cajun Louisiane. Côte de bœuf dinosaure fumée. Tarte aux pacanes, aux deux chocolats.
PRIX Midi: (fermé)
Soir: C. 23$ à 51$ F. 24$ à 32$
OUVERT le soir, du mar. au dim. Fermé lun.
COMMENTAIRE: Décor assez typique, disparate. Une salle à manger divisée en deux, une moitié est occupée par un mobilier genre bistro et l'autre par la cuisine, où l'on peut voir les cuisiniers faire cuire, flamber, crépiter et concocter des mets furieusement bons et épicés. Musique jazz et blues.

CANADIEN

BAR GEORGE ★★★
Hôtel Mount Stephen
1440, rue Drummond,
Tél.: 514-669-9243
www.bargeorge.ca/fr/
SPÉCIALITÉS: Gravlax de poisson, hareng mariné. Bœuf Wellington, duxelles de champignons, carottes rôties, sauce au poivre vert. Pouding au whisky Glen Breton.
PRIX Midi: F. 7$ à 28$
Soir: C. 40$ à 81$
OUVERT le midi et le soir, 7 jours. Brunch sam. et dim.
COMMENTAIRE: Le Mount Stephen Club revampé devient Hôtel Mount Stephen, un hôtel de luxe ainsi que le Bar George, un restaurant qui valorise la cuisine anglaise revisitée. Construit entre 1880 et 1883, à lui seul, le décor de cet édifice vaut le déplacement. Un travail d'ébénisterie exceptionnel, surtout la cheminée en marqueterie de bois rares. L'assiette est bonne tout comme le service qui est feutré et compétent. Outre la terrasse l'été, il y a deux salles pour y manger: le bar, immense, ovale, lumineux, agréable. Tout le contraire de la petite salle triste où nous avons mangé. À revoir!

CHINOIS

AVIS

Dans les restaurants végétariens des pays d'Asie tels que la Thaïlande, la Chine, la Malaisie, tous les plats portant les appellations de viandes, de poissons et de fruits de mer sont strictement faits à base de produits végétaux. Les chefs utilisent les ingrédients (légumes, soja, seitan, farine de gluten et autres produits végétaux) qu'ils manipulent afin de leur donner les formes, les textures et les saveurs rappelant la viande, le poisson et les fruits de mer.

CHEZ CHINE ★★[ER]
Holiday Inn
99, av. Viger O., Mtl
Tél.: 514-878-4049
www.holidayinnmontrealcentreville.com
SPÉCIALITÉS CANTONAISES, MANDARINES et CONTINENTALES: Variété de dimsums maison. Crevettes au chili et noix glacées au miel. Poisson entier cuit à la vapeur. Homard sauté au gingembre, oignons verts. Canard laqué à la pékinoise.
PRIX Midi: Dimsum 14$ C. 23$ à 35$
Soir: C. 26$ à 53$ T.H. 26$ à 32$
OUVERT le midi, 7 jours. Le soir, du mer. au sam.
NOTE: Réserv. conseillée. Buffet au petit déjeuner. Dimsum 7 jours, le midi. Canard laqué, 2 serv. Menu régional d'Asie soir 4 serv. Environnement Feng Shui.
COMMENTAIRE: Le restaurant est installé dans le quartier chinois, en face du Palais des congrès. Très beau décor chinois, typique et élégant, avec pagode, petit ruisseau et bassin animés de poissons vivants dans l'hôtel. Cuisine cantonaise authentique mais on y offre également une cuisine continentale.

CUISINE SZECHUAN ★★★
2350, rue Guy, Mtl
Tél.: 514-933-5041
www.cuisineszechuanmenu.ca
SPÉCIALITÉS: Aubergines croustillantes. Calmar croustillant épicé. Fleur de Tobu et tranches de poisson à la szechuan. Filet de poisson pané et légumes assortis, sauce épicée. Poulet au poivre sichuanais avec épinards. Bœuf ou poulet au cumin. Dumplings épicés.

PRIX Midi: F. 12$
Soir: F. 12$ à 37$
OUVERT le midi et le soir, 7 jours.
NOTE: Bière et saké. Plats à emporter. Livraison.
COMMENTAIRE: La propriétaire de ce restaurant est sichuanaise. Elle propose une cuisine, épicée et savoureuse, authentique et sans compromis de cette région très montagneuse et difficile d'accès du centre-ouest de la Chine. La cuisine sichuanaise est réputée pour son goût relevé et épicé. C'est une des huit grandes cuisines régionales de la Chine. Sichuan signifie les « Quatre Rivières » et se compose de quatre styles de cuisine qui se distinguent par leur localisation: Chengdu, Chongqing, la grande rivière Yangtze et la rivière Jialing.

JARDIN DE JADE-POON KAI ★★★
67, la Gauchetière O., Mtl
Tél.: 514-866-3127
SPÉCIALITÉS SICHUANNAISES:
Buffet tous les jours (une centaine de plats, dimsums).
PRIX Midi: F. 13$
Soir: F. 15$ à 16$
OUVERT le midi et le soir, 7 jours.
NOTE: Prix buffet la fin de semaine 12,75$.
COMMENTAIRE: Un buffet qui offre le choix d'une centaine de plats. Tout est frais et savoureux. Dépaysement assuré.

L'ORCHIDÉE DE CHINE ★★★★★
2017, rue Peel, Mtl
Tél.: 514-287-1878
SPÉCIALITÉS: Crevettes géantes sautées à la sauce piquante. Filet de poisson au gingembre. Côtes levées à l'ail. Bœuf à l'orange. Canard croustillant dans une crêpe chinoise. Poulet tranché au poivre sichuanais et épinards croustillants. Bœuf sauté sauce piquante à l'ail.
PRIX Midi: T.H. 18$ à 26$
Soir: C. 25$ à 52$
OUVERT le midi, du lun. au ven. Le soir, 7 jours.
NOTE: Ouvert depuis 1984.
COMMENTAIRE: Le cadre est élégant, le service cordial. Cuisine chinoise dans la tradition de New York. L'un des meilleurs restaurants chinois en ville. Vraiment excellent!

SZÉCHUAN ★★★★[ER]
400, Notre-Dame O., Mtl
Tél.: 514-844-4456
SPÉCIALITÉS 80% SICHUANAISES type New York, 20% HUNANAISES: Crevettes géantes, sauce au miel. Crevettes à la Sichuan. Bœuf au parfum d'orange ou au poivre noir. Languettes de porc sauce à l'ail. Poulet général Tao.
PRIX Midi: T.H. 16$
Soir: C. 25$ à 49$ T.H. 18$
OUVERT le midi, du lun. au ven. Le soir, du lun. au sam. Fermé dim.
COMMENTAIRE: Cet établissement du Vieux-Montréal offre une cuisine sichuanaise et hunanaise dans la tradition de New York. Toujours égal. Un des plus anciens restaurants sichuanais en ville.

TONG POR ★★★
12242, bd Laurentien, Ville Saint-Laurent
Tél.: 514-393-9975
SPÉCIALITÉS 50% CANTONAISES, 30% THAÏLANDAISES ET 20% VIETNAMIENNES: Dimsums. Poulet épicé à la citronnelle. Salade thaïlandaise de homard. Fruits de mer sel et poivre. Poisson à la vapeur sauce aux fèves noires.
PRIX Midi: C. 13$ à 35$
Soir: Idem
OUVERT le midi et le soir, 7 jours.
COMMENTAIRE: Ce restaurant sert une variété de bons mets chinois, thaïlandais, vietnamiens et d'excellents dimsums. Variété accrue sam. et dim.

YUAN ★★★
2115, rue Saint-Denis, Mtl
Tél.: 514-848-0513
www.yuanvegetarien.com
SPÉCIALITÉS VÉGÉTARIENNES: Végé poisson au citron. Végé fruits de mer croustillants au sel et poivre. Champignons shiitake au sésame. Bouillon d'aubergine et tofu japonais. Combo maki et sushi. Poulet général Tao, riz blanc ou brun. Assiette variée de végé viande à la mode Yuan.
PRIX Midi: T.H. 18$
Soir: C. 20$ à 30$ T.H. 18$
OUVERT le midi et le soir, du mar. au dim. Brunch sam. et dim. Fermé lun.
NOTE: Buffet midi 10$. Buffet «Autant que vous pouvez en manger» mar. à jeu. soir 20$, ven. à dim. 22$. Plats végétariens congelés à emporter. Boutique de produits végétariens.
COMMENTAIRE: Le premier restaurant de cuisine végétarienne taïwanaise à Montréal. Ici, le propriétaire et les employés sont tous végétariens. Les produits végétariens sont importés de Taïwan au goût et sous forme de poisson, de viande, etc. On peut se les procurer à la boutique dans la cour intérieure.

CONTINENTAL

BARROCO ★★★★
312, rue Saint-Paul O., Mtl
Tél.: 514-544-5800
www.barroco.ca
SPÉCIALITÉS: Panzanella et calmars frits. Basse côte de bœuf. Paella Barroco. Gâteau au fromage de chèvre et lime.
PRIX Midi: (fermé)
Soir: C. 46$ à 88$
OUVERT le soir, 7 jours.
NOTE: Huîtres fraîches en saison.
COMMENTAIRE: Une salle à manger qui rappelle un peu les maisons de poupée, cosy

et confortable, un service attentif, accueillant et compétent, tout laisse présager une agréable expérience culinaire. Carte de style bistro qui propose de solides classiques de la cuisine française, revus et corrigés façon nord-américaine. Portions généreuses et joliment présentées. Un restaurant d'ambiance où l'on aime se ressourcer et retourner.

BOUILLON BILK ★★★★

1595, bd Saint-Laurent, Mtl
Tél.: 514-845-1595
www.bouillonbilk.com
SPÉCIALITÉS: Amachi avec yuzu kosho, pamplemousse, fenouil, concombre. Pétoncles, chou-fleur, shiitake, poire, cresson, beurre noisette. Arlette avec chocolat, caramel, crème sure et fèves tonka.
PRIX Midi: C. 31$ à 43$
Soir: Menu 56$ à 70$
OUVERT le midi, du lun. au ven. Le soir, 7 jours.
NOTE: Près du Quartier des spectacles. Soir, menu dégustation 5 serv. 70$, + 50$ avec accord des vins; 8 serv. 90$, + 75$ avec accord des vins. Cuisine en suivant les saisons.
COMMENTAIRE: Enfin des tables nappées de blanc. Ras le bol des tables style cafétéria. Quoiqu'ici on peut avoir les deux. Mais c'est la classe dans les deux cas. Ambiance agréable, chaleureuse et courtoise. On y sert une cuisine brillante, fraîche et harmonieuse. Beaucoup de plaisir. Situé près du Quartier des spectacles; on peut aussi y aller avant les représentations. Un endroit où l'on aime retourner.

CHEZ DELMO ★★★

275, Notre-Dame O., Vieux-Mtl
Tél.: 514-288-4288
www.chezdelmo.com
SPÉCIALITÉS: Homard Thermidor ou Newburg. Sole de Douvres meunière ou walleska (sauce aux écrevisses et homard). Filet frais de doré amandine. Carré d'agneau de Kamouraska, pommes de terre rattes, champignons, haricots verts. Fish and chips. Fondant chocolat. Pouding chômeur.
PRIX Midi: F. 26$
Soir: C. 50$ à 90$
OUVERT le midi, du lun. au ven. Le soir, du lun. au sam. Fermé dim.
NOTE: Huîtres en spécial au bar jeu. soir. Carte de vins et champagnes. Valet stationnement, soir 15$. Ouvert depuis 1934.
COMMENTAIRE: Le service est charmant et bien fait, répondant à nos attentes. L'assiette est très bonne, mais on pourrait faire un gros effort pour ce qui est des présentations.

CHEZ MA GROSSE TRUIE CHÉRIE ★★★[ER]

1801, rue Ontario E., Mtl
Tél.: 514-522-8784
www.chezmagrossetruiecherie.com
SPÉCIALITÉS: Plateau de cochonnailles artisanales: saucisson sec à l'ail et au fromage de chèvre, jambon cru fumé maison, terrine maison aux pistaches, fromage de tête et ses condiments. Cochonne à s'en lécher les doigts (côte levée fumée, frites au parmesan, salade de céleri et betterave à l'huile de thym et citron). Palette du glacier maison, 5 saveurs.
PRIX Midi: (fermé)
Soir: C. 34$ à 70$ F. 29$ à 39$
OUVERT le soir, du mar. au sam. Fermé dim. et lun.
NOTE: Méga tout cochon à partager 35$/pers. Vins d'importation privée. Vins et bières du Québec. Sorbet maison. Huîtres à 1$ jeu. soir. Longue table, 14 à 20 pers. pour groupe. Fumoir maison. Mobilier recyclé. Stationnement gratuit (80 voitures).
COMMENTAIRE: Décor de taverne très tendance avec quelques trouvailles et une bonne ambiance. La terrasse, moderne et sympathique, possède un espace couvert. On y sert une cuisine savoureuse, solide et copieuse. On recommande les viandes. La carte des vins comporte des vins du Québec. Le service laisse quelquefois à désirer. Nouvelle direction, à revoir.

GIBBY'S ★★

298, pl. d'Youville, Vieux-Mtl
Tél.: 514-282-1837
www.gibbys.com
SPÉCIALITÉS: Gâteau de crabe. Entrecôte grillée (22 oz), pommes de terre, salade maison avec asperges. Huîtres Rockefeller. Homard hardshell de Nouvelle-Écosse (2 lb). Filet mignon, pommes de terre, salade maison. Croûte aux pommes chaudes, crème glacée maison.
PRIX Midi: (fermé)
Soir: C. 45$ à 99$
OUVERT le soir, 7 jours.
NOTE: Situé dans une bâtisse historique du Vieux-Montréal ayant plus de 250 ans. Personnel en habit traditionnel. Grand choix de vins. Terrasse pour l'apéritif dans une cour intérieure. Service de valet gratuit.
COMMENTAIRE: Très orientée vers les cars de touristes, la cuisine ne semble pas vouloir faire de gros efforts pour suivre l'évolution de la cuisine au Québec. Service aimable. Ambiance d'antan.

LA CHAMPAGNERIE ★★★

343, rue Saint-Paul E., Vieux-Mtl
Tél.: 514-903-9343
www.lachampagnerie.ca
SPÉCIALITÉS: Burrata de Puglia, pain de maïs, champignons, foie gras au torchon, caramel de figues, noix. Saisi de filet mignon, miso, nori tempura, concombre rapé, oignons pickles, amandes fraîches, ail des bois.
PRIX Midi: (fermé)
Soir: C. 45$ à 67$
OUVERT le soir, du mar. au dim. Fermé lun.
NOTE: Bar à sabrage ouvert jusqu'à 3h du mat. Mer. à sam. DJ à partir de 18h. Menu

NOUVEAU LOOK.
VIEUX AMIS.

REHAUSSEZ LE QUOTIDIEN.

La modération a bien meilleur goût.
Éduc'alcool

LA CRÊPERIE DU VIEUX BELOEIL

940, Richelieu
BELOEIL QUÉBEC
450-464-1726

"Dès l'entrée, une bonne odeur de froment vient vous caresser les narines. Au milieu de l'établissement, l'une des crêpières s'affaire à étaler d'immenses crêpes, qu'elle replie sur une garniture copieuse. La grande plaque de fonte noire fume doucement, tandis que la crêpe fraîchement cuite craque sous le pliage. Vous pouvez le voir, c'est fait devant vous."

"L'espace est attrayant et les crêpes sont toujours délicieuses et généreuses. On aimerait toutes les essayer, mais après une ou deux, il ne nous reste plus que la gourmandise tant on est rassasié. Un délice dont nos papilles gustatives frémissent encore. C'est d'ailleurs, avec la gentillesse du service, ce qui a fait leur succès."

- ❏ Crêpe aux asperges, jambon et fromage
- ❏ Spéciale saumon fumé
- ❏ Crêpe aux fruits de mer
- ❏ Crêpe framboises et bananes avec crème pâtissière

★★★★ Guide Debeur

dégustation. Cocktail dînatoire. Événements corporatifs. Mer. bulles au verre à moitié prix, plateau de bouchées, spécial sur une bouteille choisie par la sommelière. Jeu. bar à cru, prix spéciaux sur fruits de mer. Menu à l'aveuglette pour groupe.
COMMENTAIRE: L'endroit où aller boire un verre de bulles. Avec les conseils du personnel, on y sabre soi même les vins mousseux et même le champagne, sans frais additionnel. Ce côté festif est un original prélude à un bon moment entre amis. Une assiette conviviale, elle aussi, et goûteuse de surcroît. Situé en face du marché Bonsecours; stationnement payant sur les terrains à proximité et même dans le Vieux-Port, au quai de l'Horloge. L'un de nos collaborateurs, Guénaël Revel, dit «Monsieur bulles», y donne parfois des soirées commentées.

LE HACHOIR ★★★[ER]

4177, rue Saint-Denis, Mtl
Tél.: 514-903-1331
www.restauranthachoir.ca
SPÉCIALITÉS: Burger Montignac. Trio de tartares (saumon, thon, bœuf). Bavette (8 oz), onglet (9 oz), contre-filet (10 oz). Black Angus «1855» grillé, sauce poivre ou chimichurri et pommes de terre aligot. Verrine de gâteau au fromage.
PRIX Midi: T.H. 10$ à 22$
Soir: C. 38$ à 64$
OUVERT le midi, du mar. au dim. Le soir, 7 jours.
NOTE: Tout est haché en cuisine. À 98%, tout est fait maison. Sélection de vins, 80 étiquettes.
COMMENTAIRE: Un restaurant style bistro sympathique et sans prétention. Décor convivial et serré qui favorise des échanges amicaux. Bonne ambiance. En vedette, ce sont les multiples tartares et les hamburgers, mais aussi les fameux steaks. Tout est haché en cuisine. Tout est fait maison. C'est simple et c'est très bon. Quant au service, il est vraiment convivial et rapide. Ici, on s'amuse à faire plaisir! Même propriétaire que le Grinder.

LE PIER 66 ★★★[ER]

361, rue Bernard O., Mtl
Tél.: 514-903-6696
www.lepier66.com
SPÉCIALITÉS: Thon albacore confit au citron. Pavé de saumon fumé façon pastrami, salsifis, bacon double fumé, câpres et crème fraîche. Pétoncles et ris de veau, têtes de violon, pois de mer sauvages.
PRIX Midi: (fermé)
Soir: C. 38$ à 62$ T.H. 25$ avant 18h et après 21h
OUVERT le soir, du mar. au sam. Fermé dim. et lun.
NOTE: Comptoir de produits frais et de plats à emporter (salade de pieuvre, poisson fumé, gravlax, etc.). Assiette de poissons fumés maison ou plateau de coquillages, après théâtre.
COMMENTAIRE: Ce restaurant du Mile-End est spécialisé en poissons et fruits de mer. Un thème très adapté à un «Quai» (Pier)... de pêcheurs. Ambiance bistro décontractée, avec une pointe d'élégance, on s'y sent bien. La carte est savoureuse et le choix de vins bien adapté. Les mets sont souvent de véritables tableaux dans l'assiette, les saveurs sont là et c'est très bon. Les desserts sont annoncés verbalement. Nous avons passé une excellente soirée et nous y retournerons, c'est sûr.

LE VIN PAPILLON ★★ (bistro)

2519, rue Notre-Dame O., Mtl
Tél.: 514-439-6494
www.vinpapillon.com
SPÉCIALITÉS: Oeuf mimosa à l'espagnole. Jambon de Petite Bourgogne. Champignons farcis. Chou-fleur à la rôtisserie. Esturgeon boucané avec gnocchis frittis. Éclair de carottes fumées. Tarte au fromage blanc.
PRIX Midi: (fermé)
Soir: C. 10$ à 24$
OUVERT le soir, du mar. au sam. Fermé dim. et lun.
COMMENTAIRE: Ici, pas de téléphone, on ne réserve pas. Impossible donc de savoir si c'est ouvert ou bien s'il y a de la place. Il faudra se rendre en personne dans ce restaurant à la cuisine ouverte. Si vous vous êtes dérangé pour rien, eh bien... tant pis pour vous! À part cela, voici un petit bar à vin très sympathique qui offre une cuisine savoureuse et conviviale, mais surtout, qui propose une carte des vins imposante et recherchée. Une belle expérience!

L'Ô ★★★

Hôtel Novotel
1180, de la Montagne, Mtl
Tél.: 514-871-2151 Hôtel: 514-861-6000
www.restaurantlo.com
SPÉCIALITÉS: Tataki de thon, croûte de sésame, nouilles de riz et julienne de légumes. Fettuccine, crevettes et chorizo, salade roquette et copeaux de parmesan. Demi-poulet de Cornouailles façon portuguaise. Soufflé glacé dulce de leche. Tarte fine aux pommes, glace à la vanille française.
PRIX Midi: T.H. 22$
Soir: C. 38$ à 57$
OUVERT le midi et le soir, 7 jours.
NOTE: Terrasse de style lounge avec bar et sofas. Sélection de 20 vins au verre et d'importation privée. Brunch fête des Mères, des Pères, Pâques et sur réservation. Buffet déjeuner à partir de 6h, gratuit pour les enfants.
COMMENTAIRE: Une cuisine de simplicité et de fraîcheur. Service très courtois et plein de bonne volonté. Décor moderne où la symbolique de l'eau, du feu et de la terre est représentée. Il a été créé par l'un des décorateurs du célèbre Hôtel Georges V, à Paris.

MAESTRO S.V.P. ★★★
3615, bd Saint-Laurent, Mtl
Tél.: 514-842-6447
www.maestrosvp.com
SPÉCIALITÉS: Huîtres fraîches. Assiette de fruits de mer (bruschetta, palourdes, satay de crevettes, crabe des neiges, moules vapeur, calmars, demi-homard, crevettes à la noix de coco). Tartare de thon. Moules marinières, frites maison. Crème brûlée.
PRIX Midi: (fermé)
Soir: C. 31$ à 85$
OUVERT le soir, 7 jours.
NOTE: Moules à volonté dim. et lun. Mar. à jeu. tapas de fruits de mer, 3$ à 9$. Bar d'huîtres fraîches, à l'année, provenant du monde entier. Poissons variés frais tous les jours. Crabe royal 160$.
COMMENTAIRE: Un des rares restaurants à servir essentiellement des fruits de mer et des poissons. L'assiette est copieuse et bien présentée. Le décor emprunte un style bistro moderne. Menus sur ardoise. L'atmosphère devient conviviale quand le service y contribue.

MÉCHANT BOEUF ★★★[ER]
124, rue Saint-Paul O., Vieux-Mtl
Tél.: 514-788-4020
www.mechantboeuf.com
SPÉCIALITÉS: Carpaccio de cerf. Côtes levées braisées au sirop d'érable et Jack Daniel's. Poulet entier sur canette de bière. Méchant burger, bacon, fromage bleu, gruyère et oignons caramélisés. Filet mignon, purée de pommes de terre maison. Brownie au chocolat.
PRIX Midi: (fermé)
Soir: C. 38$ à 70$
OUVERT le soir, 7 jours.
NOTE: Huîtres. Côte de bœuf à partager. Duo de chansonniers mar. et mer. soir., D.J. jeu. à sam.
COMMENTAIRE: L'assiette est excellente, généreuse et agréablement présentée. On propose un choix de mets traditionnels de brasserie faite de produits frais de qualité. C'est vraiment très bien, bon et copieux. Décor confortable, moitié bistro, moitié discothèque, avec un immense comptoir de bar sur un côté. A encore changé de proprio et de chef. Dur à suivre...

MOISHES ★★★
3961, bd Saint-Laurent, Mtl
Tél.: 514-845-3509
www.moishes.ca
SPÉCIALITÉS: Carpaccio, filet mignon vieilli à sec 45 jours. Faux-filet sur charbon de bois. Morue noire de l'Alaska cuite au charbon, huile et citron. Poulet spécial Moishes. Pommes de terre Monte-Carlo (beurre, ciboulette, paprika).
PRIX Midi: (fermé)
Soir: C. 70$ à 97$
OUVERT le soir, 7 jours.
NOTE: Mer. à sam., 21h à minuit, T.H. 25$. Stationnement gratuit. Viande vieillie à sec 45 jours min. 85$ à 160$.
COMMENTAIRE: Ce restaurant est une institution à Montréal, c'est la place pour manger de la viande grillée depuis 1938. Il s'était taillé une réputation en servant de la viande vieillie. Cette méthode revenant à la mode, Moishe's, grand spécialiste du bifteck, revient à ses premières amours. Il sert aujourd'hui, une viande vieillie à sec 45 jours minimum, sans hormones, sans antibiotiques, provenant de producteurs locaux qui élèvent leurs bœufs naturellement.

QUEUE DE CHEVAL et HOMARD FURIEUX ★★★
1181, rue de la Montagne, Mtl
Tél.: 514-390-0091
www.queuedecheval.com
SPÉCIALITÉS: QDC: Salade burrata. Homard Furieux: Bisque de homard et huile de truffe. Huîtres fraîches. Sashimis. Homard épicé et crevettes tempura. Rouleaux de homard. Coupes de viandes vieillies à sec. La «Q» steak frites. Crème brûlée. Gâteau au chocolat.
PRIX Midi: T.H. 27$
Soir: C. 77$ à 119$
OUVERT pour Queue de cheval: le midi, du lun. au ven. Le soir, 7 jours. Pour Homard Furieux: le soir, 7 jours.
COMMENTAIRE: Il a fermé puis déménagé deux fois... Après de longues rénovations, on a maintenant non pas un, mais deux restaurants. L'un s'appelle toujours QDC ou Queue de cheval, il est spécialisé en steak de qualité sur le gril comme autrefois. La deuxième salle à manger s'appelle Homard furieux, spécialisée dans les fruits de mer. L'expérience peut varier selon le jour et la personne qui fait le service.

RIB'N REEF ★★★
8105, bd Décarie, Mtl
Tél.: 514-735-1601
www.ribnreef.com
SPÉCIALITÉS: Salade César préparée à votre table. Homard frais au goût du client. Pattes de crabe d'Alaska. Tartare de thon Yellowfin. Surlonge au poivre coupe New York. Côte de bœuf assaisonnée et rôtie lentement. Cerises Jubilée flambées.
PRIX Midi: F. 29$ à 45$
Soir: C. 61$ à 116$ T.H. 39$ à 63$
OUVERT le midi, du lun. au sam. Le soir, 7 jours.
NOTE: Arrivage de poisson journalier et de homard deux fois la semaine, par avion. Pattes de crabe de l'Alaska et homard au poids. Choix de caviar. Bœuf premier choix Midwest américain, approuvé USDA. Viande cuite sur gril au charbon de bois. Viandes vieillies à sec pendant un mois. Salon avec menu de cigares. Stationnement gratuit avec voiturier.

Certificat de Wine Spectator depuis 1960.
COMMENTAIRE: Danny Cousineau, l'ancien chef de la Queue de cheval, dirige les fourneaux de cette maison à la décoration luxueuse et confortable. On recommande la viande cuite sur le gril au charbon de bois qui est excellente. Service familial et aimable. Cave à vin imposante, 800 sortes de vin, 12 000 bouteilles, et l'on peut même y organiser des repas pour 10 à 30 personnes.

VARGAS ★★★★
Steak house, sushis
690, bd René-Lévesque O., Mtl
Tél.: 514-875-4545
www.vargas.ca
SPÉCIALITÉS: Huîtres Rockefeller. Satay au bœuf grillé, sauce thaïlandaise aux arachides. Filet mignon qualité Angus canadien vieilli à la perfection. Côte de bœuf. Rib steak. Pizza sushi. Crème brûlée.
PRIX Midi: F. 18$ à 25$
Soir: C. 33$ à 72$
OUVERT le midi, du lun. au ven. Le soir, 7 jours.
NOTE. Dégustation de sushis 3 serv. 50$. Les sushis ne sont pas servis entre 14h30 et 17h.
COMMENTAIRE: Décor classique et de bon goût, voire raffiné. Une cuisine de style steak house et fruits de mer, élaborée avec des produits frais de haute qualité. Leur spécialité c'est la côte de bœuf. Les portions sont très généreuses et conviennent parfaitement aux gros mangeurs de qualité, l'un n'empêchant pas l'autre. Bon choix de vin, nettement dominé par les vins rouges, quelques demi-bouteilles, et un choix raisonnable de vin au verre. Service professionnel et attentif.

CORÉEN

AVIS
Kimchi: Le kimchi est un condiment d'accompagnement. Il existe une grande variété de kimchis. Les ingrédients de base (chou, radis, concombre) ne s'y retrouvent pas tous nécessairement en même temps et ils ne sont pas tous piquants, contrairement à une croyance populaire. C'est selon les saisons, les régions et même les traditions familiales.

LA MAISON DE SÉOUL ★★★
5030, rue Sherbrooke O., Mtl
Tél.: 514-489-3686
www.maisondeseoul.com
SPÉCIALITÉS: Barbecue coréen. Jap Chae (nouilles de pommes de terre). Bulgogi (émincé de bœuf mariné, grillé avec sauté de légumes). Bibimbap (riz avec bœuf, légumes marinés et œuf au plat). Banane tempura avec crème glacée.
PRIX Midi: F. 12$ à 14$
Soir: C. 20$ à 65$
OUVERT le midi et le soir, du lun. au sam. Fermé dim.
NOTE: Commandes payées en argent comptant seulement.
COMMENTAIRE: On va à La Maison Séoul pour sa cuisine authentique jusque dans les moindres détails. Le kimchi est bien dosé et frais, ce n'est pas un plat, mais un accompagnement (voir avis dans cette section).

RESTAURANT 5000 ANS ★★★
3441, rue Saint-Denis, Mtl
Tél.: 514-845-8902
www.5000ans.ca
SPÉCIALITÉS: Kimchi pajeon (crêpe coréenne au porc et kimchi). Chulpan cuisiné sur la table, soupe et petit bibimbap inclus. Dolsot bibimbap (riz, légumes, bœuf, œuf). Barbecue coréen (côte de bœuf cuisinée sur la table).
PRIX Midi: F. 19$ à 52$
Soir: Idem
OUVERT le midi, du lun. à sam. Le soir, 7 jrs.
NOTE: Barbecue coréen sur la table, 2 pers. 34$. Pas de dessert.
COMMENTAIRE: Le nom de ce restaurant évoque les 5000 ans d'histoire de la Corée. Les assaisonnements s'harmonisent parfaitement avec les plats de cette cuisine coréenne classique. Très bon rapport qualité-prix.

SAM CHA ★★[ER]
2176-A, rue Sainte-Catherine O., Mtl
Tél.: 514-932-7565
SPÉCIALITÉS: Barbecue coréen. Ragoût. Crème glacée. Gâteau au fromage.
PRIX Midi: C. 17$ à 31$
Soir: Idem
OUVERT le midi et le soir, 7 jours.
NOTE: Barbecue coréen à volonté.
COMMENTAIRE: Une carte à prédominance coréenne. Des plats préparés avec soin, tels que le Pajean et Bibimbap, qui permettent d'apprécier une cuisine encore trop peu connue. Les portions sont copieuses et savoureuses. Ambiance jeune et décontractée. Service convivial.

CRÊPERIE

LA CRÊPERIE DU VIEUX-BELOEIL ★★★★★
Voir section MONTÉRÉGIE
Sans contredit, la meilleure crêperie au Québec !

ESPAGNOL

PINTXO ★★★
330, av. Mont-Royal E., Mtl
Tél.: 514-844-0222
www.pintxo.ca
SPÉCIALITÉS: Pieuvre chorizo sur oignon

rouge mariné au citron, purée de pois chiches à l'encre de seiche. Filet de morue noire, sauce vierge. Joue de bœuf braisée à la Riojana. Beigne maison, crème glacée à la vanille.
PRIX Midi: F. 28$
Soir: C. 40$ à 72$
OUVERT le midi, du lun. au ven. Le soir, 7 jours. Brunch sam. et dim.
NOTE: Soir, menu dégustation 40$ (4 pintxos choisis par le chef + un plat principal au choix du client). Mimosa à volonté 25$ durant le brunch, sam. et dim. Vins exclusivement espagnols, 80% en importation privée.
COMMENTAIRE: Suite à un incendie en 2015, ce restaurant a déménagé, mais les propriétaires et le chef n'ont pas changé. Toujours les mêmes spécialités d'Espagne et un grand choix de pintxo. À l'origine, pintxo était une petite tranche de pain sur laquelle on mettait une peu de nourriture. Pintxo en basque ou tapas en espagnol, ce sont aujourd'hui de petites bouchées délicieuses dont on commande plusieurs variétés pour composer son menu. Ici, c'est à la fois un plaisir des yeux tout autant que du goût. Cuisine sans gluten, sans noix, sans fruits de mer.

TAPAS,24 ★★★★

420, rue Notre-Dame O. #4, Mtl
Tél.: 514-849-4424
www.tapas24.ca
SPÉCIALITÉS DE BARCELONE: Pieuvre à l'Andalouse. Œufs frits, pommes de terre et foie gras poêlé. Zarzuella: ragoût de fruits de mer et poissons. Tapas de Barcelone: Croquette de jambon ibérique; Gambas à l'ail et piments forts. Beignets de chocolat fondant. Chocolat, pain, huile d'olive et fleur de sel.
PRIX Midi: T.H. 22$
Soir: C. 31$ à 79$. Tapas 3$ à 22$
OUVERT le midi, du lun. au ven. Le soir, du lun. au sam. Fermé dim.
COMMENTAIRE: Voici le petit frère du Tapas 24 de Barcelone (Espagne), propriété du chef Carles Abellan. Ce fameux chef espagnol, diplômé de l'école hôtelière de Barcelone, formé au célèbre restaurant El Bulli de Feran Adria, propose ici un hommage à la cuisine de Barcelone. Des tapas exceptionnelles, mais aussi des spécialités ibériques, dont une incontournable paella que nous avons eu le plaisir de goûter. Une cuisine généreuse, créative et moderne. Décor contemporain et agréable.

TAPEO ★★★

511, rue Villeray, Mtl
Tél.: 514-495-1999
www.restotapeo.com
SPÉCIALITÉS: Ceviche de pétoncles au gin tonic. Chorizo grillé et aubergines. Crevettes à l'ail. Pétoncles aux lardons. Pieuvre grillée. Croquettes de morue. Morue en croûte. Fideos (pâtes courtes, saucisson, crevettes, champignons, aïoli aux amandes). Thon albacore. Churros au chocolat.
PRIX Midi: F. 22$
Soir: C. 12$ à 27$
OUVERT le midi, du mar. au ven. Le soir, du mar. au dim. Fermé lun.
NOTE: Il faut compter manger 3 à 4 tapas minimum et un dessert de 6$ à 10$. Paella pour deux env. 50$. Table semi-privée de la chef, 18 pers.
COMMENTAIRE: Restaurant sur deux étages, au décor de bistro, simple et moderne, dans un quartier populeux. Le menu est inscrit dans des cercles sur un mur genre tableau noir. La jeune chef, Marie-Fleur St-Pierre, a ouvert un second établissement, Meson, restaurant général espagnol, au 345, rue Villeray. Une sorte de prolongation de son savoir-faire, dont on se régale au Tapeo. Une cuisine conviviale, créative et spontanée. Très belles présentations. Service enthousiaste et courtois.

FRANÇAIS

ALEXANDRE ET FILS ★★★★ (bistro)

1454, rue Peel, Mtl
Tél.: 514-288-5105
www.chezalexandre.com
SPÉCIALITÉS: Soupe à l'oignon. Avocat au crabe. Gambas grillées sur risotto d'orge. Foie gras de canard. Quenelles de brochet. Homard froid parisien. Choucroute de mer. Bavette à l'échalote. Tartare de bœuf. Cassoulet toulousain. Fondant au chocolat. Gâteau café de Paris. Nougat glacé.
PRIX Midi: T.H. 24$ à 38$
Soir: C. 44$ à 72$ T.H. Express 36$
OUVERT le midi et le soir, 7 jours. Brunch sam. et dim.
NOTE: Ouvert jusqu'à 2h du matin. Côte de bœuf pour deux 46$/pers. Terrasse et brasserie parisienne au rez-de-chaussée, John Sleeman pub au 2e étage. Bon choix de bières. Salon pour fumeurs de cigares au 2e étage. Piste de danse sur réserv. Stationnement 6$ le soir.
COMMENTAIRE: Alexandre présente une table sympathique dans un cadre débordant

d'ambiance parisienne où la carte bistro, des plus appétissantes, nous fait faire un tour d'horizon des régions de France, de quoi satisfaire tous les goûts. Beaucoup d'ambiance et un service «à la parisienne» mais avec l'amabilité en plus. Une institution à Montréal!

AU PETIT EXTRA ★★★[ER] (bistro)

1690, rue Ontario E., Mtl
Tél.: 514-527-5552
www.aupetitextra.com

SPÉCIALITÉS: Soupe de poisson et sa rouille. Confit de canard, salade landaise, pommes de terre salardaises. Bavette 3A, frites maison, sauce zhoug. Moelleux au chocolat. Crème brûlée.
PRIX Midi: F. 17$ et 24$
Soir: C. 38$ à 64$ F. 22$ à 40$
OUVERT le midi, du lun. au ven. Le soir, 7 jours. Brunch dim.
NOTE: Belle carte des vins d'importation privée à prix raisonnables, 30 vins au verre. Prix intéressants en automne. Axés sur la culture, prix réduit pour amateurs de théâtre et de culture.
COMMENTAIRE: Fidèle à lui-même malgré les années. Genre bistro, on affiche le menu sur une ardoise. Ambiance bistro conviviale.

AU PIED DE COCHON ★★★[ER] (bistro)

536, rue Duluth E., Mtl
Tél.: 514-281-1114
www.restaurantaupieddecochon.ca

SPÉCIALITÉS: Plogue à Champlain. Canard en conserve. Hamburger de foie gras. Tartare de boudin et foie gras au sel. Pied de cochon farci au foie gras. Pouding chômeur à l'érable. Tarte à la canne à sucre.
PRIX Midi: (fermé)
Soir: C. 41$ à 93$
OUVERT le soir, du mer. au dim. Fermé lun. et mar.
NOTE: Plats pour emporter. Les fenêtres sur l'avant du resto s'ouvrent en été. Le menu change régulièrement.
COMMENTAIRE: Le chef propriétaire est un passionné du foie gras qu'il décline de multiples façons avec succès. Il nous sert une cuisine française avec quelques spécialités québécoises. Une assiette copieuse, généreuse et très savoureuse, qui vous laisse repus. Nous avons aimé la finition de la viande au four à bois qui lui donne un croustillant savoureux. Ambiance bistro, un peu bruyante, très animée, sans prétention. Décor simple, tables de bois sans nappe. Service attentif et passionné. Carte des vins bien adaptée et bien présentée.

BEAVER HALL ★★★[ER] (bistro)

1073, Côte du Beaver-Hall, Mtl
Tél.: 514-866-1331
www.beaverhall.ca

SPÉCIALITÉS: Pieuvre et crevettes grillées, pommes de terre rattes au paprika fumé, sauce vierge. Tartare de bœuf coupé au couteau. Foie de veau en persillade, polenta croustillante au vieux cheddar. Crêpe Suzette à l'ancienne.
PRIX Midi: F. 20$ à 47$
Soir: C. 33$ à 61$ F. 36$
OUVERT le midi, du lun. au ven. Le soir, du mar. au sam. Fermé dim.
NOTE: Beau décor intérieur, tout en bois.
COMMENTAIRE: L'assiette est excellente. Belles présentations, saveurs et fraîcheur sont au rendez-vous. Carte des vins bien adaptée avec un bon choix de vins au verre. Le service est jeune et bien dirigé.

BISTRO CHEZ ROGER ★★★ (bistro)

2316, rue Beaubien E., Mtl
Tél.: 514-593-4200
www.bistrochezroger.com

SPÉCIALITÉS: Boudin noir maison. Pieuvre grillée, poivron, harissa, orange et hummus. Tartare de bœuf classique à l'huile de truffe. Grillade d'agneau ou assiette barbecue (poulet, côtes levées, saucisses, canard). Gâteau Reine Elizabeth, caramel au bourbon, ananas grillé.
PRIX Midi: (ferme)
Soir: C. 35$ à 57$
OUVERT le soir, 7 jours.
NOTE: Lun. soirée tartare 18$. Huîtres à 50% au 5 à 7, du dim. au mer. en saison.
COMMENTAIRE: Ancienne taverne de quartier transformée moitié en boudoir, moitié en resto-bistro. Le décor est moderne, agréable et confortable. La cuisine est ouverte sur la salle à manger qui se divise en deux niveaux. L'endroit est simple, jeune, sympa. La formule est facile, on ne se casse pas la tête, c'est bon et c'est copieux. Le service est jeune et compétent.

BISTRO L'AROMATE ★★★ (bistro)

Hôtel Le Saint-Martin
980, bd de Maisonneuve O., Mtl
Tél.: 514-847-9005
www.laromate.com

SPÉCIALITÉS: Pieuvre du Maroc, salsa de papaye et de mangue, purée d'avocat au miso, gel de lait de coco. Linguines au canard confit, fricassée de champignons et épinards, demi-glace de canard au thym, mozza di bufala du Québec. Tomahawk de porc Nagano fumé, purée de pommes de terre, sauce moutarde. Tarte au sucre revisitée, bouchée chaude et fondante en croûte de noix, caramel à la fleur de sel, glace à la vanille.
PRIX Midi: F. 22$ à 34$
Soir: C. 41$ à 79$ T.H. 28$ à 45$
OUVERT le midi et le soir, 7 jours.
NOTE: Mar., tartare à volonté 27$. Spécial sur les huîtres jeu. soir. Saucisses et charcuterie à volonté ven. soir 29$.
COMMENTAIRE: De style bistro, jeune, moderne et chic, le décor se joue en blanc, vert amande et gris ardoise. Une assiette créative et savoureuse, presque sensuelle. Service toujours très aimable.

BONAPARTE ★★★★
Auberge Bonaparte
447, rue Saint-François-Xavier, Vieux-Mtl
Tél.: 514-844-4368
www.restaurantbonaparte.com
SPÉCIALITÉS: Salade de homard et agrumes. Goujonnette de sole de Douvres, meunière d'herbes et pignons de pin. Côte de veau à la morille. Mignon de bœuf rôti, cinq poivres et cognac. Tarte fine aux pommes. Soufflé au calvados.
PRIX Midi: F. 16$ à 29$
Soir: C. 41$ à 82$ T.H. 39,95$
OUVERT le midi, du lun. au ven. Le soir, 7 jours.
NOTE: Dessert + 3,50$ à la T.H. du midi. Menu dégustation 7 serv. 81$. 10 choix de tables d'hôte le midi, 5 le soir. Section resto-bar. Mets spéciaux sur demande pour personnes allergiques, végétariennes et intolérantes au gluten. Ouvert depuis 1984.
COMMENTAIRE: Cuisine excellente et raffinée, service agréable. Les salles à manger sont claires, l'espace bien découpé et aéré. La section hôtel comprend 30 chambres et une suite, et le restaurant, 3 salles à manger, dont une en forme de serre.

BORIS BISTRO ★★★ (bistro)
465, rue McGill, Mtl
Tél.: 514-848-9575
www.borisbistro.com
SPÉCIALITÉS: Parpadelles fraîches, sanglier braisé, radicchio, oignons, lardons, champignons. Risotto au canard confit, pleurotes et sauge. Cuisse de lapin aux huit poivres, crème et moutarde brune. Nem aux pommes et chocolat blanc, glace artisanale à l'érable.
PRIX Midi: T.H. sept. à avr. 19$ à 26$
Soir: C. 34$ à 44$
OUVERT de mai à août, le midi et le soir, 7 jours. De sept. à avril: le midi, du lun. au ven. Le soir, du mar. au sam. Fermé dim.
NOTE: Pas de T.H. le midi en été. 100% de vins en importation privée par Boris Bistro, choix élaboré d'une trentaine de vins au verre. Mineurs acceptés uniquement sur la terrasse jusqu'à 20h. Réserv. par téléphone seulement. Choix de plats végétariens, végétaliens et pain sans gluten. Plat principal disponible en demi-portion.
COMMENTAIRE: L'assiette est bonne dans l'ensemble. Le service est jeune, dévoué et très gentil. Décor zen, musique jazz branché. L'été, il y a une très grande terrasse où l'on mange à l'ombre des arbres ou des parasols. Ambiance agréable, un peu perturbée par la circulation de la rue McGill, malgré l'îlot de verdure urbain qui fait écran.

CHAMBRE À PART ★★★★
3619, rue Saint-Denis, Mtl
Tél.: 438-386-3619
www.restaurantchambreapart.com
SPÉCIALITÉS: Gravlax de truite des Bobines. Risotto asperges et mozzarella di bufala du Québec. Turbot en croûte de champignons. Tataki de bison, œufs de caille et romaine. Magret de canard au maïs, brioche, magret fumé et poire. Médaillon de bœuf, gnocchi, aubergine, pesto. Yaourt avec rhubarbe et meringue au poivre de Timut. Sablé, graines de lin, fraises du Québec, mascarpone.
PRIX Midi: F. 17$ à 25$
Soir: C. 35$ à 54$
OUVERT le midi, du mar. au ven. Le soir, du lun. au sam. Fermé dim.
NOTE: Carte des vins en importation privée 70%. Cocktails maison avec ingrédients frais, aussi sans alcool.
COMMENTAIRE: Les deux copropriétaires sont non seulement partenaires dans la vie, mais aussi dans les affaires puisque copropriétaires de La Fabrique qui se trouve juste à côté. Il est chef, elle est sommelière. La décoration de ce nouveau restaurant est plus déliée, plus féminine. Bois blond des tables, fer forgé en volutes, briques des murs, cages de bois pour les lampes. Un grand carrelage noir et blanc fait le lien entre la grande salle et le bar, genre jardin intérieur qui la prolonge. L'assiette est excellente, pleine de saveurs et de fraîcheur. Service bien fait.

CHEZ CHOSE ★★★
1879, rue Bélanger, Mtl
Tél.: 514-843-2152
www.chezchose.net
SPÉCIALITÉS: Poulet boucané, passé au fumoir. Party de champignons, œuf 63°C, copeau de Zacharie Cloutier. La Chose la Chef: Cuisse de lapin farcie de cippolini et chanterelles, glace de viande au romarin. Pavé de boudin noir. Pot de crème au chocolat noir, noisettes caramélisées et chantilly.
PRIX Midi: (fermé)
Soir: C. 35$ à 58$
OUVERT le soir, du mer. au sam. Brunch dim. Fermé lun. et mar.
NOTE: Produits du terroir à 95%. Viande de producteurs du Québec, pièce entière découpée par la chef. Le plat «La Chose la Chef» propose une viande différente chaque semaine. Vins d'importation privée. Chef à domicile et traiteur.
COMMENTAIRE: Bon petit restaurant familial de quartier. Madame et monsieur en salle, la fille de madame à la cuisine. C'est honnête et c'est bon. La décoration est assez ordinaire mais agréable. Menu sur ardoise. On sent ici un désir de plaire et de partager, en particulier si le client choisit le menu dégustation. Mais, bon, j'y retournerai volontiers, pour la gentillesse, pour l'accès et le stationnement facile et surtout pour les saveurs dans l'assiette.

CHEZ LA MÈRE MICHEL ★★★★★
1209, rue Guy, Mtl
Tél.: 514-934-0473
www.chezlameremichel.ca
Suite au décès de la chef propriétaire, le res-

taurant est peut-être fermé. Vérifier avant de vous rendre.

Hommage à Micheline Delbuguet

Une femme chef nous a quitté, emportée par un cancer. Maudit cancer! Toute menue, elle semblait si fragile. De tout temps acharnée au travail, elle ne savait pas quoi faire pour faire plaisir, tout simplement. Elle était probablement l'une des dernières femmes chefs gardiennes d'un savoir-faire authentique où la cuisine française classique avait encore sa place dans sa cuisine. Elle pouvait tout autant faire flamber des rognons sauce madère à votre table que d'y découper avec talent un grand poisson de la Méditerranée. Car c'est de là qu'elle était originaire. Née sur la Côte d'Azur de parents grecs, Micheline Delbuguet émigre au Québec dans les années 1950. Et là commence la grande aventure culinaire en compagnie de son conjoint René Delbuguet, photographe de talent et écrivain.

En 1964, elle s'installe sur la rue Guy dans une magnifique maison de style victorien, au charme et au décor d'antan. Bien avant Expo 67, qui marque la grande ouverture sur le monde des goûts culinaires des Québécois, Micheline Delbuguet introduit dans son menu les parfums de la cuisine provençale, des plats où les herbes et l'ail sont mis en honneur.

À la fois fière et modeste, elle se disait heureuse d'avoir un peu contribué à l'évolution de la cuisine au Québec. Et même s'il faut admettre que le métier et les temps sont devenus plus difficiles qu'avant, elle restait optimiste pour le futur, ravie de voir de beaux talents sortir des écoles d'hôtellerie.

Malade et au terme de sa souffrance, elle continuait pourtant d'être au restaurant du matin au soir et de voir à tout. Elle aimait toujours autant son métier et sa clientèle. Une grande dame, oui, vraiment!

Merci chef Micheline Delbuguet pour votre apport inestimable à la gastronomie québécoise. [Texte publié sur debeur.com, le 16-06-2017]

CHEZ LÉVÊQUE ★★★★ (bistro)

1030, av. Laurier O., Mtl
Tél.: 514-279-7355
www.chezleveque.ca

SPÉCIALITÉS: Planche de charcuteries maison à partager. Terrine de foie gras, chutney maison et brioche. Foie de veau au vinaigre de framboise déglacé au vinaigre de cidre. Loup de mer grillé flambé au pastis. Sole de Douvres grenobloise. Filet mignon et tournedos Rossini. Boudin noir maison, pommes fruits.
PRIX Midi: T.H. 21$
Soir: C. 36$ à 82$
OUVERT le midi et le soir, 7 jours. Brunch sam. et dim.
NOTE: Carte de vins très variée d'importation privée, majoritairement des produits français.
COMMENTAIRE: Ouvert depuis 1972, Chez Lévêque, tout tourne autour du thème des évêques. Des icônes un peu partout illustrent des évêques gourmands. Cela va jusque dans les toilettes où l'on entend de la musique grégorienne. Ici, on sert une cuisine savoureuse, faite de solides classiques de brasserie française, soupe à l'oignon, cervelle et rognons de veau, blanquette, crêpes Suzette. Une vraie brasserie française, sympathique et confortable. Une équipe dynamique travaille de concert pour que se fondent les goûts classiques et les saveurs nouvelles afin de toujours renouveler les plaisirs gourmands. Une maison de confiance qui sait entourer ses clients d'attentions.

CHEZ SOPHIE ★★★★

1974, rue Notre-Dame O., Mtl
Tél.: 438-380-2365
www.chezsophiemontreal.com

SPÉCIALITÉS: Œuf moelleux croustillant, mousseline de pommes de terre, crème de parmesan truffée. Morue noire laquée au miso, mousseline de chou-fleur, daikon à l'orange, émulsion de lime. Pain perdu, sauce caramel, beurre salé, glace à la vanille.
PRIX Midi: T.H. 30$
Soir: C. 58$ à 72$
OUVERT le midi, du mar. au ven. Le soir, du mar. au sam. Fermé dim. et lun.
NOTE: T.H midi change tous les jours. Menu dégustation, 4 serv. 80$, accord vins + 40$. Carte de cocktails. Carte des vins changeant souvent, 400 références.
COMMENTAIRE: Chez Sophie est un joli petit restaurant de cuisine française avec une touche italienne. Décor moderne et de bon goût, avec un comptoir de bar dans le prolongement de la cuisine, où règne la chef copropriétaire Sophie Tabet. Malgré la présence du comptoir du bar qui ferait penser à un bistro, elle propose plutôt une cuisine de restaurant, créative, savoureuse et joliment présentée. Des cuissons justes, des assemblages harmonieux et des assaisonnements adéquats. Pour ce qui est des vins, Marco Marangi, son conjoint, a de vraies trouvailles. On dirait même qu'il devine votre goût pour vous servir ce qu'il y a de mieux en accord avec la cuisine de Sophie. De plus, ses vins au verre sont d'un très bon rapport qualité-prix.

EUROPEA ★★★★★[ER]

Restaurant de l'année Debeur 2010
1227, rue de la Montagne, Mtl
Tél.: 514-398-9229
www.europea.ca

SPÉCIALITÉS: Calmars citronnés structurés en tagliatelles, œuf de caille poché, croûton d'encre de seiche au beurre à l'ail. Foie gras poêlé. Pavé de flétan en croûte de noix de macadamia. Civet de homard aux ris de veau

caramélisés, confit au citron. Joues de veau du Québec braisées lentement, panais et pommes fondantes. Tarte au citron.
PRIX Midi: T.H. 45$ à 60$
Soir: C. 95$ à 110$ T.H. 90$
OUVERT le midi, du mar. au ven. Le soir, 7 jours.
NOTE: Menu 6 serv. 94,50$. Menu dégustation 10 serv. 129,50$. Une table du chef de 4 pers., deux tables de 2 pers., petit salon de 4 à 6 pers. pour l'apéritif. Forfait sommelier 5 verres de vins en accord avec les mets 74,50$. Service de traiteur. Atelier «Chef d'un soir».
COMMENTAIRE: Originaires du sud-ouest de la France, ils sont trois associés passionnés, deux cuisiniers et un maître d'hôtel. Ils ont ouvert ce restaurant en 2002 pour mettre en valeur les produits du Québec avec tout leur talent et leur passion. Les salles à manger s'étendent sur deux étages. L'assiette est créative et bonne. Service professionnel.

H4C PLACE ST-HENRI ★★★★ (bistro)

538, place Saint-Henri, Mtl
Tél.: 514 316-7234
www.leh4c.com
SPÉCIALITÉS: Morilles, ail des ours, shiitake, armilaires de miel et oseille. Pieuvre tandoori, yogourt caramélisé, oignon rouge, riz basmati, noix de cajou, noix de coco. Mousse de foie de volaille. Homard celtus, carottes, salicorne, argousier. Rhubarbe, ricotta, hibiscus et sumac.
PRIX Midi: (fermé)
Soir: C. 67$ à 90$
OUVERT le soir, du mar. au sam. Fermé lun. Brunch sam. et dim.
NOTE: Menu dégustation + de 7 serv. 120$, 60$ accords avec les vins. Vins au verre à partir de 12$.
COMMENTAIRE: Installé dans une ancienne poste, ce très bel établissement mérite qu'on s'y arrête et même qu'on fasse un détour. Une salle à manger au coup d'œil agréable, confortable même si on y joue la carte bistro. Enfin, bien assis! La carte est courte, mais alléchante, et annonce une garantie de fraîcheur. Sous la direction du chef Dany Bolduc, la carte propose une cuisine française revisitée. Les saveurs y sont exaltées de très belle façon. Les présentations sont magnifiques et l'on se plaît à les regarder longuement avant d'entamer son plat. Tout y est bien pensé, les saveurs s'épaulent l'une l'autre en une harmonie réussie. Service compétent, attentif et super aimable.

HAMBAR ★★★★ (bistro)

Hôtel Saint-Paul
355, rue McGill, Vieux-Mtl
Tél.: 514-879-1234
www.hambar.ca
SPÉCIALITÉS: Plateau de charcuterie maison. Gnocchis maison, champignons sauvages. Os à moelle, escargots. Ris de veau, purée de céleri-rave et jus de viande. Risotto homard, lime, oignons verts. Pappardelles maison, canard confit. Pouding chômeur, glace bacon.
PRIX Midi: F. 19$ à 30$
Soir: C. 40$ à 63$
OUVERT le midi et le soir, 7 jours. Brunch sam. et dim.
NOTE: Coin d'Youville et McGill. 30 vins au verre. Carte des vins, 250 inscriptions en majorité d'importation privée. Menus réduits de 14h30 à 16h30.
COMMENTAIRE: Le décor, très design, chic et bien éclairé, est vraiment agréable. La cuisine propose une assiette moderne, savoureuse et harmonieuse dans l'ensemble. À souligner l'extrême gentillesse et l'attention constante des serveurs et des serveuses.

KITCHEN GALERIE ★★★ (bistro)

60, rue Jean-Talon E., Mtl
Tél.: 514-315-8994
www.kitchengalerie.com
SPÉCIALITÉS: Foie gras poêlé sur pain d'épices, confiture de fruits confits. Échine de porc braisée, crevettes poêlées, lentilles au chorizo, sauce basque. Parfait de foie gras, compote d'oignons caramélisés. Côte de bœuf rôtie en face à face. Pot de foie gras cuit au lave-vaisselle, gelée de muscat au poivre long.

PRIX Midi: (fermé)
Soir: C. 37$ à 68$
OUVERT le soir, du mar. au sam. Fermé dim. et lun.
NOTE: Côte de bœuf, fois gras et truffe 115$/2 pers. Menu changeant tous les jours; carte des vins chaque semaine. 150 étiquettes, à partir de 39$. Menu dégustation 40$ et plus, 4 à 10 serv.
COMMENTAIRE: Pas de carte, mais une table d'hôte qui reflète ce que le chef trouve quotidiennement au marché. Il est jeune, enthousiaste et créatif, et cela s'exprime jusque dans l'assiette. Celle-ci est savoureuse et présentée de façon originale. Le décor est celui d'un bistro tout petit, mais convivial. La cuisine est ouverte dans la salle, derrière le comptoir. Pas de serveur, les chefs servent aux tables.

LA GARGOTE ★★

351, pl. d'Youville, Vieux-Mtl
Tél.: 514-844-1428
www.restaurantlagargote.com
SPÉCIALITÉS: Salade d'endives au bleu et aux noix. Médaillon de cerf aux bleuets et à l'érable. Magret de canard aux raisins et au miel. Trio de crème brûlée. Profiteroles au chocolat.
PRIX Midi: T.H. 18$ à 22$
Soir: C. 38$ à 57$ F. 21$ à 28$
OUVERT le midi, du lun. au ven. Le soir, 7 jours.
NOTE: Ambiance de quartier en été. Feu de foyer en hiver.
COMMENTAIRE: Un petit restaurant de quartier chaleureux, où l'on sert une cuisine sans beaucoup d'originalité, mais honnête et généreuse, voire familiale. La salle à manger rappelle les bons petits restos de France. Service très attentif et aimable. Un restaurant de tradition, simple et réconfortant.

LALOUX ★★★[ER] (bistro)

250, av. des Pins E., Mtl
Tél.: 514-287-9127
www.laloux.com
SPÉCIALITÉS: César d'endives rouges, croustilles de prosciutto, pop-corn aux ris de veau. Suprême de pintade, fumée et cuite sous-vide, confit au gingembre, bacon, rhubarbe. Tarte au citron, guimauve au romarin, espuma de yaourt aux agrumes, sorbet au pamplemousse.
PRIX Midi: F. 20$ à 30$
Soir: C. 50$ à 70$
OUVERT le midi, du lun. au ven. Le soir, 7 jours.
NOTE: La carte évolue en fonction des produits locaux bio-écoresponsables. Menu saisonnier, dégustation au gré du chef 95$. Cave à vin d'importation privée à 80%, bonne sélection. 12 vins au verre. Vins biologiques.
COMMENTAIRE: Décor typiquement bistro français, très parisien et service à l'avenant. Une institution à Montréal qui a vu passer plusieurs bons chefs. Diplômé de l'ITHQ en cuisine professionnelle enrichie, le nouveau chef Daven Chowreemootoo adore son métier, car, selon lui, il lui «permet de voyager et de découvrir une panoplie de cultures». À suivre...

LA MAISON DU MAGRET ★★[ER] (bistro)

102, rue Saint-Antoine O., Vieux-Mtl
Tél.: 514-282-0008
www.maisondumagret.com
SPÉCIALITÉS: Salade de gésier. Cuisse confite de canard. Foie gras au torchon, salade, chutney aux figues, pain de figues. Burger de canard maison. Magret de canard, légumes, frites, sauce au foie gras. Gâteau basque, pâte brisée, ganache au chocolat. Crème brûlée au Grand Marnier.
PRIX Midi: T.H. 22$
Soir: C. 30$ à 67$ T.H. 35$
OUVERT le midi, du mar. à ven. Le soir, du mar. au sam. Fermé dim. et lun.
NOTE: Espace gourmand avec les plats de la carte à emporter, produits locaux et de la Maison du magret. Carte des vins à dominante Sud-Ouest de la France. Desserts maison.
COMMENTAIRE: À mi-chemin entre le restaurant et le bistro de luxe, ce restaurant a été aménagé dans une ancienne banque. Quoique le mot bistro implique un bar ou encore un comptoir où l'on peut manger ou boire un verre, l'endroit n'en comporte pas. Mais il respire le style et la convivialité d'un bistro de qualité. À part les desserts, tout ici tourne autour du thème du canard. Si vous aimez le foie gras, les magrets, le confit ou les manchons, c'est un incontournable.

LA PETITE MAISON ★★★ (bistro) ♥

5589, av. du Parc, Mtl
Tél.: 514-303-1900
www.petitemaisonmtl.com
SPÉCIALITÉS: Tartare de bœuf et de truite. Ravioli à la courge. Risotto aux champignons truffés. Macreuse de bœuf poêlé. Truite des Bobines. Pouding chômeur à l'érable. Tarte au chocolat S'Mores. Pavlova aux canneberges.
PRIX Midi: (fermé)
Soir: T.H. 35$ à 49$
OUVERT le soir, du mar. au sam. Fermé dim. et lun.
NOTE: Salon privé 35 pers.
COMMENTAIRE: Le chef Danny St-Pierre est un passionné qui s'amuse dans la Petite Maison. Même s'il décide du contenu de la carte et, en fait, de tout ce qui concerne l'établissement, il a confié la cuisine à un cuisinier. Quant à lui, il déambule entre les tables, veille à tout, s'inquiète du bien-être de ses clients, sert quelques plats et va même jusqu'à débarrasser des tables. Farci d'humour, de simplicité, de gentillesse et de bonne humeur, il s'en-

tretient avec tout le monde, souriant et discutant volontiers des recettes et des aliments utilisés. L'assiette? Excellente, savoureuse, mais on devrait faire un effort pour les présentations. C'est un peu comme à la maison. Le service? Bien, mais on pourrait faire mieux. Le décor? Style bistro, petit, intime et un peu hétéroclite. On y retourne? Certainement!

LA SALLE À MANGER ★★★ (bistro)

1302, av. Mont-Royal E., Mtl
Tél.: 514-522-0777
www.lasalleamanger.ca

SPÉCIALITÉS: Œufs bénédictine. Tarte au boudin noir, sauce Soubise, padano, œuf, moule. Cassolette de palourdes et saucisses, rouille, verdure. Porcelet de lait rôti. Demi-râble de lapin, tarte Tatin à l'oignon, vinaigrette à la pieuvre. Gaufre.
PRIX Midi: F. 8$ à 20$
Soir: C. 37$ à 59$
OUVERT le midi, du lun. au ven. Le soir, 7 jours. Brunch sam. et dim.
NOTE: Nouveau menu chaque jour. Porcelet de lait pour 12 pers. sur réserv. Charcuterie maison, viande vieillie sur place. 350 à 375 sortes de vins, dont 15 au verre. Sélection de vins nature. 30 sortes de bière de microbrasseries québécoises et d'importation privée.
COMMENTAIRE: Une exellente formule qui marche à fond, ambiance sympa, mais vraiment très bruyante. La cuisine est très bien faite, succulente, copieuse et bien servie. On sent que le chef aime ce qu'il fait, il y a de la recherche dans le mariage des éléments qui composent chaque plat. Le menu n'est pas monotone. Le personnel sait travailler et peut faire vite à l'occasion. Le décor surprend par sa simplicité recherchée de bistro d'autrefois, décoration pensée.

LA SOCIÉTÉ ★★★★ (bistro)

Loews Hôtel Vogue Montréal
1415, de la Montagne, Mtl
Tél.: 514-507-9223
www.lasociete.ca

SPÉCIALITÉS: Soupe à l'oignon. Poireau vinaigrette, escargots laqués à l'érable, copeaux de foie gras. Demi-homard sur le gril, pinces en salade de légumes croquants, choux de Bruxelles. Tarte fine aux pommes, caramel et sorbet aux pommes, meringue croquante. Nougat glacé.
PRIX Midi: T.H. 17$ à 34$
Soir: C. 37$ à 79$ F. 29$
OUVERT le midi et le soir, 7 jours. Brunch sam. et dim.
NOTE: Menu cocktail 15h à 17h. Mar. et ven. soir, «5 à huîtres», 1$ l'huître. Service de voiturier 10$. Entrée pour pers. à mobilité réduite au 1425, rue de la Montagne.
COMMENTAIRE: Plusieurs restaurants se sont succédé dans cet hôtel au fil des ans, mais celui-ci perdure. Décor tout à fait brasserie parisienne avec son plafond en verre Tiffany qui donne une lumière mordorée dans la

salle. C'est beau, c'est spacieux et dépaysant. Dans une autre pièce se trouve un superbe bar; on peut aussi y manger, y boire des cocktails et autres boissons. L'assiette est bien présentée et c'est très bon. Le service est agréable. Le dernier chef en date, Gilles Tolen, originaire de la région parisienne, a travaillé notamment dans les cuisines du prestigieux Hôtel George V, et celles de son restaurant aux trois macarons Michelin, Le Cinq. Puis il s'est joint à l'équipe des Muses (aujourd'hui Lumière), dans le luxueux Hôtel Scribe. Il a également travaillé aux côtés du fameux chef québécois Normand Laprise, propriétaire du Toqué!, avant de diriger les cuisines du Decca 77 et maintenant, celles de La Société.

L'ATELIER DE JOËL ROBUCHON
★★★★★ et +
Restaurant de l'année Debeur 2018
Pavillon du Québec
1, av. du Casino, Mtl
Tél.: 514-392-2781
www.casinos.lotoquebec.com/fr/montreal/sortir/restaurants/atelier-de-joel-robuchon / robuchon-montreal.com
SPÉCIALITÉS: Œuf de poule mollet et friand au saumon fumé et au caviar. Crabe des neiges en spaghettis aux langues d'oursins et caviar. Morue noire ravigotée au poivre noir de Malabar en civet et épinards petites feuilles. Bœuf en tartare épicé, pommes frites alumettes maison. La fraise, harmonie de parfums, crème au yaourt et citron, coulis en surprise.
PRIX Midi: (fermé)
Soir: C. 76$ à 199$
OUVERT le soir, du mer. au dim. Fermé lun. et mar.
NOTE: Menu dégustation 7 serv. 150$ et 9 serv. 200$. Menu végétarien 95$.
COMMENTAIRE: Incontournable! Il faut absolument s'offrir une soirée dans cet antre de la gastronomie de Joël Robuchon, ce grand chef français de renommée internationale, le plus étoilé au monde. Dès l'arrivée à L'Atelier de Joël Robuchon, on reçoit le choc d'un décor luxueux, pas ostentatoire, plutôt convivial, qui prépare à l'aventure gastronomique haut de gamme qui va suivre. Là, sous la direction du chef Éric Gonzalez, un ballet de cuisiniers, pâtissiers et serveurs évolue selon une chorégraphie minutieuse où chacun connaît son chemin, les pas qu'il a à faire sans se bousculer. Éric Gonzalez est un chef précis, calme, pondéré et naturellement créatif. C'est tout un plaisir de le voir travailler avec une précision ciselée à la façon Robuchon. Son équipe est taillée dans le même moule. L'aboutissement, c'est la somptueuse assiette qui arrivera avec douceur et délicatesse jusqu'à votre place avec le verre de vin parfaitement adapté. Chaque assiette est montée comme une œuvre d'art. Les cuisiniers construisent méthodiquement le mets en une véritable sculpture mangeable. Tout est pensé, étudié, afin de faire de la soirée un événement gastronomique au souvenir inoubliable. Trop de détails et de raffinement? Non! Car c'est dans les détails qu'on reconnaît l'excellence.
On vient chercher ici un aboutissement du plaisir. Un nirvana de sensations gustatives et visuelles. C'est géant!

L'AUBERGE SAINT-GABRIEL ★★★★
426, rue Saint-Gabriel, Vieux-Mtl
Tél.: 514-878-3561
www.aubergesaint-gabriel.com
SPÉCIALITÉS: Plateau de charcuteries. Côte de bœuf vieillie 48 jours, aligot, salade. Poulet de Cornouailles cuit à la broche. Tarte chocolat et caramel salé.
PRIX Midi: T.H. 22$
Soir: C. 47$ à 108$
OUVERT le midi, du mar. au ven. Le soir, du mar. au sam. Fermé dim. et lun.
NOTE: Brunch à Pâques et fête des Mères. Cave à vin. Bar. Service de traiteur à domicile. Terrasse extérieure. Valet de stationnement. Annexé au night-club Le Velvet.
COMMENTAIRE: Il est situé au cœur du Vieux-Montréal. L'assiette est savoureuse, faite avec des produits frais et bien traités. Des mets d'influence française, italienne et asiatique. Aussi, quelques plats de cuisine traditionnelle québécoise. Ici les chefs se succèdent avec aujourd'hui, Ola Claesson, un chef d'origine suédoise qui a travaillé à l'hôtel Le Meurice (★★ Michelin) à Paris ainsi qu'au Allen & Overy à Londres.

LE BEAUX-ARTS RESTAURANT
★★★★ (bistro)
1384, rue Sherbrooke O., Mtl
Tél.: 514 285-1600, #308
www.mbam.qc.ca/renseignements/restaurant/
SPÉCIALITÉS: Croustilles de tartare de saumon, mayo au yuzu, purée de pois, piment de

Sainte-Béatrix. Boudin blanc maison, purée de pommes Granny Smith, armillaires marinées, feuilles de choux de Bruxelles, jus au vinaigre de cidre. Gâteau au fromage à l'avocat, confit d'ananas, émulsion de fèves tonka.
PRIX Midi: F. 23$ à 29$
Soir: C. 38$ à 53$ F. 23$ à 27$
OUVERT le midi, du mar. au dim. Ouvert mer. soir. Fermé lun. Suivre les horaires du musée.
COMMENTAIRE: L'établissement se trouve dans les murs du Musée des beaux-arts de Montréal (côté sud) au deuxième étage, décoré de toiles. C'est très chaleureux, moderne. On nous sert une assiette excellente et bien présentée. Le service est courtois. Le restaurant appartient maintenant au chef Laurent Godbout, aussi propriétaire de Chez L'Épicier. Il y a placé le chef Americ Halbmeyer derrière les fourneaux.

LE CLUB CHASSE ET PÊCHE ★★★★

423, rue Saint-Claude, Mtl
Tél.: 514-861-1112
www.leclubchasseetpeche.com
SPÉCIALITÉS: Pétoncles poêlés à la crème de citron et purée de fenouil. Risotto au cochonnet braisé, lamelles de foie gras. Terre et mer. La bombe: tarte au caramel et au chocolat, sorbet de chocolat 80%.
PRIX Midi: (fermé)
Soir: C. 63$ à 82$
OUVERT le soir, du mar. au sam. Fermé dim. et lun.
NOTE: Carte des vins, près de 500 étiquettes.
COMMENTAIRE: Une des meilleures tables de Montréal. On s'y sent bien et l'atmosphère est calme selon l'heure. On savoure ici une excellente cuisine de saveurs, et le gibier et le foie gras sont très bien travaillés. Il y a une belle présentation des assiettes. C'est une bonne adresse! Un peu chère cependant, mais elle vaut le déplacement pour une belle expérience.

LE MARGAUX ★★★★ (bistro)

5058, av. du Parc, Mtl
Tél.: 514-448-1598
www.lemargaux.com
SPÉCIALITÉS: Trilogie de foie gras. Pétoncles poêlés, salsa de mangue. Ris de veau en persillade. Rognons à la moutarde ancienne. Côte de veau aux morilles. Noisettes de veau réduction au porto, foie gras poêlé. Assiette autour du chocolat.
PRIX Midi: T.H. 20$ à 33$
Soir: C. 45$ à 74$ T.H. 47$
OUVERT le midi, du mar. au ven. Le soir, du mer. au sam. Fermé dim. et lun.
NOTE: Le midi, plats du jour à emporter, 9$ à 20$. Le soir, menu 4 serv., 47$.
COMMENTAIRE: La décoration est celle d'un café bistro, un peu dépouillée, sobre. Tableaux modernes sur un côté. Nappes blanches recouvertes de papier. Belle vaisselle moderne, blanche et épurée. L'assiette est agréable et très savoureuse. Une authentique et belle cuisine de bistro français. Une adresse à mettre dans ses carnets.

LEMÉAC ★★★ (bistro)

1045, av. Laurier O., Outremont
Tél.: 514-270-0999
www.restaurantlemeac.com
SPÉCIALITÉS: Pot-au-feu de saumon. Saumon fumé de nos fumoirs. Magret de canard, sauce aigre-douce. Onglet de bœuf et frites. Boudin maison, sauce au cidre, purée de céleri-rave. Pain perdu, glace confiture de lait.
PRIX Midi: F. 26$ à 28$
Soir: C. 44$ à 94$
OUVERT le midi et le soir, 7 jours. Brunch sam. et dim.
NOTE: Après 22h, spécial à prix fixe 25$ (plus de 25 choix d'entrées et plats principaux). Suggestions du chef en surplus de la carte du soir. Carte de vin, plus de 500 références et plusieurs importations privées.
COMMENTAIRE: C'est beau, c'est élégant, c'est spacieux, mais l'atmosphère fait un peu défaut, un peu froide. L'assiette est bien construite et savoureuse. On y sert une très bonne cuisine de bistro français évolutive. Service aimable.

L'ENTRECÔTE ST-JEAN ★★★ (bistro)

2022, rue Peel, Mtl
Tél.: 514-281-6492
www.lentrecotestjean.com
SPÉCIALITÉS: Salade Boston aux noix de Grenoble. Entrecôte St-Jean dans une sauce à base d'épices et de moutarde avec frites en allumette. «Végéphil», steak végétarien avec substitut végétal, frites, sauce moutarde maison. Profiteroles au chocolat. Meringue givrée. Pêche Melba. Poire Belle Hélène.
PRIX Midi: F. 26$ T.H. 33$
Soir: C. 19$ à 44$ T.H. 32,75$
OUVERT le midi, du lun. au ven. Le soir, 7 jours.
NOTE: Existe depuis 1991. Spécial entrecôte 25,95$. T.H. avec entrecôte 12 oz 44$. Un seul menu.
COMMENTAIRE: On vient ici surtout pour les grillades de bœuf. On aimerait vite devenir un habitué de cet établissement agréable et honnête tant dans le concept que dans les prix qu'il offre. On en a pour son argent. Excellent rapport qualité-prix. Décor bistro français. Service courtois et attentif. Une institution depuis 1991, toujours pareil à lui-même.

LE POIS PENCHÉ ★★★ (bistro)

1230, de Maisonneuve O., Mtl
Tél.: 514-667-5050
www.lepoispenche.com
SPÉCIALITÉS: Soupe à l'oignon gratinée «traditionnelle». Plateau de fruits de mer. Moules et frites. Cuisse de canard confite avec pommes de terre. Magret de canard fumé maison,

sauce moutarde. Filet mignon, foie gras poêlé. Gâteau au fromage. Profiteroles sauce chocolat Valrhona et glace vanille.
PRIX Midi: T.H. 27$
Soir: C. 43$ à 90$ F. 31$ à 35$
OUVERT le midi et le soir, 7 jours. Brunch sam. et dim.
NOTE: Lun. à ven., 5 à huîtres, 20$ la douzaine. Carte des vins d'importation privée à 90%.
COMMENTAIRE: Décor de brasserie parisienne qui ne manque pas de charme. Le service peut être d'une extrême gentillesse selon la personne qui vous sert. L'assiette est très bonne et il ne manque pas grand-chose pour atteindre l'excellence. Ne pas manquer les fruits de mer présentés sur glace que l'on peut voir dès l'entrée de la salle à manger, au bout du bar. Bon choix de vins au verre.

LE QUARTIER GÉNÉRAL ★★★★[ER] (bistro)

1251, rue Gilford, Mtl
Tél.: 514-658-1839
www.lequartiergeneral.ca
SPÉCIALITÉS: Calmar façon carbonara. Magret de canard de Marieville. Foie gras au torchon et pressé en terrine, craquant aux noisettes pralinées. Filet de veau du Québec poêlé. Caille farcie aux champignons portobello et panée, purée d'artichauts. Marquise au chocolat.
PRIX Midi: F. 16$ à 25$
Soir: C. 44$ à 47$ T.H. 40$
OUVERT le midi, du lun. au ven. Le soir, 7 jours.
NOTE: T.H. soir 4 serv. Apportez votre vin. Cuisine ouverte. Foyer.
COMMENTAIRE: Ce restaurant offre un beau moment de gastronomie simple, abordable et savoureuse. La cuisine est ouverte sur une salle à manger à la décoration sobre, voire zen, mais conviviale. Le menu est écrit à la craie sur de grands tableaux noirs et propose une cuisine française gentiment interprétée et mise au goût du jour. Les présentations sont agréables et sans prétention. Le service est très bien fait, avec doigté et intelligence. Un peu bruyant cependant.

LE RENDEZ-VOUS DU THÉ ★★[ER]

1348, rue Fleury E., Mtl
Tél.: 514-384-5695
www.lerendezvousduthe.com
SPÉCIALITÉS: Thon rouge façon thaï. Entrecôte de bœuf aux arômes de truffes. Cassoulet. Confit de canard. Foie de veau de grain. Jarret d'agneau braisé. Carré d'agneau. Plateau de pâtisseries françaises.
PRIX Midi: T.H. 13$ à 23$.
Soir: C. 32$ à 54$ T.H. 25$ à 32$
OUVERT le midi et le soir, 7 jours.
NOTE: Tout est cuisiné à base de thé. Souper spectacle 3 serv. 40$ à 53$. Lun. à mer. soirée jazz et autres.
COMMENTAIRE: D'abord ouvert en tant que salon de thé, cet établissement est devenu un restaurant où la plupart des plats sont cuisinés avec une touche de thé. Une assiette qui tient ses bases dans la cuisine française classique. Quelque 300 soupers-spectacles, 80% en français, y sont présentés chaque année. On y va surtout pour les soupers-spectacles et l'on y passe de très belles soirées. Plaisir garanti!

LES CONS SERVENT ★★★ (bistro)

5064, rue Papineau, Mtl
Tél.: 514-523-8999
www.lesconsservent.com
SPÉCIALITÉS: Pieuvre, moules fumées, avocat, oignons rouges, cajoux. Veau, archange, roquette sauvage, pesto de basilic à l'arachide. Pappardelles de canard confit, brocoli et peau de canard croustillante. Beignet de poire, caramel salé et bacon bits. Pot de crème.
PRIX Midi: (fermé)
Soir: C. 33$ à 48$ T.H. 35$
OUVERT le soir, 7 jours.
NOTE: Charcuteries maison. Marinades maison pour emporter. Carte des vins bio et d'importation privée à 100%. Événements réguliers de vignerons invités et dégustation de microbrasserie.
COMMENTAIRE: Pourquoi ce nom? «C'est un jeu de mots, explique le serveur, il y a les conserves et puis on essaie de faire les cons, mais vous allez voir, on est très professionnels, par contre!» Ce fut le cas. Si la tenue vestimentaire est décontractée, le service est tout à fait professionnel et attentif. Pour l'assiette, c'est très bon, une formule bistro français. La salle à manger, avec son mur rempli de conserves et de livres, est résolument bistro, chaleureuse et conviviale. Le sommelier et copropriétaire Victor Lhermitte, fils de l'acteur français Thierry Lhermitte, a fait ses études à l'École Bocuse à Lyon (France).

LE VALOIS ★★[ER]

3809, Ontario E., Mtl
Tél.: 514-528-0202
www.levalois.ca
SPÉCIALITÉS: Croquettes de fromage de chèvre, panko, noix caramélisées, crémeux de betterave rouge. Calmars à la plancha, coulis pimientos del piquillos. Pavé de boudin noir maison. Tartare de bœuf Angus, parmesan, champignons. Cronuts, crème anglaise et crème glacée vanille.
PRIX Midi: F. 17$ à 25$
Soir: C. 30$ à 53$ T.H. 39$ 4 serv.
OUVERT le midi et le soir, 7 jours. Brunch sam. et dim.
NOTE: Plats du chef à l'ardoise, tous les soirs. Carte des vins, 250 étiquettes, importation privée à 90%.
COMMENTAIRE: Voilà une cuisine de brasserie française traditionnelle. Les assiettes sont généreuses dans les proportions, elles manquent un peu de relief, mais c'est quand

même bon! Le service est très gentil, accommodant, un peu lent. Le décorateur Luc Laporte a conçu un décor moderne et vaste. Après Gavin Gourdon-Givaja, encore un nouveau chef y dirige les cuisines: Hubert Colombier. Souhaitons qu'il remonte le niveau de cette table montréalaise. Toujours à suivre...

L'EXPRESS ★★★ (bistro)
3927, rue Saint-Denis, Mtl
Tél.: 514-845-5333
www.restaurantlexpress.com
SPÉCIALITÉS: Soupe de poisson. Mousse de foie de volaille aux pistaches. Pieuvre aux lentilles. Loup de mer frais. Poulet de grain, sauge et citron. Os à moelle au gros sel. Foie de veau à l'estragon. Onglet, beurre à l'échalote. Tartare de bœuf. Pot-au-feu. Île flottante.
PRIX Midi: C. 20$ à 58$
Soir: C. 20$ à 61$
OUVERT le midi et le soir, 7 jours. Brunch sam. et dim.
NOTE: Carte des vins d'importation privée à 95%, 10 000 bouteilles.
COMMENTAIRE: Une valeur sûre de la métropole. La formule bistro par excellence! Un peu cher, mais c'est toujours plein. Un des meilleurs steaks tartares en ville. Une institution à Montréal.

MAISON BOULUD ★★★★★
Hôtel Ritz Carlton
Restaurant de l'année Debeur 2013
1228, rue Sherbrooke O., Mtl
Tél.: 514-842-4224 1-800-363-0366
www.maisonboulud.com
SPÉCIALITÉS: Raviolo au jaune d'œuf coulant, ricotta di bufala, girolles du Québec. Crabe des neiges, avocat wasabi. Gnocchetti au homard, champignons, émulsion de coraline, poireaux. Ris de veau, cannelloni de langue de veau, asperges vertes, jus pantelleria. Coulant au chocolat, crémeux de caramel, glace au lait caramélisé.
PRIX Midi: F. 38$ T.H. 49$
Soir: C. 71$ à 122$
OUVERT le midi, du lun. au ven. Le soir, 7 jours. Brunch sam. et dim.
NOTE: Menu dégustation 7 serv. 115$. Carte des vins de plus de 500 étiquettes. Bar au restaurant.
COMMENTAIRE: Le chef Daniel Boulud, propriétaire de nombreux restaurants à travers le monde, a commencé son ascension à New York. Il propose ici une assiette française contemporaine raffinée, créative, chaleureuse et conviviale, magnifiquement élaborée par le chef Riccardo Bertolino, un ancien du restaurant Daniel à New York. Quant au décor, il a été dessiné par le designer japonais Kazushige Masuya. On y retrouve le côté zen, épuré, mais avec beaucoup de classe et d'équilibre. Le service est professionnel et attentif. L'été, on recommande la terrasse et la verrière côté jardin.

MARCHÉ DE LA VILLETTE
★★★[ER] (bistro)
Quartier des Arts
324, rue Saint-Paul O., Vieux-Mtl
Tél.: 514-807-8084
www.marche-villette.com
SPÉCIALITÉS: Gaspacho. Soupe à l'oignon gratinée. Assiette de charcuterie sur planche. Feuillantine comtoise. Cassoulet royal. Choucroute alsacienne. Fondue au fromage. Cronuts.
PRIX Midi: F. 17$
Soir: C. 26$ à 68$ T.H. 21,95$
OUVERT le midi et le soir, 7 jours. Brunch sam. et dim. Ouvre à 9h30.
NOTE: Vins au verre. Accordéon ven. et sam. soir. Dim. parties de bureau, soirées privées, mariages. Plateau de charcuterie composé par le client à partir de 29$.
COMMENTAIRE: On y mange bien, pour un prix abordable, les assiettes sont copieuses, le service décontracté et sympathique. Des sandwichs fourrés de charcuterie maison aux solides plats régionaux, tout est servi dans un grand brouhaha de conversation qui essaie de couvrir la musique de ritournelles françaises, sur fond d'accordéon. Le papa Jean-Pierre Marionnet était un boucher charcutier hors pair qui connaissait bien son métier. Nicole, son épouse et Ludovic, son fils, perpétuent la tradition avec des recettes de famille.

MONSIEUR B ★★★
371, rue Villeneuve E., Mtl
Tél.: 514-845-6066
www.monsieurb.ca
SPÉCIALITÉS: Foie gras au torchon. Tartare de bœuf. Bavette de bœuf Black Angus, polenta crémeuse au persil, pleurotes érigées, sauce au poivre vert de Madagascar. Risotto, fromage de chèvre et agneau braisé. Panna cotta à la vanille, dolce de leche, fraises du Québec.
PRIX Midi: (fermé)
Soir: C. 44$ à 58$
OUVERT le soir, 7 jours.
NOTE: Menu dégustation 6 serv. 55$.
COMMENTAIRE: Façade ordinaire, petit resto de quartier, mais pour ceux qui osent pousser la porte et affronter son décor minimaliste, la surprise les attend dans l'assiette. Un jeune chef s'affaire dans une petite cuisine. Il est inventif, imaginatif et va au-delà de la cuisine traditionnelle. Dans chaque assiette se révèle un talent inattendu, des mariages qui surprennent, mais qui restent en équilibre. Les mets sont délicieux, simples dans leurs saveurs, mais toujours avec ce je-ne-sais-quoi qui se marie délicatement. Apportez votre vin.

PÉGASE ★★
1831, rue Gilford, Mtl
Tél.: 514-522-0487
www.lepegase.ca
SPÉCIALITÉS: Foie gras poêlé du moment. Bavette de bison, œuf poché. Carré d'agneau

aux deux moutardes. Tarte Tatin, caramel à la fleur de sel. Mourir de chocolat 70% (mousse, ganache).
PRIX Midi: (fermé)
Soir: C. 45$ à 52$ T.H. 39$ à 47$
OUVERT le midi et le soir, 7 jours.
NOTE: Ven. et sam. 2 serv. 18h et 21h.
COMMENTAIRE: Au rez-de-chaussée d'une petite maison centenaire, un petit resto sympa avec une quinzaine de petites tables nappées de blanc, mais recouvertes d'un napperon de papier. On propose une cuisine française avec des produits frais. Service très aimable et compétent. Apportez votre vin.

RENOIR ★★★★
Restaurant de l'année Debeur 2009
Hôtel Sofitel le Carré Doré
1155, rue Sherbrooke O., Mtl
Tél.: 514-788-3038
www.restaurant-renoir.com
SPÉCIALITÉS: Pieuvre et asperges grillées, mozzarella de bufflonne du Québec. Porc au homard, porcelet braisé, ferme Gaspor. Morue d'Islande à la plancha et espuma de pomme de terre. Longe et ris d'agneau du Québec, jus parfumé à la camomille et girolles. Plateau maison de pâtisseries françaises.
PRIX Midi: F. 31$ T.H. 36$
Soir: C. 60$ à 90$
OUVERT le midi et le soir, 7 jours. Brunch dim.
NOTE: Le midi «L'express 30 minutes» 30$, 4 serv. et café. Nouveau menu chaque mois et demi. Mets sans gluten. Menu basses calories.
COMMENTAIRE: Constamment à la recherche de produits frais régionaux de qualité, le chef Olivier Perret, originaire de la Bourgogne, met l'accent sur les saveurs franches et la beauté des présentations. Le décor est chic et moderne; le service, très professionnel, rapide et attentif. On offre une carte des vins intéressante avec une excellente variété de vins au verre. Roland DelMonte, Meilleur ouvrier glacier de France, est le chef pâtissier de l'établissement.

RESTAURANT CHRISTOPHE ★★★
1187, rue Van Horne, Mtl
Tél.: 514-270-0850
www.restaurantchristophe.com
SPÉCIALITÉS: Râble de lapin du Québec farci aux épinards, légumes croquants. Jarret d'agneau aux herbes, risotto de champignons. Ris de veau crousti-fondant, jus corsé. Rôtisson de cerf de Boileau, sauce au porto. Triple chocolat: fondant, sorbet au cacao et son coulis.
PRIX Midi: (fermé)
Soir: C. 43$ à 64$
OUVERT le soir, du mar. au sam. Fermé dim. et lun.
NOTE: Menu découverte 5 serv. 60$. Menu changeant aux deux mois. Réserv. pour groupe.
COMMENTAIRE: Christophe Geffray, nous

propose une cuisine française savoureuse revisitée, avec mise en valeur des produits du Québec. Ambiance cosy et chaleureuse, service courtois. N'oubliez pas d'apporter une bonne bouteille de vin.

RESTAURANT O'THYM ★★ (bistro)
1112, bd de Maisonneuve E., Mtl
Tél.: 514-525-3443
www.othym.com
SPÉCIALITÉS: Saumon boucané maison mi-cuit, couscous israélien. Tartare de bœuf aux canneberges. Confit de canard à l'érable, purée butternut. Tarte fine aux abricots, coulis cardamome.
PRIX Midi: T.H. 19$ à 21$
Soir: C. 44$ à 65$
OUVERT le midi, du mar. au ven. Le soir, 7 jours. Brunch sam. et dim.
NOTE: Réserv. conseillée.
COMMENTAIRE: Un petit bistro sympathique, sans prétention, pas très confortable, mais au service gentil quoiqu'un peu lent. Le menu est affiché sur des tableaux noirs. On sert une cuisine simple, assez savoureuse et gentiment présentée.

RESTAURANT PLEIN SUD ★★
222, av. Mont-Royal E., Mtl
Tél.: 514-510-6234
www.pleinsud-restaurant.com
SPÉCIALITÉS CORSES ET PROVENÇALES: Millefeuille de betterave au chèvre frais. Salade niçoise. Pissaladière. Sauté de veau à la corse et ses gnocchis. Onglet de bœuf grillé, sauce crémée au bleu. Fondant chocolat au cœur de châtaigne. Fiadone (gâteau corse), citron et fromage.
PRIX Midi: T.H. 15$ à 19$
Soir: C. 32$ à 46$
OUVERT le midi, 7 jours. Le soir, du lun. au sam.
NOTE: Vins corses d'importation privée en majorité.
COMMENTAIRE: Décor sans prétention, style bistro de quartier, mais convivial et chaleureux. Une assiette familiale bien savoureuse qui offre des spécialités corses ainsi que quelques recettes du Sud de la France. Comme le nom du restaurant l'indique, on est ici dans un thème «plein sud». Donc du soleil plein les papilles. Un choix de vins du Sud complètera le portrait.

TOQUÉ ! ★★★★★
Restaurant de l'année Debeur 2005
900, pl. Jean-Paul Riopelle, Mtl
Tél.: 514-499-2084
www.restaurant-toque.com
SPÉCIALITÉS: Thon Bluefin de ligne, rabiole, cerfeuil musqué, oignons, raisins, mayonnaise épicée. Longe de cerf, pieds-de-mouton, radis, carottes, haricots, oignon nouveau, sauce bordelaise. Carré de porcelet, pleurotes gris, courgette, tomate, purée d'aubergine, fenouil, sauce à l'origan. Meringue au gingembre, gâteau éponge et crème à la pistache, gel et granité à la framboise, yogourt.
PRIX Midi: F. 28$ à 52$
Soir: C. 86$ à 104$
OUVERT le midi, du mar. au ven. Le soir, du mar. au sam. Fermé dim. et lun.
NOTE: Réserv. préférable. Menu dégustation 7 serv. 136$, avec 5 verres de vin 216$, avec 7 verres 241$. Très belle cave de 8 000 bouteilles et 420 étiquettes de vin, on y accède par une cage de verre. Valet de stationnement 17$/véhicule.
COMMENTAIRE: Le chef propriétaire, Normand Laprise, nous propose des mets qui tirent leur inspiration de la cuisine française et québécoise, pour tout dire, nord-américaine évolutive. Une cuisine qui utilise les produits frais du marché avec un accent particulier sur la mise en valeur des produits du Québec. Toutes les assiettes sont très joliment décorées sur un ton art déco, qui ajoute au plaisir de manger.

VERTIGE ★★★
540 av. Duluth E., Mtl
Tél.: 514-842-4443
www.restaurantvertige.com
SPÉCIALITÉS: Tartare de saumon. Joue de cochon braisée à la provençale. Morue rôtie aux oignons confits, brandade, sauce beurre blanc. Fondant au chocolat. Crème brûlée à la vanille.
PRIX Midi: (fermé)
Soir: C. 24$ à 40$
OUVERT le soir, du mar. au sam. Fermé dim. et lun.
NOTE: Menu dégustation 5 serv. 49$, 6 serv. 59$. Menu tapas mar. à jeu. 6 tapas 29$.
COMMENTAIRE: Une très belle cuisine, avec de la recherche. Le décor est confortable et on y mange bien. Service très professionnel. Le menu dégustation offre un bon rapport qualité-prix.

XO LE RESTAURANT ★★★★★
Hôtel Saint-James
355, rue Saint-Jacques, Vieux-Mtl
Tél.: Tél.: 514-841-5000
www.xolerestaurant.com

SPÉCIALITÉS: Tartare de canard et foie gras, meringue à l'oignon brûlé. Tagliatelles au café, veau braisé, mousse de mascarpone. Râble de lapin farci à la cerise noire. Religieuse à la fraise et amandes fumées.
PRIX Midi: T.H. 25$
Soir: C. 54$ à 78$
OUVERT le midi, du lun. au ven. Le soir, 7 jours. Brunch dim.
NOTE: Menu midi change tous les mois. Menu dégustation 6 serv. 85$, cuisine inspirée de l'art moderne, accord mets et vins 65$. Cave à vin 98% en importation privée. Menu bar 11h à 23h. Service de valet pour la voiture et vestiaire gratuits.
COMMENTAIRE: XO Le Restaurant est installé dans l'ancien hall de la Banker's Hall. Le

décor, d'une autre époque, fascine par sa richesse, son luxe élégant, dorure, couleurs, colonnes immenses montant jusqu'aux mezzanines, escaliers imposant à grande volée, hauteur du plafond, verrière du fond de la salle, alcôves, mobilier, etc. Le calme des lieux, le professionnalisme du service gentiment prévenant, la qualité du menu rempli de surprises à venir, la présentation des plats, leur composition artistique, tout s'est assemblé pour nous procurer une excellente soirée. C'était divin! Le chef, Julien Robillard, est à la hauteur de la beauté de l'établissement. Une réelle réussite dans le mariage des arômes, la délicatesse des saveurs, et la fraîcheur des ingrédients choisis. Desserts magnifiques, autant dans la présentation que dans la gourmandise. De l'audace, de l'équilibre, surprenant et délicieux. Une cuisine innovante, toute en douce harmonie, un morceau de bonheur à partager!

GREC

FAROS ★★★
362, av. Fairmount O, Mtl
Tél.: 514-270-8437
www.faros.ca
SPÉCIALITÉS: Grande sélection de poissons grillés. Thon au gingembre, wasabi, sauce soya. Pieuvre grillée, riz et légumes. Côtelettes d'agneau grillées, jus de citron, huile d'olive. Espadon ou bar noir grillé. Côtes de veau grillées. Baklava maison.
PRIX Midi: (fermé)
Soir: C. 33$ à 70$
OUVERT le soir, 7 jours.
NOTE: Réserv. conseillée. Carte de vins grecs, 50 étiquettes. Service de valet gratuit 18h à minuit.
COMMENTAIRE: Le décor chaleureux fait penser à une taverne grecque avec, en plus, un étal de légumes et de poissons. Beaucoup d'ambiance! Nous y avons dégusté, entre autres, un bar noir grillé à point et d'une grande finesse, des crevettes sauce tomate et fromage feta très savoureuses. Les assiettes sont généreusement remplies, impossible de manger un repas au complet. On nous a servis avec attention, courtoisie et professionnalisme.

IKANOS ★★★★
112, rue McGill, suite 1, Mtl
Tél.: 514-842-0867
www.restaurantikanos.com
SPÉCIALITÉS GRECQUES MODERNES: Pétoncles et foie gras. Fleurs de courgettes. Assiette de fruits de mer grillés. Magret de canard, champignons, dattes, oignons. Calmars frits ou grillés. Baklava. Loucoumades (beignets au miel). La fraise, genoise avec fraises et rhubarbe. Gâteau au fromage.
PRIX Midi: T.H. 24$
Soir: C. 40$ à 107$
OUVERT le midi, du lun. au ven. Le soir, du

lun. au sam. Fermé dim. Brunch dim.
NOTE: Four au charbon de bois. Menu tapas. Poissons et viandes grillés. Bar cocktails maison.
COMMENTAIRE: On sert ici une cuisine grecque contemporaine (enfin!), où les poissons et les fruits de mer sont servis frais et d'aimable façon. La présentation suit l'invention et l'assemblage des goûts. Une cuisine de saveurs et d'harmonie. Décor contemporain, lui aussi, et confortable. Service courtois, diligent et attentif.

MILOS ★★★★★
5357, av. du Parc, Mtl
Tél.: 514-272-3522
www.estiatoriomilos.ca
SPÉCIALITÉS: Tartare de saumon biologique d'élevage durable des îles Féréo, sur croustille de sésame, mini pousses de mesclun. Pieuvre grillée de la Méditerranée, façon sashimi. Crevettes géantes du Mexique grillées. Thon Big Eyes servi bleu, champignons shiitake et asperges. Crème glacée au baklava. Gâteau aux noix.
PRIX Midi: T.H. 26$
Soir: C. 70$ à 110$
OUVERT le midi, du lun. au ven. Le soir, 7 jours.
NOTE: Jeu. à sam., T.H. fin de soirée trois serv. 25,17$ après 22h, dim. quatre serv. 45$.
COMMENTAIRE: Le patron, Costas Spiliadis, fait venir plusieurs fois par semaine des produits des États-Unis, du Maroc, du Portugal et de la Grèce. Une institution à Montréal. On y mange, dans un décor modernisé où les belles nappes blanches ont remplacé celles à petits carreaux rouges. C'est plus lumineux et confortable. Une cuisine ouverte où le chef prépare des poissons frais et des fruits de mer dans la tradition grecque et méditerranéenne, exclusivement avec l'huile d'olive Milos. C'est excellent et l'ambiance y est formidable, surtout lorsqu'il y a du monde. Cher le soir cependant.

RODOS ★★
5583, av. du Parc, Mtl
Tél.: 514-270-1304
www.rodos.com
SPÉCIALITÉS: Soupe aux lentilles et poisson. Assiette de fruits de mer. Crevettes, pétoncles, espadon, thon, calmar frit, loup de mer ou côtelettes d'agneau grillées avec pommes de terre et légumes. Moussaka. Baklava.
PRIX Midi: F. 15$ à 20$
Soir: C. 34$ à 65$ T.H. 40$
OUVERT le midi, du lun. au sam. Le soir, 7 jours.
NOTE: Menu dégustation 40$, dim. à ven. Ouvert dim. midi sur réserv.
COMMENTAIRE: Le décor est très beau et dépaysant au possible. Dès l'entrée, on est subjugué par les pots de géraniums et d'hibiscus en fleurs, ainsi que par la petite terrasse-balcon-tonnelle qui abrite trois tables. À l'intérieur, c'est la Grèce: murs blancs, sol de tomettes, arcades, fausses fenêtres à petits carreaux, tables avec des nappes blanches, sous-nappes à carreaux, grandes potiches de terre cuite, assiettes aux couleurs vives accrochées aux murs, une véritable carte postale! On sert une cuisine grecque traditionnelle, très familiale et généreuse.

HAÏTIEN

CASSEROLE KRÉOLE
Traiteur, plats à emporter, lunch sur place ★★★
4800, rue de Charleroi, Montréal-Nord
Tél.: 514-508-4844 et 514-800-2540
www.casserolekreole.com
SPÉCIALITÉS: Soupe de giraumon. Acras. Poulet créole. Poulet jerk. Fricassé de lambi. Grillot de porc grillé au four, bananes pesées, salade. Cabri (gigot de chèvre en sauce). Riz aux champignons séchés djon djon mélangé aux pois de lima. Gâteau rhum et raisins.
PRIX Midi: C. 15$ à 21$
Soir: Idem
OUVERT le midi et le soir, du mar. au sam. Fermé dim.
NOTE: Traiteur et plats à emporter. Musique créole et latine. Service de livraison.
COMMENTAIRE: Deux chefs haïtiens Hans Chavannes et Kenny Pelissier, sympathiques et accueillants. On s'y sent bien. Un décor frais et très simple, fait de planches de bois brut peintes de couleurs vives, une belle ambiance qui rappellent les Antilles. Des textes décorent les murs. Le prix du lunch, taxes comprises, est difficile à battre. Outre le petit resto, ils ont aussi une boutique ouverte jusqu'à 19h. Des produits faits maison sont en vente: la traditionnelle sauce Pikliz, marinade pour la viande, sirop à la cannelle, purée de piments, huiles aromatisées. Attention, c'est chaud ce qui veut dire très piquant en créole.

INDIEN

RESTAURANT GANDHI ★★★★
230, rue Saint-Paul O., Vieux-Mtl
Tél.: 514-845-5866
www.restaurantgandhi.com
SPÉCIALITÉS: Poulet korma. Agneau tikka (mariné aux épices et rôti au four tandouri). Saumon tandouri. Biryani au poulet. Prawn poori (crevettes piquantes sur crêpes indiennes). Poulet au beurre. Poulet tikka masala (cuit au four d'argile). Tandouri naan (pâte à pain cuit au four tandouri).
PRIX Midi: F. 17$ à 25$
Soir: C. 22$ à 44$
OUVERT le midi, du lun. au ven. Le soir, 7 jours.

NOTE: Menu végétarien, menu dégustation. Plats à emporter.
COMMENTAIRE: Arômes et parfums de l'Asie, flaveurs chargées de mystère, plats aux couleurs chatoyantes. Musique indienne traditionnelle. Dépaysement assuré. Salle à manger agréable, élégante, nappes blanches et serviettes de tissu. Serviette chaude pour s'essuyer les mains. Service aimable. Un beau choix de mets indiens. Cuisine de l'est de l'Inde agrémentée de mets du Bangladesh. Nous suggérons le plat Gandhi pour goûter les spécialités au tandouri. Certains mets sont mis au goût du Québec.

INDONÉSIEN

NONYA ★★★★
151, av. Bernard O., Mtl
Tél.: 514-875-9998
www.nonya.ca
SPÉCIALITÉS: Soupe Laksa (curry jaune, vermicelles, poulet, crevettes, œufs de caille). Crevettes grillées, sauce curry rouge. Ragoût de bœuf Rendang. Brochettes d'agneau grillées, sauce aux arachides. Riz collant noir, lait de coco.
PRIX Midi: (fermé l'été)
Soir: C. 28$ à 46$ T.H. 26$ à 30$
OUVERT le soir, 7 jours.
NOTE: Menu dégustation «Rijuttafel» 8 assiettes (4 pers. min.), 58$/pers. Ouvert le midi en hiver.
COMMENTAIRE: Nonya signifie madame. Le seul restaurant indonésien à Montréal. La cuisine est toujours bonne, dépaysante et authentique. Les propriétaires sont très accueillants. Ivan, le chef copropriétaire a fait ses études dans une école hôtelière suisse. Il cuisine des plats savoureux avec de belles présentations.

INTERNATIONAL ET MÉTISSÉ

AVIS
Cette section dite internationale ou encore métissée se veut un mélange de cultures, une tendance à la mondialisation d'une cuisine toujours à la recherche de son identité... ou qui s'en fiche. Néanmoins, le résultat est souvent très réussi. Voici quelques bonnes et belles tables qui méritent notre intérêt.

ACCORDS ★★★★[ER]
212, rue Notre-Dame O., Vieux-Mtl
Tél.: 514-282-2020
www.accords.ca
SPÉCIALITÉS: Calmar, kale, laitue romaine, fromage de chèvre. Maquereau, camerise, laitue sucrine, persil. Agneau, navet, oignon mariné, crème à la moutarde. Thon albacore, graines de citrouille, courge, sarriette. Rhubarbe, miel, panna cotta au babeurre.
PRIX Midi: T.H. 25$
Soir: C. 26$ à 38$
OUVERT le midi, du lun. au ven. Le soir, du mar. au sam. Fermé dim.
NOTE: Menu basé sur des assiettes partagées. Menu carte blanche à l'aveugle 5 serv. 60$, avec accord des vins 90$ (demi-verre), 105$ (verre). Une cinquantaine de vins au verre. Une carte des vins avec plus de 400 références.
COMMENTAIRE: Une carte originale. Des mariages subtils et bien faits. Un vrai bonheur! Le personnel, très courtois et surtout passionné, a une bonne connaissance des vins.

BISTROT LA FABRIQUE
★★★ (bistro)
3609, rue Saint-Denis, Mtl
Tél.: 514-544-5038
www.bistrotlafabrique.com
SPÉCIALITÉS: Foie gras poêlé. Terrine de fromages coulants du Québec, jambon de pays, marmelade de pommes, graines de moutarde. Tarte fine, marmelade de champignons, tartare de bœuf, copeaux de vieux cheddar, vinaigrette balsamique. Pain perdu, caramel de girofle, fleur de sel.
PRIX Midi: (fermé)
Soir: C. 33$ à 59$
OUVERT le soir, du mar. au dim. Fermé lun. Brunch dim.
NOTE: Cuisine centrale ouverte. Carte des vins d'importation privée à 100%, biologique à 75%, 100 étiquettes. Terrasse pour le brunch.
COMMENTAIRE: Le décor tourne autour d'une cuisine installée au milieu de la salle à manger. On dirait que les tables et les clients essaient tant bien que mal de s'approprier un bout de plancher, tandis que les cuisiniers s'affairent à préparer des plats à l'origine incertaine, mais combien créatifs et savoureux le plus souvent. On est tout à la fois dans la cuisine et dans la salle à manger. C'est jeune, c'est sympa, et surtout cela sort des sentiers battus. Une cuisine conviviale qui étonne, et c'est le but, sinon pourquoi aller au restaurant? Carte des vins bistro adaptée.

BRASSERIE LES ENFANTS TERRIBLES ★★★ (bistro)
1257, av. Bernard O., Outremont
Tél.: 514-759-9918
www.jesuisunenfantterrible.com
SPÉCIALITÉS: Salade de betteraves cuites en croûte de sel et chèvre chaud. Tartare de saumon. Bavette de bœuf, beurre maître d'hôtel, frites maison. Côtes levées de porc, sauce BBQ maison, frites et salade de chou. Pouding chômeur.
PRIX Midi: F. 16$ à 21$
Soir: C. 33$ à 57$
OUVERT 7 jours, midi et soir. Brunch sam. et dim.

NOTE: Ambiance chaleureuse. Carte sur ardoise renouvelée tous les jours. Produits du terroir québécois. Menu pour enfants. Cocktails spécialisés.
COMMENTAIRE: L'endroit est résolument bistro. La salle à manger tourne autour d'un imposant comptoir de bar. En ce qui concerne l'assiette, c'est très bon. On sent ici une bonne volonté manifeste et beaucoup de fraîcheur dans l'ensemble. Service sympa.

BRASSERIE LES ENFANTS TERRIBLES ★★★ (bistro)
209, ch. de la Rotonde, Île des Sœurs
Tél.: 514-508-6068
www.jesuisunenfantterrible.com
SPÉCIALITÉS: Salade César signature, salade de betteraves et chèvre chaud, boudin noir. Calmars frits. Tartare de bœuf ou de saumon. Fish and chips. Filet mignon, pommes de terre au fromage bleu de Charlevoix et bacon. Pouding chômeur.
PRIX Midi: F. 15$ à 25$
Soir: C. 27$ à 64$
OUVERT 7 jours, midi et soir. Brunch sam. et dim.
NOTE: Carte sur ardoise renouvelée tous les jours (poisson + création). Produits québécois. Menu pour enfants. Carte de cocktails personnalisée. Stationnement gratuit.
COMMENTAIRE: Service attentionné, gentil, professionnel, évoluant en un ballet bien réglé dans la vaste salle à manger. Ambiance sympa, un peu bruyante à cause de la musique très rythmée et des conversations enthousiastes des clients. Malgré le bruit, on se sent bien. Cuisine de brasserie pas compliquée mais réjouissante. Les assiettes sont généreuses, bien savoureuses et présentées de façon moderne. Enfin une bonne adresse à recommander sur l'Île des Sœurs.

CHEZ L'ÉPICIER ★★★★ (bistro)
311, rue Saint-Paul E., Vieux-Mtl
Tél.: 514-878-2232
www.chezlepicier.com
SPÉCIALITÉS: Tartare de bœuf, huîtres, gingembre et soya, purée de cresson et chips de riz croustillant. Filet de bœuf, pommes de terre croustillantes, sorbet de jus de viande corsé. Crème chocolat blanc, hibiscus, glace yogourt chèvre et framboise.
PRIX Midi: (fermé)
Soir: C. 49$ à 82$
OUVERT le soir, 7 jours.
NOTE: Menu dégustation 7 serv. 85$, accord des vins 60$. Service de traiteur.
COMMENTAIRE: Le chef Laurent Godbout, chef de l'année SCCPQ 2006 et lauréat du Prix Debeur 2006, nous propose toujours une très belle assiette pleine de saveurs, une cuisine généreuse et bien présentée. Aussi chef copropriétaire du restaurant Attelier Archibald à Granby, ainsi qu'un autre établissement à Palm Beach en Floride. Il a repris également Le Beaux-Arts, restaurant du Musée des beaux-arts de Montréal.

CHEZ VICTOIRE ★★★ (bistro)
1453, rue Mont-Royal E., Mtl
Tél.: 514-521-6789
www.chezvictoire.com
SPÉCIALITÉS: Salade de tomates, mozzarella di bufala et pain fumé. Chou-fleur rôti et truffe, bacon, brouillade d'œuf, beurre, citron. Côte de bœuf Angus vieillie 45 jours, os à moelle, sauce au vin rouge, champignons. Glace vanille, Oréo, espresso, caramel salé.
PRIX Midi: (fermé)
Soir: C. 36$ à 58$ T.H. 45$ à 55$ (4 serv.)
OUVERT le soir, 7 jours.
NOTE: F. 25$ après 22h. Dim. T.H. 30$. Produits du terroir, ferme à 25km de Montréal, légumes 50% bio. Patchworks des années 50 au mur. Carte des vins d'importation privée à 95% recherchée, bio à 80%.
COMMENTAIRE: Bistro de quartier de style rétro, sympa. Tout s'organise autour du bar, la mezzanine plonge sur le bar. Cuisine d'inspiration française qui suit les saisons, recherchée ou bistro selon les plats, mais accessible.

DECCA77 ★★★★[ER]
1077, rue Drummond, Mtl
Tél.: 514-934-1077
www.decca77.com
SPÉCIALITÉS: Salade grecque farfelue, tomates fumées, tuiles aux olives, sorbet origan, citron. Schnitzel au poulet frit, mayo dijon fumée, lime. Spaghettis aux œufs, lapin de la ferme Besnier. Pouding chômeur, glace Coureur des bois. Tarte au citron, meringue grillée, sorbet à la fraise.
PRIX Midi: T.H. 25$ à 30$
Soir: C. 28$ à 65$
OUVERT le midi et le soir, du lun. au sam. Fermé dim.
NOTE: Deux bars à cocktails, 1 section brasserie, 1 section restaurant. Lounge au 2e étage. Cocktails pour 250 pers. Prix spéciaux (5 à 7) tous les jours.
COMMENTAIRE: Décor très design. L'assiette est résolument internationale. On affiche la cuisine contemporaine, inspirée du marché. C'est excellent! Très belle carte des vins avec de grands formats. Le service est professionnel et attentionné.

Ê.A.T. Être Avec Toi ★★★[ER]
Hôtel W
901, Square Victoria, Mtl
Tél.: 514-395-3183
www.etreavectoi.com
SPÉCIALITÉS: Calmars à la carbonara, bacon fumé, parmesan. Côte de bœuf 1,2 kg/pour 2 pers. Moules frites. Plateau royal de fruits de mer. Paella. Guédille de homard. Rillettes de canard à l'écorce d'orange. Mont-Royal à partager.
PRIX Midi: T.H. 25$
Soir: C. 35$ à 70$

OUVERT le midi et le soir, 7 jours. Brunch dim.
NOTE: Côte de bœuf 1,2 kg/2 pers. 122$.
COMMENTAIRE: Ê.A.T. sont les initiales des mots «être avec toi». On y mange bien, mais pas aussi bien que ce à quoi on s'attendait, au vu des photos du site web du restaurant. Surtout le midi... On y a découvert une assiette de poisson et fruits de mer assez familiale, avec une différence très supérieure pour les desserts. Ces derniers remplissaient la promesse de l'établissement. Ce fut excellent! Il doit certainement y avoir un pâtissier ou une pâtissière de talent en cuisine. Par ailleurs, le service est très bien fait. Le décor – murs couverts d'œuvres d'art, fenêtres décorées du logo de la Ville de Montréal – concourt à créer une ambiance détendue et conviviale. Quant au hall de l'hôtel W, il est superbe.

GARDE-MANGER ★★★
408, rue Saint-François-Xavier, Vieux-Mtl
Tél.: 514-678-5044
www.crownsalts.com
SPÉCIALITÉS: Huîtres. Plateau de fruits de mer (crevettes, pétoncles vivants, crabes et huîtres). Sandwich à la crème glacée. Profiteroles au chocolat. Dessert aux fruits de saison.
PRIX Midi: (fermé)
Soir: C. 53$ à 82$
OUVERT le soir, du mar. au dim. Fermé lun.
COMMENTAIRE: Le décor rappelle les pubs ou brasseries québécoises d'antan avec des murs de briques, de vieilles boiseries, des étagères avec livres et objets hétéroclites. Tout cela donne beaucoup d'ambiance. La carte est écrite sur un tableau noir au mur, avec quelques vins pour la sélection du jour. Le chef Chuck Hughes mélange les cuisines française et italienne, revues et corrigées à la nord-américaine. Leur spécialité, ce sont les fruits de mer. Il y a d'ailleurs un plat typique de l'endroit, un plateau de fruits de mer, une sorte d'orgie de mollusques de toutes sortes.

GUS ★★★ (bistro)
38, rue Beaubien E., Mtl
Tél.: 514-722-2175
www.restaurantgus.com
SPÉCIALITÉS: Salade César traditionnelle. Nachos au foie gras. Tartare de cerf. Moules et frites. Carré d'épaule d'agneau. Côtes de porc, marinade au babeurre. Gâteau au chocolat. Gâteau aux bleuets et crème au beurre.
PRIX Midi: F. 16$ à 22$
Soir: C. 40$ à 61$
OUVERT le midi, les jeu. et ven. Le soir, du lun. au sam. Fermé dim.
NOTE: «Gus margarita» à ne pas manquer. Portes coulissantes créant une semi-terrasse l'été.
COMMENTAIRE: De style resto-bistro, chaleureux et sympathique, cette petite salle à manger rappelle un peu les petits bouchons lyonnais. Dans sa cuisine ouverte, le chef Fer-

gusson propose une cuisine simple mais toujours bien travaillée et généreuse. Une cuisine de fraîcheur qui suit les saisons. Service aimable, compétent et attentif.

HOOGAN & BEAUFORT
★★★★ (bistro)
4095, rue Molson, Mtl
Tél.: 514-903-1233
www.hooganetbeaufort.com
SPÉCIALITÉS INTERNATIONALES: Ris de veau, haricots, pomme sauvage, beurre noisette. Côte de bœuf grillée, chou-fleur rôti, laitue grillée, rondelles d'oignon, ranch. Pieuvre grillée sur le feu, pommes de terre rattes, olives, yogourt au poivron brûlé. Tagliatelles, chanterelles, Louis d'Or, jus de volaille. Curd au citron brûlé, miel d'Anicet, sablé au sarrasin.
PRIX Midi: C. 23$ à 36$
Soir: C. 49$ à 67$
OUVERT le midi, du mer. au ven. Le soir, du mar. au dim. Fermé lun. Brunch dim.
NOTE: Ouvert depuis déc. 2015. Menu dégustation 5 serv. 70$, accord mets et vins 45$. Poisson ou viande servis entiers.
COMMENTAIRE: Ce n'était vraiment pas évident de trouver l'entrée de ce restaurant de la rue Molson, derrière Le Journal de Montréal. Cet établissement situé dans un endroit improbable, loin des rues commerçantes, était pourtant plein. Les deux propriétaires, le chef Marc-André Jetté et le sommelier William Saulnier, tous les deux anciennement du restaurant Les 400 coups, ont appelé ce nouveau restaurant Hoogan & Beaufort, du nom des agriculteurs qui possédaient le terrain et l'ont vendu à Angus pour construire les ateliers ferroviaires Angus Shop. La cuisine est ouverte sur une salle à manger au mobilier épuré, avec chaises de jardin et tables sans nappe. Dans un coin, des mets cuisent au feu de bois. L'assiette est excellente et joliment présentée. On devrait faire attention au mûrissement des pièces de viande qui, trop fraîches, peuvent se révéler très dures à mastiquer. Par ailleurs, le service est très aimable.

JELLYFISH CRUDO CHARBON
★★★★
626, rue Marguerite d'Youville,
Tél.: 514-303-0908
www.jellyfishcrudocharbon.com
SPÉCIALITÉS: Ceviche de crevettes, banane épicée, arachides, aji amarillo, leche de tigre. Tataki de veau, sauce fumée au ponzu, espuma et chips de pomme de terre. Pieuvre tempura, confiture de bacon, aïoli aji panca, hummus au citron. Nachos d'huîtres façon Jellyfish. Porc Gaspor, carré double, ketchup banane épicé, oignon frit, crème sure, coriandre. Manhattan cab.
PRIX Midi: C. 17$ à 44$
Soir: C. 43$ à 99$
OUVERT le midi, du lun. au ven. Le soir, du lun. au sam. Fermé dim.
COMMENTAIRE: Situé dans la partie ouest du Vieux-Montréal, ce restaurant est une des bonnes adresses du quartier. Dans un décor hétéroclite et convivial, on y sert une assiette savoureuse et créative. Très belles présentations. Service professionnel et très aimable. Bonne connaissance du menu. Valet de stationnement les jeudis, vendredis et samedis soirs.

JOE BEEF ★★ (bistro)
2491, rue Notre-Dame O., Mtl
Tél.: 514-935-6504
www.joebeef.ca
SPÉCIALITÉS: Spaghettis au homard. Foie gras double Down. Côtes levées barbecue du fumoir. Côte de bœuf pour deux. Os à moelle, bacon et oignon. Gâteau Marjolaine.
PRIX Midi: (fermé)
Soir: C. 32$ à 64$
OUVERT le soir, du mar. au sam. Fermé dim. et lun.
NOTE: Bar à huîtres. Nouveau menu chaque semaine. Carte des vins.
COMMENTAIRE: C'est bruyant, un peu cher, mais toujours plein. Il vaut mieux réserver. Le décor ancien nous a semblé un peu dépareillé et inconfortable. Le menu, comme la carte des vins, est inscrit sur de grands tableaux noirs. Le service est d'une extrême gentillesse, voire charmeur. L'assiette est généreuse et très bonne dans l'ensemble. Une cuisine d'influence française, anglaise et italienne gentiment fusionnée.

LABARAKE ★★★
Caserne à manger
3165, rue Rachel E., Mtl
Tél.: 514-521-0777
www.labarake.com
SPÉCIALITÉS: Pattes de pieuvre grillées, sauce romesco, courgettes braisées. Tartare de bœuf, œuf mollet, croûtons et salade. Tartare de saumon, style Moyen-Orient. Fish and chips. Burger de bœuf Angus. Panna cotta dans l'esprit d'une tarte citron. Labarake, barre de chocolat fait maison.
PRIX Midi: F. 22$
Soir: C. 29$ à 69$
OUVERT le midi, du dim. au ven. Le soir, 7 jours. Brunch dim.
NOTE: Plateau de charcuteries et fromages 29$. Paella à partager.
COMMENTAIRE: Installé dans les murs d'une ancienne caserne de pompiers, ce restaurant propose une cuisine généreuse, créative, gentiment présentée et élaborée avec des produits frais du terroir. Sur leur site on peut lire: «Aujourd'hui, il s'agit toujours d'une caserne, mais à manger, aménagée en bar-restaurant très tendance et convivial». L'équipe est composée d'anciens du restaurant Le Saint-Gabriel. Ambiance sympathique, menu simple comportant de solides classiques de bistro élaboré par l'excellent chef Olivier Poissenot,

Maître cuisinier de France. Bonne sélection de vins au verre à prix très abordable.

LAURIE-RAPHAËL ★★★★★

Hôtel Le Germain
2050, rue Mansfield, Mtl
Tél.: 514-985-6072
www.laurieraphael.com

SPÉCIALITÉS: Tataki de thon, émulsion de poivron rouge. Turbot, decouverte d'oignons nouveaux en 7 façons, calamar géant grillé, herbes maritimes du bas du fleuve. Poitrine de canard, poivre des dunes, pétales de capucine. Texture de fraise, croustillant de yaourt, sorbet de babeurre à l'églantier, pétales de rose cristallisés.
PRIX Midi: T.H. 25$ à 39$
Soir: C. 65$ à 101$ T.H. 85$
OUVERT le midi, du lun. au ven. Le soir, 7 jours.
NOTE: Menu-surprise 3 serv. midi 39$. Menu gastronomique 10 serv. 120$. La boutique LR au rez-de-chaussée est ouverte 7 jours, 9h à 22h.
COMMENTAIRE: C'est très tendance, à la mode. Cependant, les tables sont un peu petites pour la grandeur des plats, pour le confort des convives ou tout simplement pour un établissement haut de gamme. Le chef propriétaire Daniel Vézina propose une cuisine internationale avec une base très française malgré tout, mais repensée avec goût et créativité. Le service est aimable et assez compétent.

LE CHIEN FUMANT ★★★ (bistro)

4710, de Lanaudière, Mtl
Tél.: 514-524-2444
www.lechienfumant.com

SPÉCIALITÉS: Tartare de bœuf coréen. Grosse côte de veau milanaise, guanciale (joue et bajoue de porc). Calmars Chinatown. Flanc de porc Donair. Ribsteak pour deux. Sorbet à la mangue.
PRIX Midi: (fermé)
Soir: C. 42$ à 74$
OUVERT le soir, du mar. au dim. Fermé lun. Brunch dim.
NOTE: Mar. et mer. 5 plats à partager, 30$. Carte des vins d'importation privée, 100 étiquettes. Sélection d'alcools forts. Spécialisé dans les cocktails classiques.
COMMENTAIRE: Un bistro qui a l'allure d'un pub anglais et où l'on mange très bien. Le menu est inscrit sur un tableau noir sur le mur. Des plats internationaux élaborés avec des produits frais. Une assiette savoureuse et inntive. Un mélange de genres, mais très bien réussi. Un peu cher cependant.

LE FILET ★★★

219, av. Mont-Royal O., Mtl
Tél.: 514-360-6060
www.lefilet.ca

SPÉCIALITÉS: Huîtres au gratin de miso. Tataki de wagyu, aubergines, miso. Rillettes de maquereau fumé, huile, citron, toast. Risotto de langoustine et mascarpone. Cavatelli, joue de veau, copeaux de foie gras. Carré au sirop d'érable, crème fraîche, pacanes.
PRIX Midi: (fermé)
Soir: C. 42$ à 69$
OUVERT le soir, du mar. au sam. Fermé dim. et lun.
NOTE: Poisson sous toutes ses formes. Grand bar.
COMMENTAIRE: Les propriétaires du Club Chasse et pêche se sont associés avec deux compères pour ouvrir ce restaurant situé sur le Plateau entre le boulevard Saint-Laurent et l'avenue du Parc. Une cuisine orientée vers la mer, mais qui offre quand même quelques viandes aux réticents. Une cuisine de saveurs et de charme!

LE LOCAL ★★★ (bistro)

740, rue William, Mtl
Tél.: 514-397-7737
www.resto-lelocal.com

SPÉCIALITÉS: Salade de betteraves jaunes, fromage de chèvre, huile de truffe, œuf en panko, lardons. Tartare de saumon à l'huile de truffe et lime. Morue d'Islande. Ravioli aux fromages, canard confit, shiitake et roquette. Assiette de mignardises et petits fours.
PRIX Midi: F. 25$ T.H. 29$
Soir: C. 41$ à 79$
OUVERT le midi, du lun. au ven. Le soir, du lun. au sam. Fermé dim.
NOTE: Inspiration de la brigade variant tous les soirs. Cave à vin 70 crus, d'importation privée à 90%. Section lounge. Réserv. avec bookenda.com
COMMENTAIRE: C'est tout le temps plein, ou presque. Pour l'assiette, le chef se lâche dans une cuisine française aux accents internationaux. Bonne carte des vins. Si vous êtes amateur de vin, vous ne serez pas déçu! Service jeune, aimable et attentif. Stationnement très facile et abordable tout autour de l'établissement.

LE MONTRÉAL ★★★

Grillades et fruits de mer

Casino de Montréal
1, av. du Casino, Mtl
Tél.: 514-392-2709
www.casino-de-montreal.com

SPÉCIALITÉS: Assiette de fruits de mer. Crevettes géantes en tempura, rouleau de printemps, coulis de mangue à la cardamome verte, coulis de cerises de terre. Carré d'agneau rôti, cuit à basse température, avec piments péruviens. Bœuf Tomahawk, légumes. Tarte repensée à la lime et à la crème.
PRIX Midi: (fermé)
Soir: C. 42$ à 111$
OUVERT le soir, 7 jours. Brunch dim.
NOTE: Menu expérience 3 serv. 42$/pers. Bœuf tomahawk, grosse pièce de viande cuisson à basse température, à partager, 115$. Vue imprenable sur la ville. Atmosphère feu-

trée. Stationnement gratuit.
COMMENTAIRE: Le Montréal bénéficie d'un décor agréable, complètement refait, avec une cuisine ouverte sur la salle, seulement séparée par des parois vitrées. On peut voir les chefs s'affairer à préparer les plats. La carte propose des mets de cuisine internationale avec une propension aux mets italiens. L'assiette est bonne, voire très bonne selon les plats choisis, avec des présentations en général agréables. Les cuisines sont toujours sous la responsabilité du chef Jean-Pierre Curtat qui dirige tous les restaurants du casino. Le service est bien fait et bien encadré par les anciens de Nuances. Il faut savoir que ceux-ci sont aussi sommeliers et peuvent vous faire faire quelques belles expériences gastronomiques. Claude Magazzinich, l'excellent maître d'hôtel est toujours là pour diriger les opérations.

LE MOUSSO ★★★★★

1023, rue Ontario E., Mtl
Tél.: 438-384-7410
Réservation: lemousso@videotron.ca
SPÉCIALITÉS: Radis, huîtres, verveine. Wagyu, raifort, caviar. Canard, fermentations, racines. Coquelet, artichauts, truffes. Kombucha, chocolat, oxalis.
PRIX Midi: (fermé)
Soir: Menu 90$
OUVERT le soir, du mer. au sam. Fermé du dim. au mar.
NOTE: La formule dégustation est fixe, elle est établie d'avance par le chef, menu à 90$, avec les vins 150$. Produits locaux et saisonniers. Changement de menu tous les trois ou quatre mois. Cuisine ouverte. Bar à cocktails maison concoctés par leur mixologue Émile Archambault.
COMMENTAIRE: Le chef propriétaire Antonin Mousseau-Rivard a de qui tenir. Fils de la comédienne Katerine Mousseau et du chanteur Michel Rivard, petit-fils du peintre Jean-Paul Mousseau, c'est un authentique artiste culinaire! Après avoir travaillé dans de bonnes maisons, il a ouvert son restaurant Le Mousso, où l'on peut admirer des œuvres de son grand-père. Ce qui frappe chez ce chef, c'est sa simplicité désarmante et sa convivialité. Des qualités qui se retrouvent dans ses assiettes avec, en plus, le goût, quelquefois sublime, et la beauté, à la fois brute et soignée, tout comme le décor du restaurant. Car ses plats sont de véritables œuvres d'art. C'est un chef passionné qui aime découvrir, qui repousse ses limites et adore partager avec ses clients. Il propose ici un menu unique de neuf services, qui suit les saisons et les arrivages tout en privilégiant les produits locaux. On peut être assis à la même table que d'autres clients selon la section. Mais c'est toujours dans un esprit de convivialité et de partage. Une expérience qu'il faut avoir vécue au moins une fois. Elle en vaut vraiment la peine.

LES 400 COUPS ★★★★[ER] (bistro)

400, rue Notre-Dame E., Vieux-Mtl
Tél.: 514-985-0400
www.les400coups.ca
SPÉCIALITÉS: Ceviche de pétoncles, jus de rhubarbe, oseille, yaourt aux cheveux de mer. Échine de porcelet, marmelade de chanterelles, radis et kale. Crème au bouleau, biscuit au poivre et au bouleau, mousse au babeurre.
PRIX Midi: (fermé)
Soir: C. 38$ à 62$
OUVERT le midi, les jeu. et ven. Le soir, du mar. au sam. Fermé dim. et lun.
NOTE: Menu dégustation 5 services 75$, accord mets et vins 120$. Menus pour pers. allergiques, végétariennes et végétaliennes sur demande. Cuisine saisonnière.
COMMENTAIRE: Une équipe passionnée occupe les cuisines de ce restaurant. Jayson Nelsons a remplacé Jonathan Rassi aux fourneaux. Le jeune chef franco-ontarien originaire de Sudbury a beaucoup de talent. Il perpétue l'aventure des 400 Coups en proposant une cuisine de saveurs et de plaisir.

LE ST-URBAIN ★★★ (bistro)

96, rue Fleury O., Mtl
Tél.: 514-504-7700
www.lesturbain.com
SPÉCIALITÉS: Galette de crevettes, mayo épicée, daikon, arachides. Chanterelles poêlées, crème de rosso langha (fromage de lait de vache et de brebis). Saumon sauvage, pétoncles saisis, pois et fenouil. Beignets chauds et caramel à la fleur de sel.
PRIX Midi: F. 21$ à 23$
Soir: C. 47$ à 59$
OUVERT le midi, du mar. au ven. Le soir, du mar. au sam. Fermé dim. et lun.
NOTE: Menu dégustation 6 serv., 70$, prévoir 2h30. Produits de saison du Québec, légumes du jardin. Recommandé Ocean Wise.
COMMENTAIRE: Si le décor est assez ordinaire et d'une simplicité à toute épreuve, le vrai plaisir, c'est dans l'assiette qu'on le trouve. Elles sont très savoureuses et généralement bien présentées. Et l'on ne lésine pas sur les ingrédients frais de grande qualité. Fier d'être recommandé par Océan Wise garant d'une pêche responsable. Le service est compétent dans l'ensemble, courtois et «friendly». Vins d'importation privée dont 20 servis au verre. Tout à côté, au 114 de la même rue, le chef Marc-André Royal possède aussi La Bête à pain, une boulangerie, pâtisserie et traiteur.

MIEL ★★★

2194, rue Centre, Mtl
Tél.: 438-381-3838
www.facebook.com/RestaurantMiel
SPÉCIALITÉS: Caille grillée, houmous de pois verts, citron, compote de poivron, menthe ciselée, tournesol. Pieuvre grillée, pesto de chimichurri, crème sure, citron, tomate cerise confite, courgette. Os à moelle enfourné, pétoncles, céleri, persil, échalote, croûte

panko rôtie. Joue de porcelet, tagliatelles de céleri-rave, herbes fraîches, amandes.
PRIX Midi: T.H. 18$
Soir: C. 30$ à 47$
OUVERT le midi, du mar. au ven. Le soir, du mar. au sam. Fermé dim. et lun.
COMMENTAIRE: Ce chef médiatisé s'est fait plaisir en ouvrant un petit restaurant intime dans un quartier tranquille. Sa cuisine est faite de sentiments. Les saveurs sont douces, maternelles, équilibrées, avec beaucoup d'arômes où se glisse l'Orient. Les plats paraissent simples mais l'équilibre est recherché. Une adresse sympathique. Un bémol, les toilettes devraient être à l'abri du regard.

M.MME ★★★★ (bistro)
240, av. Laurier O., Mtl
Tél.: 514-274-6663
www.mmme.ca
SPÉCIALITÉS: Thon mariné, salade de radis. Terrine de foie gras de canard, safran, fraises, basilic pourpre et brioche. Caille rôtie et ris de veau croustillants, petits pois, morilles et radis. Abricots melba, sablé breton, sabayon au muscat, mélisse.
PRIX Midi: (fermé)
Soir: C. 47$ à 68$
OUVERT le soir, 7 jours.
NOTE: Carte des vins, 600 étiquettes.
COMMENTAIRE: Le chef Stelio Perombelon propose son excellente cuisine dans ce restaurant de l'avenue Laurier. C'est un mélange des cuisines française et italienne revues et corrigées par le chef. Si l'assiette est toujours excellente grâce à sa touche personnelle, on offre aussi un très grand choix de vins avec quelques trouvailles inédites. Pour l'amateur de vins, c'est l'endroit où aller. Un bar à vin? Oui, mais gastronomique! Décor de briques avec un pan de mur couvert d'un cellier à vin illuminé par un rétro-éclairage, tables bistro, ambiance très agréable.

MONTRÉAL PLAZA ★★★★★

6230, rue Saint-Hubert, Mtl
Tél.: 514-903-6230
www.montrealplaza.com
SPÉCIALITÉS: Huîtres gratinées. Cerf et couteaux de mer. Bourgots et miso. Patate à rien. Thon confit et sashimi. Dessert bleu et meringue. Sorbet à la fraise, crème vanille, meringue, lame de chocolat et framboises fraîches.
PRIX Midi: (fermé)
Soir: C. 35$ à 97$
OUVERT le soir, 7 jours.
NOTE: Pas de plats spécifiques pour l'entrée et le plat principal. Ce sont des portions dont l'importance est située entre l'entrée et le plat principal. Sauf pour les desserts, il n'y a donc pas d'ordre précis pour l'ensemble des plats proposés à la carte. Ni de menu fixe. Accès réservé pour deux pers. en fauteuil roulant.
COMMENTAIRE: Charles-Antoine Crête, ancien chef au Toqué!, est (enfin) un chef qui étonne, qui surprend, qui n'a pas peur d'essayer des assemblages quelquefois hétéroclites pour en faire d'inoubliables petits chefs-d'œuvre d'harmonie et de saveurs. Pour nous, c'est la justification première d'un grand restaurant. Être étonné et positivement surpris. C'est bien cela que nous recherchons chez un grand chef. Cela n'a pas de prix. Nous avons aimé? Non! Nous avons adoré.
Nous avons vécu là un moment exceptionnel. Un beau morceau de gastronomie à l'état pur. Avec de la créativité non seulement dans les harmonies des saveurs, mais également dans les présentations originales. On sent ici toute la passion du cuisinier, une liberté d'expression qui n'a pas de limite. Un chef éclaté! Dans le bon sens du terme. Vous trouvez peut-être que j'exagère? Allez y faire un tour. Nous sommes sortis de l'établissement les papilles émerveillées, encore frémissantes de plaisir.

PASTAGA ★★★★
Vin nature & restaurant
6389, bd Saint-Laurent, Mtl
Tél.: Tél.: 438-381-6389
www.pastaga.ca
SPÉCIALITÉS: Saumon de l'Atlantique mariné, rattes crémeuses et salmon jerky râpé. Poitrine de porcelet laquée au sirop d'érable,

pancake, marinade aux carottes. Mousse chocolat amer, fond de caramel.
PRIX Midi: (fermé)
Soir: C. 32$ à 52$
OUVERT le soir, 7 jours.
NOTE: Produits locaux, principalement biologiques. Camion de rue M. Crémeux (bouffe de rue) lors d'événements de la ville (festival Juste pour rire), privés ou corporatifs. Les plats changent suivant les produits de saison.
COMMENTAIRE: L'établissement est installé dans les anciens locaux du restaurant Apollo. Le décor a été amélioré (on y est mieux assis), il est plus convivial aussi et deux tables ont été installées dans la cuisine avec un écran plat au mur pour suivre les matchs sportifs. Les chefs sont Martin Juneau, gagnant du prix du meilleur chef canadien 2011, anciennement chef de La Montée de lait puis du Newtown. Le chef Juneau s'est adjoint deux nouvelles recrues: Francis Duval et Alexandre Loiseau, ce dernier était autrefois associé à Normand Laprise au Bistro Cocagne. Ils nous proposent une cuisine savoureuse, généreuse et légère. Service courtois et convivial tout comme la cuisine et le reste de l'établissement.

PULLMAN ★★★ (bistro)

3424, av. du Parc, Mtl
Tél.: 514-288-7779
www.pullman-mtl.com
SPÉCIALITÉS: Huîtres sur écailles et sur glace. Tartare de cerf et chips maison. Croustillant d'agneau braisé, crème d'oignon. «Grilled-cheese» de cheddar au porto. Gravlax de saumon à la russe. Mini burger de bison, pommes allumettes. Truffes au chocolat. Churros à la cannelle.
PRIX Midi: (fermé)
Soir: C. 27$ à 56$
OUVERT le soir, 7 jours.
NOTE: Spécialisé dans les vins et tapas. Bar à vin. Service assuré seulement par des sommeliers formés. Formule trio de vins thématique chaque semaine. Grande sélection de vins au verre d'importation privée à 90% (Europe), en majorité biologiques, 400 étiquettes.
COMMENTAIRE: Ce resto branché sert des mets originaux de qualité, savoureux, dans des portions qui se rapprochent des tapas. La clientèle est plutôt jeune, le service aussi, mais il est compétent et surtout très aimable. Dans un décor original, l'ambiance est conviviale et animée. Une très belle carte des vins présente aussi un grand choix de vins au verre.

RESTAURANT DE L'ITHQ ★★★

Hôtel de l'ITHQ
3535, rue Saint-Denis, Mtl
Tél.: 514-282-5155
www.ithq.qc.ca/restaurants
SPÉCIALITÉS: Tartare de bœuf grillé, purée d'ail noir, pleurotes marinés, radis et pain de seigle. Maquereau fumé, chou-rave, cresson, aïoli à l'aneth et oignons rouges marinés. Poi-

trine de canard du Village, polenta poêlée, chou-fleur rôti, maïs éclaté et jus tranché au beurre noisette. Gâteau des anges et démon, crème à l'érable et glace au mélilot.
PRIX Midi: F. 21$, C. 25$
Soir: C. 31$ à 59$ T.H. 55$
OUVERT le midi, du lun. au ven. Le soir, du mar. au sam. Fermé dim.
NOTE: Midi menu express 21$. T.H. soir 5 serv. 55$, avec les vins 90$. Promotions fréquentes mar. et mer. soir T.H. 27$ et 37$. Menu saisonnier. Comptoir pour manger et prendre un verre. Un très bon choix de vins au verre. Une grande diversité de vins en importation privée. Une vaste sélection de vins du Québec et du Canada. Réserv. souhaitable. Accessible aux personnes à capacité restreinte. Stationnement payant. Nouvelle terrasse sur Saint-Denis, vue imprenable sur le carré Saint-Louis.
COMMENTAIRE: Les finissants de l'ITHQ travaillent dans ce restaurant d'application. La décoration est belle, et l'ambiance améliorée d'une touche d'élégance et de clarté apportée par madame Liza Frulla, la directrice générale. Présentations recherchées et saveurs sont au rendez-vous. Il y a aussi un très bon choix de vins au verre, une grande diversité des vins en importation privée et une vaste sélection de vins du Québec et du Canada. Le service est gentil, manquant parfois de formation selon la personne. C'est normal puisqu'il s'agit d'une école hôtelière.

RESTAURANT GRINDER ★★★★

Griffintown
1708, rue Notre-Dame O., Mtl
Tél.: 514-439-1130
www.restaurantgrinder.ca
SPÉCIALITÉS: Demi-homard, beurre d'algues, pangrattato. Tataki de pétoncles, lime, chili thaï, purée d'avocat, ciboulette, menthe, graines de sésame. Flétan tandoori, taboulé de quinoa, tomates cerises, concombre, yogourt au gingembre, betteraves crues, wonton frit.
PRIX Midi: F. 15$ à 35$
Soir: C. 41$ à 92$
OUVERT le midi, du lun. au ven. Le soir, 7 jrs.

NOTE: Huîtres fraîches en saison le soir. Carte de vins et cocktails maison. Salle privée, 60 à 80 pers.
COMMENTAIRE: Récession, dites-vous? Allez faire un tour au restaurant Grinder. Nous y sommes allés un mardi et c'était plein. «Le jeudi c'est pire!», nous dit la serveuse. L'endroit est chaleureux, le service attentionné et l'assiette bistro généreuse et bien savoureuse. La formule gagnante quoi! Même propriétaire que le Hachoir, et c'est l'endroit pour manger de la bonne viande. D'ailleurs, à 30 mètres de là, une boucherie du même nom et du même propriétaire a ouvert. Une boutique où l'on fait vieillir à froid de l'excellente viande de bœuf qui figure ensuite sur la carte du restaurant. Du goût, de la convivialité et beaucoup d'ambiance, du plaisir donc, un endroit où l'on aime volontiers retourner.

RESTAURANT LA CHRONIQUE
★★★★★

104, av. Laurier O., Mtl
Tél.: 514-271-3095
www.lachronique.qc.ca
SPÉCIALITÉS: Tataki de thon, grosse crevette en tempura, concassé d'avocat, champignon armillaire de miel, laque de soya et érable, mayonnaise épicée. Paella à ma façon. Ris de veau de lait, polenta, artichauts, jus aux olives. Agneau de Kamouraska, aubergines, tomates confites, jus à l'ail rôti.
PRIX Midi: T.H. 22$
Soir: C. 68$ à 82$
OUVERT le midi, du mar. au ven. Le soir, 7 jrs.
NOTE: Menu de saison. Menu 5 serv. 95$, avec vins 150$. Menu avec foie gras 7 serv. 125$, avec vins 225$. Menu thématique dernier mer. du mois 99$. Brunch à Pâques et fête des Mères.
COMMENTAIRE: Ce restaurant propose une cuisine très créative et savoureuse, d'inspiration française, mais avec des escapades orientales, italiennes, etc. Marc De Canck, le chef propriétaire fondateur de l'établissement, s'est associé avec le chef Olivier de Montigny. Deux compères perfectionnistes et passionnés qui nous offrent une assiette exceptionnelle et originale, magnifiquement présentée. Une des grandes tables de Montréal. Une adresse incontournable, où, selon leurs dires «à La Chronique, le bonheur est dans l'assiette!». Et comme c'est vrai.

RESTAURANT PER TE ★★★
371, rue Guizot E., Mtl
Tél.: 514-389-3000
www.restaurantperte.com
SPÉCIALITÉS: Saumon braisé, beurre de câpres et tomates séchées. Tortelli de homard sauce à l'estragon, tomates cerises. Fettuccine au prosciutto fumé, petits pois sauce mascarpone. Médaillon de cerf, petits fruits et porto. Côte de veau grillée sauce aux porcinis. Tiramisu à la minute.
PRIX Midi: F. 20$ à 30$
Soir: C. 48$ à 71$ F. 20$ à 30$
OUVERT le midi, du mar. au ven. Le soir, du mar. au sam. Fermé dim. et lun.
NOTE: Soirées gastronomiques quatre fois par an, 150$/pers. incluant vin, menu dégustation, service et taxes. Appeler pour les dates.
COMMENTAIRE: Dans un décor à la fois simple, classique et élégant, le maître d'hôtel et copropriétaire Luigi De Rose propose une cuisine internationale avec une dominante italienne. Son associé, le chef Richard Cadet, de parents zaïrois mais né en Belgique, est au Québec depuis 1995 et ne compte pas repartir de sitôt. Tant mieux, car ses assiettes sont savoureuses et généreuses. Voici donc une belle équipe qui nous montre de la convivialité et du plaisir à travailler. Luigi est aux petits soins avec chaque table et répond rapidement aux désirs des clients. Il aime son métier, qu'il maîtrise parfaitement, son contact est des plus chaleureux.

ROBIN DES BOIS ★★
Le resto bienfaiteur
4653, bd Saint-Laurent, Mtl
Tél.: 514-288-1010
www.robindesbois.ca
SPÉCIALITÉS: Soupe dahl (lentilles rouges, crème sure, coriandre, huile de lime). Tartare de saumon. Salade de pieuvre confite, pieuvre grillée, accompagnement au choix. Salade de canard confit. Brownies au chocolat noir, crémeuse au chocolat. Riz au lait de coco, coulis de mangue.
PRIX Midi: C. 10$ à 25$
Soir: Idem
OUVERT le midi et le soir, du lun. au sam. Fermé dim.
NOTE: Plats végétariens, végétaliens et menu sans gluten. Spéciaux du midi 10$/assiette. Été et sem. de relâche, cours de cuisine donné par le chef pour les 10 à 13 ans., ven. midi, menu 15$ servi par les enfants du camp. Musiciens mer. soir. Ouvert depuis 2006. Profits redistribués à 4 organismes.
COMMENTAIRE: Robin des Bois est un organisme à but non lucratif dont tous les profits sont versés à des organismes de charité. À part les chefs et les gérants, tout le personnel est bénévole. L'ambiance y est des plus conviviales et agréable. De style bistro, le décor est sans chichi, tout comme le service, à cause de la grande gentillesse des bénévoles. L'assiette est bonne.

ROSÉLYS BISTRONOMIE ★★★★ (bistro)
Fairmont Le Reine Elizabeth
900, bd René-Lévesque, Mtl
Tél.: 514-954-2261
www.restaurantroselys.com
SPÉCIALITÉS: Escargots petits-gris en cassolette, champignons sauvages, ail noir. Raviolis de ricotta, bettes à carde, noix de pin, épi-

nards crémés au vin blanc. Cavatellis au persil, palourdes à la marinières, échalotes confites, citron. Canard du Village vieilli rôti, rabioles blanches, polenta crémeuse, bleuets. Chocolat: fondant chocolat noir, crémeux chocolat au lait, sorbet chocolat noir et citron vert, gelée de citron vert.
PRIX Midi: T.H. 28$
Soir: C. 43$ à 98$
OUVERT le midi et le soir, 7 jours. Brunch dim.
NOTE: Service du thé en après-midi 37$/pers.
COMMENTAIRE: ATTENTION: Le Rosélys est installé dans l'espace de l'ancien bistro Le Montréalais, de l'hôtel Le Reine Elizabeth, rénové après un an de travaux. Très beau décor qui comporte un élément intéressant: le marché urbain. Celui-ci est installé sur l'un des côtés de la salle à manger. On peut voir les étals où les cuisiniers choisissent des produits frais pour ensuite les apprêter dans l'aire de cuisine ouverte. Il y a aussi un four pour les pizzas. Un endroit original, confortable et plaisant.
Le *Rosélys* propose une carte bistronomique, un nouveau mot qui signifie à la fois bistro et gastronomique. Une cuisine recherchée et goûteuse. Les assiettes sont excellentes! Le chef Maxime Delmont les prépare à la minute. Vous pouvez le voir avec sa brigade, s'affairer autour d'un complexe de fourneaux, dans une chorégraphie minutieuse et précise. On retrouve aussi l'ancienne garde de l'hôtel, qui semble très heureuse du nouveau concept en plus de s'entendre à merveille avec les petits nouveaux.

VERSES ★★★ (bistro)
Hôtel Nelligan
100, rue Saint-Paul O., Vieux-Mtl
Tél.: 514-788-4000
www.versesrestaurant.com
SPÉCIALITÉS: Magret de canard. Pétoncles. Médaillon de lotte. Tartare de dorade, pommes vertes, brioche. Plateau fruits de mer (crevettes, calmars, huîtres et homard). Panna cotta vanille, gelée de fraises, glace pistache. Jardin secret, macaron framboise et lavande.
PRIX Midi: T.H. 24$
Soir: C. 47$ à 133$
OUVERT le midi, du lun. au ven. Le soir, 7 jours. Brunch sam. et dim.
NOTE: Bar 7 jours, 11h à 22h30. Midi T.H. annoncée à la voix ainsi qu'un plat en soirée. Carte de vins d'importation privée à 80%. 30 vins au verre.
COMMENTAIRE: Dans un décor paisible et agréable, un peu colonial, on propose ici une carte bistro de luxe. Choix des vins bien adapté. Service soigné et professionnel.

IRANIEN

MAISON DE KEBAB ★★
820, av. Atwater, Mtl
Tél.: 514-933-0933 514-933-7726
SPÉCIALITÉS: Soupe ash (iranienne). Aubergines grillées et tomates. Kebab au poulet ou au filet mignon. Kabieeh (2 brochettes, bœuf haché et riz). Assiette du chasseur (4 brochettes de 3 viandes et 2 sortes de riz). Crème glacée, gâteau iranien.
PRIX Midi: F. 10$ à 12$
Soir: C. 27$ à 50$ et aussi F. 10$ à 12$
OUVERT le midi et le soir, 7 jours.
NOTE: Thé gratuit à volonté. Ne sert pas d'alcool. Argent comptant seulement. Forfait midi lun. à ven. seulement. Spécial du jour. WIFI disponible.
COMMENTAIRE: L'établissement propose diverses spécialités authentiquement iraniennes. À essayer pour le dépaysement et l'aventure. Service très aimable et attentif, dans la langue iranienne, si vous le voulez. Décor très ordinaire, familial, un peu cafétéria, mais on vient là surtout pour manger.

RESTAURANT TEHRAN ★★★
5065, bd de Maisonneuve O., Mtl
Tél.: 514-488-0400
www.restotehran.ca/fr/
SPÉCIALITÉS PERSE: Bon choix de brochettes Kebabs. Kashk-e Bademjan (purée d'aubergine assaisonnée d'oignons frits, d'ail, de menthe, garnie de kashk [yogourt de chèvre], pain pita). Baghali Polo Mahicheh (jarret d'agneau à la sauce tomate, riz basmati aux gourganes, parfumé à l'aneth). Zereshk Polo (poulet mijoté à la sauce tomate, riz basmati au safran, garni d'épines vinettes séchées). Crème glacée au safran. Baklava.
PRIX Midi: F. 19$ à 32$
Soir: Idem
OUVERT le midi et le soir, du mar. au dim. Fermé lun.
NOTE: Musique de fond iranienne.
COMMENTAIRE: Téhéran ou «Tehran» en persan, est la capitale de l'Iran. Elle est située au pied des monts Elbourz, au nord du pays. Établi depuis 1989, ce restaurant familial iranien décontracté offre une cuisine perse traditionnelle variée et halal, comportant, bien sûr, les fameuses brochettes kebabs, mais aussi différentes recettes méconnues du visiteur «lambda», comme leurs ragoûts maison. On pourrait faire un effort sur l'originalité du décor. Service familial.

RESTAURANT YAS ★★★★
5563, ch. Upper-Lachine, Mtl
Tél.: 514-483-0303
www.restoyas.ca
SPÉCIALITÉS PERSES: Bonne variété de kebabs (brochettes). Mirza Ghasemi ba Polo (aubergine grillée, œufs, ail et tomate, riz basmati). Crevettes et Sabzi Polo (brochette de cre-

vettes, riz basmati aux herbes fraîches hachées). Kebab Toch (filet mignon). Khoresht eh Gheymeh Bademjoon (ragoût de bœuf aux tomates, aubergine et pois cassés jaunes). Faloodeh (glace à l'eau de rose). Bastani (crème glacée au safran).
PRIX Midi: T.H. 32$ à 35$
Soir: C. 29$ à 44$
OUVERT le midi et le soir du mar. au dim. Fermé lun.
COMMENTAIRE: Cet établissement, tenu par une famille, vous propose une cuisine perse dans un décor classique. Murs en brique, chaises à accoudoirs confortables, tables nappées de blanc, ambiance musicale adaptée. Un endroit pour faire des découvertes culinaires de qualité. Pain et marinades faits maison. Desserts particulièrement délicieux. Service courtois, compétant et convivial. N'oubliez pas d'apporter une bonne bouteille. Un bémol: leur menu exclusivement en anglais sur leur site web.

ITALIEN

BIS ★★
1220, rue de la Montagne, Mtl
Tél.: 514-866-3234
www.bisristorante.com
SPÉCIALITÉS: Calmars frits, sauce d'anchois épicée. Carré d'agneau, croûte de pistache. Pâtes au ragoût d'agneau. Linguines aux fruits de mer. Cannoli à la ricotta. Profiteroles.
PRIX Midi: T.H. 24$ à 29$
Soir: C. 35$ à 86$
OUVERT le midi, du lun. au ven. Le soir, 7 jours.
NOTE: Arrivage de poisson frais chaque jour. Spécialités truffe blanche en saison et escalope de veau de lait. Menu moins de 495 calories. Menu végétarien et sans gluten.
COMMENTAIRE: L'assiette est sympathique, italienne, classique, de type familial. Le service est très convivial. Ce restaurant pourrait faire mieux compte tenu des prix pratiqués.

CASA CACCIATORE ★★★
170, rue Jean-Talon E., Mtl
Tél.: 514-274-1240
www.restaurantcasacacciatore.com
SPÉCIALITÉS: Crevettes à la Mike (à l'ail, très épicées). Capresa (tomates, bocconcini). Veau Pavarotti. Agneau sauce au romarin et vin blanc. Gnocchi sauce rosée. Tagliolini alla Gigi (pâtes en sauce flambées au cognac). Linguini pescatore. Tiramisu. Crêpe au mascarpone.
PRIX Midi: T.H. 20$ à 31$
Soir: C. 30$ à 54$ T.H. 31$ à 48$
OUVERT le midi, du lun. au ven. Le soir, 7 jours.
NOTE: Pâtes maison. Ouvert depuis 1982.
COMMENTAIRE: Une bonne cuisine, de type plutôt familial, au goût simple et en portions copieuses. Peu ou pas de présentation dans les assiettes. Une cuisine sans surprise.

DA EMMA ★★★
777, rue de la Commune O., Mtl
Tél.: 514-392-1568
SPÉCIALITÉS ROMAINES: Thon à la marinière. Fettucine aux champignons (aux cèpes). Escalope de veau sauce au vin. Scaloppine alla zingara. Straccetti (carpaccio de bœuf sauté) à l'espadon. Boulettes de veau sauce à la viande. Agneau au four. Petit cochon de lait. Panna cotta.
PRIX Midi: C. 25$ à 45$
Soir: Idem
OUVERT le midi, du lun. à ven. Le soir, du lun. au sam. Fermé dim.
NOTE: Pâtes fraîches. Stationnement gratuit.
COMMENTAIRE: Après être descendu par un escalier de pierre au décor très dépouillé, on ouvre une lourde porte de fer, genre pare-feu. Et là, c'est la magie! Dès que l'on pénètre dans la grande salle à manger, au plafond soutenu par de superbes piliers de pierre, on est tout de suite pris en charge par un personnel courtois qui nous installe, à notre convenance, à l'une des jolies tables nappées de blanc. Un immense bar longe l'un des côtés de la salle. Les chefs propriétaires, Emma-Risa et Lorenzo Aureli, proposent une excellente cuisine familiale italienne, sans chichi ni prétention, mais très savoureuse. Service professionnel et attentif.

DA VINCI ★★★★
1180, rue Bishop, Mtl
Tél.: 514-874-2001
www.davinci.ca
SPÉCIALITÉS: Osso buco, lit de risotto avec rapini, parmesan. Linguini pescatore (aux fruits de mer). Côte de veau de lait, purée de pommes de terre et légumes. Carpaccio di manzo (bœuf). Tiramisu maison.
PRIX Midi: T.H. 24$ à 48$
Soir: C. 43$ à 84$
OUVERT le midi, du lun. au ven. Le soir, du lun. au sam. Fermé dim.
NOTE: Poisson frais méditerranéen. Vaste sélection de vins de toute l'Italie. Lounge au rez-de-chaussée ouvert du lun. au sam. 17h à 1h du mat.
COMMENTAIRE: Le chef Ferrante propose une fine cuisine, mais pas snob pour un sou. La carte présente une alléchante variété de mets savoureux. Dans cette maison du 19e siècle, le décor est élégant, mais sans ostentation. Il y a plusieurs salles, dont une de genre bistro. Les produits sont frais et bien apprêtés. Service aimable, très accueillant et attentionné.

FERRARI ★★★ (bistro)
1407, rue Bishop, Mtl
Tél.: 514-843-3086
www.restoferrari.ca
SPÉCIALITÉS: Mousse de foie de volaille au parfum de truffe blanche. Fettucine Gigi.

Tagliani Buccia, beurre, huile d'olive et zeste de citron. Lapin au vin blanc. Escalope de veau, champignons et truffe. Tiramisu.
PRIX Midi: T.H. 20,50$
Soir: C. 46$ à 52$ T.H. 31$ à 38$
OUVERT le midi, du lun. au ven. Le soir, du lun. au sam. Fermé dim.
NOTE: 9 variétés de pâtes fraîches maison, 16 choix de sauces. Vente de café importé d'Italie et d'huile d'olive maison parfumée au basilic.
COMMENTAIRE: On propose une cuisine italienne traditionnelle familiale. Les portions sont justes et savoureuses. Les pâtes fraîches sont particulièrement bonnes, voire incontournables. Petite carte des vins avec une majorité de vins italiens. Service rapide, précis et attentif.

GRAZIELLA ★★★★

Complexe 116
116, rue McGill, Mtl
Tél.: 514-876-0116
www.restaurantgraziella.ca
SPÉCIALITÉS: Tataki de thon à queue jaune mariné, vinaigrette pugliese, caviar de citron, graines de sésame, roquette italienne. Risotto (selon l'humeur du chef). Gnocchi au fromage Pecorino, tomates des collines. Osso buco à la milanaise. Crostata de mascarpone et ricotta, confit d'orange. Tarte à l'orge, ricotta et vanille.
PRIX Midi: F. 28$
Soir: C. 51$ à 73$
OUVERT le midi, du lun. au ven. Le soir, du lun. au sam. Fermé dim.
NOTE: Carte des vins recherchée (350 bouteilles). Tout est fait maison. Salles privées, 10 à 80 pers.
COMMENTAIRE: Graziella Battista lui a donné son prénom, tout simplement. Le décor est moderne, chaleureux, élégant et bien conçu. La cuisine trône au centre de la salle à manger. L'assiette propose une cuisine du nord de l'Italie, interprétée par Graziella de jolie façon, toute en saveurs et en sensibilité. Les pâtes sont faites maison. Le service est aimable.

IL BOCCALINI ★★★

1408, rue de l'Église, Ville Saint-Laurent
Tél.: 514-747-7809 et 747-1002
www.ilboccalini.com
SPÉCIALITÉS: Linguini alla Gigi (jambon, champignons, fromage crème, échalote). Pâtes aux palourdes. Pizza romana, saucisse italienne, champignons, poivrons. Calmar et zucchini frits. Linguini aux fruits de mer, palourdes, calmars, crevettes. Tiramisu. Soufflé au chocolat. Limoncello.
PRIX Midi: F. 18$
Soir: C. 39$ à 69$ T.H.45$
OUVERT le midi, du mar. au ven. Le soir, du mer. au sam. Fermé dim.
NOTE: Situé entre Décarie et Sainte-Croix. Stationnement gratuit à partir de 17h à la bibliothèque nationale. Plats à emporter. Ouvert sur réserv. jours de fermeture.
COMMENTAIRE: Si la devanture ne paie pas de mine, à l'intérieur, c'est l'ambiance de l'Italie et c'est excellent. Le chef cuisine très bien les viandes de veau et les pâtes fraîches faites maison. Service impeccable, chaleureux et rapide.

IL CORTILE ★★★

Passage du musée
1442, rue Sherbrooke O., #02, Mtl
Tél.: 514-843-8230
www.cafeilcortile.com
SPÉCIALITÉS: Osso buco. Gnocchi sauce au gorgonzola et épinards. Salade de fruits de mer. Papardelles aux champignons sauvages. Risotto porcini (cèpes et champignons sauvages). Émincé de veau aux champignons sauvages. Escalope de veau, citron et vin blanc. Tiramisu.
PRIX Midi: F. 18$ à 40$
Soir: C. 32$ à 48$ F. 27$ à 44$
OUVERT le midi et le soir, 7 jours.
NOTE: Menu gastronomique 7 serv.
COMMENTAIRE: Le décor est confortable et très agréable, surtout l'été, lorsque la salle à manger s'étend sur la cour intérieure, agrémentée de fleurs et de plantes vertes. Ambiance garantie, rehaussée par le service à l'italienne plutôt chaleureux, attentif et rapide. Une cuisine italienne classique, généreuse et savoureuse. La carte des vins propose un choix exclusif de vins italiens. Soirée réussie, si vous êtes placé au centre de l'espace-terrasse. On se croirait en Italie.

LA MOLISANA ★★★

1014, rue Fleury E., Mtl
Tél.: 514-382-7100
www.lamolisana.ca
SPÉCIALITÉS: Gnocchi maison. Penne Molisana au saumon fumé. Pizza au prosciutto, bocconcini. Osso buco à la casalinga (jarret de veau, champignons, sauce demi-glace). Risotto pescatore (aux fruits de mer). Dolce de leche. Panna cotta maison.
PRIX Midi: T.H. 14$ à 22$
Soir: C. 23$ à 43$ T.H. 24$ à 36$
OUVERT le midi et le soir, du mar. au dim. Fermé lun. Brunch dim.
NOTE: Menu-terrasse 10 choix 10$ dim. à jeu. Pizzas au four à bois. Musiciens italiens ven. et sam. soir.
COMMENTAIRE: La cuisine est généreuse quoiqu'un peu timide dans les saveurs, mais on s'y sent à l'aise et tout est fait pour nous satisfaire.

LE RICHMOND ★★★★[ER]

Griffintown
377, rue Richmond, Mtl
Tél.: 514-508-8749
www.lerichmond.com
SPÉCIALITÉS: Parpadelles aux champignons sauvages, crème de porcini, fond de veau,

pecorino. Morue d'Islande, croûte d'amandes et câpres, chou-fleur, sauce au citron. Filet mignon Rossini, bœuf Angus Pride, foie gras, truffe fraîche, purée de Yukon Gold, légumes de saison. Barozzi au chocolat.
PRIX Midi: T.H. 25$
Soir: C. 42$ à 103$
OUVERT le midi, du mar. au sam. Le soir, du lun. au sam. Fermé dim. Brunch dim.
NOTE: Service de valet 10$ mer. à sam. soir, gratuit le jour et dim. à mar. soir. Plateau de viande à partager, 125/4 pers. Plateau de dégustation de desserts 48$/4 pers. Importation privée et carte des vins à découvrir. Marché italien au 333, rue Richmond.
COMMENTAIRE: Ce restaurant a ouvert dans le quartier Griffintown. Un décor très spécial dans un genre de vieil entrepôt industriel revampé. Bar central illuminant l'ensemble, utilisation de fer, bois rustique, velours, fauteuils ou chaises de métal, portes de garage. Décor hétéroclite sympathique avec une ambiance animée mettant en valeur la cuisine italienne du nord. Les assiettes sont belles, les mets inventifs, jeunes. Tout est bon! Service attentionné.

MERCURI ★★★★★
645, rue Wellington, Mtl
Tél.: 514-394-3444
www.mercurimontreal.com
SPÉCIALITÉS: Sashimi de thon, sésame noir, palme de soja, tobiko. Parpadelles porcini au lapin. Ravioli cendré. Tartare de bœuf. Bœuf coréen, noix caramélisées, sésame. Faux-filet sur l'os. Bucatini, chili, pesto et noix de pin.
PRIX Midi: F. 18$ à 24$
Soir: C. 47$ à 66$
OUVERT le midi, du lun. au ven. Le soir, du lun. au sam. Fermé dim.
NOTE: Menu dégustation 5 serv. 75$. Four à bois.
COMMENTAIRE: Joe Mercuri, ancien chef du défunt Bronte, a ouvert son propre restaurant sur la rue Wellington, à l'angle de la rue des Sœurs-Grises (près de McGill). Si le stationnement est un peu difficile, la table par contre vaut largement le détour. Une assiette généreuse, conviviale et savoureuse, où l'italien s'ouvre sur la Méditerranée sans chichi et le résultat est là: du plaisir. Il y a deux salles à manger: la bistro et la gastronomique. Cette dernière n'ouvre que le soir et propose une carte plus élaborée. Un immense foyer à bois réchauffe la salle et constitue à lui seul le show de la soirée. On y cuisine des grillades style parilladas. Ici, le chef Mercuri peut s'exprimer totalement dans toute sa mesure.

TOMATE BASILIC ★★★★

12585, rue Sherbrooke Est, Mtl
Tél.: 514-645-2009
www.tomatebasilic.com
SPÉCIALITÉS: Calmar frit avec mayonnaise aux tomates séchées. Foie de veau aux herbes et vinaigre de vin rouge, pâtes aux herbes et tomates. Jarret d'agneau braisé à la milanaise, linguini au beurre et herbes, gremolata fraîche. Tarte aux framboises et chocolat blanc, fromage mascarpone. Tiramisu.
PRIX Midi: F. 12$ à 25$
Soir: C. 20$ à 40$ F. 22$ à 33$
OUVERT le midi et le soir, 7 jours.
NOTE. Menu 21h/21$, 3 choix d'entrées, 5 choix de plats principaux, si vous arrivez après 21h. Carte des vins d'importation privée à 90%, 200 étiquettes. Comptoir de mets et sauces maison à emporter. Menu enfant, coin cinéma.
COMMENTAIRE: En route pour se rendre à ce restaurant, dans l'est de Montréal, bien après LH Lafontaine, on se demandait si cela valait le coup d'aller si loin. Eh bien oui, car c'est réellement un excellent restaurant italien. Joliment décoré, divisé avec goût, intime, sympathique et agréable. Harmonie de gris soutenu avec des points rouges. Nous avons fait là un excellent repas, cuisiné généreusement avec des produits savoureux et honnêtes. Ici pas de chef vedette ni de rock star de la cuisine. Très bon service. Un resto italien qui vaut le détour!

JAPONAIS

AZUMA ★★★[ER]
5263, bd Saint-Laurent, Mtl
Tél.: 514-271-5263
www.azuma.com
SPÉCIALITÉS: Salade de thon épicé. Crabe à carapace molle. Morue noire marinée cuite au four. Chawanmushi (flan aux œufs, fruits de mer et poulet). Gyoza (dumplings style japonais). Glace au thé vert. Sésame noir, mousse au chocolat.
PRIX Midi: F. 35$ à 43$
Soir: C. 33$ à 76$
OUVERT le midi, du mar. au ven. Le soir, du mer. au sam. Fermé dim. et lun.
NOTE: Estimation repas composé de sushi et shashimis, minimum 45$/pers. Poisson du jour. Plateau repas servi avec crevettes et légumes tempura, 4 morceaux de makimono (sushis), légumes assortis, salade et soupe. Fondue japonaise/2 pers. Menu dégustation 7 serv. 110$/pers.
COMMENTAIRE: Un des restaurants qui sert du vrai sushi. Le chef propriétaire japonais fait une cuisine authentique et de qualité. Rapport qualité-prix intéressant.

ISAKAYA ★★★★
3469, av. du Parc, Mtl
Tél.: 514-845-8226
www.bistroisakaya.com
SPÉCIALITÉS: Carpaccio de hiramé usuzukuri. Feuilleté d'anguille. Cocktail de thon. Gobo tempura. Sushis. Pétoncles de mer grillés sauce gingem-beurre. Crevettes «roche»

frites style popcorn. Filet de morue noire misoyaki grillé.
PRIX Midi: F. 9$ à 13$
Soir: C. 29$ à 44$ F. 19$ à 26$
OUVERT le midi, du mar. au jeu. Le soir, du mar. au dim. Fermé lun.
NOTE: Spécial du midi Bento (Bento = boîte à lunch), isakaya bento: sushi, sashimi, tempura, poulet servi avec salade ou soupe miso, 13,50$.
COMMENTAIRE: Une des meilleures cuisines japonaises de Montréal. Le chef propriétaire est japonais. Entre tradition et modernité, les plats sont merveilleusement pensés. Toujours des produits d'une grande qualité, surtout les poissons. Prix raisonnables.

JUN I ★★★★★

156, av. Laurier O., Mtl
Tél.: 514-276-5864
www.juni.ca
SPÉCIALITÉS: Sushis. Funny maki. Maguro taru (tartare de thon, champignons et huile de truffe). Trio Kaiso (salade d'algues wakamé, vinaigrette au shiso). Mille crêpes, vanille de Madagascar, sauce caramel amer et banane.
PRIX Midi: T.H. 29$ à 31$
Soir: C. 44$ à 56$
OUVERT le midi, du mar. au ven. Le soir, du lun. au sam. Fermé dim.
NOTE: Carte des vins. Sakés importés.
COMMENTAIRE: JUN I veut dire «pure passion». Le décor évoque la forêt québécoise. Côté cuisine, la tradition japonaise s'allie aux nouvelles tendances. Création de plats et de sushis avec une variété de bons produits et un mélange de saveurs.

KYO Bar japonais ★★★ (bistro)

711, Côte de la Place d'Armes, Vieux-Mtl
Tél.: 514-282-2711
www.kyobar.com
SPÉCIALITÉS: Sushis. Okonomiyaki, crêpe japonaise surmontée aux fruits de mer. Hamachi bibimbap, vivaneau à queue jaune. Tori karaage, poulet frit sauce à l'ail. Tempura Moriawase. Morue au miso gindara saikyo yaki.
PRIX Midi: F. 15$ à 20$
Soir: C. 30$ à 66$
OUVERT le midi, du lun. au ven. Le soir, 7 jours.
NOTE: Carte de saké (alcool japonais) exceptionnelle. Boîte à bento 18$ à 20$. Menu dégustation 55$/pers., avec 4 sakés 75$. Bar à sushis.
COMMENTAIRE: Décor nippon moderne dans des murs antiques de briques rouges et de pierre, harmonie de noir et de bois blond ponctuée de rideaux rouges, chaises confortables et tables ordinaires ou tables hautes ou comptoir. Le service est aimable, jeune et charmant. Une carte courte qui semble un peu compliquée au début vous obligera à demander de nombreuses explications au serveur. Une fois que vous aurez compris la différence entre les sashimis, les sushis, les makis, les plats composés, le comptoir à sushis et les combinaisons, tout ira bien. L'assiette est agréable, bien présentée et bonne. On y sert, entre autres, un tartare de bœuf coréen, un bon choix de sakés, la boisson alcoolisée traditionnelle japonaise faite à base de riz. Probablement la meilleure sélection à Montréal.

MIKADO ★★★★★

399, av. Laurier O., Mtl
Tél.: 514-279-4809
www.mikadomontreal.com
SPÉCIALITÉS: Thon royal. Hotaté limé ré (pétoncles frais, pâte de prune, shiso-yuzu, mayo wasabi). Limé no sachi shiitake (crevettes et pétoncles sautés au sichimi). Rouleau au homard farci à la chair de crabe. Crabe à carapace molle. Sushi Maki. Tarte aux pommes Mikado.
PRIX Midi: T.H. 14$ à 22$
Soir: C. 31$ à 63$
OUVERT le midi, du lun. au ven. Le soir, 7 jours.
NOTE: Omakase, menu dégustation 6 à 8 serv. 65$ à 95$ le soir. Bento (boîte à lunch de 6 plats ou tapas) 30$.
COMMENTAIRE: La salle est vivante. La carte offre une variété de sushis et de sashimis frais de qualité. D'origine vietnamienne, le chef propriétaire Kimio apprête les sushis depuis fort longtemps. Par rapport aux Japonais, toujours très traditionnels dans ce genre de cuisine, ce chef vietnamien aborde le sushi en toute liberté, avec plus de créativité. Sa création Kamikazé est même copiée par les autres Japonais en ville.

PARK RESTAURANT ★★★★ ♥

378, av. Victoria, Westmount
Tél.: 514-750-7534
www.parkresto.com
SPÉCIALITÉS JAPONAISES, CORÉENNES ET SUD-AMÉRICAINES: Soupe miso organique. Nouilles Ignames sautées aux légumes avec poulet ou saumon biologique. Boîte à Bento (assortiment de 4 mets). Nigiri Park Lunch (plateau). Maki du chef. Teriyaki bœuf Don. Côtes levées Kalbi braisées. Sashimi ou Nigiri maki. Omakase.
PRIX Midi: F. 20$ à 48$
Soir: C. 36$ à 128$
OUVERT le midi et le soir, du lun. au sam. Brunch dim.
NOTE: Menu dégustation Omakase 5 serv. 65$ à 85$ le midi, 6 serv. 95$ à 115$ le soir. Service de traiteur «Trout Lake». Jeudi soir, Nigiri Park Lunch late night (soirée sushis). Probablement un des rares restaurants au Canada à avoir une licence pour le bœuf Kobé (2oz/99$, 4oz/198$, 8oz/398$).
COMMENTAIRE: Cet établissement avait brûlé en novembre 2016. Tel le phoenix, il renaît de ses cendres à la même adresse, mais

avec une très belle décoration. Tout est neuf et sobre, avec des luminaires excentriques mais élégants. Un cellier a trouvé sa place, tous les murs sont lambrissés, les chaises à accoudoirs sont confortables. D'origine coréenne, le chef propriétaire Antonio Park a vécu dans plusieurs pays, il a d'ailleurs grandi en Amérique du Sud. Cela explique son interprétation toute personnelle des différentes cuisines qu'il s'est appropriées. Mais Park est avant tout un restaurant de sushis. Nous avons dégusté plusieurs plats; les plats cuisinés sont délicieux, les sushis très bons, mais rien d'exceptionnel pour les sashimis. Belles présentations des plats, aliments de qualité et très frais, service gentil. Bémol, à la sortie personne ne vous salue...

SAKURA ★★★[ER]

3450, rue Drummond, Mtl
Tél.: 514-288-9122
www.sakuragardens.com

SPÉCIALITÉS: Sushis. Omakase (spécial du chef). Kaiso (salade d'algues, vinaigrette au sésame). Sakura (sashimi, crevettes, pétoncles, saumon). Homard tempura. Loveboat (variété de sushis, tempura et yakitori). Haricots rouges sucrés dans mochi.
PRIX Midi: T.H. 12$ à 20$
Soir: C. 29$ à 61$ T.H. 50$
OUVERT le midi, du lun. au ven. Le soir, 7 jours.
NOTE: Happy combo 19$ à 21$. Spécial du jour changeant quotidiennement. Homakase 50$/pers. Fondue/2 pers. préparée à votre table. Plats à emporter. Livraison. Stationnement gratuit.
COMMENTAIRE: La propriétaire est Japonaise, les serveuses sont toutes habillées en costumes de style japonais. Cet établissement fait partie des 4 ou 5 restaurants appartenant à des propriétaires japonais traditionnels. Tous les plats sont illustrés sur le menu, même les desserts et les cocktails sont présentés en photos. Les illustrations sont appétissantes, en plus d'aider les clients à faire leur choix parmi les nombreux plats japonais. Excellents sushis et le reste est à l'avenant.

SHO-DAN ★★★★

2020, rue Metcalfe, Mtl
Tél.: 514-987-9987
www.sho-dan.com

SPÉCIALITÉS: Morue noire grillée. Phoenix (rouleau de feuille soya, goberge, avocat, mangue, oignon frit, thon rouge). Besame Mucho (tartare de thon, tempura, crevette, feuille de soya). Mont-blanc (crème glacée vanille, chocolat tempura, coulis de fruits).
PRIX Midi: F. 15$ à 25$
Soir: C. 32$ à 68$ T.H. 40$
OUVERT le midi, du lun. au ven. Le soir, du lun. au sam. Fermé dim.
NOTE: Réserv. préférable. Spécial midi: sushis/2 pers. 46$. Plats végétariens. Sushi bar. Stationnement payant. Accès aux personnes à mobilité réduite.
COMMENTAIRE: Un couple, qui aimait les sushis avec passion, a ouvert un restaurant japonais avec les chefs sushis du Mikado. Comme le restaurant est situé au cœur du centre-ville, le midi, il faut réserver. Les chefs sont motivés à créer selon le goût du client. Au sushi bar, le chef cuisine devant les clients.

TATAMI SUSHI BAR ★★★

140, rue Notre-Dame O., Vieux-Mtl
Tél.: 514-845-5864

SPÉCIALITÉS: Taboo: queue de homard, crabe épicé, thon, saumon, avocat, concombre, tobico, feuille de soya. Club sandwich de fruits de mer. Dragon ball: crevette tempura, thon épicé, bâtonnet de crabe, coriandre, feuille de miso. Tara: crevette tempura, crabe épicé, saumon, avocat, feuille de miso.
PRIX Midi: F. 11$ à 17$
Soir: C. 24$ à 33$
OUVERT le midi, du lun au ven. Le soir, 7 jours. Été: dim. à partir de 15h.
NOTE: Table aquarium. Carte des vins, 5 variétés de sakés froids. Demi-terrasse (portes s'ouvrant sur l'extérieur).
COMMENTAIRE: La propriétaire est vietnamienne. Les sushis et les sashimis sont d'une fraîcheur irréprochable. On peut même les déguster à une table recouvrant un aquarium d'eau salée contenant des poissons.

TRI EXPRESS ★★★

1650, av. Laurier E., Mtl
Tél.: 514-528-5641
www.triexpressrestaurant.com

SPÉCIALITÉS: Salade ceviche de fruits de mer. Pétoncles et pamplemousse. Salade de filet mignon. Sushis. Omakase: maki tempura (le croquant), concassé de homard dans une feuille de concombre (le divin). Filet mignon à la manière de Tri. Le St-Joseph: maki (tartare de thon et saumon, homard). Sashimi à la manière de Tri (thon, saumon, vivaneau).
PRIX Midi: F. 19$ à 21$
Soir: F. 27$
OUVERT le midi, du mar. au ven. Le soir, du mar. au dim. Fermé lun.
NOTE: Menu dégustation 4 serv. 48$. Menu/2 pers. 40$ à 60$.
COMMENTAIRE: Maître sushi, le chef Tri Du a ouvert son propre petit restaurant depuis février 2006, après avoir travaillé dans les meilleurs restaurants de Montréal. Une très petite salle dont ce maître sushi est évidemment l'âme avec ses créations et ses ingrédients d'une très grande fraîcheur. Ce sont parmi les meilleurs sushis en ville.

LIBANAIS

DAOU ★★★
519, rue Faillon E., Mtl
Tél.: 514-276-8310
SPÉCIALITÉS: Fatouche. Feuilles de vigne (yabrak). Hommos. Taboulé. Kebbe nayé. Poitrine de poulet marinée. Rouget frit. Saumon grillé. Shish-kebab. Agneau grillé. Rakakat (feuilleté au fromage). Baklava. Crêpe farcie au fromage et sirop d'érable.
PRIX Midi: C. 26$ à 53$
Soir: Idem
OUVERT le midi et le soir, du mar. au dim. Fermé lun.
NOTE: Plat du jour le midi. Arak (boisson alcoolisée libanaise). Vins libanais.
COMMENTAIRE: Un des plus anciens restaurants libanais de Montréal. Décor très ordinaire, genre salle de banquet d'hôtel. Service en chemise blanche, gilet et pantalons noirs, rapide, attentif, aimable, de style bistro. Aucune présentation dans l'assiette, mais le goût est là et la générosité des portions aussi. Entreprise familiale.

LA SIRÈNE DE LA MER ★★★★ ♥
114, rue Dresden, Ville Mont-Royal
Tél.: 514-345-0345
www.sirenedelamer.com
SPÉCIALITÉS: Friture de La Sirène (fines lamelles frites de courgettes et aubergines). Calmars frits. Machawi grillé (brochettes poulet, filet mignon ou viande hachée). Pieuvre ou bar du Chili grillés. Thon épicé en croûte au sésame. Katayef (crêpe farcie au fromage et sirop). Halawet el-jiben (pâte semoule farcie au fromage, sirop de rose).
PRIX Midi: F. 16$ à 23$
Soir: C. 31$ à 69$
OUVERT le midi et le soir, 7 jours.
NOTE: T.H. lun. à ven. Concept de plats à partager. Mer. soir huîtres à moitié prix 16$/dz. Carte des vins, 120 étiquettes. Cellier dans la salle à manger. Salle privée, équipement électronique (wi-fi et écran 93 po.) pour 65 pers. Tout le restaurant a été rénové en 2015. Nouvelle terrasse élégante, confortable, nappée, chauffée par temps frais. Toilette pour personnes à mobilité réduite. Très grand stationnement gratuit.
COMMENTAIRE: Une belle cuisine libanaise, fraîche et aromatique servie dans un décor élégant et confortable. La cuisson est juste et moelleuse. L'accueil est chaleureux, les serveurs sont attentionnés et aimables. Le blanc domine dans la salle à manger au très sobre décor classique à tendance californienne. Ensemble très spacieux avec d'immenses baies vitrées. On peut choisir son poisson et ses fruits de mer, importés de la Méditerranée, à la poissonnerie qui fait partie de l'établissement. Les poissons et les fruits de mer sont toujours frais et le chef les prépare à votre goût. Vous pouvez aller les choisir, les manger cuits à votre façon au restaurant ou les acheter frais pour les manger chez vous.

RESTAURANT SOLEMER ★★★
1805, rue Sauvé O., Mtl
Tél.: 514-332-2255
www.solemer.com
SPÉCIALITÉS: Salade fatouche. Hommos. Crevettes grillées Solemer. Pieuvre grillée. Poisson frit ou grillé. Taboulé. Filet de saumon de l'Atlantique grillé. Brochette de poulet mariné. Chiche-kebab. Chiche-taouk. Crêpes à la crème katayef.
PRIX Midi: T.H. 24,95$
Soir: C. 31$ à 75$ T.H. 24,95$
OUVERT le midi et le soir, 7 jours. Brunch dim.
NOTE: Réserv. après 18h. T.H. midi et soir lun. à ven. Poissons frais et fruits de mer vendus au poids. Plats à emporter. Carte de vins, 90 étiquettes.
COMMENTAIRE: La salle à manger est grande, spacieuse et bien décorée. Sur le côté se trouve une poissonnerie qui communique avec le restaurant où l'on peut choisir son poisson ou ses crustacés que le chef prépare à notre goût. Cette table libanaise propose une carte plutôt méditerranéenne avec des mets savoureux, servis en portions généreuses. Une solide cuisine de type familial. Au fil des commentaires, les serveurs sont devenus plus aimables et attentionnés.

MAROCAIN

TANGIA ★★★ (bistro)
Bar restaurant marocain
2072, rue Drummond, Mtl
Tél.: 514-282-9790
www.tangia.ca
SPÉCIALITÉS: Salade de poivrons et noix de Grenoble. Salade de pois chiches. Couscous israélien. Couscous végétarien. Tagine au poulet aux olives. Langue de veau 36h. Poulet frit et humus piquant. Pastilla au lait. Couscous au beurre.

PRIX Midi: T.H. 19$ à 28$
Soir: C. 41$ à 65$ T.H. 45$ à 55$
OUVERT le midi, du mar. au ven. Le soir, du lun. au sam. Fermé dim.
NOTE: Menus découvertes: 18$, 45$ et 55$.
COMMENTAIRE: L'endroit a changé plusieurs fois de nom et de cuisine pour cette ultime (?) vocation marocaine. Le même propriétaire, Dan Medalsy, d'origine marocaine, s'est improvisé chef pour l'occasion. Un décor chaleureux et dépaysant au centre-ville de Montréal, une assiette un peu inégale mais excellente pour certains mets comme le couscous. Service courtois et convivial. Carte des vins inchangée et plutôt européenne. On aurait pu y voir des vins marocains en vente à la SAQ comme le Ait Mimoun Guerrouane de Clarac et Clauzel, le Touareg de Bernard Magrez ou le Syrocco du Domaine des Ouleb Thaleb.

MÉDITERRANÉEN

BYLA.BYLA. ★★★
Resto-bar café
1395, av. Dollard, LaSalle
Tél.: 514-368-1888
www.bylabyla.com
SPÉCIALITÉS MÉDITERRANÉENNES ET CONTINENTALES: Salade de poulet Toscane. Œuf poché avec saumon fumé, œufs de poisson, sauce hollandaise. Bifteck d'entrecôte 14 oz, coupe sterling, légumes et pommes de terre. Côte de veau de lait, sauce balsamique aux figues, pommes de terre et légumes.
PRIX Midi: F. 12$ à 15$
Soir: C. 32$ à 63$
OUVERT le midi, du mar. au dim. Le soir, du jeu. au sam. Brunch sam. et dim.
NOTE: Gagnant de la «meilleure soupe» au Festival de LaSalle 2016. Stationnement très accessible.
COMMENTAIRE: Byla Byla est un dérivé du mot espagnol bailar (danser). Sauf qu'ici on ne danse pas, on cuisine. Et plutôt bien. Des spécialités continentales (steaks et fruits de mer), mais revues et parfumées aux senteurs de la Méditerranée, avec quelques touches d'épices nord-africaines. C'est réellement très bon, voire excellent! Tout ici est fait à la minute avec des produits frais, ce qui explique le délai du service quelquefois lent. Les présentations sont assez belles et agréables à l'œil. Décor café bistro confortable et gentiment aménagé.

O.NOIR ★★
124, rue Prince-Arthur E., Mtl
Tél.: 514-937-9727
www.onoir.com
SPÉCIALITÉS: Crevettes au beurre à l'ail, sauce coco. Filet d'épaule de bœuf grillé, sauce poivre et brindilles, légumes de saison. Mousse au chocolat, coulis de mangue. Profiteroles au nougat glacé maison, sauce caramel, confiture de fraises maison.
PRIX Midi: (fermé)
Soir: F. 36$ à 42$ T.H. 42$
OUVERT le midi et le soir, 7 jours, sur réserv.
NOTE: Dim. soir musique live. Carte des vins d'importation privée à plus de 50%. 10 lignes de bières de microbrasseries.
COMMENTAIRE: Un restaurant où l'on mange dans le noir total, une expérience unique. Non seulement on comprend mieux le monde des non-voyants, mais on apprécie mieux ce que l'on mange surtout quand on arrive à l'attraper. Sans la vue, nos autres sens s'intensifient pour savourer l'arôme et le goût de la nourriture. On met l'accent sur la qualité des mets, sur les saveurs. Une cuisine simple, consistante et savoureuse. Mais on ne saura jamais si c'est bien présenté.

OSCO! ★★★
Hôtel InterContinental Montréal
360, rue Saint-Antoine O., Mtl
Tél.: 514-847-8729
www.montreal.intercontinental.com
SPÉCIALITÉS: Filet d'agneau poêlé au thym et citron, bayaldi d'aubergine aux amandes et oignons croustillants. Ris de veau, écailles d'amande, frégola au beurre d'artichaut et parmesan. Tartare de bœuf au couteau façon «OSCO!», avec croûtons. Chariot à desserts maison (assortiment gâteaux et verrines).
PRIX Midi: F. 21$ à 23$
Soir: C. 45$ à 63$ T.H. 45$
OUVERT le midi et le soir, 7 jours.
NOTE: Concept de plats à partager. Cellier, 600 bouteilles d'importation privée. Cuisine snack-bar à l'heure du lunch ou pour continuer la soirée (14h à 1h du mat.). Menu à l'ardoise, 25$, changeant quotidiennement. Brunch fête des Mères, Noël, jour de l'An, Pâques.
COMMENTAIRE: Les éléments du décor sont modernes, l'ambiance est de style brasserie de luxe. À l'entrée, une cage de verre abrite un cellier avec un grand choix de vins. Pour les vins au verre, un chariot chargé de bouteilles dans des seaux à glace, incluant des blancs et des rosés, est roulé jusqu'à votre table. Le chef Matthieu Saunier propose une excellente cuisine très méditerranéenne d'influence française. Le service est d'une gentillesse extrême.

MEXICAIN

LE PETIT COIN DU MEXIQUE ★★
2474, rue Jean-Talon E., Mtl
Tél.: 514-374-7448
SPÉCIALITÉS: Soupe tortillas. Entrée mixte (sopes, guacamole, tacos, quesadilla). Chile poblanorelleno (piments mexicains farcis de fromage). Tortas. Tacos al pastor (porc mariné). Enchilada verte ou de mole. Chilaquiles rouges ou vertes. Gâteau trois laits. Pêche rompope.
PRIX Midi: F. 10$ à 12$

Soir: C. 13$ à 39$ T.H. 13$ à 19$
OUVERT le midi et le soir, du mar. au dim. Fermé lun. Brunch sam. et dim.
NOTE: Produits mexicains. Menu de fruits de mer (ceviche, poisson, brochette de crevettes). Service de traiteur sur réserv.
COMMENTAIRE: Un petit restaurant sympa, une cuisine simple et savoureuse typiquement mexicaine, que l'on peut accompagner de bières du pays, de téquila ou de margarita. Pour continuer l'expérience, ne pas oublier de goûter aux desserts. Ambiance familiale.

TAQUERIA MEX ★★

4306, bd Saint-Laurent, Mtl
Tél.: 514-982-9462 514-573-5930
www.taqueriamex.com
SPÉCIALITÉS: Quesadilla au poulet ou végétarienne. Guacamole maison. Nachos au fromage fondu. Tacos. Burrito de crevettes, de poulet, de steak ou végétarien. Enchilada au poulet. Ranchero au poulet, au steak ou végétarien. Churos maison (beigne au caramel). Flan de coco.
PRIX Midi: C. 11$ à 20$
Soir: Idem
OUVERT le midi et le soir, 7 jours.
NOTE: Musique latine continuelle. Bières et sangria mexicaines. Margarita et mojito maison. Daïquiri aux fruits (mangue, fraise, framboise). Michelada, boisson mexicaine.
COMMENTAIRE: Situé en face du parc Vallières, voici un petit resto sympathique au décor ordinaire, mais très coloré, jusque sur la façade. Le décor fait plus penser à un resto-minute qu'à un restaurant, sauf que la ressemblance s'arrête là. Les assiettes sont généreuses. En résumé: amusant, intéressant, sympathique, consistant, parfumé, sans prétention! Un restaurant dépaysant où il fait bon s'attabler.

PÉRUVIEN

MADRE ★★★ (bistro)

2931, rue Masson, Mtl
Tél.: 514-315-7932
www.restaurantmadre.com
SPÉCIALITÉS: Poulpe braisé aux piments péruviens. Ceviche classique de pétoncles au jus de lime. Jarret d'agneau braisé, bière et coriandre, cassoulet de haricots. Petit pot chocolat noisette, meringue et baies de saison. Gâteau crème pâtissière au chocolat.
PRIX Midi: (fermé)
Soir: C. 38$ à 44$ F. 31$ à 47$
OUVERT le soir, du lun. au sam. Fermé dim.
NOTE: Le prix des plats principaux inclut une entrée. Lun. et mar., 3 serv. 31$. Stationnement facile.
COMMENTAIRE: Mario Navarrete Jr, chef propriétaire, propose une cuisine «nuevo latino», nouvelle cuisine latine d'influence péruvienne, que reflète son pays d'origine. L'assiette est réellement très savoureuse, simple et créative, et constitue une découverte et un plaisir des sens. Le décor est minimaliste, un peu comme dans un couloir, tout en longueur, avec des tons de brun très foncé. On y est servi avec beaucoup d'amabilité.

MADRE SUR FLEURY ★★★

124, rue Fleury O., Mtl
Tél.: 514-439-1966
www.restaurantmadre.com
SPÉCIALITÉS: Poulpe braisé aux piments péruviens. Ceviche classique de pétoncles au jus de lime. Jarret d'agneau braisé, bière et coriandre, cassoulet de haricots. Petit pot chocolat noisette, meringue et baies de saison. Gâteau crème pâtissière au chocolat.
PRIX Midi: (fermé)
Soir: C. 38$ à 44$ F. 31$ à 47$
OUVERT le soir, du lun. au sam. Fermé dim.
NOTE: Le prix des plats principaux inclut une entrée. Lun. et mar., 3 serv. 31$. Service de traiteur.
COMMENTAIRE: Anciennement «À table», ce restaurant a changé le nom pour devenir «Madre sur Fleury». Le chef propriétaire Mario Navarrete Jr, a changé aussi la vocation internationale du restaurant pour revenir vers sa spécialité et ses origines: la cuisine péruvienne savoureuse et revisitée par lui et ses assistants. Une cuisine latine avec la technique française. Une belle expérience!

MOCHICA ★★★★

3863, rue Saint-Denis, Mtl
Tél.: 514-284-1118
www.restaurantmochica.com
SPÉCIALITÉS: Ceviche de poisson à la péruvienne. Tartare d'alpaga. Bar péruvien étuvé. Causa (étagé de crabe, de poisson, de pommes de terre, avocat et maïs). Anticucho de corazon (cubes de cœur de veau marinés, grillés, pesto de huacatay, patates douces, manioc et maïs géant).
PRIX Midi: (fermé)
Soir: C. 33$ à 68$
OUVERT le soir, du mer. au dim. Fermé lun. et mar.
NOTE: Menu «Mer», menu «Terre». Menu dégustation 3 serv. 20$ à 45$. Viande d'alpaga et poisson corvina en exclusivité. Vins péruviens d'importation privée. Pisco (alcool péruvien).
COMMENTAIRE: Harmonie des couleurs, vitrines d'artefacts, collection de masques, bas-reliefs, nous transportent dans un resto-musée à la gloire des Mochicas ou Moches, une brillante civilisation d'Amérique du Sud. Service courtois, compétent et attentif. Le serveur connaît bien les plats qu'il sert. La cuisine est bonne. Les mets servis surprennent et dépaysent par la nature des aliments utilisés, parfois inconnus pour nous. Ils nous permettent de voyager et nous donnent envie d'en apprendre davantage sur le Pérou.

PUCAPUCA ★★
5400, bd Saint-Laurent, Mtl
Tél.: 514-272-8029
SPÉCIALITÉS: Chupe de camarones (velouté de crevettes). Agillo (poisson, ail, piment jaune du Pérou). Ají de gallina (poulet au piment jaune péruvien). Foie de veau sauté aux légumes, piments jaunes du Pérou. Filet de porc maigre à la sauce adobo (trois herbes et bière). Sorbet à la mangue.
PRIX Midi: F. 8$
Soir: C. 18$ à 24$ T.H. 15$
OUVERT le midi, du mar. au ven. Le soir, du jeu. au sam. Fermé dim. et lun.
NOTE: 3 à 5 choix de poissons frais. Plats du chef chaque soir. Musique latino-américaine. Carte des vins (15 étiquettes) majoritairement sud-américains. Ambiance relaxante. Cuisine familiale.
COMMENTAIRE: Un petit restaurant péruvien de style café-bistro, aux murs peints en rouge et au sol en béton coloré, aux chaises dépareillées et aux tables bancales. La cuisine péruvienne, à l'origine familiale, n'est pas forcément très épicée mais elle est authentique. C'est selon les mets. Service très sympathique et familial.

PORTUGAIS

CASA VINHO ★★★
3750, rue Masson, Mtl
Tél.: 514-721-8885
www.casavinho.ca
SPÉCIALITÉS: Pieuvre grillée. Saucisson portugais à l'ail et à l'huile d'olive. Mixte de fruits de mer: pétoncles, pieuvre et calmar grillés. Côtes levées, poulet, saucisse, frites maison, salade. Crème brûlée. Natas de l'univers (petit gâteau).
PRIX Midi: (fermé)
Soir: C. 24$ à 43$ T.H. 19$ à 24$
OUVERT le soir, du mar. au dim. Fermé lun.
NOTE: Réserv. conseillée. Cave à vin, 40 étiquettes d'importation privée à 50%. Bières des Îles-de-la-Madeleine et de microbrasseries. Ouvert midi sur réserv. à partir 12 pers., avec menu établi.
COMMENTAIRE: La façade n'attire pas l'attention. On pourrait passer tout droit sans remarquer qu'il y a un restaurant. Mais une fois à l'intérieur, on se sent au Portugal. Une belle ambiance, le fado joue en toile de fond en permanence. Un menu simple met à l'honneur une cuisine portugaise familiale authentique, faite de produits naturels et frais, apprêtée avec beaucoup de soin et d'honnêteté. C'est délicieux et copieux.

CHEZ DOVAL ★★
150, rue Marie-Anne E., Mtl
Tél.: 514-843-3390
www.chezdoval.com
SPÉCIALITÉS: Pieuvre grillée. Crevettes sautées, vin blanc, citron, ail. Casserole de fruits de mer. Calmars, sardines, morue, poulet ou caille grillés. Steak à la portugaise au curry. Porc et palourdes. Tartelette aux œufs. Pouding au riz. Crème caramel.
PRIX Midi: T.H. 15$ à 16$
Soir: C. 29$ à 52$
OUVERT le midi et le soir, 7 jours.
NOTE: Poissons frais grillés sur charbon de bois. Nouvelle T.H. chaque jour. Carte des vins, 80 sortes.
COMMENTAIRE: Il y a deux salles à manger: l'une a gardé sa décoration des années 1970, aux murs crépis flanqués de quelques assemblages de briques rouges et de chaises de type saloon; l'autre a des allures de bistro avec bar et gril. L'ambiance est chaleureuse. On y mange une cuisine traditionnelle portugaise de type familial, généreuse et savoureuse, servie avec amabilité et nonchalance. Petit choix de bons vins portugais.

FERREIRA CAFE ★★★★
1446, rue Peel, Mtl
Tél.: 514-848-0988
www.ferreiracafe.com
SPÉCIALITÉS: Filets de sardine rôtis à la fleur de sel, escabèche de légumes sur un pain aux olives. Risotto aux champignons sauvages, cuisse de canard confite. Morue noire rôtie en croûte de cèpes, réduction de porto. Purée à l'huile d'olive F. Natas maison: tartelettes à la vanille, glace riz au lait. Fondant au caramel salé, sorbet à la poire Rocha, porto blanc.
PRIX Midi: F. 28$ à 45$
Soir: C. 48$ à 82$
OUVERT le midi, du lun. au ven. Le soir, 7 jours.
NOTE: Poissons entiers et fruits de mer importés du Portugal. Menu après 22h, 2 serv. 28$. Mar. «wine night», remise 50% sur vins portuguais. Cave à portos (100 sortes).
COMMENTAIRE: Ouvert en 1996, des rénovations majeures en automne 2015 ont transformé le Ferreira en un lieu à la décoration plus moderne, plus sobre sans pour autant renier la culture portugaise. On ajouté des panneaux de verre, des murs de plâtre traités à la main où s'accrochent des hirondelles en porcelaine noire (symbole de la famille). La cuisine est généreuse et bonne, la carte des vins impressionnante.

L'ÉTOILE DE L'OCÉAN ★★★[ER]
101, rue Rachel E., Mtl
Tél.: 514-844-4588
www.letoiledelocean.com
SPÉCIALITÉS: Calmars grillés au parfum des îles. Paupiettes de veau farcies aux crevettes. Casserole de palourdes et de porc Alentejana. Paella. Saucisses portugaises flambées à la grappa. Plat mixte (poisson et fruits de mer grillés au four). Cataplana de fruits de mer.
PRIX Midi: T.H. 14$ et 20$
Soir: C. 24$ à 50$ T.H. 28$ à 35$
OUVERT le midi et le soir, 7 jours.

COMMENTAIRE: Décor très agréable, coloré et chaleureux. On se sent transporté au Portugal. L'ambiance est intime, assez animée et confortable. Le service se montre hyper aimable, très accommodant, mais excessivement lent lorsqu'il y a beaucoup de monde. La cuisine propose des grillades au charbon de bois, des poissons frais et des fruits de mer. Il y a aussi une bonne sélection de vins, de portos et de fromages.

PORTUS 360 ★★★★★

777, bd Robert-Bourassa, Mtl
Tél.: 514-849-2070
www.portus360.com
SPÉCIALITÉS: Caldo verde, soupe portugaise, pommes de terre, chouriço, chou vert, huile d'olive. Morue à la portugaise, mille-feuilles de morue salée confite à l'huile d'olive, crème, oignons. Riz aux fruits de mer, demi-homard, crevettes, calmars, moules, palourdes. Carne de porco à Alentejana (porc et palourdes). Figues au chocolat. Natas do céu (crème du paradis).
PRIX Midi: T.H. 25$
Soir: C. 53$ à 75$
OUVERT le midi, du lun. au ven. Le soir, du lun. au sam. Fermé dim.
COMMENTAIRE: La salle à manger se trouve tout en haut de la tour Evo, un immeuble situé sur le boulevard Robert-Bourassa. Il s'agit d'un des rares restaurants tournants au Canada et c'est le seul à Montréal. Le tour complet dure une heure trente environ. On a une vue incomparable sur la Rive-Sud, le fleuve Saint-Laurent et les immeubles modernes du centre-ville de Montréal. La chef Helena Loureiro y propose une carte portugaise et méditerranéenne savoureuse et joliment présentée. Une cuisine de fraîcheur, de goût et de plaisir. Une cuisine haut de gamme tant par l'élévation de la salle à manger que par la qualité des mets que la chef met dans les assiettes avec beaucoup de délicatesse, de sensibilité et de générosité. Mais quelle belle aventure!

RESTAURANT HELENA
★★★★ (bistro)
438, rue McGill, Vieux-Mtl
Tél.: 514-878-1555
www.restauranthelena.com
SPÉCIALITÉS: Morue noire de l'Est. Caldo verde (soupe verte). Feijoada de mariscos (ragoût de fruits de mer aux fèves de Lima, calmars, crevettes, palourdes, moules). Parillada aux fruits de mer. Morue à la portugaise. Fondant au chocolat.
PRIX Midi: T.H. 24$
Soir: C. 50$ à 80$
OUVERT le midi, du lun. au ven. Le soir, du lun. au sam. Fermé dim.
COMMENTAIRE: Une excellente table qui déborde un peu la cuisine portugaise par ses accents méditerranéens. Mais le goût et le plaisir sont là, sans compromis. Belles présentations des assiettes, sans pour autant tomber dans l'extravagance. Le décor est moderne, voire tendance, mais imprégné de la culture portugaise. Le service est très aimable.

SOLMAR ★★
111 et 115, rue Saint-Paul E., Vieux-Mtl
Tél.: 514-861-4562
www.solmar-montreal.com
SPÉCIALITÉS: Pieuvre grillée. Bacalhau à bras, effiloché de morue. Pétoncles sautés au chorizo. Cataplana de fruits de mer. Filet mignon à la portugaise. Filet de porc et palourdes poêlés. Poire pochée au porto. Duo bouche d'orange et d'amandes.
PRIX Midi: F. 14$ à 25$
Soir: C. 35$ à 75$
OUVERT le midi et le soir, 7 jours.
NOTE: Assiette du jour à partir de 20$. Menu dégustation 4 serv. 60$, accord des vins 40$. Sélection intéressante de portos depuis 1900 et de vins rouges depuis 1968. Spectacles de fado ven. et sam.
COMMENTAIRE: Ce restaurant portugais, situé dans un bâtiment deux fois centenaire, est ouvert depuis 1979. La salle à manger est très belle, chaleureuse et confortable; la cuisine est familiale, simple et copieuse. La fin de semaine ou lors du festival d'avril ou d'automne, les soirées fados apportent une très bonne ambiance.

SALVADORIEN

LA CARRETA ★★★[ER]
350, rue Saint-Zotique E., Mtl
Tél.: 514-273-8884
SPÉCIALITÉS: Tamal (bouillon, pain de maïs, poulet). Carreton (riz, poulet, crevettes). Albondigas (boulettes de viande salvadoriennes). Pupusa (galette garnie de fromage ou de viande). Burritos. Guacamole. Fajitas au poulet. Quesadillas. Trio de tacos. Arroz à la plancha (crevettes, poulet, riz). Steak à l'oignon sauté (avec riz et salade). Plantain grillé. Beignet frit, sauce chaude.
PRIX Midi: C. 18$ à 43$
Soir: Idem
OUVERT le midi et le soir, 7 jours.
NOTE: Divers types de combos (combo typico: pupusa, yuka, enchilada). Boissons salvadoriennes traditionnelles. Sangria blanche ou rouge, piña colada, margarita, mojito maison.
COMMENTAIRE: Idéal pour se décontracter en famille ou entre amis. Une pupuseria, petit restaurant spécialisé en cuisine salvadorienne qui ne paie vraiment pas de mine. On dirait deux anciennes boutiques aménagées, tant bien que mal, en un seul établissement. Mais, c'est sympathique et le service aussi, très souriant et aimable. On y mange bien et pour pas cher.

THAÏLANDAIS

CHAO PHRAYA ★★★★★
50, av. Laurier O., Mtl
Tél.: 514-272-5339
www.chao-phraya.com
SPÉCIALITÉS: Salade de canard, mangue, oignons, piments, feuilles de menthe. Dumplings, sauce au beurre d'arachide. Crevettes grillées aux feuilles de menthe, piment et oignons rouges. Filet de poisson, sauce aux trois saveurs épicées. Bœuf sauté, brocoli, sauce aux huîtres. Poulet au curry vert, lait de coco et basilic.
PRIX Midi: (fermé)
Soir: C. 34$ à 62$
OUVERT le soir, 7 jours.
NOTE: Produits frais de la mer (poissons, crevettes, calmars…). Musique thaïlandaise. 2e étage privé, 20 pers. Stationnement réservé pour les clients.
COMMENTAIRE: La fraîcheur des ingrédients, la préparation des plats, au fur et à mesure des commandes, contribuent à l'excellence de la nourriture. Cave à vin intéressante. Depuis son ouverture en 1988, ce restaurant n'a rien perdu de sa popularité. Il est recommandé de réserver.

CHU CHAI ★★★[ER]
4088, rue Saint-Denis, Mtl
Tél.: 514-843-4194
www.chuchai.com
SPÉCIALITÉS VÉGÉTARIENNES THAÏLANDAISES: Bouchées cinq saveurs. Crevettes panées sel et poivre. Brochette de poulet à la sauce d'arachides. Canard au curry rouge et noix de coco. Bœuf au piment et basilic.
PRIX Midi: F. 10$ à 18$
Soir: C. 16$ à 33$
OUVERT le midi et le soir, du mar. au dim. Fermé lun.
NOTE: Restaurant flexitarien. Cuisine santé, végétalienne et sans glutamate.
COMMENTAIRE: Premier restaurant de fine cuisine végétarienne thaïlandaise. La chef Lili fait une cuisine végétarienne authentique et traditionnelle. Tous les plats portant les appellations de viande et de fruits de mer sont strictement faits à base de produits végétaux. Au Chuch Bistro, adjacent à la maison mère, on sert une gastronomie végétalienne sans produit animal, sans GMS (glutamate monosodique), dans une ambiance conviviale et décontratée. Service de traiteur, on peut emporter les mets chez soi, les commander pour plusieurs événements ou bien les manger sur place.

PHAYATHAÏ ★★★★
1235, rue Guy, Mtl
Tél.: 514-933-9949
www.phayathai.ca
SPÉCIALITÉS: Salade de papaye verte. Pinces de crabe, piments maison. Fruits de mer sautés au basilic. Pad thaï. Poisson entier frit à la sauce aux piments. Poulet au curry Panang, crevettes citronnelle. Poulet au curry vert et au lait de coco. Crème glacée frite. Banane frite.
PRIX Midi: T.H. 16$ à 20$
Soir: C. 28$ à 41$
OUVERT le midi, du lun. au ven. Le soir, 7 jours.
NOTE: Carte des vins.
COMMENTAIRE: On trouve ici une cuisine authentique et beaucoup de fraîcheur. Le mariage des divers ingrédients tropicaux est bien équilibré. Le dépaysement s'avère total grâce aux épices soigneusement choisies et l'harmonie des mets, le tout servi dans un cadre joliment décoré. Le service est courtois et attentionné.

TALAY THAÏ ★★★
5697, ch. Côte-des-Neiges, Mtl
Tél.: 514-739-2999
www.talaythaimontreal.com
SPÉCIALITÉS: Poulet Bangkok. Tom yam kung (soupe aux crevettes et citronnelle). Choix de crevettes, poulet ou filet de poisson au curry rouge ou vert. Pad thaï. Bœuf sauté à l'ail, poivrons et feuilles de basilic. Panier doré de poulet, oignons, petits pois avec sauce thaï. Riz collant à la mangue et lait de coco.
PRIX Midi: F. 11,45$
Soir: C. 20$ à 27$ F. 18,95$
OUVERT le midi, du lun. au ven. Le soir, 7 jours.
NOTE: Carte des vins.
COMMENTAIRE: Un restaurant de cuisine traditionnelle thaï situé à l'étage, dans un cadre agréable, quoiqu'un peu minimaliste mais typiquement thaïlandais, décoré de grandes statues. Entre autres, on y mange d'excellents pad thaï au goût parfait. C'est l'un des endroits pour savourer les vrais plats thaïs mais aussi des plats végétariens et sans gluten.

THAÏLANDE ★★★★
88, rue Bernard O., Mtl
Tél.: 514-271-6733
www.restaurantthailande.com
SPÉCIALITÉS: Soupe fusion citronelle et lait de coco. Fruits de mer au curry rouge à la marmite. Mok pla (filet de poisson au lait de coco, curry rouge, enrobé de feuille de bananier, cuit à la vapeur). Filet de poisson, jus de lime. Ped Krob (canard croustillant, sauce épicée). Crème brûlée au thé de jasmin.
PRIX Midi: T.H. 14$ à 19$
Soir: C. 22$ à 61$ T.H. 32$ à 45$
OUVERT le midi, du mer. au ven. Le soir, du mer. au lun. Fermé mar.
NOTE: Carte des vins.
COMMENTAIRE: Sans aucun doute, une des meilleures tables thaï à Montréal. Le beau décor intérieur est relaxant. Il est ponctué de statues et d'éléments décoratifs thaï qui apportent une douce ambiance. Une section

comporte des tables basses; on s'assoit par terre, sur des sortes de coussins aux couleurs chatoyantes. C'est un réel bonheur de goûter la cuisine de ce restaurant qui utilise toujours les meilleurs produits. Il faut goûter le mok pla (filet de poisson), un plat du nord de la Thaïlande, d'où le propriétaire est originaire. La présentation des assiettes est soignée, et le service, empressé.

TURC

BARBOUNYA ★★★

234, av. Laurier O., Mtl
Tél.: 514-439-8858
www.barbounya.com
SPÉCIALITÉS TURQUES ET GRECQUES: Hummus, tartinade de pois chiches. Tomate farcie, riz, herbes, yaourt. Barbounya en ceviche, tomates, chili, variété d'épices. Calmars frits, verdure, amandes. Tartare d'agneau, croustilles de pita, légumes marinés. Baklava. Revani, gâteau de pistache, crème de yaourt à la vanille.
PRIX Midi: (fermé)
Soir: C. 22$ à 39$
OUVERT le midi et le soir, du mer. au dim. Fermé lun. et mar. Brunch sam. et dim.
COMMENTAIRE: On ne s'y trompe pas, ce restaurant qui mélange allègrement les genres (notamment turc et grec) mais toujours avec équilibre et doigté, autant dans les saveurs que les présentations, est tout à fait délectable. Au milieu d'un décor contemporain, on s'assoit à de longues tables partagées avec d'autres convives. Mais l'ambiance est là, et le plaisir aussi. Essayez l'appéritif à la turque, c'est un véritable tour d'horizon. Ah, au fait, le barbounya est un poisson de la famille des rougets, originaire de la Méditerranée.

VIETNAMIEN

HOÀI HU'O'NG ★★

5485, rue Victoria, Mtl
Tél.: 514-738-6610
SPÉCIALITÉS: Soupe tonkinoise. Crevettes à la canne à sucre. Crêpe vietnamienne aux crevettes, porc et salade. Brochettes de porc barbecue, rouleaux aux cheveux d'ange. Bœuf au poulet à la citronnelle. Spécial pour familles: soupe (poisson, crevettes ou poulet), poisson mijoté dans terrine, crevettes sautées aux épices, poulet sauté, salade avec crevettes et porc, bœuf en cubes sautés sur feu vif.
PRIX Midi: F. 8$ à 20$
Soir: C. 17$ à 36$ F. 14$ à 24$
OUVERT le midi et le soir, du mar. au dim. Fermé lun.
NOTE: Midi express 8,95$. Soir express 9,75$.
COMMENTAIRE: Table authentique. C'est une affaire familiale, toute la famille est à l'œuvre dans ce petit restaurant. On y mange bien à des prix très raisonnables. Service rapide et chaleureux.

ONG CA CAN ★★★

79, rue Ste-Catherine E., Mtl
Tél.: 514-844-7817
SPÉCIALITÉS: Grillades vietnamiennes. Sautés au wok. 7 spécialités au bœuf (potage, fondue maison, 3 sortes de rouleaux, bœuf grillé, galantine). Nouilles croustillantes sautées aux légumes, à la viande ou aux fruits de mer. Sauté de poulet avec feuilles de basilic.
PRIX Midi: F. 12$ à 17$
Soir: C. 25$ à 48$ T.H. 22$ à 25$
OUVERT le midi, du mar. au ven. Le soir, du mar. au sam. Fermé dim. et lun.
NOTE: Ouvert depuis 1981. Plats à emporter.
COMMENTAIRE: Une entreprise familiale considérée comme l'une des meilleures pour les mets vietnamiens. Le chef, Phan Tien Tran, met tout son talent dans la créativité, la finesse et la fraîcheur des mets. Un bon choix pour aller souper avant un spectacle. Le service est courtois et rapide.

PHO BANG NEW YORK ★★★

1001, bd Saint-Laurent, Mtl
Tél.: 514-954-2032
SPÉCIALITÉS: Rouleaux impériaux au porc. Soupe tonkinoise au bœuf, crevettes, poulet, citronnelle et légumes. Vermicelles au poulet grillé et rouleaux impériaux. Poisson arc-en-ciel, fèves jaunes, farine tapioca, lait de coco.
PRIX Midi: F. 5$ à 14$
Soir: Idem
OUVERT le midi et le soir, 7 jours.
NOTE: Soupe piquante à la citronnelle (seulement sam. et dim.). Ne prennent pas les cartes de crédit ni Interac.
COMMENTAIRE: Très bon pho maison (resto spécialisé dans les soupes tonkinoises aux nouilles de riz à base de bouillon de bœuf). Le bouillon est toujours servi bien chaud. Les raviers de sauce vous permettent de parfumer vos plats à votre goût. Dès que vous êtes attablé on vous servira un thé d'office. Habituellement le service est empressé et souriant. Ce restaurant affiche très souvent complet. Mieux vaut réserver ou être patient.

RESTAURANT PHO LIEN ★★

5703, chemin Côte-des-Neiges, Mtl
Tél.: 514-735-6949
SPÉCIALITÉS: Pho (soupe tonkinoise, 16 variétés). Salade de papaye verte. Galettes de riz grillées avec œuf. Côtelette de porc grillée avec riz et salade. Bœuf grillé avec vermicelles de riz.
PRIX Midi: F. 12$ à 16$
Soir: C. 17$ à 24$ F. 15$ à 18$
OUVERT le midi et le soir, du mer. au lun. Fermé mar.
NOTE: Ven. à dim. soupe piquante. Atten-

tion: paiement comptant seulement.
COMMENTAIRE: Ce resto est situé dans le quartier multiculturel par excellence de Côte-des-Neiges. Comme de nombreux restaurants vietnamiens, Pho Lien se spécialise dans la soupe tonkinoise. Le bouillon a un goût remarquable. Il faut aussi essayer le dessert trois couleurs, délicieux ! Un peu bruyant.

RESTAURANTS DE LA BANLIEUE DE MONTRÉAL

OUEST DE L'ÎLE DE MONTRÉAL

AUBERGE DES GALLANT ★★★★★ qué

Voir section MONTÉRÉGIE (RÉGION Vaudreuil-Soulanges).

RIVE SUD DE MONTRÉAL

BISTRO DES BIÈRES BELGES ★★ bel

2088, rue Montcalm, Saint-Hubert
Tél.: 450-465-0669
www.bistrobelge.com
SPÉCIALITÉS BELGES: Gravlax de saumon. Soupe à l'oignon à la bière Maudite. Pieuvre grillée. Lasagne de cerf au fromage bleu. Tartares (bœuf ou saumon). Moules frites: marinière, dijonnaise, sichuannaise, au roquefort, thaï, à la New York. Carbonnade flamande, braisé de bœuf à la Trois Pistoles. Gaufre de Bruxelles, sorbet aux framboises et à la Blanche de Chambly.
PRIX Midi: F. 9$ à 22$
Soir: F. 27$ à 33$
OUVERT le midi, du lun. au ven. Le soir, 7 jours. Dim. à partir de 16h.
NOTE: 14 préparations de moules différentes servies avec frites. Un bon choix de 120 bières, dont plus de 50% d'importation privée et quelques bières québécoises de qualité. Jeudi découvertes, à partir de 17h, 25% sur les bières importées.
COMMENTAIRE: Petit resto belge vraiment sympa, surtout en été lorsqu'on peut manger sur la terrasse (qui reste un peu bruyante à cause du boulevard Taschereau). L'intérieur, tout en bois, est intéressant aussi avec ses planches pièce sur pièce. Spécialité de la maison: moules et frites avec un choix de bières impressionnant. La cuisine vous fait apprécier la bière presque dans tous ses plats. Service aimable.

BISTRO V ★★★★ (bistro) fra

1463, rue Lionel-Boulet, Varennes
Tél.: 450-985-1421
www.bistrov.com
SPÉCIALITÉS FRANÇAISES: Tartare de canard, émulsion au poivre long, câpres frits, panzanella à la courge, croûton. Thon albacore, roquette et chicorée, vinaigrette xérès et amandes, gel de fraise, concombre, tuile de betterave. Foie gras poêlé, tarte Tatin. Crème brûlée citron-vanille, guimauve, meringue brûlée, crumble.
PRIX Midi: T.H. 16$
Soir: C. 33$ à 69$ T.H. 27$
OUVERT le midi, du lun. au ven. Le soir, du mar. au sam. Fermé dim.
NOTE: Menu dégustation 6 serv. 69$, accord mets et vins 104$ le soir seulement. Brunch Pâques et fête des Mères. Menu enfant 6$ à 10$.
COMMENTAIRE: Une belle table style bistro qui remplit bien le contrat que les propriétaires ont choisi: «bistronomie», contraction des mots bistro et gastronomie, «L'art de faire de la grande cuisine dans un petit restaurant à prix abordable». Le décor est chic et confortable. Le service est courtois, professionnel, attentif et l'assiette ne manque ni de créativité, ni de goût bien sûr. Une bonne adresse!

BOCADO GRILL ★★★ port

5, rue Morley, Greenfield Park
Tél.: 450-890-0500
www.bocadogrill.com
SPÉCIALITÉS PORTUGAISES: Crevettes à la portugaise. Pasteis de bacalhau (4 croquettes par assiette). Sardines grillées (2 bien dodues). Combo poulet, porc et agneau bifana servis avec frites. Pasteis de Nata.
PRIX Midi: 11$ à 18$ pour un plat
Soir: C. 44$ à 72$
OUVERT le midi, du mar. au ven. Le soir, du mar. au sam. Fermé dim. et lun.
COMMENTAIRE: Ce n'est pas grand, le local tout en longueur accueille à la fois la cuisine et la salle à manger. L'ambiance est sympathique, accueillante et animée, comme au Portugal. Cuisine ouverte où les cuisiniers s'affairent à préparer des plats des plus réjouissants, dans la rapidité et la bonne humeur. La carte est affichée sur des tableaux noirs. Le choix est restreint, mais largement suffisant. Le menu est typiquement portugais, sauf la poutine (pour les gros appétits tant elle est démesurée). Une assiette savoureuse, généreuse tout comme le service convivial et d'une extrême gentillesse. On y retourne? Certainement!

BOHEMIA ★★★ tche

1 725, ch. des Prairies, Brossard
Tél.: 450-444-5464
www.bohemiaresto.ca
SPÉCIALITÉS THÈQUES ET EUROPÉENNES: Soupe aux légumes. Soupe aux tripes. Foie de veau au lard. Saucisse bohémienne.

Goulash de bœuf. Lapin confit. Tarte aux fruits. Strudel aux pommes.
PRIX Midi: T.H. 17,95$
Soir: C. 24$ à 33$ (sam.)
OUVERT le matin et le midi, du lun. au sam. Le soir, sam. sur réserv. Fermé dim.
COMMENTAIRE: Installés depuis 27 ans à l'orée de Brossard, vers La Prairie, sur le chemin du même nom, Milos Novotny et son épouse Marta, lui en cuisine, elle en salle, ont commencé par un fast-food. Avant eux, c'était déjà un restaurant rapide, alors... Quand ils ont eu les moyens, ils ont fait le saut vers un restaurant de cuisine familiale, certes, mais plus gastronomique, plus goûteuse, plus typiquement de Bohême. On oublie vite la simplicité des lieux, emporté par la découverte d'un décor hétéroclite qui nous transporte en Bohême, dans un restaurant de montagne. La salle à manger, la cuisine se parent d'objets décoratifs, de photos, de vaisselle, de sculptures évoquant leur pays d'origine. Nous avons aimé le goût de la cuisine, l'effort de présentation dans les assiettes, surtout la saucisse découpée en fleurs, la gentillesse, la réserve charmante des propriétaires fiers de leur pays et la musique classique (enfin, on peut s'entendre parler).

CAFÉ RICARDO ★★★ (bistro) int
310 A, rue d'Arran, Saint-Lambert
Tél.: 450-550-2233
www.cafericardo.com
SPÉCIALITÉS INTERNATIONALES: Soupière du moment. Gravlax de saumon, soupe froide de pois verts. Tartare de saumon à la fraise et citron vert. Nid de meringue craquante, ananas, lime, chantilly au chocolat blanc et basilic. Brownie au Nutella.
PRIX Midi: F. 15$ à 30$
Soir: Idem
OUVERT le midi, 7 jours. Le soir, jeu. et ven. jusqu'à 20h. Brunch sam. et dim.
NOTE: Produits du terroir québécois. Planches de charcuteries et de fromages à partager 24$. Vins Ricardo, bières de microbrasseries. Vins au verre 8$. Bon choix de thés, tisanes, cafés. Adjacent à l'Espace Ricardo comprenant un magasin d'accessoires de cuisine et une section sucrée. Stationnement gratuit.
COMMENTAIRE: Un endroit convivial, agréable et souriant, à l'image de son propriétaire, le sympathique et fameux Ricardo Larrivée. Les belles journées, les tables sont disposées sur une terrasse surélevée, séparée du trottoir par quelques rangées de vignes ceinturées par des rosiers. Pour un peu, on se croirait dans un domaine vinicole et cela a beaucoup de charme. L'expérience vaut le déplacement. Non seulement c'est réellement très bon et joliment présenté, mais on sent également un souci de l'écologie et de la santé. Comme quoi on peut tout faire et à des prix raisonnables. À noter que le menu comprend aussi deux plats végétariens. Si vous aimez partager, vous pouvez demander la planche de charcuteries ou de fromages pour deux personnes. Sur la liste des desserts, deux sont aussi à partager: l'assortiment sucré de Mama Choka et celui de pâtisseries maison.

CERVÉJARIA ★★★★ (bistro) port
540, rue d'Avaugour #1600, Boucherville
Tél.: 450-906-3444
www.cervejariabistro.com
SPÉCIALITÉS PORTUGAISES: Caldo verde. Espadon, ananas, agave. Peixe empanado: fish and chips portugais. Pieuvre grillée. Frango: demi-poulet de Cornouailles mariné à la portugaise. Bife do lombo: faux-filet de bœuf et œuf miroir. Tartelette à la crème pâtissière. Tarte au citron et huile d'olive.
PRIX Midi: F. 16$ et 22$
Soir: C. 26$ à 63$
OUVERT le midi, du lun. au ven. Le soir, 7 jours.
NOTE: Ardoise du jour. Bières du Portugal. Carte de vins du Portugal et d'Espagne. Commande à emporter.
COMMENTAIRE: Un restaurant tout en longueur avec un haut plafond noir, du bois, des carreaux de céramique. Dès l'entrée, des assiettes décoratives grimpent sur le mur, un vase au décor portugais, du bois lustré rehaussé des fameux carreaux de faïence bleus habillent les murs. C'est très moderne, la cuisine est ouverte sur la salle, les flammes montent de la grille de cuisson, un comptoir vitré expose fruits de mer et poissons. Du bruit, de l'ambiance, un personnel jeune, accueillant, sympathique, heureux de vous mettre à l'aise, une bonne cuisine bien typée qui a du goût. Un établissement moderne, avec une belle ambiance du sud de l'Europe.

CHEZ LIONEL ★★★ (bistro) fra
1052, rue Lionel-Daunais #302, Boucherville
Tél.: 450-906-3886
www.chezlionel.ca
SPÉCIALITÉS FRANÇAISES: Pressé de jarret de porc à la plancha. Ganache de foie gras du Québec, pouding au pain à la plancha. Morue d'Islande poêlée sur la peau, gnocchi parisien aux herbes, sauce Soubise, huile d'oignon brûlé, poireau chinois poché au vin blanc, lardon fumé. Compote acidulée de framboise, pistache caramel amer, cresson à l'huile. Tarte citron en verrine, crumble aux amandes, zestes confits au sirop de gingembre.
PRIX Midi: F. 18$ à 29$
Soir: C. 39$ à 59$
OUVERT le midi, du lun. au ven. Le soir, 7 jours. Brunch sam. et dim.
NOTE: Menu sur ardoise. Menu Ian Perrault, dégustation 4 serv. 45$. Vins d'importation privée à 97%
COMMENTAIRE: Situé à l'emplacement de l'ancien restaurant L'autre côté de la Saulaie,

le lieu a été redécoré et repensé avec bonheur. L'espace semble plus grand et on a ajouté deux terrasses chauffées. L'endroit est très agréable et on y mange bien. Il y a cependant une différence dans les présentations: certaines sont très belles alors que d'autres le sont moins. Lionel Perreault est un excellent chef, mais son talent ne transparait pas dans toutes les assiettes, à croire qu'il n'est pas toujours présent.

COPAINS GOURMANDS

★★★ (bistro) fra
181, rue Saint-Charles O., Longueuil
Tél.: 450-928-1433
www.copainsgourmands.com
SPÉCIALITÉS FRANÇAISES: Poêlée de crevettes, crème à la fleur d'ail. Soupe à l'oignon à la Dieu du Ciel aux trois gratins. Bout de côte de bœuf braisé. Rognons de veau aux deux moutardes. Boudin noir et boudin blanc au ris de veau. Ravioli de canard, sauce tomate et fromage de chèvre. Tarte feuilletée au sirop d'érable. Chausson aux pommes, miel et amandes.
PRIX Midi: F. 16$ à 32$
Soir: C. 31$ à 68$ F. 20$ à 42$
OUVERT le midi, du lun. au ven. Le soir, 7 jours.
NOTE: Plats inscrits au tableau, changeant tous les jours. Salle climatisée. Stationnement facile.
COMMENTAIRE: Les Copains gourmands ont quitté leur nid pour s'installer à la place du restaurant Parra et Caetera. Ce petit bistro, à l'ambiance familiale agréable, se trouve aujourd'hui dans un espace plus grand, tout en longueur, auquel l'équipe doit s'adapter. On y sert toujours une cuisine simple et de bon goût. La carte est petite mais savoureuse; le choix de vins, adapté à la carte. Les vins au verre sont servis de la bouteille à la table. Le décor est simple et confortable. Service attentionné. Deux terrasses, l'une extérieure, l'autre intérieure très bistro.

CRU ★★★★ int
Bar à huîtres

585, av. Victoria, Saint-Lambert
Tél.: 450-671-8278
www.restaurantcru.ca
SPÉCIALITÉS INTERNATIONALES: Tartare de bœuf, servi sur os à moelle. Calmars frits, kimchi, cresson, mangue, basilic. Cavatelli de ricotta, homard frais, pois verts, tomates Valoroso, bisque. Morue d'Islande, ramen, daikon, enoki, bisque de crevettes. Burger d'espadon façon banh mi, edamames.
PRIX Midi: T.H. 16$ à 26$
Soir: C. 43$ à 80$
OUVERT le midi, du lun. au ven. Le soir, 7 jours.
NOTE: Huîtres fraîches. Carte des vins, 80 références.
COMMENTAIRE: L'intérieur de la bâtisse du défunt restaurant Les Cigales a été complètement repensé et décoré avec beaucoup de goût, d'élégance et d'atmosphère! Le nouveau nom, Cru, fait référence à la fraîcheur des produits employés en cuisine ainsi qu'au buffet d'huîtres. C'est le propriétaire du restaurant Primi Piatti, à Saint-Lambert, qui a investi dans Cru pour son fils Julian. Tout est excellent et extrêmement frais. Les plats sont en général empreints de notes à la fois méditerranéennes et asiatiques. Les fines herbes et les épices, associées aux produits utilisés, nous transportent dans une dimension créative et originale très intéressante. L'assiette est présentée avec recherche et créativité. Voici donc une très belle table sur la Rive-Sud (Montréal), spécialisée en poissons, fruits de mer et huîtres. Si les prix sont un peu élevés, cela se comprend facilement: les produits de la mer sont devenus très chers à l'achat.

DUR À CUIRE ★★★ (bistro) fra

219, rue Saint-Jean, Longueuil
Tél.: 450-332-9295
www.duracuire.ca
SPÉCIALITÉS FRANÇAISES: Tartare de cerf de Boileau, champignons marinés, chips de king. Ravioli à la bourguignonne au bœuf Black Angus, bouillon de vin rouge, lardons, oignons. Crémeux citron, foam pistaches, noix caramélisées.
PRIX Midi: F. 15$ à 20$
Soir: C. 38$ à 65$
OUVERT le midi, jeu. et ven. Le soir, du mar. au dim. Fermé lun.
NOTE: Côte de bœuf à partager.
COMMENTAIRE: La famille des fleuristes Smith et Frères a occupé ces locaux pendant de nombreuses années. Si l'extérieur n'a pas changé avec les nouveaux propriétaires, l'intérieur a été bien adapté à une formule bistro. Simple mais efficace. L'assiette est très bonne et le service convivial (sauf quand il y a trop de monde). C'est devenu bruyant et à la fin cela incommode.

FRATELLO ★★★ ita

71, montée des Bouleaux, suite 300, Saint-Constant
Tél.: 450-845-1048
www.fratellorestaurant.ca/
SPÉCIALITÉS ITALIENNES: Escargots au parmesan, sauce tomate et fromage. Risotto au parmesan, canard confit et champignons. Tagliatelles aux fruits de mer, pâtes fraîches maison, palourdes, crevettes, moules et noix de pin rôties. Osso buco à la milanaise, jarret de veau de lait braisé et risotto. Brownie moelleux au chocolat.
PRIX Midi: T.H. 15$
Soir: C. 23$ à 72$ T.H. 26$ à 56$
OUVERT le midi, du mar. au ven. Le soir, du mar. au dim. Fermé lun.
NOTE: Bon choix de pizzas cuites au feu de bois 12$ à 21$. Cuisine faite maison, pâtes fraîches, sauces, fonds bruns, fonds blancs, bisque... Stationnement facile et gratuit.

COMMENTAIRE: Plusieurs restaurants se sont déjà essayés à cette adresse. L'établissement a été repris en main, fin 2016, par 3 associés dont un professionnel, Jean-Philippe Grenier, qui a une expérience redoutable en restauration. Il a travaillé à tous les postes que ce soit au bac à vaisselle jusqu'en salle à manger en passant pas celui de cuisinier. Jeune mais compétent, il dirige l'établissement avec beaucoup d'attention notamment au niveau des attentes de la clientèle. Il ajuste constamment la carte et les promotions pour attirer du mieux qu'il peut les amateurs de cuisine italienne. Celle-ci est assez bien représentée mais on est un peu timide sur l'ail et les épices qui font justement la couleur culturelle de la gastronomie italienne. Le midi on peut difficilement battre le raport qualité-prix du menu. Copieux et bon! On sert ici des pâtes fraîches maison plutôt le soir. Les pizza sont cuites dans un four à bois, ce qui n'est pas très courant sur la Rive-Sud. Choix de vins bien adapté à la carte. Stationnement facile.

LA CARCASSE ★★ int
85, bd Marie-Victorin, Candiac
Tél.: 450-907-4900
www.restaurantlacarcasse.com
SPÉCIALITÉS INTERNATIONALES: Gâteau de crabe: poivrons, paprika fumé, salsa de maïs, mayo aux agrumes. Tartare de bœuf, noix de Grenoble caramélisées, roquette, parmesan, oignon rouge, cornichon à l'aneth, émulsion Carcasse. Steak frites La Carcasse: filet d'épaule qualité supérieure, crumble de gorgonzola, épices. Gâteau au fromage, noisettes et chocolat, baies du moment.
PRIX Midi: F. 13$ à 17$
Soir: C. 41$ à 73$
OUVERT le midi, du mer. au ven. Le soir, du mar. au dim. Fermé lun.
COMMENTAIRE: En boucherie, on parle de fesse, de longe, de pièce, de quart, d'épaule... donc de viande incluant souvent les os, la carcasse. Une carcasse est littéralement la charpente osseuse d'un animal, son squelette. Cette précision n'enlève rien à La Carcasse, ce restaurant spécialisé dans le steak, mais qui offre aussi des poissons et des fruits de mer. La viande y est délicieuse. L'assiette est savoureuse et décontractée. L'intérieur est joliment décoré et la terrasse ombragée l'été est agréable, si l'on peut obtenir une place à l'ombre, ce qui n'est pas évident au coucher du soleil. Le service est aimable selon la personne, mais il manque un peu d'attention et de répondant en général. N'oubliez pas d'apporter une bonne bouteille.

LA MAISON KAM FUNG ★★★★ chi
7209, bd Taschereau #111, Brossard
Tél.: 450-462-7888
www.maisonkamfung.com
SPÉCIALITÉS CHINOISES: Dimsums. Dumpling aux arachides, crevettes, porc et ciboulette chinoise (épicé). Rouleau farcie au canard, porc et crevettes. Poisson et canard à la mode de Pékin. Fruits de mer. Poulet général Tao. Pad thaï. Homard avec gingembre et échalotes. Riz collant dans les feuilles de lotus. Tartelette aux œufs. Pouding à la mangue.
PRIX Midi: T.H. 11,95$
Soir: C. 11$ à 44$ T.H. 21$
OUVERT le midi et le soir, 7 jours.
NOTE: Pas de desserts le soir. Stationnement gratuit.
COMMENTAIRE: Le restaurant propose une grande variété de dimsums ainsi que des menus cantonais selon la tradition de Hong Kong. Pour le brunch du dimanche, il est conseillé d'y aller tôt pour avoir de la place. Nous aimons beaucoup ces petits plats savoureux, cuits à la vapeur, servis dans de petites boîtes en bois. Tout est excellent!

LA TOMATE BLANCHE ★★★★[ER] ita
Quartier DIX30, av. des Lumières
9385, bd Leduc, #10, 2e étage, Brossard
Tél.: 450-445-1033
www.tomateblanche.com
SPÉCIALITÉS ITALIENNES: Spaghetti alla salsa cruda, épinards, tomates fraîches confites et séchées, ail, courgettes, graines de tournesol. Risotto risi bisi, canard confit, pois verts, prosciutto. Escalope de veau au citron,

tomates confites, ail, fines herbes, artichauts. Osso buco, risotto au safran et à la moelle. Beignet ricotta, sauce caramel à la fleur de sel.
PRIX Midi: F. 17$ à 29$
Soir: C. 33$ à 81$ T.H. 45$
OUVERT le midi, du lun. au ven. Le soir, 7 jours.
COMMENTAIRE: Le décor est magnifique, moderne, avec un souci du détail. Les tables sont nappées de blanc; la vaisselle et les couverts, originaux et bien dessinés. On mange dans une ambiance feutrée. La cuisine est très belle, savoureuse et faite à base de produits frais de qualité. Une véritable cuisine de la Méditerranée, avec de l'ail, de la charcuterie, des tomates confites, des artichauts, du risotto, de la pizza, etc. Donc, pas de compromis. Le service est aimable. Une belle soirée! L'été, la terrasse en hauteur, avec ses parasols élégants, ajoute son charme estival.

L'AUROCHS ★★★★ cont

Quartier DIX30, av. des Lumières
9395, bd Leduc #5, 2e étage, Brossard
Tél.: 450-445-1031
www.laurochs.com

SPÉCIALITÉS STEAK HOUSE ET FRUITS DE MER: Plateau de fruits de mer. Tartare de bœuf. Tartare de saumon. Côtes levées au bourbon, marinées dans une sauce whisky fumé, frites de panais, aïoli au maïs grillé, cornichons frits et salade de choux, fenouil, érable et raifort. Côtes levées Nagano, frites. Ribeye 12 oz saisi à la plancha, fini au gril. Gâteau au chocolat noir maison.
PRIX Midi: T.H. 16$ à 31$
Soir: C. 39$ à 89$ T.H. 39$ à 42$
OUVERT le midi, du lun. au ven. Le soir, 7 jours.
NOTE: Viande de bœuf CAB. Spécialisé en viande vieillie à sec. A sa propre chambre de vieillissement.
COMMENTAIRE: Le décor est très design, spacieux et confortable. Une terrasse ombragée de parasols surplombe une place. Ici, c'est l'endroit pour déguster de la viande et des fruits de mer. C'est frais, excellent et bien présenté. Un plaisir pour les yeux aussi. Le service se montre compétent et agréable.

LE MÉCHANT LOUP ★★★ fra

5215, ch. Chambly, Saint-Hubert
Tél.: 450-678-7767
www.lemechantloup.ca

SPÉCIALITÉS FRANÇAISES ET CONTINENTALES: Tartare et boudin noir, tarte Tatin à l'oignon, cheddar. Risotto de canard, réduction de balsamique. Bavette grillée, sauce échalote, frites ou légumes.
PRIX Midi: F. 11$ à 37$
Soir: C. 37$ à 78$ T.H. 34$ à 46$
OUVERT le midi, du mar. au ven. Le soir, du mar. au dim. Fermé lun.
NOTE: Le menu sur ardoise suit les arrivages. Prix spéciaux dim. à jeu. Bar à vin. 15 choix de vins au verre. Vins d'importation privée à 50% le dim. Service de traiteur. Exposition de tableaux.
COMMENTAIRE: S'il y a un mot pour décrire l'endroit, c'est convivialité. On y est gentiment accueilli dans une maison unifamiliale bien transformée en restaurant. Le décor est chaleureux tout comme la cuisine. Celle-ci est est bonne, copieuse, sans prétention. On essaie de soigner les présentations. Une assiette française, voire continentale. Carte des vins, moyen de gamme, mais de solides classiques d'un bon rapport qualité-prix.

LE MÉRIDIONAL ★★★ méd

550, chemin Chambly #10, Longueuil
Tél.: 450-679-4242
www.restaurantmeridional.com

SPÉCIALITÉS FRANÇAISES ET MÉRIDIONALES MAROCAINES: Crevettes sauce au safran et crème au vin blanc. Couscous royal. Tajine de poulet de Cornouailles, citron confit, olives vertes. Tajine de veau aux pruneaux. Carré d'agneau en croûte d'épices, porto, ail rôti, miel et thym. Veau aux trois moutardes. Mousse de mascarpone, lime, coulis de cerise noire.
PRIX Midi: T.H. 14$ à 20$
Soir: C. 28$ à 48$ T.H. 24$ à 43$
OUVERT le midi, du mer. au ven. Le soir, du mer. au sam. Fermé du dim. au mar.
NOTE: Service de traiteur. Menu soir 3 serv. Viande halal. Carte des vins de la Méditerranée, du sud de la France et de l'Italie. Ouvert du dim. au mar. sur réserv.
COMMENTAIRE: Le chef Kamal (d'origine vietnamienne et marocaine) propose une cuisine méridionale et française avec des accents marocains, surtout dans son choix d'épices. Il peut aussi préparer des plats authentiquement marocains, sur demande. Nous y avons fait un repas plein de saveurs, coloré et harmonieux. La salle à manger est confortable et calme. L'épouse du chef assure le service, elle est très fière du travail de son mari. Et pour cause.

LE ROUGE ★★★ asi

Quartier DIX30
6000, bd de Rome #60, Brossard
Tél.: 450-676-8886
www.restaurantrouge.com

SPÉCIALITÉS ASIATIQUES: Rouleaux impériaux. Crevettes géantes style szechuan. Pad thaï au poulet et crevettes. Bœuf au poivre noir. Poulet général Tao. Chow mein cantonais. Poulet malaisien, légèrement pané, légumes et fruits. Dragon et phœnix (poulet et crevettes géantes, sauce crémeuse). Gâteau au chocolat. Banane frite.
PRIX Midi: T.H. 16$ à 20$
Soir: C. 25$ à 51$ T.H. 30$ à 44$
OUVERT le midi et le soir, 7 jours.
NOTE: Situé dans le hall de la salle de spectacle L'Étoile. Carte des vins. Stationnement souterrain gratuit.
COMMENTAIRE: Entrée imposante de la

salle à manger, on a l'impression de pénétrer dans un temple gourmand gardé par des statues de soldats, grandeur nature, avec des murs peints en rouge. Cuisine chinoise avec des mets de Sichuan, de Canton et de Hunan, et aussi des plats thaïlandais, malaisiens et mongols. C'est beau, chic et bon. Le service n'est pas mal du tout, quoiqu'il pourrait être un peu plus raffiné. Les prix sont très abordables.

LE TIRE-BOUCHON
★★★[ER] (bistro) méd
141-K, bd de Mortagne, Boucherville
Tél.: 450-449-6112
www.letirebouchon.ca
SPÉCIALITÉS FRANÇAISES ET MAROCAINES: Salade d'agrumes, fleur d'oranger, cannelle, dattes, menthe. Pastilla. Tajine d'agneau, pruneaux, amandes et sésame. Tartare saumon et bœuf, salade composée. Tajine poulet, oignons, citrons confits. Thé à la menthe comme à Marrakech.
PRIX Midi: T.H. 17$ à 29$
Soir: T.H. 29$ à 34$
OUVERT le midi, du mar. au ven. Le soir, du mar. au sam. Fermé dim. et lun.
NOTE: Brunch les jours de fête. Près de l'autoroute 20. Ouvert depuis 1997.
COMMENTAIRE: Un bon petit bistro français bien stylé, installé au bout d'un petit centre commercial, qui propose une assiette très honorable et qui fait beaucoup d'effort dans la présentation. Le décor est simple et de bon goût. Le service évolue avec simplicité et compétence. Choix des vins moyen de gamme et bien adapté avec un bon rapport qualité-prix. Attention aux heures de fermeture le soir, peut fermer plus tôt si pas de clientèle.

L'INCRÉDULE ★★★ fra
288, rue Saint-Charles O., Vieux-Longueuil
Tél.: 450-674-0946
www.lincredule.ca
SPÉCIALITÉS FRANÇAISES: Bavette de bœuf, sauce vin rouge maison. Foie de veau, sauce au poivre vert de Madagascar, purée de pommes de terre aux lardons. Coupe citron en verrine, crumble, meringue.
PRIX Midi: T.H. 20$ à 28$
Soir: C. 38$ à 54$ T.H. 42$
OUVERT le midi et le soir, du mar. au sam. Brunch sam. et dim. Fermé lun.
COMMENTAIRE: Un petit restaurant, au décor simple et agréable. Dans leur menu, on peut lire: «Nous optons pour des produits biologiques et locaux quand nous en avons le choix. Nous valorisons le respect de l'environnement dans tout ce que nous faisons». Un très bel engagement! L'assiette est bonne. Le service est professionnel.

LOU NISSART ★★★ fra
260, rue Saint-Jean, Vieux-Longueuil
Tél.: 450-442-2499
www.lelounissart.com
SPÉCIALITÉS NIÇOISES ET PROVENÇALES: Salade niçoise. Pissaladière (pizza à l'oignon). Socca (crêpe de pois chiche). Bonbons de boudin. Ratatouille. Daube niçoise. Pavé de foie de veau du Québec ou ris de veau ou gambas à la provençale. Nougat glacé.
PRIX Midi: F. 15$ à 22$
Soir: C. 31$ à 64$ T.H. 27$ à 40$
OUVERT le midi, du mar. au ven. Le soir, du mar. au sam. Fermé dim. et lun.
NOTE: Bon choix de pizzas à la provençale. Nouvelle carte aux 10 jours, environ 12 choix. Carte des vins d'importation privée. Grand choix de vins au verre.
COMMENTAIRE: Le décor provençal aux couleurs bleu et ocre jaune est confortable et intime. Ambiance méridionale, surtout la terrasse arrière l'été, que nous adorons. Beaucoup de spécialités typiques de la région niçoise (France, Côte d'Azur). Service très agréable et attentif.

MESSINA ★★★ ita
Le resto-club de classe affaires
329, rue Saint-Charles O., Vieux-Longueuil
Tél.: 450-651-3444
www.messina.ca
SPÉCIALITÉS ITALIENNES: Plateau antipasto (saumon fumé, tomates, mozarella di bufala, crostini au fromage de chèvre chaud, fine pizza végétarienne). Saumon de notre fumoir. Linguini crevettes et fromage de chèvre. Bout de côte de bœuf. Veau parmigiana. Tiramisu maison.
PRIX Midi: T.H. 14$ à 18$
Soir: C. 23$ à 60$ T.H. 22$ à 42$
OUVERT le midi et le soir, du mer. au dim. Fermé lun. et mar. Brunch dim.
NOTE: Saumon fumé maison.
COMMENTAIRE: Le décor est très beau, très novateur. L'assiette est bonne, pas d'extravagance, mais une cuisine soignée, classique, dans l'ensemble. Pas de surprise! La carte des vins est intéressante et comporte un choix de vins au verre, en format de 3oz ou 5oz. Cela permet de changer de vin, selon le plat, sans exagérer la consommation. Bon choix de bières.

MOGHEL TANDOORI ★★★ ind
538, av. Victoria, Saint-Lambert
Tél.: 450-890-0909
www.mogheltandoori.ca
SPÉCIALITÉS INDIENNES: Samoussa. Palak paneer (curry d'épinards et fromage cuits avec des épices). Crevettes et poulet tandoori. Curry d'agneau. Poulet à la mangue. Poulet au beurre. Poulet tikka. Dumpakht au canard, au filet mignon ou au saumon (assiette traditionnelle, genre tourtière). Pain naan.
PRIX Midi: T.H. 12$ à 16$
Soir: C. 28$ à 43$ T.H. 19$ à 31$

OUVERT le midi, du lun. au sam. Le soir, 7 jrs.
COMMENTAIRE: Un très bon restaurant indien avec des plats authentiques servis avec beaucoup de gentillesse et d'attention. Des produits frais pour une cuisine raffinée et savoureuse. Service très aimable mais un peu lent.

NIJI ★★★★★ jap
Sushi bar & restaurant

Quartier DIX30
9385, bd Leduc #5, Brossard
Tél.: 450-443-6454 et 1-855-443-6454
www.niji.ca
SPÉCIALITÉS JAPONAISES CONTEMPORAINES: Morue noire. Maki foie gras. Parfait au saumon. Ceviche aux fruits de mer. Sushi et sashimi. Salade de thon gril. Bar chilien. Nyu Sashimi Hamachi. Kimchi Tako. Kaki au gratin. Thon Tataki. Ebi Tempura. Filet mignon Angus. Grillade Niji. Verrine au citron.
PRIX Midi: F. 15$ à 28$
Soir: C. 45$ à 76$
OUVERT le midi, du lun. au ven. Le soir, 7 jrs.
NOTE: Huîtres fraîches. Soirée huîtres lun. et mar. 1$ l'huître. Menu dégustation 75$. Carte des vins à 50% le mer.
COMMENTAIRE: Pour leur 10e anniversaire en 2017, l'établissement a totalement changé sa décoration. La cuisine est japonaise contemporaine. Calme et élégant. Le chef, à l'origine de l'ouverture du restaurant, est revenu aux commandes de la cuisine. Il porte beaucoup d'attention à travailler avec des produits de qualité d'une très grande fraîcheur. Il utilise des ingrédients choisis avec goût et les dispose en de très belles présentations dans l'assiette ou sur des plateaux de bois. Quant au service, il est tout simplement hors pair. Discret, feutré, attentif, courtois, compétent quoi! Une excellente adresse.

NOVELLO ★★★[ER] (bistro) ita
1052-401, rue Lionel-Daunais, Boucherville
Tél.: 450-449-7227
www.novello.com
SPÉCIALITÉS ITALIENNES: Mini burger de bœuf wagyu. Côte de veau de lait grillée avec huile d'olive, fines herbes et balsamique. Crevettes géantes poêlées sauce marinara. Linguini pescatore. Filet mignon sur os. Tiramisu maison 100% mascarpone.
PRIX Midi: T.H. 17$ à 25$
Soir: C. 28$ à 80$ T.H. 43$ à 50$
OUVERT le midi, du lun. au ven. Le soir, 7 jrs.
NOTE: Poissons frais de provenance internationale (Nouvelle-Zélande, mer Rouge et autres). Machine œnomatique, 18 sélections au verre. Jeudi thématique, lounge (boudoir), DJ sur place à partir de 21h30.
COMMENTAIRE: Dans un décor italien qui se veut haut de gamme. C'est confortable et beau, on sert une cuisine généreuse et très bonne. Si le prix peut sembler élevé, il se justifie par les quantités servies dans les assiettes. Font un excellent osso buco. On peut même se passer de l'entrée tant c'est copieux. Les présentations pourraient être améliorées. Le service est très bien fait.

OLIVIER LE RESTAURANT
★★★[ER] fra
679, rue Adoncour, Longueuil
Tél.: 450-646-3660
www.olivierlerestaurant.com
SPÉCIALITÉS FRANÇAISES CLASSIQUES: Terrine de foies de volaille maison. Turbot aux agrumes. Magret de canard au poivre vert. Carré d'agneau aux herbes. Abats (rognons, foie, ris de veau). Tartes (sucre, pacanes, bleuets, etc.). Profiteroles au chocolat chaud.
PRIX Midi: F. 16$ à 24$
Soir: C. 27$ à 58$ F. 23$ et 39$
OUVERT le midi, du lun. au ven. Le soir, du lun. au sam. Fermé dim.
NOTE: Menu 4 serv. sam. 34$ à 46$. Sélection de 5 choix de fromages. T.H. change tous les jours. Plus de 100 étiquettes de vins. Terrines, sorbets et desserts maison.
COMMENTAIRE: Le chef Gérard Rogé nous propose une belle cuisine française classique. Les présentations sont simples et les saveurs sont en général franches et généreuses. Le service est courtois et chaleureux. Une cuisine goûteuse avec des cuissons justes.

PASTA E VINO ★★ ita
1000, av. Victoria, Saint-Lambert
Tél.: 450-671-7377
www.pastaevino.ca
SPÉCIALITÉS ITALIENNES: Soupe minestrone. Trio de pâtes du jour. Osso buco milanaise. Veau Sorentino, champignons portobello, sauce rosée, ail et brandy. Escalope de veau saltimbocca (crème, prosciutto, champignons). Crème brûlée. Chocolat Ferrero Rocher.
PRIX Midi: (fermé)
Soir: C. 33$ à 68$ T.H. 26$ à 51$
OUVERT le soir, du mer. au dim. Fermé lun. et mar.
NOTE: Il est préférable de réserver. Spécial du chef tous les jours.
COMMENTAIRE: Le resto fournit les pâtes; le client, son vin (d'où l'enseigne Pasta e Vino). L'assiette est fraîche, savoureuse et copieuse. Connaît cependant des hauts et des bas quelquefois. Le service se montre hyper gentil et accommodant. L'ambiance familiale, confortable et conviviale prend place dans un décor rafraîchissant. Un excellent rapport qualité-prix.

PIZZERIA SOFIA
L'amore della pizza ★★★[ER] ita
Le Square DIX30
9200, bd Leduc, local 140, Brossard
Tél.: 450-445-1005
www.pizzeriasofia.ca
SPÉCIALITÉS ITALIENNES: Pieuvre grillée. Arancini à la saucisse. Pizza parma. Lasagne à la bolognaise. Linguine aux fruits de mer.

Tartare de bœuf Angus coupé à la main. Grande variété de pizzas. Pizza avec nutella et fraises. Tiramisu.
PRIX Midi: C. 37$ à 63$
Soir: Idem
OUVERT le midi et le soir, 7 jours.
COMMENTAIRE: L'endroit est sympathique et chaleureux. Une pizzeria confortable, agréablement décorée, une ambiance comme on en rencontre en Italie. Le plafond est très haut comme dans une manufacture. La décoration est très claire, beaucoup d'espace pour circuler. Derrière un long comptoir deux grands fours à pizza et à l'opposé un bar avec un cellier. La sélection du menu est sobre tout en contenant des surprises dans la composition des plats. Des saveurs franches et des produits frais, un moment de bonheur, une cuisine familiale, simple, aux vrais parfums d'Italie, sans lourdeur. Le personnel est charmant, attentif, prévenant. Cet établissement bénéficie du stationnement couvert du DIX30, gratuit et chauffé à deux pas de son entrée.

PRIMI PIATTI ★★★★ ita
47, rue Green, Saint Lambert
Tél.: 450-671-0080
www.primipiatti.ca
SPÉCIALITÉS ITALIENNES: Pieuvre fregola vinaigrette à la marjolaine. Escalope de veau poêlée, sauce au beurre et Prosecco, asperges vertes, carpaccio de truffe et mozarella di bufala. Poisson frais avec crevettes, palourdes, moules, tomates fraîches, safran et bouillon parfumé au thym. Pain doré poêlé au beurre clarifié, caramel sel de mer, crème glacée vanille à l'ancienne.
PRIX Midi: T.H. 20$ à 27$
Soir: C. 37$ à 82$ T.H. 35$ à 50$
OUVERT le midi, du lun. au ven. Le soir, 7 jours.
NOTE: Arrivage quotidien de poissons frais. Four à bois pour pizzas. 3 caves à vin, 275 sélections, importation privée à 95%, prix raisonnables. 20 vins au verre.
COMMENTAIRE: Un des bons Italiens de la Rive-Sud au centre-ville de Saint-Lambert. On y mange très bien, c'est même le plus souvent excellent. Le chef n'a pas peur d'assaisonner ses plats et c'est très agréable. Il doit certainement faire la cuisine à son goût sans se baser sur le marketing alimentaire. Des mets savoureux, puissants, corsés et délicieux! Service très bien fait, le personnel répond rapidement aux demandes des clients et sait bien harmoniser les mets et les vins.

RESTAURANT CHEZ JULIEN ★★★[ER] (bistro) fra
130, ch. Saint-Jean, La Prairie
Tél.: 450-659-1678
www.restaurantchezjulien.com
SPÉCIALITÉS FRANÇAISES: Tartare de saumon et pieuvre grillée, mangue, caviar. Foie gras deux façons, sorbet poire et rhum, tartelette à la rhubarbe. Boudin noir façon général Tao, légumes croquants, aigre-douce à l'érable. Carré d'agneau en croûte de thym et dijon. Cœur fondant au chocolat, griottes au Kirsh. Tarte au sucre.
PRIX Midi: F. 12$ à 24$
Soir: C. 37$ à 68$ T.H. 33$ à 45$
OUVERT le midi, du mar. au ven. Le soir, du mar. au sam. Fermé dim. et lun.
NOTE: Menu spécial «début de semaine», mar. à jeu. soir. Bières de microbrasserie en fût. 100 étiquettes de vins en spécialité et importation privée. Brunch pour Pâques et fête des Mères. Menu saisonnier.
COMMENTAIRE: Dans ce petit restaurant à l'ambiance bistro, installé au cœur du Vieux-La Prairie, on sert une cuisine fraîche, simple et bonne. On recommande le steak tartare de bœuf. La carte des vins est bien expliquée.

SHOJI ★★★ jap
2035A, av. Victoria, Saint-Lambert
Tél.: 450-672-5888
www.shoji.ca
SPÉCIALITÉS JAPONAISES: Sushis et grillades. Rouleaux aux crevettes. Salade sashimi tataki. Taru sancho (trilogie de tartares: thon blanc, rouge et saumon). Nid d'hirondelle au bœuf, poulet ou fruits de mer. Filet akami (filet mignon) ou magret de canard cuit sur sole chauffante.
PRIX Midi: F. 9$ à 20$
Soir: C. 34$ à 54$ T.H. 30$ à 37$
OUVERT le midi, du mar. au ven. Le soir, du mar. au dim. Fermé lun.
NOTE: Importation de fruits de mer et poissons du Japon. Une très grande sélection de sashimis. Aucun MSG ajouté.
COMMENTAIRE: Un design très yin et yang, de noir et de blanc, sobre et harmonieux, chic et confortable. La carte est plus évoluée le soir, les plats gastronomiques y ont la vedette. Si vous aimez la viande pas trop cuite, signalez-le à la serveuse, ce sera meilleur. Service très aimable. Le propriétaire est jeune, le service aussi. Ils méritent beaucoup d'encouragement, car ils veulent bien faire. N'oubliez pas d'apporter une bonne bouteille de vin.

SMS SUSHI ★★★ jap
116, boul. Churchill, Greenfield Park
Tél.: 450-671-2333
www.smssushi.com
SPÉCIALITÉS JAPONAISES: Soupe miso, crevettes, bâtonnet de crabe, izumidai, oignons verts hachés, algues. Phœnix, salade japonaise avec saumon fumé, crevettes, bâtonnet de crabe, caviar et avocat. Teri-yaki. Sushi, nigiri et sashimi. Maki. Futomaki. Créations du chef. Combo. Dessert glacé ou frit.
PRIX Midi: (fermé)
Soir: F. 4$ à 23$ F. 22,95$ (sushis à volonté)
OUVERT le soir, 7 jours.
NOTE: Ven. et sam., deux services: 17h et 20h.

COMMENTAIRE: Sympa, beau, bon, pas cher! De plus le personnel est d'agréable compagnie, attentif et vraiment très aimable. La décoration est invitante, une harmonie de rouge et de noir nous plonge dans l'exotisme dès l'entrée. La première petite salle à manger, bien découpée, se termine sur le comptoir où les cuisiniers façonnent les sushis. Ils sont bons, frais et intéressants. Pour l'été, il y a une terrasse, et pour les jours d'affluence, une grande salle peut accueillir les clients supplémentaires. Les lieux respirent la propreté. Nous avons choisi la formule «sushis à volonté à 22,95$» mais le restaurant offre aussi des plats à la carte. On peut apporter sa boisson (bière, vin ou cidre). Les puristes boiront soit du thé vert, soit au jasmin, ou apporteront du saké.

SUSHI YASU ★★★ jap

835, ch. de Saint-Jean, La Prairie
Tél.: 450-659-1239
www.sushiyasu.ca
SPÉCIALITÉS JAPONAISES: Maguro Tataki (thon semi-cuit, sauce ponzu). Sushis pizza. Aile de raie frite. Tsubugai karaage (palourdes frites). Sushis (Hamachi, Unagi, Ika, Tako, etc.). Calmars grillés et frits. Una-don. Crème glacée à la fève rouge, au thé vert ou au gingembre. Banane tempura.
PRIX Midi: T.H. 12$ à 16$
Soir: C. 15$ à 48$ T.H. 21$ à 32$
OUVERT le midi, du mar. au ven. Le soir, du mar. au sam. Fermé dim. et lun.
NOTE: Makis 12 à 54 morceaux, 12$ à 60$. Makis et sushis 14 à 54 morceaux, 20$ à 72$.
COMMENTAIRE: Petit restaurant japonais en toute simplicité du décor, géré par une famille, mené par le père respectueux des traditions. Une seconde adresse sur boul. de Rome, à Brossard, où les plats sont plus familiaux. Le chef est un véritable spécialiste en sushi. Il les prépare à l'instant avec des produits d'une grande fraîcheur. Tout est très bon.

TRATTORIA LA TERRAZZA ★★★ ita Casa da Carlo

575, av. Victoria, Saint-Lambert
Tél.: 450-672-7422
SPÉCIALITÉS ITALIENNES: Carpaccio de bœuf. Tartare de saumon. Risotto aux champignons, saucisse italienne, épinards. Escalope de veau de lait, saumon fumé, sambucca, crème, échalotes françaises. Côte de veau déglacée au Grand Marnier, sauce au poivre. Profiteroles. Tiramisu. Sorbet.
PRIX Midi: T.H. 14$ à 20$
Soir: C. 35$ à 65$ F. 22$ à 40$
OUVERT le midi, du mar. au ven. Le soir, du mar. au sam. Fermé dim. et lun.
NOTE: Établi depuis 2005. Le chef exécute des plats hors-menu sur demande. Terrasse dans un parc.
COMMENTAIRE: L'endroit est sympathique, surtout l'été lorsque la terrasse est ouverte. À l'intérieur, tout respire le plaisir et la bonne humeur. Ambiance italienne, bien sûr. L'assiette est généreuse et bien travaillée par le chef, qui ne se prive pas d'assaisonner comme il convient et de colorer sa cuisine des accents savoureux de l'Italie. Bon choix de vins italiens. Le service, quant à lui, est très bien fait, avec doigté et rapidité.

VESTIBULE signé L'Aurochs ★★★★ (bistro) int

Quartier DIX30
9395, bd Leduc #15, Brossard
Tél.: 450-676-4440
www.restosdix30.com
SPÉCIALITÉS INTERNATIONALES: Plateau d'huîtres. Manhattan, sauce béarnaise, frites maison. Filet de saumon laqué au miso et au sésame, salade de concombre, avocat et shiso. Bavette de veau de lait, chimichurri au jalapeño et aneth.
PRIX Midi: F. 15$ à 33$
Soir: C. 26$ à 75$
OUVERT le midi et le soir, du lun. au sam. Fermé dim.
NOTE: Carte de wisky de plus de 130 choix. Stationnement intérieur gratuit. Mar. bouteilles de vin à moitié prix. 25 à 30 choix de vins au verre, change toutes les semaines. Huîtres à partir 1$/pièce, jeudi après 17h. Menu de saison changeant aux 8 semaines.
COMMENTAIRE: On pénètre dans un décor convivial, chaleureux, un style bistro contemporain confortable. Il y a des soirées à thème comme le jazz tous les jeudis soirs. On peut aussi y suivre les parties de hockey sur un écran géant, mais là il vaut mieux réserver. On se rappelle que Brossard est le fief du Canadien. La cuisine propose une carte principalement faite de tapas, mais aux portions convenables, très bien présentées avec un souci d'originalité et d'esthétique. Elle comporte aussi des plats principaux. Service attentif, courtois, compétent et rapide sauf au moment de régler l'addition.

VILLA MASSIMO ★★★★ ita

120, bd Taschereau, La Prairie
Tél.: 450-444-3416
www.villamassimo.ca
SPÉCIALITÉS ITALIENNES: Osso buco milanaise. Carré d'agneau du Colorado. Filet mignon de cerf, de sanglier, de bison ou de kangourou. Bœuf de Kobe. Médaillon de veau au gorgonzola. Crème glacée italienne. Tiramisu. Tartufo amaretto.
PRIX Midi: T.H. 25,95$
Soir: C. 33$ à 91$ T.H. 31$ à 55$
OUVERT le midi, du lun. au ven. Le soir, 7 jours.
NOTE: Menu dégustation 8 serv. 70$ et 100$ pour deux. Création de plats au goût du client. Cave à vin géante (plus de 18 000 bouteilles de collection) et dégustation sur place. Guitariste ven. et sam. soir.
COMMENTAIRE: Une des meilleures tables

italiennes de la Rive-Sud de Montréal. Une carte abondante, variée, dominée par la plus pure tradition italienne. Les saveurs et la générosité sont au rendez-vous. On trouve encore ici le service en salle avec les flambages, les découpages et les préparations devant le client, ce qui montre une volonté de faire bien et dans la tradition. Les pâtes, les crèmes glacées et tous les desserts sont faits maison. C'est frais et c'est bon.

RIVE NORD DE MONTRÉAL

LA FONDERIE (Laval) ★★★ cont
2133, bd le Carrefour, Laval
Tél.: 450-681-8234
www.lafonderie.ca
SPÉCIALITÉS DE FONDUES: Escargots à la provençale. Fondues chinoise, bourguignonne, valaisanne, fromage et chocolat. Fondue La Fonderie: filet de bœuf, poulet en aiguillettes, agneau aux herbes, saumon de l'Atlantique, crevettes tigrées, pétoncles des Îles et langoustine. Jarret d'agneau braisé au merlot. Brownie au chocolat.
PRIX Midi: (fermé)
Soir: C. 31$ à 86$
OUVERT le soir, du mar. au dim. Fermé lun.
NOTE: Table à raclette suisse et québécoise, minimum 2 pers. Ven. et sam. 21h, menu fin de soirée T.H. 23$.
COMMENTAIRE: Ce restaurant qui était sur la rue Lajeunesse à Montréal depuis 1986, a déménagé à Laval. Le chef est devenu propriétaire, il n'a pas changé le nom ni la vocation du restaurant. Il y a un second «La Fonderie» à Montréal, rue Rachel E.

L'AROMATE RESTO-BAR ★★★ (bistro) int
Centropolis
2981, bd St-Martin O., Laval
Tél.: 450-686-9005
www.laromate.com
SPÉCIALITÉS INTERNATIONALES: Raviolis farcis au veau, à la romana. Crevettes sautées à l'émulsion orientale. Raclette. Fondue parmesan. Bavette de bœuf marinée. Choix de tartares (bœuf, aux 3 saumons, etc.). Risotto multigrains au canard confit. Tarte au sucre réinventée en boule frite de caramel au sel.
PRIX Midi: T.H. 16$ à 30$
Soir: C. 33$ à 55$ F. 24$ à 37$
OUVERT le midi, du lun. au ven. Le soir, 7 jours.
NOTE: Mar. soir tartare à volonté 28$.
COMMENTAIRE: On retrouve la philosophie du propriétaire, Jean-François Plante, dans ce restaurant. Le bistro affiche un décor élégant, moderne, avec une très belle terrasse. Le personnel est jeune, dynamique; le service, très bien fait, professionnel. Les assiettes sont généreuses et savoureuses.

LE FOLICHON ★★[ER] fra
804, rue Saint-François-Xavier, Vieux-Terrebonne
Tél.: 450-492-1863
www.lefolichon.com
SPÉCIALITÉS FRANÇAISES: Tartare de bœuf, pétoncles et saumon. Bouillabaisse (poissons et crustacés). Rognons de veau à la façon du chef. Magret de canard et de gibier. Crème brûlée orange et Cointreau. Gâteau Reine-Élisabeth.
PRIX Midi: T.H. 13$ à 26$
Soir: C. 33$ à 60$ T.H. 34$ à 49$
OUVERT le midi, du mar. au ven. Le soir, du mar. au dim. Fermé lun.
NOTE: Saumon fumé maison. Desserts maison. Menu soir 5 serv.
COMMENTAIRE: Situé près du Théâtre du Vieux-Terrebonne, dans une charmante maison ancestrale, ce restaurant propose une jolie cuisine, dans un cadre chaleureux ayant gardé la chaude ambiance d'autrefois. Une assiette simple mais toujours savoureuse. C'est aussi l'endroit pour déguster du gibier. Du plaisir à l'état brut. Grande terrasse de bois à l'extérieur. Très bien paysagé l'été.

LE MITOYEN ★★★★★ fra

652, pl. Publique, Sainte-Dorothée, Laval
Tél.: 450-689-2977
www.restaurantlemitoyen.com
SPÉCIALITÉS FRANÇAISES: Boudin maison. Raviolis farcis à la queue de bœuf. Côte de bœuf, demi homard ou crevettes tigrées, sauce à la pâte de truffe. Filet de veau au xérès, raviolis aux cèpes, crumble de parmesan. Mignon de cerf de Boileau, sauce au cassis de l'île d'Orléans. Petit pot de crème au chocolat, caramel à la fleur de sel.
PRIX Midi: (fermé)
Soir: C. 55$ à 85$ T.H. 49,50$
OUVERT le soir, du mar. au dim. Fermé lun.
NOTE: Menu dégustation 7 serv. 100$, avec les vins 145$. Brunch pour Pâques et fête des Mères. Ouvert en tout temps sur réserv. de 10 pers. et plus.
COMMENTAIRE: Installé dans une romantique maison, cet établissement propose une cuisine française raffinée avec de beaux produits du Québec. Le chef propriétaire, Richard Bastien, sait s'entourer de chefs à la hauteur de son talent, qui font une cuisine savoureuse, avec des choix intéressants, mettant bien en valeur les produits frais utilisés. Les présentations sont soignées et délicates. La carte des vins comporte un bon choix de vins au verre. Le service est aimable, jeune et souriant, un peu sérieux parfois. Une excellente adresse.

L'IMPRESSIONNISTE ★★★ fra
245, chemin de la Grande-Côte, Saint-Eustache
Tél.: 450-491-3277
www.restaurantimpressionniste.ca
SPÉCIALITÉS FRANÇAISES CLASSIQUES: Ravioles de sanglier braisé, réduction de gi-

bier. Pavé de thon rouge à la japonaise, sauce ponzu. Foie de veau de lait poêlé aux oignons confits et bacon à l'estragon. Carré d'agneau, sauce à la moutarde et au piment d'Espelette. Clafoutis aux amandes et cerises, glace à l'Amaretto.
PRIX Midi: F. 15$ à 29$
Soir: T.H. 36$ à 42$
OUVERT le midi, du lun au ven. Le soir, 7 jrs.
NOTE: Ouvert depuis 1988.
COMMENTAIRE: Un joli décor, chic, tranquille et agréable. Des reproductions de peintres impressionnistes, notamment Renoir, ornent les murs. Cuisine très traditionnelle française, avec de solides classiques quelquefois adaptés au Québec. Menu de saison avec une bonne utilisation de produits frais régionaux. C'est excellent! Service agréable. Bon rapport qualité-prix, vaut le détour.

RESTAURANT AMATO ★★★★ ita

192, bd Sainte-Rose, Laval
Tél.: 450-624-1206
www.restaurantamato.com
SPÉCIALITÉS ITALIENNES: Fazzoletti farcis épinards et ricotta, sauce aux tomates et parmesan. Escalope de veau de lait du Québec, prosciutto et figues. Risotto aux cèpes et truffes dans crêpe au parmesan croustillant. Jarret d'agneau braisé au romarin. Crêpes Suzette. Tartufo au chocolat enrobé d'amandes, coulis de griottes.
PRIX Midi: T.H. 17$ à 30$
Soir: C. 28$ à 49$ F. 33$ à 49$
OUVERT le midi, du mar. au ven. Le soir, du mar. au dim. Fermé lun.
COMMENTAIRE: Installé dans une maison datant de 1895, cet établissement propose une cuisine italienne traditionnelle raffinée. Décor agréable avec ses tables aux nappes blanches et ses fauteuils antiques aux coussins rouges. Service aimable et attentionné selon la personne. On devrait peut-être soigner les petits détails qui font toute la différence. Magnifique terrasse fleurie et ombragée pour y faire un repas des plus romantiques durant les beaux jours.

TOMO ★★★ jap

214, bd Labelle, Rosemère
Tél.: 450-419-8878
www.tomorestaurant.net
SPÉCIALITÉS JAPONAISES: Fruits de mer au curry, légumes et riz. Tartare de thon et miel. Queue de homard roulé en sushi. Nid d'amour, légumes sautés avec bœuf, poulet, crevettes sur nid de nouilles croustillantes. Poulet sauté du général Tao. Crème glacée frite. Banane frite.
PRIX Midi: F. 15$ à 25$
Soir: C. 28$ à 71$ F. 24$ à 33$
OUVERT le midi, du mar. au ven. Le soir, du mar. au dim. Fermé lun.
NOTE: 5 salles de tatamis. Grand stationnement gratuit.

COMMENTAIRE: L'assiette est très bonne, copieuse et joliment présentée. Le service se montre très aimable, patient et compétent. La cuisine s'ouvre sur une trop grande salle à manger moderne. De sa table on peut voir les cuisiniers qui s'affairent aux différentes préparations culinaires.

RESTAURANTS DE LA RÉGION DE MONTRÉAL

LANAUDIÈRE

LE LAPIN QUI TOUSSE ★★★ (bistro) int

410, rue Notre-Dame, Joliette
Tél.: 450-760-3835
www.lelapinquitousse.com
SPÉCIALITÉS INTERNATIONALES: Assiette de scampis à la crème d'ail. Feuilleté de pleurotes, fromage de chèvre et noix caramélisées. Boudin noir. Filet de porc biologique au brie, sauce pomme, poire et raisins ou moutarde. Lapin sauce ardennaise. Pouding chômeur et glace à la vanille.
PRIX Midi: T.H. 18$ à 23$
Soir: C. 38$ à 65$ T.H. 36$ à 45$
OUVERT le midi, du mar. au ven. Le soir, du mar. au sam. Fermé dim. et lun.
COMMENTAIRE: Restaurant familial, le mari aux fourneaux, sa femme en salle qui veille au bien-être des clients. On y propose une assiette bistro savoureuse avec tous les grands classiques de la cuisine française, mais aussi des plats à l'italienne et à la québécoise choisis parmi les meilleures recettes. Ambiance intime et chaleureuse.

LE PRIEURÉ ★★★★ fra

402, bd l'Ange-Gardien, L'Assomption
Tél.: 450-589-6739
www.leprieure.ca
SPÉCIALITÉS FRANÇAISES: Méli-mélo de pétoncles, mangue, avocat, vinaigrette au curry. Escalope de foie gras poêlé, chutney pommes et raisins, sauce au porto. Boudin noir, pommes et porto. Confit de canard, marmelade d'oignons au vin rouge. Nougat glacé aux pacanes et sirop d'érable.
PRIX Midi: T.H. 23$ à 58$
Soir: C. 48$ à 81$
OUVERT le midi, du mar. au ven. Le soir, du mar. au sam. Fermé dim. et lun.
NOTE: Cave à vin (200 étiquettes). Restaurant fondé en 1999.
COMMENTAIRE: Le chef Thierry Burat et son épouse Martine St-Jean nous proposent une cuisine d'inspiration française faite avec des produits frais d'ici. Une halte incontournable dans la région de Lanaudière, durant

laquelle on pourra admirer la belle maison historique dans laquelle est installé le restaurant, et visiter la chapelle privée destinée aux mariages.

TENUTA Restaurant-Bar
★★★★[ER] ita
310, Montée des Pionniers, Terrebonne
Tél.: 450-585-6606
www.restauranttenuta.com
SPÉCIALITÉS ITALIENNES ACTUALISÉES: Salade de homard, avocat, mangue, balsamique vieilli. Gnocchis en tenue croustillante et moelleuse, champignons portobello, asperges, sauce taleggio crémeuse. Raviolis de foie gras monté au beurre de truffe. Carré d'agneau d'Alberta poêlé, sauce aux champignons et marsala. Fondant au chocolat noir, glace vanille fraîche.
PRIX Midi: (fermé)
Soir: C. 39$ à 88$ F. 24$ à 35$
OUVERT le soir, 7 jours.
NOTE: Huîtres à l'année. Carte des vins, prix Wine Spectator 2006 à 2017.
COMMENTAIRE: Un excellent restaurant italien situé en bordure d'un centre commercial, près de l'autoroute. Un décor moderne très design. Une carte italienne évolutive offrant une très belle assiette, savoureuse, faite avec des produits frais. Une belle carte de vins avec un très bon choix de vins au verre. Un service très compétent, attentif, patient et courtois. Devrait avoir un sommelier, surtout pour le prix demandé. Addition assez chère.

LAURENTIDES

AVIS
De plus en plus de restaurants dans les Laurentides ne sont ouverts que le soir. Ils ont apparemment de la difficulté à concurrencer les restos rapides le midi et le problème s'accentue d'année en année.

ADÈLE BISTRO ★★★★ fra
1241, ch. du Chantecler, Sainte-Adèle
Tél.: 450-229-4894
www.adelebistro.ca
SPÉCIALITÉS FRANÇAISES: Mousse de foies de volaille, oignons confits au Lillet rouge, brioche grillée au chocolat, dattes et canneberges. Poitrine de poulet de grain au jus de moutarde de Meaux et de sauge, purée de pommes de terre. Steak Angus poêlé (340g), jus de foie gras aux champignons, frites. Pouding chômeur, crème glacée vanille, sirop d'érable au piment d'Espelette, pépites d'érable.
PRIX Midi: (fermé)
Soir: C. 33$ à 65$
OUVERT le soir, du jeu. au dim. Fermé du lun. au mer. Brunch dim.
NOTE: Carte des vins, 100 références.
COMMENTAIRE: Jolie maison avec grande terrasse, belle vue sur le lac. Décor moderne mais un petit peu froid. On propose ici une cuisine française avec quelques spécialités québécoises. Une cuisine de fraîcheur qui suit les saisons et les arrivages du marché, avec une belle mise en valeur des produits du terroir. Bonne sélection de vins.

AUBERGE DU VIEUX FOYER
★★★★ cont
3167, 1er Rang Doncaster, Val-David
Tél.: 819-322-2686 et 1-800-567-8327
www.aubergeduvieuxfoyer.com
SPÉCIALITÉS CONTINENTALES: Baluchon d'escargots, champignons au Boursin poivré. Pavé de thon jaune yellowfin. Gravlax de saumon, crème sure à l'aneth, salade de concombre. Poitrine de canard du lac Brome, salsa à l'orange. Coupelle chocolatée, trio de sorbet maison.
PRIX Midi: (fermé)
Soir: C. 34$ à 62$ T.H. 28$ à 44$
OUVERT le soir, 7 jours. Brunch dim.
NOTE: Réserv. requise. Ouvert midi sur réserv. Mar. moules et frites à volonté. Pain, confitures maison. Chef pâtissier sur place. Spa et centre de santé à des prix fort intéressants surtout en semaine.
COMMENTAIRE: Située à la sortie de Val-David, au milieu des montagnes, cette auberge offre un agréable hébergement. En hiver comme en été, possibilité de pratiquer divers sports sur place. Le chef propriétaire, Jean-Louis Martin, propose une cuisine variée et appétissante. Son brunch du dimanche est toujours très apprécié.

AUBERGE ET RESTAURANT CHEZ GIRARD ★★ fra
18, rue Principale O., Sainte-Agathe
Tél.: 819-326-0922 et 1-800-663-0922
www.aubergechezgirard.com
SPÉCIALITÉS FRANÇAISES: Filo de crevettes à la sauce rocambole. Filet de truite au brie, parfumé à l'estragon. Aiguillettes de bison déglacées au porto. Foie de veau campagnard. Cuisse de canard confite, sauce à l'orange. Beignets aux pommes chauds, sauce à la framboise.
PRIX Midi: T.H. 11$ à 20$
Soir: C. 29$ à 70$ T.H. 27$ à 45$
OUVERT le midi, du mer. au sam. Le soir, du mer. au dim. Fermé lun. et le mar. en hiver.
NOTE: Réserv. préférable. T.H. midi, ajoutez 3$ à un plat à la carte. Cave à vin 60 étiquettes. Petit déjeuner dim. à la carte. Une des plus belles terrasses panoramiques en ville. Auberge de 3 chambres/2 pers. Ouvert depuis 1955.
COMMENTAIRE: À quelques pas du magnifique lac des Sables, ce restaurant comporte deux salles à manger et deux terrasses. Cuisine agréable et parfumée, préparée avec soin par le chef propriétaire, Marco Perriard.

AUX GARÇONS ★★★★ (bistro) fra

1049, rue Valiquette, Sainte-Adèle
Tél.: 450-745-1566
www.auxgarcons.com
SPÉCIALITÉS FRANÇAISES: Gravlax de saumon façon «Garçons». Foie gras au torchon, armagnac et porto. Filet de morue au beurre nantais. Joue de bœuf, pommes de terre au gras de canard. Mousse aux deux chocolats: toblerone et chocolat noir.
PRIX Midi: (fermé)
Soir: C. 35$ à 68$ T.H. 25$ à 45$
OUVERT le soir, du mer. au dim. Fermé lun. et mar.
NOTE: Menu à l'ardoise. Table des Garçons, 7 jours, 25$ à 45$. Exposition d'artistes régionaux.
COMMENTAIRE: Originaire de Bretagne, le chef propriétaire, Nicolas Teissier, propose à travers une carte renouvelée régulièrement des mets savoureux de type cuisine française. Jean-François Cloutier, copropriétaire et responsable du service en salle à manger, offre un service compétent et chaleureux. Une excellente adresse à mettre dans vos carnets.

BISTRO À CHAMPLAIN ★★★★ (bistro) fra

Estérel Suites, Spas & Lac
39, bd Fridolin-Simard, Estérel
Tél.: 450-228-2571 et 1 888 Esterel (378-3735)
www.esterel.com
SPÉCIALITÉS FRANÇAISES: Magret de canard mi-fumé, pommes de terre de l'Île d'Orléans au gingembre. Filet mignon de veau de lait du Québec, ris de veau croustillant, tanin d'épices et sa moelle. Étagé de mousse au citron sur concassé de griottes, gelée de sangria. Crumble aux pommes.
PRIX Midi: (fermé)
Soir: C. 59$ à 84$
OUVERT le soir, du jeu. au dim. Fermé du lun. au mer. Brunch dim.
NOTE: Table du chef 4 pers. sur réserv. Menu dégustation 6 serv. 90$/pers. ven. et sam., 190$ avec accord mets et vins. Possibilité de manger dans une cave à vin de plus 4 000 étiquettes. Vue sur le lac Dupuis. 200 suites. Spa et massage.
COMMENTAIRE: Le Bistro à Champlain, un restaurant aujourd'hui fermé, a été fondé par Champlain Charest, grand collectionneur de vins dont la cave a été rachetée par l'hôtel. On a aussi repris le nom de ce restaurant pour baptiser une des salles à manger plus haut de gamme. Nous avons ici une table gastronomique savoureuse et joliment présentée. Beaucoup d'effort pour nous permettre de faire une belle expérience. Service impeccable.

LA CHAUMIÈRE DU VILLAGE ★★★★★ fra

15, rue Principale E., Sainte-Agathe-des-Monts
Tél.: 819-326-3174
www.lachaumiereduvillage.com
SPÉCIALITÉS FRANÇAISES: Salade de caille sur lit de pois gourmands, huile de noisette. Cassolette de champignons sauvages aux échalotes. Dorade sauce homardine. Magret de canard rôti sur son gras, sauce à l'orange. Escalope de ris de veau de lait au madère. Feuilleté aux pommes du Québec avec compote.
PRIX Midi: T.H. 19$
Soir: C. 46$ à 68$ T.H. 28$ à 38$
OUVERT le midi, du lun. au ven. Le soir, du lun. au sam. Fermé dim. Téléphoner pour confirmer les horaires.
NOTE: Certifié Terroir et saveurs du Québec. Menu soir 4 serv. Menu dégustation 5 serv. 51$, 6 serv. 52$, 7 serv. 59$. Fromages suisses. Fondue au fromage en hiver. Plats pour pers. allergiques au lactose, au gluten ou végétariennes. Carte des vins (100 étiquettes). Accès pour handicapés.
COMMENTAIRE: Cuisine française classique, simple mais savoureuse. Des assiettes toujours très bien présentées avec une certaine sobriété, copieuses sans exagération. Le service est impeccable, discret, très attentionné et professionnel. On voit à tout, jusque dans les moindres détails. Le restaurant se trouve dans une très charmante maison ancienne, au cœur de Sainte-Agathe-des-Monts. La terrasse avec son mobilier blanc lui donne un air romantique.

LA TABLE LUDIQUE ★★★ fra

81, rue Saint-Vincent, Sainte-Agathe-des-Monts
Tél.: 819-774-0750
www.latableludique.com/
SPÉCIALITÉS FRANÇAISES: Carpaccio de pieuvre grillée. Poêlée du pêcheur sauce au homard. Steak pétillant au beurre à l'ail. Bavette à l'échalote, frites, légumes et sauce. Crème brûlée au Grand Marnier.
PRIX Midi: T.H. 14$
Soir: C. 36$ à 53$
OUVERT le midi et le soir, du mar. au sam. Fermé dim. et lun.
NOTE: Carte des vins 100% en importation privée. Jeu. soir moules à volonté 19$.
COMMENTAIRE: Ouvert en 2015, ce restaurant familial (Michel Hivert aux fourneaux et son fils Stefan en salle avec Nicolas Texier) est basé sur un concept original: avant, pendant ou après le repas, on peut jouer à des jeux de société, sur notre table ou dans des salles privées. Le chef, originaire de Nice, a exercé son métier de Nice à Toronto, de la Martinique aux États-Unis avant de s'établir au Québec. La cuisine fusion d'influence européenne est accompagnée par une intéressante carte de vins uniquement constituée d'importations privées. Des soirées thématiques, tant sur les

vins que sur la cuisine, sont régulièrement organisées.

LE CHEVAL DE JADE ★★★★ fra

688, rue Saint-Jovite, Mont-Tremblant
Tél.: 819-425-5233
www.chevaldejade.com

SPÉCIALITÉS FRANÇAISES: Soupe de poisson méditerranéenne. Bouillabaisse royale. Magret de canard, sauce foie gras et truffe. Canard à la rouennaise, galette de pommes de terre, céleri-rave. Truffes au chocolat noir de Tanzanie et cardamome sur pralin croustillant.
PRIX Midi: (fermé)
Soir: C. 47$ à 90$ T.H. 50$ à 60$
OUVERT le soir, du mar. au sam. Fermé dim. et lun.
NOTE: Canard à la presse pour deux pers. sur réserv. Bouillabaisse avec demi-homard. Menu découverte 7 serv. pour deux pers. 176$. Mets flambés en salle. Ouvert midi sur réserv. pour 20 pers. minimum. Mets végétariens. Soirée avec les maîtres canardiers mi-avril. Vérifier si ouvert le dim.
COMMENTAIRE: Situé sur la rue principale, à l'entrée de Mont Tremblant (autrefois Saint-Jovite), ce restaurant est spécialisé dans les poissons, les fruits de mer et le canard à la presse. Le chef Olivier Tali est un des 14 maîtres canardiers au monde (il a vendu son 2332e caneton des Laurentides à la rouennaise en 2017). Sa cuisine, évolutive et attrayante, fait parfois un clin d'œil à la cuisine moléculaire. Il est très attentif à ses présentations. Un chef toujours en recherche et qui reste très ouvert pour améliorer sa cuisine. «Ce qui m'intéresse dans mon travail, c'est le fait de changer de temps en temps ma carte avec de nouveaux mets», dit-il. Il utilise des produits naturels régionaux. Le service impeccable est assuré par son épouse Frédérique.

L'EXPRESS GOURMAND ★★★★ fra

31, rue Morin, Sainte-Adèle
Tél.: 450-229-1915
www.lexpressgourmand.ca

SPÉCIALITÉS FRANÇAISES: Foie gras au torchon, chutney de figues. Gâteau de crabe, salade asiatique. Saumon à l'unilatéral, quinoa, fèves edamame, poivrons rouges, huile d'olive, jus de citron. Épaule de chevreau, purée de flageolets, micro bok choy, navets. Gâteau, petits fruits des champs, glace vanille maison. Sabayon glacé porto, sauce chocolat Valrhona.
PRIX Midi: (fermé)
Soir: C. 36$ à 71$
OUVERT le soir, du mer. au dim. Fermé lun. et mar.
NOTE: Réserv. fortement conseillée. Cuisson lente, à basse température, comme à l'ancienne. Produits régionaux, majoritairement bio et sans gluten. Menu change aux 2 mois.
COMMENTAIRE: Installé dans une ancienne école de rang du 19e siècle, cette jolie table propose une cuisine française traditionnelle. Le chef propriétaire, Didier Gaildraud, excelle dans les plats savoureux, mijotés lentement. Une belle cuisine créative concoctée avec des produits frais du marché. Belle carte des vins.

ltdg's LA TABLE DES GOURMETS ★★★★ fra

2353, rue de L'Église, Val-David
Tél.: 819-322-2353
www.tabledesgourmets.com

SPÉCIALITÉS FRANÇAISES: Homard des Îles en carpaccio, sarrasin, salicorne. Flétan Atlantique poêlé, vichyssoise, roquette, radis cru et cuit, meunière de pistache. Agneau ferme des Petits Cailloux, aubergine, pâtissons, olives et tomate. Clafoutis abricot, glace, pâte d'amande. Comme un vacherin, meringue, fraise, fenouil, petits pois. Kouign-amann, pommes, caramel, beurre salé, sorbet au babeurre.
PRIX Midi: T.H. 18$ à 24$
Soir: C. 36$ à 63$
OUVERT le midi et le soir, du mar. au dim. Fermé lun. Fermé mar. en hiver. Brunch dim.
NOTE: Menu gourmet 68$, accord des vins 30$.
COMMENTAIRE: On a été déçu par la fermeture de l'excellent restaurant La Porte, sur le boulevard Saint-Laurent à Montréal. Pascale et Thierry Rouyé avaient éteint les fourneaux de cette belle table. Mais, bonne nouvelle, on retrouve aujourd'hui cette équipe à Val-David, enrichie du fils Maxime qui travaille maintenant avec son père Thierry en cuisine. Pascale s'occupe toujours de la salle à manger. Un beau décor, confortable, qui s'ouvre à l'arrière sur une grande baie vitrée donnant sur les arbres du jardin. Le service est bien fait, un peu lent par moments, surtout lorsqu'il s'agit de régler l'addition. La carte propose des spécialités d'influence française mettant en honneur les produits du terroir québécois. Une cuisine de passion où la présentation a aussi son importance. Magnifique coup d'œil. Et, comme ils se définissent eux-mêmes, ce sont d'abord des «marchands de bonheur».

MAISON 1890 ★★★ fra

114, rue Saint-Vincent,
Sainte-Agathe-des-Monts
Tél.: 819-324-1890
www.maison1890.com

SPÉCIALITÉS FRANÇAISES: Croquette de crabe, céleri rémoulade. Foie gras au torchon, confiture à la figue. Côtelette d'agneau du Québec, patate douce rôtie avec sauce tahini. Bavette de bœuf, sauce aux poivres, frites maison et légumes variés. Sundae au caramel. Tarte aux fraises et rhubarbe.
PRIX Midi: T.H. 18$
Soir: C. 31$ à 73$
OUVERT le midi et le soir, du mar. au sam. Fermé dim. et lun. Brunch sam.
NOTE: Restaurant, boutique, traiteur. Menu 4 serv. 56$/pers., accord mets et vins 94$.

COMMENTAIRE: Accessible au public depuis cinq ans, ce restaurant situé au cœur de Sainte-Agathe-des-Monts doit son nom à l'année de construction du bâtiment. Le chef Sharon Benchlouch, originaire de France où il a déjà travaillé chez Georges Blanc, et son épouse Tania Colleret, responsable de la salle à manger, permettent à leur clientèle de goûter une cuisine appétissante d'influence méditerranéenne. Sur place on fabrique le saumon fumé, le foie gras au torchon et autres mets qui obtiennent beaucoup de succès auprès de leurs fidèles (réservation recommandée).

RECTO VERSO ★★[ER] int

814, ch. Pierre-Péladeau, Sainte-Adèle
Tél.: 450-229-9555
www.rectoverso.ca
SPÉCIALITÉS INTERNATIONALES: Rillettes de porcelet Gaspor, canneberges, tournesol, roquette. Gravlax de saumon Ocean Wise sur gaufre, fausse tzatziki aux fleurs et concombres. Pintade confite, suprême de caille, salade tiède de radicchio au bleu d'Élisabeth. Fondant aux amandes et ananas confits, poudre de beurre d'amandes.
PRIX Midi: (fermé)
Soir: C. 34$ à 71$
OUVERT le soir, du mer. au dim. Fermé lun. et mar.
NOTE: Menu dégustation 6 serv. 69$. Service de traiteur.
COMMENTAIRE: Dans un décor de chalet, très cosy, le jeune chef Bruno Léger offre une cuisine où les produits locaux sont mis à l'honneur. Assiette avec des hauts et des bas. Par exemple, le foie gras servi n'était pas à la hauteur de ce qu'on peut en attendre habituellement. Présentations des plats pas toujours heureuses. Très bruyant lorsqu'il y a un groupe. Accueil plus ou moins chaleureux et un peu hautain.

RESTAURANT CHEZ MILOT ★★★ cont

958, rue Valiquette, Sainte-Adèle
Tél.: 450-229-2838
www.chez-milot.qc.ca
SPÉCIALITÉS CONTINENTALES ET ITALIENNES: Poire farcie au bleu. Filet d'épaule de bœuf, sauce forestière. Carré d'agneau complet rôti avec herbes, pommes de terre et légumes. Gâteau pommes et pacanes, sauce sucre à la crème chaude.
PRIX Midi: T.H. 13$ à 22$
Soir: C. 43$ à 70$ T.H. 27$ à 48$
OUVERT le midi, du lun. au ven. Le soir, 7 jours.
NOTE: Spécialités de grillades, moules et fruits de mer. Menu à l'ardoise hebdomadaire. Produits frais de saison. 5 à 7, dim. à jeu. 4 serv. 20$. Foyer l'hiver. Belle terrasse l'été. Brunch fête des Mères, Pâques et fêtes annuelles.
COMMENTAIRE: La force de Chez Milot, c'est la continuité et une constance dans la qualité de l'accueil et de la nourriture. Des assiettes assez classiques, bien garnies, avec du goût. Il n'y a pas une très grande créativité, mais c'est très satisfaisant. On offre une bonne carte des vins. La clientèle est fidèle. Seul bémol, les tables sont un peu trop serrées et on manque un peu d'espace. Mais il y en a à qui cela plaît. Pour la petite histoire, le restaurant tient son nom de l'ancien propriétaire Robert Milot, qui a été maire de Sainte-Adèle.

RESTAURANT DES PETITS VENTRES ★★★ (bistro) fra ♥

839, rue de Saint-Jovite, Mont Tremblant - Saint-Jovite
Tél.: 819-681-1888
www.despetitsventres.com/
SPÉCIALITÉS FRANÇAISES CLASSIQUES: Escargots beurre à l'ail. Soupe de poisson rouille et croûtons. Gravlax de saumon maison. Pâtes aux fruits de mer. Rognons de veau. Confit de canard à l'orange. Bœuf bourguignon. Poulet sauce forestière. 5 sortes de fondues au fromage. Crème brûlée à la vanille.
PRIX Midi: (fermé)
Soir: C. 28$ à 49$ T.H. 22$ à 29$
OUVERT le soir, du mar. au sam. Fermé dim. et lun. Ouvert les jours fériés.
COMMENTAIRE: Originaire de Bretagne, où son père tenait une boulangerie, le chef propriétaire Yannick Le Garrec travaille depuis plus de 20 ans dans les Laurentides, où il a ouvert plusieurs restaurants. Le menu, type bistro français, offre un large choix de plats avec une carte de vins intéressante. Ambiance bistro parisien. Service attentionné et supervisé par le couple des propriétaires.

MONTÉRÉGIE

1171 AUBERGE DES GALLANT ★★★★★ qué ♥

1171, ch. Saint-Henri, Sainte-Marthe de Vaudreuil
Tél.: 450-459-4241 et 1-800-641-4241
www.gallant.qc.ca
SPÉCIALITÉS QUÉBÉCOISES: Saumon fumé maison, déclinaison de betteraves. Côte

de wapiti canadien grillée, sauce barbecue maison. Foie gras mi-cuit aux quatre épices, figues rôties au miel et chutney. Tomahawk de porc Nagano, réduction pommes et bleu. Bavette de bison grillée, sauce au shiitake et poivre vert. Crème brûlée à l'érable.
PRIX Midi: T.H. 25$
Soir: C. 40$ à 78$ T.H. 40$
OUVERT le midi et le soir, 7 jours. Brunch dim. Réservation conseillée.
NOTE: Menu accord mets et vin, 120$ le soir, sur réserv. Menus saisonniers. Sur réservation, menu gastronomique à l'érable, en mars et avril, à la pomme, en sept. et oct. Visite du jardin et de la cabane à sucre la Sucrerie des Gallant. Plusieurs forfaits divertissants. Produits de l'érable à l'année. Deux spas extérieurs 10 pers. Animaux les bienvenus, spa pour chien.
COMMENTAIRE: L'Auberge de Linda et Gérard Gallant existe depuis 1972. Elle a été construite dans un boisé de 400 arpents, au centre d'une réserve ornithologique et d'un ravage de chevreuils. En 2012, coup de théâtre: l'auberge a brûlé à 50%. Tel le phénix, elle renaît de ses cendres plus belle et plus spacieuse grâce à l'acharnement de Linda Gallant et à son équipe. Aujourd'hui, l'Auberge des Gallant est un vaste complexe hôtelier et gastronomique, avec, en plus, trois salles de réunion et 42 chambres. Le restaurant habituel, baptisé aujourd'hui Le 1171, a continué sa vocation, rehaussée de soirées thématiques de dégustation de vins animées par l'excellent sommelier Thomas Le Guilly. Assiette savoureuse et raffinée. Une destination champêtre incontournable!

AUBERGE HANDFIELD ★★★ qué

555, rue Richelieu, Saint-Marc-sur-Richelieu
Tél.: 450-584-2226 et 514-990-0468
www.aubergehandfield.com

SPÉCIALITÉS QUÉBÉCOISES ET FRANÇAISES: Cigare au chou farci de chevreau Saint-Roch, purée de courge. Bavette de veau de grain braisée à la normande. Longe de cerf sauce mistelle aux pommes et camerises. Gâteau à la salade de fruits maison, yogourt de bufflonne à l'érable.
PRIX Midi: T.H. 26$ à 59$
Soir: C. 40$ à 82$ T.H. 37$ à 69$
OUVERT de mi-juin à mi-oct., le midi et le soir, du mer. au sam. Fermé du dim. au mar. Brunch dim. Le reste de l'année, communiquer pour confirmer les horaires.
NOTE: Produits et vins du Québec. Menu soir 4 serv. changeant aux saisons. Brunch musical dim. Menu santé offert au spa. Cabane à sucre en mars et avril. Été, sur la terrasse, buffet petit déjeuner 8h à 11h, BBQ sam. et dim. soir. Bar-terrasse.
COMMENTAIRE: Très belle maison ancienne à l'ambiance québécoise chic. Si le menu de la cabane à sucre est typiquement québécois avec ses cretons et ses oreilles de crisse, fèves au lard et soupe aux pois, celui du restaurant s'inspire davantage de la cuisine française. Plusieurs chambres de l'auberge sont situées au bord du Richelieu. Il y a un bateau-théâtre l'été, une marina, une érablière avec cabane à sucre, des pistes pour ski de fond et vélo, en plus d'une station santé nommée Spa les thermes.

BISTRO CULINAIRE - LE COUREUR des BOIS

★★★★ (bistro) fra
Hôtel Rive-Gauche - Refuge Urbain
1810, rue Richelieu, Belœil
Tél.: 450-467-4477 et 1-888-608-6565
www.hotelrivegauche.ca

SPÉCIALITÉS FRANÇAISES: Tartares du Coureur: saumon frais, bœuf ou magret de canard. Boudin noir des 3 cochons gourmands, oignons perlés sur feuilleté de figues, vinaigrette aux oignons caramélisés. Magret de canard de l'Artisan. Sorbet maison. Macaron à la fraise.
PRIX Midi: F. 21$
Soir: C. 38$ à 63$ T.H. 40$
OUVERT le midi et le soir, 7 jours. Brunch sam. et dim.
NOTE: Nouveau menu aux saisons, de concert avec les producteurs locaux. Menu découverte 89$. Table du chef en cuisine, 6-8 pers. Menu dégustation 6 serv. à partir de 139$/pers., accord des vins 189$. Cave à vin, gagnant Wine Spectator 2015, plus de 2 500 étiquettes et 13 000 bouteilles. Soirée dansante 31 déc.
COMMENTAIRE: Le restaurant revampé de l'hôtel Rive-Gauche personnifie la forêt québécoise – photos d'orignaux, troncs d'arbre, raquette – et correspond bien à la cuisine de Jean-François Méthot. Celle-ci respecte les produits de la région qu'il utilise largement, on les retrouve dans chacun de ses plats. Il a travaillé avec Renaud Cyr au Manoir des Érables, aux Trois Tilleuls, au Club Saint-Denis, a donné des ateliers au CFP Jacques-Rousseau, puis est devenu chef au Coureur des bois en 2009. On parle ici de «bistronomie»: des mets créatifs et réinventés, concoctés à partir des produits du terroir montérégien et québécois, enrichis d'une très belle cave à vin élaborée par le sommelier Ian Purtell.

BLEU MOUTARDE ★★★ fra

965, rue Richelieu, Belœil
Tél.: 450-464-8839
www.bleumoutarde.ca

SPÉCIALITÉS FRANÇAISES ET ITALIENNES: Tartares de bœuf ou de saumon. Calmars frits, sauce tartare. Confit de canard. Terrine de boudin, compotée de pommes flambées au cognac. Bavette de bœuf à l'échalote et frites maison. Mignon de bœuf, sauce porto, vieux cheddar. Crème brûlée. Gâteau au fromage.
PRIX Midi: F. 14$ à 23$

Soir: C. 38$ à 67$
OUVERT le midi, du mar. au ven. Le soir, du mar. au dim. Fermé lun. Ouvert lun. de fin mai à début sept.
NOTE: Brunch à la fête des Mères. Carte des vins change régulièrement, 60% d'importation privée. Quai pour l'amarrage des bateaux.
COMMENTAIRE: Abrité dans une maison au bord du fleuve au cœur du Vieux-Belœil, l'endroit est coquet et convivial. L'été, on peut profiter de terrasses s'étageant jusque dans le jardin qui borde les rives du Richelieu. Le chef propose une cuisine d'inspiration française et italienne avec des spécialités rappelant celles que l'on trouve dans les bistros. Nous avons apprécié le côté simple, net et franc des assiettes, tant dans les saveurs que dans les présentations. Un service convivial, une table honnête qui nous donne le goût de revenir.

CHEZ NOESER ★★★★[ER] fra

236, rue Champlain, Saint-Jean-sur-Richelieu
Tél.: 450-346-0811
www.noeser.com
SPÉCIALITÉS FRANÇAISES: Feuilleté au homard et pétoncles sauce corail. Foie gras frais au torchon. Escalope de saumon à l'estragon. Aiguillettes de magret de canard du Lac-Brome sauce framboisière. Escalope de foie gras poêlée à la saveur du mois. Magret de canard et son foie gras. Carré d'agneau en croûte d'épices. Glace à l'érable maison.
PRIX Midi: (fermé)
Soir: Menu 40$ à 70$ T.H. 19$ à 42$
OUVERT le soir, du jeu. au dim. Fermé du lun. au mer. Ouvert sur réserv. 20 pers. et plus.
NOTE: Réserv. préférable. Apportez votre vin. Menu dégustation 5 serv. 65$. Menus à thème (pommes, chasse, Noël). Brunch sur réserv. à Pâques, fêtes des Mères et des Pères. Service de traiteur. Accessible aux handicapés.
COMMENTAIRE: Ce restaurant est logé dans une maison ancestrale divisée en plusieurs petites salles. Le chef Denis Noeser a laissé la place à sa fille Émilie qui officie dans la cuisine pour nous concocter de succulents petits plats. Un endroit sympathique, romantique, où l'on mange bien et où l'on apporte son vin.

ET CAETERA ★★★ cont

80, rue Saint-Mathieu, Belœil
Tél.: 450-281-2211
www.etcaetera.ca
SPÉCIALITÉS CONTINENTALES ET MÉDITERRANÉENNES: Tartare de saumon. Moules au fromage gorgonzola et poires. Pâtes à la dijonnaise et effiloché de volaille. Tajine d'agneau. Paella. Filet d'épaule et crevettes tempura, sauce au poivre. Beignet de pomme au caramel chaud, nougatine de pacanes.
PRIX Midi: (fermé)
Soir: C. 32$ à 65$ T.H. 35$
OUVERT le soir, du mar. au sam. Fermé dim. et lun.

NOTE: Tous les plats à la carte se transforment en T.H. pour 8$ de plus. Menu moules, menu pâtes. Grillades, filets mignons, bavettes.
COMMENTAIRE: Le chef, Philippe Hamelin et son épouse Josée, tombés en amour avec Beloeil et la belle rivière Richelieu, ouvrent un premier restaurant tout au bord de l'eau, le Jozéphil. Puis une occasion se présente pour acheter une belle maison de maître au cœur du village. Un second restaurant vient de naître. À force de recherche, on le nommera etc. ou plutôt de son nom latin Et Cætera. Très belle maison magnifiquement aménagée en restaurant. Tout est en camaïeu de blanc. Ambiance douce et paisible, l'endroit idéal pour une belle gastronomie. L'entrée de calamars, bien savoureuse et généreuse, et la délicieuse mousse au chocolat étaient à la hauteur de nos attentes. Par ailleurs, la cuisine s'annonce méditerranéenne, mais elle s'apparente plus à une cuisine continentale aux accents méditerranéens. On y retrouve des plats inflencés par plusieurs pays.

FOURQUET FOURCHETTE ★★ qué

1887, rue Bourgogne, Chambly
Tél.: 450-447-6370 et 1-888-447-6370
www.fourquet-fourchette.com
SPÉCIALITÉS QUÉBÉCOISES: Tartare de saumon à la Raftman. Soupe à l'oignon gratinée. Médaillon de wapiti, os à moelle, fleur d'ail, jus à la bière noire de Chambly. Ballottine de pintade, foie gras poêlé, pleurotes à la fleur d'ail et Fin du Monde. Magret de canard, risotto d'orge aux champignons, sauce au thé des bois. Pouding chômeur à l'érable et à la Maudite.
PRIX Midi: T.H. 14$ à 18$
Soir: C. 31$ à 65$ T.H. 27$ à 43$
OUVERT de sept. à début juin, le midi et le soir, du jeu. au dim. Fermé du lun. au mer. Début juin au 15 sept., le midi et le soir, 7 jours. Brunch dim.
NOTE: Menu de saison. Carte de vins québécois et français. Carte de bières et de cidres

du Québec. Réserv. recommandée les fins de sem. et en période estivale. Animation sur la terrasse en fin de semaine par beau temps. Boutique avec produits du terroir. Musiciens à l'année sam. Stationnement gratuit.
COMMENTAIRE: Cette belle et grande maison ancestrale comporte un magasin, un restaurant avec gril et un étage décoré comme une abbaye qui sert de salle de banquet. Le décor est rustique et solide. Le menu est simple et sans prétention, d'inspiration Nouvelle France. Il propose des recettes traditionnelles québécoises, et même autochtones, cuisinées avec de la bière. Le service et l'animation en salle sont faits par des jeunes en costume d'époque. On y mange dans une belle ambiance. Très belle terrasse face au Richelieu.

HÔTEL TROIS TILLEULS
★★★★[ER] fra
290, rue Richelieu, Saint-Marc-sur-Richelieu
Tél.: 514-856-7787
www.lestroistilleuls.com
SPÉCIALITÉS FRANÇAISES: Saumon fumé maison, mi-cuit à la torche, œuf cuit dur, caviar. Carré d'agneau, tagliatelles au pesto, tian de légumes, jus d'agneau au romarin. Morue d'Islande poêlée, velouté de moules au curry, purée de pommes de terre aux herbes. Côte de bœuf rôtie, sauce estragon et foie gras poêlé. Paris-Brest.
PRIX Midi: T.H. 25$ à 36$
Soir: C. 47$ à 79$
OUVERT le midi et le soir, 7 jours. Brunch dim.
NOTE: Magnifique terrasse au bord du Richelieu, paysagée avec élégance, espace lounge, point de vue, débarcadères. Piscine intérieure vitrée. Salons privés, salles pour événements.
COMMENTAIRE: La propriété est harmonieusement paysagée. Les élégants bâtiments, entièrement revampés, construits au bord du Richelieu, reflètent tout le charme de la rivière. Il y a même une chapelle dans le boisé pour les mariages célébrés sur place et un spa Givenchy. Une bonne table, dans un cadre agréable, qui existe depuis 1953. À visiter été comme hiver.

LA CRÊPERIE DU VIEUX-BELOEIL
★★★★★ crê
940, rue Richelieu, Belœil

Tél.: 450-464-1726
www.lacreperieduvieuxbeloeil.ca
SPÉCIALITÉS DE CRÊPERIE: Soupe à l'oignon gratinée. Crêpe aux champignons et fromage. Crêpe aux fruits de mer. Crêpe œuf, jambon et fromage. Crêpe au saumon fumé et crème sure. Crêpe compote de pommes maison et fromage. Crêpe banane, caramel, pacanes et crème glacée flambée au rhum. Crêpe crème aux marrons, poires et crème glacée, flambée au Sortilège.
PRIX Midi: C. 7,25$ à 21$
Soir: Idem

OUVERT le midi, du mar. au ven. Le soir, du mar. au dim. Fermé lun. et fêtes de fin d'année.
NOTE: Les portions sont si généreuses que les clients partagent deux crêpes, une salée et une sucrée. Le prix donné tient compte de cette habitude. Terrasse l'été sur une galerie en bois, abondamment fleurie, avec vue sur le Richelieu. Décor enchanteur.
COMMENTAIRE: La meilleure crêperie au Québec! Dans une ambiance chaleureuse et reposante, on y déguste d'innombrables crêpes tant au froment qu'au sarrasin. Nous en avons dénombré une cinquantaine de variétés aux garnitures salées et sucrées, dont 9 dites flamboyantes. On aimerait les essayer toutes, mais après une ou deux, il ne reste plus que la gourmandise tant on est rassasié. Très beau décor composé de quatre ravissantes salles, au charme floral, dont une verrière, plus une galerie bordée de fleurs innombrables. Les crêpes sont faites devant vous, dans la salle à manger. Et, cela sent terriblement bon!

L'ANGÉLUC ★★★ fra

480, rue Saint-Denis, Saint-Alexandre
Tél.: 450-346-4393
www.restaurantlangeluc.com
SPÉCIALITÉS FRANÇAISES: Tartare de bœuf relevé au cognac, huile de truffe. Tataki de kangourou. Côte de veau aux champignons sauvages. Gâteau fondant choco-caramel.
PRIX Midi: (fermé)
Soir: T.H. 53$ (6 serv.)
OUVERT le soir, du jeu. au dim. Fermé du lun. au mer.
NOTE: Aucune carte de crédit ni débit n'est accepté. Seulement l'argent comptant, les chèques personnels ou de compagnies sont acceptés.
COMMENTAIRE: Situé au sud de Saint-Jean-sur-Richelieu, L'Angéluc est un restaurant français classique, sans prétention. Installé dans une maison familiale, chaque pièce a été aménagée en salle à manger. Quant à la carte, c'est bon et surtout c'est très copieux. Nous n'avons pu terminer nos desserts tant il y en avait. Par contre, prenez votre temps, car le service est un peu lent. Très aimable et attentif cependant. En fait, on vient ici pour y passer la soirée.

LA RABASTALIÈRE ★★★★ fra

125, rue Rabastalière O., Saint-Bruno
Tél.: 450-461-0173
www.larabastaliere.ca
SPÉCIALITÉS FRANÇAISES: Gougères frites, coulis de tomates aux olives noires et brisket fumé. Thon grillé, gaspacho épicé. Tournedos de bœuf sauce poivrade, pommes de terre rattes rôties aux lardons et shiitake. Filet d'agneau rôti, sauce aux prunes et cassis. Chateaubriand grillé/2 pers. Crêpes Suzette. Sabayon aux fruits sauvages. Crème caramel à l'orange.
PRIX Midi: T.H. 23$
Soir: C. 53$ à 87$ T.H. 30$ à 39$
OUVERT le midi, du mar. au ven. Le soir, du mar. au dim. Fermé lun.
NOTE: Tartare de bœuf préparé à la table. Menu gastronomique 6 serv. 70$, accord des vins 50$.
COMMENTAIRE: Ouvert depuis 1979. Une table française classique, savoureuse, avec une touche contemporaine. Le décor est confortable, classique lui aussi; le service, compétent et courtois; la carte des vins, très intéressante. Une belle adresse à vingt-cinq minutes de Montréal, l'endroit idéal pour les repas d'affaires. C'est calme et discret.

LE CLAN CAMPBELL ★★[ER] fra

Manoir Rouville-Campbell
125, ch. des Patriotes Sud, Mont-Saint-Hilaire
Tél.: 450-446-6060
www.manoirrouvilllecampbell.com
SPÉCIALITÉS FRANÇAISES: Saumon fumé du Manoir. Poêlé de foie gras, croquant de pistaches sauce flambée au Calijo de Michel Jodoin. Poitrine de canard, rösti de pommes de terre et Hercule de Charlevoix fondant, sauce au porto et petits fruits rouges. Gâteau coulant au chocolat noir, mousse au chocolat au lait et chocolat blanc.
PRIX Midi: F. 17$ à 31$
Soir: C. 38$ à 67$ T.H. 44$ à 60$
OUVERT le midi, 7 jours. Le soir, du lun. au sam. Brunch sam. et dim.
NOTE: T.H. 3 serv. 23$ à 31$. Menu découverte 69$. Le resto et le pub ont fusionné, les plats aussi.
COMMENTAIRE: Cette imposante bâtisse au bord de l'eau est toujours aussi belle, cependant la disposition de la salle à manger pourrait être améliorée. Même si la décoration a été refaite, le couloir coupe toujours la vue magnifique sur le jardin et sur l'eau. Il faut reconnaître que la disposition des lieux est assez ingrate. Quant à la cuisine, les assiettes sont bonnes et bien présentées, mais il a place à l'amélioration. Service courtois.

LE JOZÉPHIL ★★★★ fra

969, rue Richelieu, Belœil
Tél.: 450-446-9751
www.jozephil.com

SPÉCIALITÉS FRANÇAISES ET MÉDITERRANÉENNES: Salade de pieuvre, chorizo, sur humus ou purée de pois. Poêlée de pétoncles à l'érable. Ris de veau au madère. Rognons de veau à la moutarde. Foie de veau aux épices. Filet mignon de bœuf Angus, sauce au fromage bleu. Crème brûlée. Gâteau au fromage marbré au chocolat. Tarte au citron, crumble de noix.
PRIX Midi: T.H. 17$ à 20$
Soir: C. 28$ à 73$
OUVERT le midi, du lun. au ven. Le soir, 7 jours. Brunch dim.
NOTE: Carte des vins
COMMENTAIRE: Installé au bord de la rivière Richelieu à Beloeil, dans une petite maison ancestrale qui a été une école vers 1817, ce restaurant offre une vue panoramique imprenable sur la rivière, Otterburn Park sur l'autre rive et l'imposant mont Saint-Hilaire. L'été, trois terrasses en palier donnent également sur la rivière. Tables nappées de blanc, décor tranquille et confortable, éclairage douillet. On y sert une excellente cuisine très savoureuse et bien faite, jumelée à une belle carte des vins. Service attentif et chaleureux.

LE SAMUEL ★★★★[ER] fra

291, rue Richelieu, Saint-Jean-sur-Richelieu
Tél.: 450-347-4353
www.lesamuel.com

SPÉCIALITÉS FRANÇAISES: Pétoncles poêlés, purée de brocoli, gnocchis, sauce vierge aux raisins de Corinthe. Joue de veau à la bière, tartiflette au fromage d'Iberville. Foie gras poêlé, gâteau aux pacanes, caramel au Whisky. Fondant au caramel, glace à la confiture de lait.
PRIX Midi: F. 16$ à 22$
Soir: C. 39$ à 65$
OUVERT le midi, du lun. à ven. Le soir, du mar. au dim.
NOTE: Menu dégustation 6 serv. 65$, accord des vins 55$. Choix de fromages du Québec. Verrière climatisée avec vue sur la rivière Richelieu.

COMMENTAIRE: Très beau décor, moderne, confortable et de bon goût s'ouvre par de grandes baies vitrées sur la rivière Richelieu. Tout est en harmonie, un réel plaisir pour les yeux, y compris l'assiette moderne, bien présentée dans l'ensemble. Le service est jeune, très gentil, plein de bonne volonté et a su s'adapter aux aspirations de l'endroit. Le restaurant tend maintenant vers la bistronomie.

LES CHANTERELLES DU RICHELIEU ★★★★ fra

611, ch. des Patriotes,
Saint-Denis-sur-Richelieu
Tél.: 450-787-1167 et 1-877-787-1167
www.leschanterelles.com

SPÉCIALITÉS FRANÇAISES: Velouté aux chanterelles jaunes des sous-bois. Saumon fumé du fumoir maison. Carpaccio de bison au cheddar vieilli. Suprême de pintade de la ferme d'Antoine aux chanterelles. Médaillon de veau et fromage de chèvre des Capriotes, jus au thym. Nougat glacé avec fruits confits à l'érable.
PRIX Midi: (fermé)
Soir: C. 44$ à 62$ T.H. 34$ à 50$
OUVERT le soir, du mer. au sam. Fermé du dim. soir au mar. Brunch dim.
NOTE: Nouveaux menus 3 et 4 serv. chaque semaine. Menu gourmand 6 serv. 72,50$. Grands vins. Ouvert depuis 1996.
COMMENTAIRE: Tenue par Patrick Vesnoc, voilà une charmante maison centenaire, plantée au bord du Richelieu, avec un quai d'amarrage pour les bateaux. Le chef Vesnoc crée des assiettes savoureuses avec son équipe en cuisine. Une table qui met en valeur les produits de la région du Richelieu.

LES ESPACES GOURMANDS ★★★ fra

454, ch. des Patriotes,
Saint-Charles-sur-Richelieu
Tél.: 450-584-3112

SPÉCIALITÉS FRANÇAISES: Risotto forestière au confit de pintade, huile de truffe blanche. Saumon de l'Atlantique fumé par le chef au bois d'érable. Carré d'agneau provençal. Cassoulet. Tiramisu.
PRIX Midi: (fermé)
Soir: C. 36$ à 60$ T.H. 26$ à 45$
OUVERT le soir, du jeu. au dim. De juin à août, le soir, du mar. au dim. Brunch dim.
NOTE: Ont aussi un menu bistro. Tout pintade ou presque, 5 serv. avec bouteille de vin, 145$/2 pers. Vue panoramique sur la rivière Richelieu. Stationnement à l'arrière. Quai pour l'amarrage des bateaux.
COMMENTAIRE: Ouvert depuis 1997, ce restaurant avec vue sur la rivière Richelieu est niché dans une maison d'habitant paisible, dans laquelle on se sent bien. Une cuisine française classique, familiale, bien faite avec le respect des produits frais de la région. La spécialité de Michel Lesage, chef propriétaire, c'est la pintade. Il cuisine comme un chef à la maison. Ses plats sont goûteux et réconfortants. Une belle halte sur le bord de la rivière.

MISTA ★★★ ita

955, rue Laurier, Belœil
Tél.: 450-464-5667
www.lemista.ca

SPÉCIALITÉS ITALIENNES: Pavé de saumon de l'Atlantique grillé. Risotto de moules, palourdes et crevettes. Raviolis, ricotta, épinards, confit de canard, jus de veau à la truffe. Osso buco façon romaine, filet de tomate, gremolata, pignons de pin, orecchiette et épinards. Fondant de chocolat.
PRIX Midi: (fermé)
Soir: C. 25$ à 69$ T.H. 20$ à 30$
OUVERT le soir, 7 jours.
NOTE: Foyer ouvert sur quatre côtés au milieu du restaurant. T.H. changeant chaque semaine. Dim. à jeu. menu 5 à 7 à partir de 12$. Pâtes fraîches maison. Bar à vin.
COMMENTAIRE: Un cadre confortable et agréable, une assiette généreuse et très savoureuse, qui pourrait cependant être plus parfumée «à l'italienne». Service très aimable, mais qui manque un poil d'attention. Service de traiteur en plus.

RESTAURANT LYVANO ★★★ cont

4, rue Principale, Frelighsburg
Tél.: 450-298-1119
www.restaurantlyvano.com

SPÉCIALITÉS FRANÇAISES: Betterave rouge, pain aux raisins et noisettes, chèvre, pousses de roquette. Tartare de saumon, mangue, oignon rouge. Pétoncles poêlés, ail confit, écrasé de pommes de terre au citron, asperges au bacon. Crème brûlée au Coureur des bois.
PRIX Midi: F. 12$
Soir: C. 34$ à 51$ T.H. 34$ à 43$
OUVERT le midi et le soir, l'été, du mer. au lun. Fermé mar. L'hiver, fermé mer.
NOTE: Vins d'importation privée à 70%. Vins du Québec. Produits locaux. Oct. à début juin, jeu. réduction de 50% sur les vins de 17h30 à 19h.
COMMENTAIRE: Situé au coeur du village de Frelighsburg en bordure de la rivière aux Brochets, le restaurant Lyvano vous offre un menu pâtes et grillades. Terrasse surplombant la rivière coulant vivement entre de grosses roches dans un bruissement de détente. Élisabeth et Sébastien, les chefs propriétaires, proposent un menu gastronomique en soirée et de type bistro le midi. Une cuisine généreuse et savoureuse. Ambiance simple et conviviale. Service un peu lent.

SUCRERIE DE LA MONTAGNE

★★★★★ suc

300, ch. Saint-Georges, Rigaud
Tél.: 450-451-5204 ou 450-451-0831
www.sucreriedelamontagne.com

SPÉCIALITÉS BEAUCERONNES ET QUÉBÉCOISES: Soupe aux pois du montagnard. Pain croûté cuit sur feu de bois. Jambon fumé à l'érable. Boulettes de viande. Oreilles de crisse. Tourtière de la beauceronne. Fèves au lard du chantier. Omelette soufflée de la fermière. Pommes de terre pilées à l'ancienne. Crêpes québécoises au sirop d'érable. Tarte au sucre maison.

PRIX Midi: T.H. 35$
Soir: T.H. 45$

OUVERT le midi et le soir, 7 jours sur réserv. Brunch dim. sur réserv.

NOTE: Réserv. en tout temps. Épluchette de blé d'Inde. Méchoui. Menu végétarien. Festins du temps des sucres et du temps des fêtes. Tire. Chansonniers, animateurs, balade en carriole pour 40 pers. minimum ayant réservé leur place au restaurant. Activités de consolidation d'équipes de bureau. Hébergement: 4 chalets traditionnels avec foyer. Refuge rustique pour 60 pers. Lieu de mariage extérieur exceptionnel avec un genre de gazebo en forme de canoe dressé.

COMMENTAIRE: Probablement la plus belle cabane à sucre du Québec, dirigée par son sympathique et truculent propriétaire Pierre Faucher et son fils Stefan. On mange dans des salles anciennes et authentiques, grandes cheminées, cuisinières au feu de bois, une cuisine beauceronne savoureuse et généreuse, avec quelques recettes de famille. On peut se régaler d'un canard fumé à l'érable ou de bœuf braisé sur demande et de gibier la fin de semaine. Visites de la cabane à sucre, de la boulangerie (pain frais au feu de bois), de la bouilloire (dégustation de tire). Animation folklorique. Très beau cadre pour les familles, les mariages champêtres et les groupes d'affaires. Ont ouvert également «La bête sauvage», une salle avec un menu de viandes sauvages du Québec (bison, canard, cerf, faisan, lapin, wapiti).

Restaurants de Québec

(Québec, Sainte-Foy, Sillery, Beauport, Cap Rouge, Wendake)

Château Frontenac *(Photo d'archives Debeur)*

AVIS

Il arrive que des établissements utilisent les heures habituelles d'ouverture pour recevoir des groupes. Il y en a d'autres aussi qui ferment avant l'heure indiquée s'il n'y a pas de clients. Nous conseillons donc aux lecteurs de toujours vérifier si un restaurant est ouvert, en téléphonant avant de s'y rendre.

AMÉRINDIEN

RESTAURANT LA TRAITE ★★★★

Hôtel-musée Premières Nations
5, pl. de la Rencontre, Wendake
Tél.: 418-847-2222
www.hotelpremieresnations.ca

SPÉCIALITÉS PREMIÈRES NATIONS AMÉRINDIENNES: Carpaccio de cerf, Blackburn 9 mois, marmelade aux cerises de terre biologiques. Terrine de loup marin, confit d'oignons, chutney à l'argousier. Pétoncles canadiens, velouté de crustacés à l'ail des bois. Fruits sauvages au sapin baumier, mini-meringue, pulpe d'argousier.
PRIX Midi: T.H. 16$ à 35$
Soir: F. 51$ à 61$ T.H. 45$ à 55$
OUVERT le midi et le soir, 7 jours. Brunch dim.
NOTE: Le soir, menus des Nations 3 serv. 45$, 4 serv. 55$. Menu découverte 6 serv. 82$ (avec accord vins et mets 142$). Cuisine du terroir du nord, inspiré des Premières Nations. Cercle de vie.
COMMENTAIRE: Martin Gagné est l'un des premiers chefs à Québec à avoir articulé une carte autour du concept de la cuisine boréale. Camerise, asclépiade, brisure de toque et poivre des dunes font partie des condiments qu'il prise autant sur des viandes plus connues (lièvre, canard, cerf, etc.) que d'autres à découvrir comme le phoque. Également, le chef a souci de changer sa carte plusieurs fois par année selon les arrivages de gibiers. Belle salle à manger apaisante décorée sans surenchère avec des références aux Premières Nations. Terrasse bucolique l'été.

ASIATIQUE

L'APSARA ★★★

71, rue d'Auteuil, Québec
Tél.: 418-694-0232
www.restaurantapsara.com

SPÉCIALITÉS VIETNAMIENNES, CAMBODGIENNES, THAÏLANDAISES: Salade au homard à la vietnamienne. Crêpe vietnamienne. Pad-thaï aux crevettes ou au poulet. Bœuf Khemara. Poulet Oudong, sauté au gingembre. Khemara kayang (brochette de bœuf à la citronnelle et brochette de poulet). Poulet de Bangkok. Bœuf de Saïgon. Nid jardinier.
PRIX Midi: T.H. 14$ à 18$
Soir: C. 23$ à 34$ T.H. 28$ à 40$
OUVERT Lun. à ven. 11h30 à 14h. 7 jours 17h30 à 23h. Fermé 24 déc.
NOTE: Menu midi changeant tous les jours. Plats végétariens. Assiette Apsara: combinaison de mets du Cambodge, de la Thaïlande et du Vietnam 28$/pers. Plaisir à deux: 5 serv. apéritif et vin 80$/2 pers. Tournée asiatique incluant 2 bout. de vin 170$/4 pers. Assiette Tridara vin compris 80$/2 pers. Avril: Menu Nouvel An thaïlandais. Oct.: Menu spécial anniversaire 1 bout. vin comprise 80$/2 pers.
COMMENTAIRE: Service familial, discret et raffiné, à la mode orientale. Excellentes fleurs de Pailin (rouleaux de printemps). Très bon bœuf Khemara. Décor invitant à la joie et à la détente. Situé sur la rue d'Auteuil, l'une des plus belles rues de Québec, face au Parlement.

BORÉAL

AVIS

Nous nous posons des questions quant à cette nouvelle appellation «cuisine boréale». Car ce ne sont pas les produits (ici du Nord du Québec) qui font la cuisine, mais bien la façon dont on les apprête, c'est-à-dire la recette et non pas le produit seul. Sont-ils préparés à la manière française, italienne, québécoise ou asiatique? Nous mettons donc une réserve quant à cette nouvelle appellation.

CHEZ BOULAY ★★★★
Bistro boréal
Manoir Victoria
1110, rue Saint-Jean, Québec
Tél.: 418-380-8166
www.chezboulay.com
SPÉCIALITÉS: Soupe à l'oignon en cappuccino, croûtons d'Hercule de Charlevoix. Cuisses d'oie et de canard confites en parmentier au chou-fleur façon gratin dauphinois à la racine de valériane, croustillant de graines de citrouille au thé du Labrador, jus de viande. Surprise de chocolat et biscuit noisette au cœur fondant de camerise.
PRIX Midi: F. 16$ à 22$
Soir: C. 43$ à 63$
OUVERT le midi et le soir, 7 jours. Brunch sam. et dim.
NOTE: Comptoir de prêt-à-manger boréal. Pâtisseries boréales. Carte des vins d'importation privée à 90% (33$ à 1500$/bout.), dont 17 blancs et 16 rouges canadiens.
COMMENTAIRE: Arnaud Marchand ne cesse d'étudier le garde-manger nordique. La carte tourne au gré des saisons et chaque visite est prétexte à découvrir un nouveau mets coup de cœur, qu'il soit tiré de la rubrique poisson (avec une prédilection pour les poissons à chair grasse) ou viande (particulièrement les volailles). La joue de bison est l'un des plats vedettes. Salle élégante et un personnel en général empressé et courtois. Brunch distinctif la fin de semaine et très beau rapport qualité-prix les midis. Une table qui combine le courant boréal, une vision actualisée du bistro et la constance dans l'assiette.

LÉGENDE par La Tanlère
★★★★★ (bistro)
255, rue Saint-Paul, Québec
Tél.: 418-614-2555
www.restaurantlegende.com
SPÉCIALITÉS: Magret de canard poêlé, cuit sous-vide. Suprême de pintade, gnocchis aux herbes, purée de courges. Les mains du pêcheur: plateau de la mer pour 2 pers. Charlotte à la poire. Soufflé glacé à la camerise.
PRIX Midi: (fermé)
Soir: C. 46$ à 56$
OUVERT le soir, 7 jours.
NOTE: Concept de partage. Accord de vin sur mesure pour chaque plat. Bar à vin.
COMMENTAIRE: Bien que l'environnement soit celui d'un bistro décontracté, le chef Frédéric Laplante carbure toujours à la même rigueur et s'illustre par la recherche-développement qui caractérise sa valorisation des produits locaux. Avec un talent unique, il préside à l'union improbable du tofu et du wapiti. Au volet Menu au doigt, de magnifiques fruits de mer, coquillages et charcuteries maison à partager.

CHINOIS

CHEZ SOI LA CHINE ★★
27, rue Sainte-Angèle, Québec
Tél.: 418-523-8858
SPÉCIALITÉS: Calmar aux légumes. Porc Yu xiang (vinaigré et épicé). Canard laqué sauce sha cha à la flambée. Poulet croustillant à la mode de Sichuan. Gu laorou (porc pané, sauce aigre-douce). Marmite chinoise (porc, bœuf, crevettes, légumes sautés). Canard sauce aux cinq parfums.
PRIX Midi: (fermé)
Soir: F. 17$ à 38$ F. 22$ à 30$
OUVERT le soir, 7 jours.
NOTE: Du canard comme on n'en trouve pas ailleurs!
COMMENTAIRE: Restaurant très sympathique. Une cuisine chinoise typique qui conjugue authenticité des mets et un service familial attentionné, mais un peu long. Outre les chaussons à la vapeur, le canard est l'une des spécialités ainsi que la marmite chinoise, un mijoté de plusieurs viandes et de fruits de mer. À retenir: on y apporte son vin.

CONTINENTAL

ALBACORE ★★★★ (bistro)
819, Côte d'Abraham, Québec
Tél.: 418-914-6441
www.facebook.com/Restaurant-Albacore-1039494092851676/
SPÉCIALITÉS: Pain doré avec foie gras poêlé. Pieuvre rôtie, trilogie d'aubergine. Côte de porc double de la ferme Turlo. Tapas. Mets végétariens.
PRIX Midi: (fermé)
Soir: C. 43$ à 72$
OUVERT le soir, du mar. au dim. Fermé lun.
NOTE: Carte des vins 100% en importation privée.
COMMENTAIRE: Décor simple, lumineux et convivial, vue remarquable sur la basse ville et le fleuve, assiettes originales, bien présentées, raffinées et très savoureuses, belle carte variée des vins et bières (préparée par le sommelier Olivier Lescelleur St-Cyr), service courtois

avec une bonne connaissance du menu, la formule idéale quoi! Le chef Benoît Poliquin s'éclate dans une cuisine ouverte sur la salle à manger. Il propose une assiette orientée sur les poissons et fruits de mer. Laissons un temps de rodage à cette nouvelle table. Mais la vitesse de croisière semble déjà atteinte; L'Albacore, piloté par les quatre associés François Jobin, Benoît Poliquin, Olivier Lescelleur St-Cyr et Benoît Fortin, devient rapidement la coqueluche de la capitale.

CIEL! Bistro-bar ★★★

Hôtel Loews Le Concorde
1225, cours Général de Montcalm, Québec
Tél.: 418-640-5802
www.cielbistrobar.com
SPÉCIALITÉS: Anguille fumée de Kamouraska. Omble chevalier fumé, caviar de mulet, céleri-rave, fenouil, lentilles et jus de carotte aux amandes. Côte de porc bio, betteraves jaunes, choux de Bruxelles. Magret de canard, purée de courge. Chou croustillant à l'érable.
PRIX Midi: F. 19$ à 21$
Soir: C. 34$ à 67$
OUVERT le midi et le soir, 7 jours. Brunch sam. et dim.
NOTE: L'un des 7 restaurants tournants au monde. Vue remarquable. Menu bar de 8$ à 22$
COMMENTAIRE: Sous la houlette du Groupe Restos Plaisir, l'ex-Astral s'est remis à «tourner» à plein régime. L'époque du buffet est révolue, place à une cuisine de bistro faite de produits locaux. Tout sauf ampoulée, la cuisine moderne de David Forbes réunit, sans être végétarienne, quantité de légumes et céréales en abondance. Au volet carné, les ris de veau méritent une mention spéciale. Autrement, il y a la vue époustouflante sur Québec vue de haut.

LA BÊTE ★★★★
Bar-steakhouse
170-2875, bd Laurier, Québec
Tél.: 418-266-1717
www.labete.ca
SPÉCIALITÉS: Bar à huîtres. Salade de pieuvre et chorizo. Gâteau de crabe, coulis de poivrons rouges. Os à moelle et escargots au beurre de foie gras, semoule de chou-fleur. Jerky de bœuf. Bœuf AAA vieilli à sec 40 à 70 jours. Blackvelvet, signé de Blanchet.
PRIX Midi: T.H. 16$ à 27$
Soir: C. 50$ à 98$ T.H. 38$ à 49$
OUVERT le midi, du lun. au ven. Le soir, 7 jours.
NOTE: Vivier à homard. Salle de vieillissement, viande vieillie 55 jours. Service de boucherie (commande en ligne ou sur place, livraison possible). 400 étiquettes de vins. Salon privé (20 pers.). Réserv. en ligne sur le site Internet.
COMMENTAIRE: Prime et AAA-Certified Angus beef, La Bête n'offre que du bœuf de qualité supérieure ou vieilli à sec à déguster dans une atmosphère à la fois sophistiquée et décontractée. Un cellier à viande permet de voir les différentes coupes proposées. Le service est avenant; la carte des vins étoffée, le choix d'accompagnements est élaboré avec, notamment, la purée de pommes de terre et cubes de foie gras. Très bon choix d'huîtres sur glace, crevettes à la livre, excellent tartare de saumon et côtes levées charnues ainsi qu'un gâteau de crabe digne de mention. Un service de boucherie est offert.

LA FENOUILLIÈRE ★★★★[ER]
3100, ch. Saint-Louis, Québec
Tél.: 418-653-3886
www.fenouillere.com
SPÉCIALITÉS: Panna cotta à la courge, chips Parmigiano. Tartare de saumon et pétoncles à la fraise Fiset. Saumon en deux temps, sorbet orange safran. Ris de veau Écolait, pacanes torréfiées et beurre noisette. Médaillon de cerf des Appalaches, ragoût forestier au vin rouge. Tartelette Biskélia, confiture de framboise, glace Tonka.
PRIX Midi: T.H. 20$ à 30$
Soir: C. 66$ à 81$ T.H. 53$ à 66$
OUVERT le midi et le soir, 7 jours. Brunch sam. et dim.
NOTE: Carte suivant les produits de saison. Menu midi changeant tous les jours. Chef pâtissière sur place. Super cellier à température contrôlée. 300 étiquettes de vins. Grand choix de vins au verre. Sélection de plus de 40 portos.
COMMENTAIRE: Le restaurant a changé de propriétaire, deux chefs cuisinières font marcher les fourneaux mais il n'y a pas de changement majeur. Salle à manger élégante, claire et confortable, comportant plusieurs divisions. Une belle et fine cuisine classique qui offre des assiettes généreuses avec une belle présentation. Le service est toujours ponctuel et professionnel. La carte des vins propose un bon choix de grands vins. Excellente sélection de vins au verre. Maison de bonne réputation qui pourra oser davantage, déjà la carte du soir s'est améliorée.

LE CHARBON ★★★★
450, rue de la Gare du Palais, Québec
Tél.: 418-522-0133
www.charbonsteakhouse.com
SPÉCIALITÉS: Pétoncles de mer au chardonnay. Ribsteak et steak de côte vieillis 40 jours à sec. Tartare de filet mignon Sterling Silver. Gâteau au fromage, caramel à la fleur de sel.
PRIX Midi: F. 16$ à 25$
Soir: C. 41$ à 76$ T.H. 39$
OUVERT le midi, du lun. au ven. Le soir, 7 jours.
NOTE: Grillades, fruits de mer et homard à l'année. Situé dans la magnifique gare du Palais, plafond à 30 pieds de haut, architecture unique. Certains plats sont gratuits pour les

enfants. Vente au détail de coupes de viande certifiée Sterling Silver et condiments assortis. Cuisson au charbon de bois d'érable. Stationnement gratuit durée 2h30.
COMMENTAIRE: Une grilladerie classique, mais d'une constance qui ne se dément pas sur trois points, la qualité des viandes (et des poissons et fruits de mer), les coupes ainsi que les portions généreuses. Le service est précis, la carte des vins bien élaborée. Atmosphère chic, banquettes en cuir. Service de boucherie; un deuxième comptoir dessert le secteur Lebourgneuf.

LE CONTINENTAL ★★★★

26, rue Saint-Louis, Québec
Tél.: 418-694-9995
www.restaurantlecontinental.com
SPÉCIALITÉS: Langoustines flambées, salade César. Raviole de ris de veau à l'huile de truffe, champignons sautés et réduction au Marsala crémée. Carré d'agneau à la croûte persillée. Canard à l'orange flambé au guéridon. Filet mignon flambé en boîte (petite casserole). Ris de veau aux morilles. Poire au Pernod. Crêpes Suzette.
PRIX Midi: T.H. 15$ à 28$
Soir: C. 60$ à 111$ T.H. 59$
OUVERT le midi, du lun. au ven. Le soir, 7 jours.
NOTE: Entrée d'or (dégustation de 4 mets vedettes). Homard flambé Newburg en saison. 350 étiquettes de vins. Service de voiturier gratuit.
COMMENTAIRE: C'est le Maxim de Québec. Spécialiste des flambées. Une des grandes tables situées dans la Vieille-Ville. Une véritable institution. L'une des dernières maisons où l'on sert encore le chateaubriand. Une adresse pour revenir aux sources d'une cuisine continentale classique.

MNBAQ GASTRONOMIE ★★★★ signé Marie-Chantal Lepage

Musée national des beaux-arts du Québec
Parc des Champs de bataille, Québec
Tél.: 418-644-6780 #8890
www.signeMCLepage.com
SPÉCIALITÉS: Foie gras poêlé, Tatin de betteraves jaunes, vinaigrette à l'érable. Joue de bœuf braisée doucement, purée de pommes de terre au wasabi, légumes racines. Pain perdu, compote de fraise. Dessert création.
PRIX Midi: T.H. 20$ à 35$
Soir: (fermé)
OUVERT le midi, 7jours, jusqu'à 18h. Brunch dim. Ouvert jusqu'à la fête du Travail.
COMMENTAIRE: Le Musée national des beaux-arts du Québec a intégré une nouvelle artiste à ses collections permanentes. La chef Marie-Chantal Lepage y exerce sa créativité et sa fougue selon l'horaire d'un véritable restaurant. La chef n'a pas fini de surprendre avec des menus thématiques et surtout une cuisine axée sur les produits de proximité qui l'inspirent. La chef a pris également place dans le nouveau pavillon Pierre-Lassonde avec la table Au Tempéra, où sa brigade propose une cuisine composée d'entrées et de plats à partager dans un cadre moderne et lumineux.

CORSE

PETITS CREUX & GRANDS CRUS ★★★

Bar à vin et cuisine corse
1125, av. Cartier, Québec
Tél.: 581-742-5050
www.pcgc.corsica
SPÉCIALITÉS: Pieuvre grillée, poivrons, purée d'œuf à l'encre de seiche, Xérès, pommes de terre. Calmars confits à l'ajaccienne. Carré d'agneau, aubergine fumée et chèvre. Côte de veau caramélisée à l'hydromel, cuite sous-vide. Planche de desserts corses. Fiadone, gâteau à la châtaigne et panna cotta.
PRIX Midi: F. 15$ à 19$
Soir: C. 46$ à 55$
OUVERT 18 mai au 15 sept., le midi, du lun. au ven. Le soir, 7 jours. Le reste du temps: à partir de 15h30, 7 jours.
NOTE: Le midi, pas d'entrée, seulement plat et dessert.
COMMENTAIRE: Initialement davantage un bar à vin qu'un restaurant, Petits creux & grands crus s'est fait connaître par ses planches à partager garnies de charcuterie et de fromages d'origine corse ainsi que de fruits de mer. Histoire de partager leurs racines corses, les propriétaires n'ont pas tardé à proposer des plats typiques comme le civet de sanglier, le brocciu maison apprêté et les petits gâteaux à base de farine de châtaigne. Un voyage sur l'île de Beauté. Excellent service conseil pour les vins.

CRÊPERIE

CRÊPERIE LE BILLIG ★★

481, rue Saint-Jean, Québec
Tél.: 418-524-8341
SPÉCIALITÉS: Cancalaise (pétoncles, fondue de poireaux, beurre blanc au citron). Béarn (galette de sarrasin, canard confit, épinards, fromage de chèvre, confit d'oignons rouges au vin rouge). Ris de veau sautés aux pleurotes, gratin de pommes de terre feuilleté. Salidou (caramel au beurre salé maison, crème Chantilly).
PRIX Midi: T.H. 15$ à 26$
Soir: C. 27$ à 47$
OUVERT le midi et le soir, 7 jours.
NOTE: Crêpes bretonnes traditionnelles. Plats bistro et choix à l'ardoise. 10 vins rouges, 10 vins blancs et 15 cidres français et québécois.
COMMENTAIRE: Une adresse sympathique à petits prix, où les crêpes copieuses sont garnies avec des assemblages originaux d'ingré-

dients. Également au menu de très bonnes soupes du jour et des plats bien mijotés. Toujours aussi chaleureux, sympa et bon. Une chouette adresse pour goûter le quartier Saint-Jean-Baptiste à partir des tables près des grandes fenêtres.

FRANÇAIS

AUBERGE LOUIS-HÉBERT ★★★★
668, de la Grande-Allée E., Québec
Tél.: 418-525-7812
www.louishebert.com
SPÉCIALITÉS: Navarin de homard décortiqué, pâtes fraîches, beurre de homard. Foie gras de canard au torchon, brioche rôtie, huile de truffe. Pot-au-feu de fruits de mer. Suprême de canard rôti. Carré d'agneau rôti en croûte d'olives et parmesan. Trio de trois chocolats (crème glacée). Gâteau au fromage et sirop d'érable.
PRIX Midi: F. 18$ à 22$
Soir: C. 50$ à 68$ T.H. 30$ à 59$
OUVERT le midi, du lun. au ven. Le soir, 7 jours. Fin juin à mi-oct., le midi et le soir, 7 jours.
NOTE: T.H. midi changeant chaque jour, le menu aux quatre mois. Petit déjeuner en semaine l'été, 7h à 11h. Brunch fête des Mères et Pâques.
COMMENTAIRE: Une salle arrière au style moderne et épuré sert d'écrin à une cuisine classique dressée de manière plus contemporaine. La prestation générale s'avère plus constante que jamais. Au fil des ans, la cuisine du chef Hervé Toussaint ne perd ni sa grâce ni ce savoir-faire savoureux.

BISTRO B ★★★★
par François Blais
1144, av. Cartier, Québec
Tél.: 418-614-5444
www.bistrob.ca
SPÉCIALITÉS: Râble de lapin farci aux chanterelles. Risotto au goût du jour. Contrefilet de bœuf. Tartare au goût du jour. Ris de veau en croûte de maïs, gnocchi aux chanterelles. Tartare au goût du jour. Crème brûlée du jour.
PRIX Midi: F. 15$ à 22$
Soir: C. 42$ à 62$
OUVERT le midi, du lun. au ven. Le soir, 7 jours. Brunch dim.
NOTE: Cuisine ouverte, 18 places assises au comptoir devant celle-ci. Menu à l'ardoise. Terrasse pour l'apéro.
COMMENTAIRE: François Blais renouvelle son ardoise au quotidien (quelques choix d'entrées et plats bien ciblés) avec les produits de saison. Sa cuisine est goûteuse et inventive sans être inutilement complexe. Réservez au comptoir pour observer sa brigade à l'œuvre. Le menu du midi se veut une introduction. À signaler le brunch de la fin de semaine ainsi qu'un volet cocktails très inspiré.

BISTRO LA COHUE ★★★
3440, ch. des Quatre-Bourgeois, Sainte-Foy
Tél.: 418-659-1322
www.bistrolacohue.com
SPÉCIALITÉS: Tartare de cerf avec foie gras. Ris de veau, sauce crème Frangelico. Boudin noir à la crème de cognac, pommes sautées et endives. Bagdad café, praliné, ganache au chocolat blanc, montée à la Chantilly, aromatisée de café.
PRIX Midi: T.H. 16$ à 25$
Soir: C. 30$ à 64$ T.H. 35$ à 51$
OUVERT le midi et le soir, 7 jours. Brunch sam. et dim.
NOTE: Belle carte des vins. Choix de 25 vins au verre. Musique française. Groupe jazz sept. à juin sam. 18h à 21h30.
COMMENTAIRE: L'accueil chaleureux par les propriétaires de ce sympathique bistro se révèle une valeur ajoutée à une cuisine où les grillades (une mention spéciale pour les sauces) et les ris de veau se distinguent. Notez que la table d'hôte du midi, très étoffée, réserve de nombreuses surprises. Une salle à l'arrière permet les réunions.

CAFÉ DU MONDE ★★★
84, rue Dalhousie #140, Québec
Tél.: 418-692-4455
www.lecafedumonde.com
SPÉCIALITÉS: Souris d'agneau au romarin. Foie à l'anglaise. Pavé de saumon grillé, salsa de mangue et coriandre. Boudin noir aux pommes et cidre de glace. Confit de canard à la sarladaise laqué au porto. Crème brûlée vanille. Riz au lait, crème à l'érable.
PRIX Midi: F. 15,50$ à 24$
Soir: C. 32$ à 59$ T.H. 34$ à 48$
OUVERT le midi et le soir, 7 jours. Brunch sam. et dim.
NOTE: Suivant les arrivages, ardoise de poissons servis entiers. Carte des vins hebdomadaire, 60% d'importation privée, 150 étiquettes. Vin au verre et en demi-bouteille. Site exceptionnel, vue sur le fleuve.
COMMENTAIRE: Qui dit Café du Monde, dit plats classiques intouchables comme le boudin, le foie de veau et le confit de canard. Ces classiques s'arrosent d'une grande gamme de vins, du vin de soif aux crus classés. De nombreux festivals bonifient la carte régulière.

CHEZ MUFFY ★★★★[ER] (bistro)
Auberge Saint-Antoine
10, rue Saint-Antoine, Québec
Tél.: 418-692-1022
www.chezmuffy.com
SPÉCIALITÉS: Guedille au homard. Anguille fumée betteraves de notre jardin, vinaigrette à la rose sauvage. Éclade de moules québécoises. Tarte fine aux oignons cipollini. Longe de la Ferme de Berarc, rabioles glacées, jus balsamique de pomme et émulsion tagète. Millefeuille citron et sésame noir.
PRIX Midi: F. 29$ à 49$

Soir: C. 39$ à 96$
OUVERT le midi et le soir, 7 jours. Brunch dim.
NOTE: Situé dans un ancien entrepôt maritime sous un plafond cathédrale en poutres de bois. Menu «Laissez notre chef décider» 90$. Très beau cellier, choix de 700 étiquettes et plus de 12 000 bouteilles. Auberge Saint-Antoine avec exposition d'artefacts.
COMMENTAIRE: Panache est devenu Chez Muffy en référence au surnom de Martha Price, propriétaire. La table est maintenant plus bistronomique que gastronomique, mais toujours avec des produits locaux. Voici une table qui allie élégance, savoir-faire et terroir québécois. Les plats témoignent toujours d'une grande recherche sans pour autant négliger l'élément épicurien (portions plus généreuses, classiques revisités, etc.). Service très courtois. Cadre patrimonial d'exception alliant confort et modernisme. Salle à manger fraîchement rénovée.» À suivre.

CHEZ RIOUX ET PETTIGREW

Restaurant Le Quai 19 ★★★★
160, rue Saint-Paul, Québec
Tél.: 418-694-4448
www.chezriouxetpettigrew.com
SPÉCIALITÉS: Tartare de saumon du Nouveau-Brunswick, vinaigrette crémeuse à l'érable. Boudin noir et pétoncles des Îles de la Madeleine, purée de patates douces au miel et aux herbes. Risotto lié au fromage fin d'ici, fleur d'ail et trompettes de la mort, chanterelles du Québec. Crème brûlée au maïs, framboises du Québec, sphère de framboise.
PRIX Midi: F. 15$ à 19$
Soir: C. 44$ à 60$ T.H. 45$
OUVERT le midi et le soir, 7 jours. Brunch sam. et dim.
NOTE: Carte des vins, 90% d'importation privée.
COMMENTAIRE: Quai 19 a déménagé dans le local de l'ancien magasin général Chez Rioux et Pettigrew de la rue Saint-Paul. D'où le changement de nomenclature hommage. Il a su rapidement s'imposer dans le secteur du Vieux-Port comme une table locale, courte certes, mais dont l'équilibre dans les propositions (viandes, poissons, pâtes) rallie systématiquement tous les convives. Les présentations sont toujours aussi élégantes et travaillées sans perdre au change une forme de spontanéité. À noter que les entrées s'avèrent particulièrement inspirantes avec les huîtres et les tomates (en saison) traitées avec égard.

L'AFFAIRE EST KETCHUP

★★★ (bistro)
46, rue Saint-Joseph Est, Québec
Tél.: 418-529-9020
SPÉCIALITÉS: Poêlée de champignons sauvages. Pétoncles U10 poêlés, sauce vierge. Ris de veau, crème tartufata. Surlonge de bison de la ferme Takawana, purée de pommes de terre, sauce champignons. Brownie aux noix et au chocolat hyperfondant.
PRIX Midi: (fermé)
Soir: C. 37$ à 54$
OUVERT le soir, du mar. au dim. Fermé lun.
NOTE: Réserv. obligatoire. Produits du marché. Menu changeant tous les jours. Carte des vins d'importation privée à 100%, plusieurs vins biologiques. Bières de microbrasseries.
COMMENTAIRE: Spécialiste de la cuisine qui varie tous les jours sur l'ardoise. Une vraie adresse de cuisine du marché qui n'a pas perdu de sa pertinence ni de sa popularité. Les viandes braisées y sont excellentes et le prix des vins au verre est très raisonnable. Un petit bistro chaleureux où il faut impérativement réserver. Si la salle affiche complet, il est possible de réserver à Patente et Machin (82, rue Saint-Joseph Ouest), son «petit frère» ainsi qu'au Kraken Cru, restaurant de poissons et fruits de mer avec un bar à huîtres (190, rue Saint-Vallier Ouest), et Chez Fratelli, sandwichs et salades (1138, 3e Avenue), le dernier-né de ces bistros bien implantés dans les quartiers Saint-Roch et Saint-Sauveur.

LA GIROLLE ★★★

1384, ch. Sainte-Foy, Québec
Tél.: 418-527-4141
www.lagirolle.ca
SPÉCIALITÉS: Poêlée de fruits de mer. Boudin noir maison, caramel d'épices. Magret de canard aux petits fruits. Ris de veau braisés aux champignons sauvages. Crème brûlée aux saveurs variées. Gâteau au fromage.
PRIX Midi: F. 16$ à 26$
Soir: C. 35$ à 70$ F. 18$ à 40$
OUVERT le midi, du mar. au ven. Le soir, du mar. au dim. Fermé lun.
NOTE: Carte à l'ardoise variant suivant les produits de saison. Desserts 4$ à 7$. Assiette de fromages du Québec/2 pers. 11,50$.
COMMENTAIRE: Bien que la décoration soit d'une sobriété extrême et le service parfois expéditif le midi, La Girolle constitue une adresse fiable pour déguster une cuisine française classique mais très bien faite, où les sauces sont exquises. L'assiette est très généreuse et toujours brûlante.

LA PLANQUE ★★★★ (bistro)

1027, 3e Avenue, Québec
Tél.: 418-914-8780
www.laplanquerestaurant.com
SPÉCIALITÉS: Huîtres canadiennes. Foie gras Bénédictine, chutney de portobello et pommes Granny Smith, crumble aux épices. Ris de veau en croûte, gourganes de l'Ontario, poireaux et chou, beurre noisette, citron et câpres. Shortcake aux fraises.
PRIX Midi: F. 15$ à 19$
Soir: C. 45$ à 56$
OUVERT le midi, du mar. au ven. Le soir, du mar. au sam. Fermé dim. et lun.

NOTE: Soir, menu gastronomique au comptoir cuisine 60$, accord mets et vins 35$, 6 à 12 pers. max. sur réserv. Service de traiteur et de sommellerie à domicile. Salon privé pour 10 pers.
COMMENTAIRE: Un bistro urbain où le chef Olivier Godbout propose une cuisine a priori simple, fraîche et tonique orientée sur les saisons. Sa carte tourne régulièrement, ainsi que les garnitures toutes plus variées les unes que les autres. Une adresse qui combine qualité dans l'assiette et atmosphère décontractée et actuelle. Plus qu'une adresse tendance, La Planque démontre toujours le même sérieux et un bon niveau de créativité.

LAURIE-RAPHAËL ★★★★★
Restaurant Atelier Boutique
Restaurant de l'année Debeur 2005
117, rue Dalhousie, Vieux-Port, Québec
Tél.: 418-692-4555
www.laurieraphael.com
SPÉCIALITÉS: Ceviche de flétan, poivrons, marmelade de poivrons, radis et fenouil. Pince de homard, morilles et sauce Choron. Veau Piémontais, jus de viande au vinaigre balsamique, pâtes fraîches à la tomate, courgettes. Charbon d'érable et baba au rhum Chic Choc, fumé à la bardane.
PRIX Midi: T.H. 30$ à 50$
Soir: Menu 95$ à 145$
OUVERT le midi, jeu. et ven. Le soir, du mer. au sam. Fermé du dim. au mar.
NOTE: Menus saisonniers. Menus gastronomiques du soir 8 serv. 95$, accord des vins 55$ à 80$, 13 serv. 145$, accord des vins 80$ à 120$. Vins au verre. Brunch fête des Mères, Pâques. Près du Musée de la civilisation. Stationnement à l'arrière.
COMMENTAIRE: Daniel Vézina et son fils Raphaël forment une équipe d'une très grande complémentarité. Leur complicité teinte positivement la prestation d'une assiette toujours axée sur les saveurs franches, l'innovation et les produits ultra-respectés. À la carte se greffent des événements ponctuels, comme le menu cabane à sucre et le brunch de la chasse, valorisant les plus nobles produits québécois. Le service est toujours aussi prévenant et professionnel sans être guindé. Nouvelle salle et sièges limités pour favoriser une expérience gastronomique optimale.

LE BISTANGO ★★★★ (bistro)
Hôtel ALT Québec
1200, rue Germain-des-Prés, Sainte-Foy
Tél.: 418-658-8780
www.lebistango.com
SPÉCIALITÉS: Ris de veau, spaetzle, légumes grillés. Risotto au homard, pétoncles poêlés. Carré d'agneau au bleu et porto. Onglet de bison, frites de pommes de terre douces, ail, parmesan, gras de canard. Dôme au caramel. Fondant au chocolat.
PRIX Midi: F. 16$ à 23$
Soir: C. 35$ à 82$ T.H. 35$ à 45$
OUVERT le midi, du lun. au ven. Le soir, 7 jours. Brunch dim.
NOTE: Pâtes et pâtisseries maison. Bon choix de portos de réputation. Cellier réfrigéré 900 bouteilles.
COMMENTAIRE: Un décor contemporain et feutré met en valeur les cuisines respectives des chefs Sylvain Lambert et Annie Veillette qui cosignent une carte classique (tartares, ris de veau, carré d'agneau, etc.) sans être conventionnelle grâce à des garnitures foisonnantes. Service précis et alerte. Ont célébré leur 30 ans en 2017.

LE BOUCHON DU PIED BLEU
★★★ (bistro)
181, rue Saint-Vallier O., Québec
Tél.: 418-914-3554
www.piedbleu.com
SPÉCIALITÉS: Maquereau mariné, pommes de terre à l'huile. Cervelle de Canut. Tripes de bœuf panées à l'anglaise. Quenelle de poisson sauce Nantua. Tripes à la lyonnaise, sauce tomate. Boudin traditionnel, pommes sautées, beurre de pomme. Plateau de fromages québécois.
PRIX Midi: T.H. 16$ à 20$
Soir: C. 44$ à 52$ T.H. 45$ à 65$
OUVERT le midi, du mer. au ven. Le soir, du mer. au sam. Fermé lun. et mar. Brunch sam. et dim.
NOTE: Cuisine de bouchon lyonnais au Québec. Comptoir de charcuteries. Côtes-du-Rhône et beaujolais d'importation privée.
COMMENTAIRE: Ni plus ni moins qu'une référence à Québec pour déguster des abats selon les règles du bouchon lyonnais. À la carte, des cochonnailles, du foie gras, des tripes, de l'andouillette et un ragoût d'abattis, mais également des poissons et un plat végétarien pour ceux qui les préfèrent. Une table très prodigue, surtout si on opte pour le menu avec le défilé de saladiers, plats, desserts et fromages. Unique! L'établissement Le Renard et la Chouette (125, rue Saint-Vallier Ouest) fait également partie de la famille. Depuis peu, Émile Tremblay dirige la cuisine dans un esprit de continuité avec, en prime, sa spontanéité à l'assiette.

L'ÉCHAUDÉ ★★★★
73, rue Sault-au-Matelot, Québec
Tél.: 418-692-1299
www.echaude.com
SPÉCIALITÉS: Nage de poissons et mollusques au court-bouillon de homard. Bavette de bœuf grillée, beurre d'échalote. Risotto au homard. Boudin noir maison, cubes de pancetta, foie gras. Confit de canard, salade et frites allumettes. Tarte au chocolat, fondant au caramel.
PRIX Midi: T.H. 15$ à 22$
Soir: C. 37$ à 73$ F. 31$ à 47$
OUVERT le midi et le soir, 7 jours. Brunch sam. et dim.

NOTE: Achats locaux (viande). Carte des vins, 250 étiquettes. 25 choix de vins au verre. Bar.
COMMENTAIRE: Depuis 1984, L'Échaudé maintient le cap sur une cuisine fraîcheur qui concilie la tendance bistro (avec les tartares et grillades) et un volet de cuisine du marché plutôt recherché. Une adresse constante où l'on boit bien dans une atmosphère de grand bistro parisien. Sa salle ne vieillit pas. Une institution. Très agréable terrasse piétonnière en saison.

LE CLOCHER PENCHÉ

★★★★ (bistro)
203, rue Saint-Joseph E., Québec
Tél.: 418-640-0597
www.clocherpenche.ca
SPÉCIALITÉS: Tartare de saumon, émulsion au pamplemousse, concombre, daikon, salade de betterave et fenouil, croûton. Carré de porcelet de la ferme Turlo sauce à l'érable et curry. Canaille de bistro en cocotte de terre cuite, servie à la table. Fromage frais maison, faisselle au sirop d'érable.
PRIX Midi: F. 17$ à 20$
Soir: C. 38$ à 51$
OUVERT le midi, du mar. au dim. Le soir, du mar. au sam. Fermé lun. Brunch sam. et dim.
NOTE: Desserts maison. Belle carte de vins biologiques d'importation privée à 100%, 225 étiquettes. Ouvert sam. et dim. pour le brunch.
COMMENTAIRE: De plus en plus tourné vers la cuisine dite de réconfort, le Clocher penché apporte des notes contemporaines à la blanquette de veau, réinvente la cocotte à partager, tout en mettant les producteurs à l'avant-scène (Ferme Turlo, Ferme Eumatimi). Ce bistro est devenu au fil des ans une institution dans Saint-Roch et la prestation générale ne se dément pas. À noter que de plus en plus de plats végétariens bistronomiques sont inclus au menu du jour. Salé ou sucré, son fromage faisselle mérite la visite. Beau lieu de découvertes viticoles et superbe brunch.

LE GALOPIN ★★★★

3135, ch. Saint-Louis, Sainte-Foy
Tél.: 418-652-0991
www.restaurantgalopin.com
SPÉCIALITÉS: Tartares (thon, saumon, cerf et canard fumé ou bœuf). Ris de veau poêlés, jus aux lardons et bière rousse. Gigue de cerf, pommes de terre grillées à l'échalote et parmesan. Rôti d'entrecôte façon Rossini, sauce truffe et échalote. Fondant au chocolat, pop corn à la fleur de sel.
PRIX Midi: F. 20$ à 27$
Soir: C. 45$ à 68$ T.H. 38$ à 58$
OUVERT le midi, du dim. au ven. Le soir, 7 jours. Buffet-déjeuner dim.
NOTE: Le dim. buffet-dîner dès 11h, 20$. Menus dégustation 45$ à 65$, de 3 à 5 serv. Soir «menu plaisir à 2», à partir de 95$/2 pers., bouteille de vin incluse. Forfait pour repas et hébergement. Mets à emporter.
COMMENTAIRE: Le restaurant a été rénové. Le comptoir à tartares a disparu mais pas l'engouement pour eux, ils ont toujours la cote. Cuisine classique actualisée laissant une large place aux produits du Québec. Présentation très soignée, ambiance feutrée. Service professionnel et aimable.

LE SAINT-AMOUR ★★★★★[ER]

Restaurant de l'année Debeur 2011
48, rue Sainte-Ursule, Québec
Tél.: 418-694-0667
www.saint-amour.com
SPÉCIALITÉS: Bisque de homard coraillée et vanillée, cromesqui de crevettes nordiques à l'estragon. Poêlée chaude de foie gras, cake de betterave, micro pousses, opaline de pistache, réduction de jus de canard. Pétoncles des Îles de la Madeleine, flanc de porc de la ferme Turlo. Ris de veau et crevettes sauvages, gnocchis à la truffe. Pigeonneau, cuisse farcie et confite au foie gras, suprêmes rôtis, purée de légumes, jus de presse aux abats, pleurotes biologiques des Appalaches. Distinction de chocolat Valrhona.
PRIX Midi: T.H. 18$ à 33$
Soir: C. 79$ à 106$ T.H. 68$
OUVERT le midi, du lun. au ven. Le soir, 7 jours.
NOTE: Menu 4 serv. 70$. Menu dégustation 9 serv. 125$, accord des vins possible. Cave à vins, 13 000 bouteilles, 90% d'importation privée. Caviar de la Colombie-Britannique. Service de traiteur. Voiturier.
COMMENTAIRE: Établissement ouvert depuis 1978, où le foie gras est toujours l'un des produits privilégiés et où les meilleurs produits sont traités avec respect. Dans ce restaurant de haut calibre, un service extrêmement courtois contribue à l'expérience. Des chefs étrangers viennent ponctuellement présenter leurs spécialités, à l'invitation de Jean-Luc Boulay dont la réputation n'est plus à faire. De plus en plus, le chef introduit des produits tirés de la forêt boréale à ses menus. Carte des vins d'exception.

LES FRÈRES DE LA CÔTE

★★★ (bistro)
1129, rue Saint-Jean, Québec
Tél.: 418-692-5445
www.lesfreresdelacoteqc.com
SPÉCIALITÉS: Foie gras de canard, brioche grillée, gelée de Tariquet. Foie de veau à la paysanne. Croûtons de chèvre chaud. Pissaladière. Tartare de saumon. Bouillabaisse. Bavette de cheval, frites et salade. Verrine tarte à la lime des Keys. Profiteroles au chocolat.
PRIX Midi: F. 12$ à 19$
Soir: C. 25$ à 56$ T.H. 28$
OUVERT le midi et le soir, 7 jours. Brunch sam. et dim.
NOTE: Moules-frites à volonté dim. à jeu., en juil. et août. Pizzas pâte mince authentiques. Cellier vitré en salle. Très belle carte des vins d'importation privée à 20%.

COMMENTAIRE: Un rendez-vous dans le Vieux-Québec pour un repas gourmand dans le sens de l'abondance et de la générosité. On y sert toujours une cuisine de type bistro au sens littéral (parfois conventionnelle), mais qui fait mouche comme le gigot d'agneau. Un lieu animé et une équipe en salle très sympa. Le fait de déménager n'a pas altéré l'âme de ce bistro. Au contraire, l'adresse gagne en modernité. De quoi séduire une nouvelle clientèle.

LES SALES GOSSES ★★★★ (bistro)
620, rue Saint-Joseph E., Québec
Tél.: 418-522-5501
www.lessalesgosses.ca
SPÉCIALITÉS: Pieuvre grillée au Kalamansi, gelée de lime, fenouil, olives Kalamata, radis, feta. Boudin blanc de veau, parmesan et origan, roësti romarin et ail rôti. Tartare de saumon ou de bœuf, frites et salade. Ris de veau, sauce au foie gras. Glaces et sorbets maison.
PRIX Midi: F. 14$ à 28$
Soir: C. 43$ à 62$
OUVERT le midi, du lun. au ven. Le soir, du mar. au sam. Fermé dim.
NOTE: Menu dégustation «à l'aveugle» 6 serv. 60$, accord des vins 30$. Portes accordéons s'ouvrant sur la rue l'été. Cave à vin d'importation privée à 90%.
COMMENTAIRE: Les Sales Gosses, Patrick Simon et Jeff Pettigrew, conjuguent bistronomie et terroir au travers d'une carte qui tourne et valorise les produits de saison et les artisans locaux. On y trouve un bon choix de vins à prix doux, et la cuisine témoigne d'un souci d'amener plus loin le concept de bistro. Le service est décontracté, et l'adresse s'impose en véritable bistro de quartier, très prisé le midi. La décoration est épurée, et la clientèle aime cela.

PARIS GRILL ★★★ (bistro)
Complexe Jules-Dallaire
2820, bd Laurier, Québec
Tél.: 418-658-4415
www.parisgrill.com
SPÉCIALITÉS: Planche de charcuterie et fromages. Saumon fumé maison boucané à votre table. Tartare de magret de canard, pommes et canneberges. Poêlée de ris de veau aux pleurotes. Côtes levées de Paris Grill. Trio de crème brûlée. Tarte Tatin.
PRIX Midi: F. 14$ à 28$
Soir: C. 28$ à 60$ T.H. 29,95$
OUVERT le midi et le soir, 7 jours. Brunch sam. et dim.
NOTE: Grands crus de tartare (12 sortes). Grillades. Carte des vins 80 à 90% d'importation privée. Stationnement souterrain gratuit.
COMMENTAIRE: Une belle brasserie à l'ambiance parisienne où, avec quelques plats mijotés, les steaks frites et les tartares ont la vedette. Retenez la vaste sélection de vins au verre, le service professionnel et décontracté ainsi qu'une carte réjouissante de desserts.

RESTAURANT CHAMPLAIN ★★★★★
Fairmont le Château Frontenac
1, rue des Carrières, Québec
Tél.: 418-692-3861
www.cuisinechateau.com
SPÉCIALITÉS: Escalope de foie gras de Marieville. Pétoncles des Îles de la Madeleine. Longe d'agneau du Québec en croûte de pistaches. Morue d'Islande rôtie sur la peau. Patte de pieuvre confite et grillée aux agrumes. Filet de bœuf Île-du-Prince-Édouard, aligot de pommes de terre. Barre de crème brûlée pralinée.
PRIX Midi: (fermé)
Soir: C. 60$ à 97$
OUVERT le soir, du mar. au dim. Fermé lun. sauf en été. Juin à sept. 7 soirs.
NOTE: Plusieurs formules de table d'hôte à Champlain, certaines mettent à l'honneur des accords avec les vins. Expérience Modat: menu à l'aveugle, selon les arrivages du jour, 5 serv. 99$, accord des vins 70$. Cellier à fromages du Québec dans le Restaurant Champlain. Carte des vins, plus de 400 étiquettes. Verrière couverte.
COMMENTAIRE: D'origine française, le jeune chef Stéphane Modat préconise une cuisine sophistiquée qui allie produits locaux, tradition française et une conception moderne de la gastronomie québécoise. À Champlain, Modat a trouvé un espace pour exprimer sa créativité et sa compréhension des produits. Il sert une cuisine à la fois réfléchie et sensuelle. Quant au bistro évolutif, Le Sam, on y avance une carte plus légère dans un cadre moins formel avec son agréable bar à cocktails. Autre destination au sein de l'établissement, le bar 1608 combine une grande sélection de vins au verre, des assiettes de fromages et de charcuteries québécoises.

RESTAURANT INITIALE ★★★★★
54, rue Saint-Pierre, Québec
Tél.: 418-694-1818
www.restaurantinitiale.com
SPÉCIALITÉS: Crème de petits pois frais du Québec, jambon blanc maison, morilles du Québec. Thon rouge laqué à la diable, purée de fenouil et matsutakes du Québec, pancetta maison séchée. Longe de cerf lardée et rôtie, concassé de cèpes du Québec, sauce Grand Veneur, raisins et purée de courges. Étagé de chocolat praliné, ganache de chocolat, sorbet au chocolat.
PRIX Midi: T.H. 27$ à 33$
Soir: C. 95$ à 114$ T.H. 109$
OUVERT le midi, du mar. au ven. Le soir, du mar. au sam. Fermé dim. et lun.
NOTE: Menu dégustation midi 59$. Menu dégustation 8 serv. 159$, avec vins au verre + 139$.
COMMENTAIRE: Malgré la présence de grands chefs dans la région, Yvan Lebrun conserve un statut à part, celui d'orfèvre en cuisine. C'est probablement l'un des meilleurs

chefs au Québec. Il a été reconnu chef national de l'année SCCPQ 2017 par ses pairs. Sa table en est une de prestige, de la mise en bouche jusqu'au dessert. De l'art à l'assiette, et ce, toujours au service des produits les plus frais, rares et fins qui soient. Le service est d'une discrétion et d'un raffinement supérieurs. La salle est dirigée avec doigté et prévenance par Rolande Leclerc. L'atmosphère est relativement formelle.

RESTAURANT LE GRAFFITI ★★★★
1191, av. Cartier, Québec
Tél.: 418-529-4949
www.restaurantgraffiti.com
SPÉCIALITÉS: Popcorn de ris de veau émincé de chou chinois façon César. Feuilleté crevettes et pétoncles, beurre blanc aux épinards. Risotto de fruits de mer, crevettes, pétoncles géants, moules et palourdes. Ris de veau, pommes et calvados. Escalope de veau, cheveux d'ange et légumes. Tarte aux pommes, sauce à l'érable.
PRIX Midi: T.H. 16$ à 28$
Soir: C. 36$ à 77$ T.H. 38$ à 44$
OUVERT le midi, du lun. au ven. Le soir, 7 jours. Brunch dim.
NOTE: Restaurant ouvert sur la rue, belle verrière, vue sur la rue Cartier. Pâtisseries maison. Cave à vin 4 500 bouteilles, carte de vins 450 choix. Gagnant du Wine Spectator depuis 1990.
COMMENTAIRE: L'un des doyens de l'avenue Cartier, Le Graffiti demeure un classique, non dépourvu d'une volonté d'actualiser, sans la changer radicalement, sa cuisine intemporelle. Cave de réputation. Service courtois. Salons privés très intimes. Verrière toujours très convoitée par la clientèle. Décor moderne dans la salle à manger. Brunch à l'assiette de grande qualité le dimanche.

Restaurant SIMPLE SNACK SYMPATHIQUE ★★★ (bistro)
71, rue Saint-Paul, Québec
Tél.: 418-692-1991
www.restaurantsss.com
SPÉCIALITÉS: Tartare de saumon au sésame, avocat. Écrasé de boudin maison, pommes de terre à la moutarde, chutney de pommes vertes. Cuisse de canard confite, risotto au jus de betterave, fromage de chèvre, huile de noisette. Pot de fromage, espuma de caramel, crumble.
PRIX Midi: F. 15$ à 23$
Soir: C. 36$ à 62$
OUVERT le midi, du lun. au ven. Le soir, 7 jours.
NOTE: Très grand choix de vins d'importation privée (85%), large sélection de vins au verre. Aucune réserv. sur la terrasse.
COMMENTAIRE: Petite table du Toast!, SSS (Simple Snack Sympathique) offre une version simplifiée de la gastronomie du premier avec des tartares bien relevés et des grillades de bœuf Angus AAA. Bel endroit pour bien manger en famille ou entre amis.

RESTAURANT TOAST! ★★★★★
Hôtel Le Priori
17, rue Sault-au-Matelot, Québec
Tél.: 418-692-1334
www.restauranttoast.com
SPÉCIALITÉS. Vichyssoise de topinambour et pétoncle fumé maison, crevette sauvage pochée. Foie gras poêlé de la ferme du Canard goulu et flanc de porc confit croustillant, courge poivrée rôtie au four, canneberge au macis et érable, crème de lard et jus de volaille corsé. Chocophile Valhrona: bleuets du Québec mi-séchés, ganache lisse au chocolat au lait, crémeux Valhrona blanc, yaourt et caramel de bleuets translucide.
PRIX Midi: (fermé)
Soir: C. 57$ à 87$
OUVERT le soir, 7 jours.
NOTE: Carte des vins d'importation privée à 60%, avec de grandes appellations.
COMMENTAIRE: Toast! ne perd ni de sa pertinence ni de ses éclats d'ingéniosité dans l'assiette. À sa carte, des plats et des entrées qui tournent mais qui ont pour point commun d'avoir bâti la réputation de la maison au fil des ans. Crostini aux champignons frais (avec mozzarella di bufala), bloc de bison rôti du Québec, tarte aux champignons et poireau façon rösti de pomme de terre à l'ail noir... que de grands produits (dont bien sûr le foie gras du Canard Goulu) stimulent le chef Christian Lemelin. Excellent service très attentionné. Très belle terrasse chauffée et couverte dans une romantique cour intérieure.

GREC

LE MEZZÉ TAVERNA GRECQUE ★★★
95, ch. Sainte-Foy, Québec
Tél.: 418-692-5005
www.mezzetavernagrecque.com
SPÉCIALITÉS: Calmars farcis aux poivrons de Florina et fromage manouri. Poisson frais grillé. Pieuvre grillée, lit d'oignons rouges, réduction de balsamique. Moussaka, gratin d'aubergines à l'agneau. Gâteau au fromage feta et trilogie de figues.
PRIX Midi: F. 14$ à 20$
Soir: C. 28$ à 48$
OUVERT le midi, du mar. au ven. Le soir, du mar. au dim. Fermé lun.
NOTE: Réserv. conseillée. Repas à emporter. Arrivage régulier de poissons frais. Fromages importés de Grèce. Carte des vins 100% d'importation privée. Alcools exclusivement grecs.
COMMENTAIRE: Le Mezzé a déménagé. Il quitte le Vieux-Québec pour revenir s'installer dans le quartier où le père du propriétaire avait un café grec autrefois. Il sert toujours de l'authentique cuisine grecque familiale avec

plusieurs produits (côtelettes d'agneau, pieuvre, crevettes, etc.). Tout est préparé à la minute comme dans les restaurants de bord de mer. Les calmars farcis sont extrêmement bien faits. La salle, plus grande, permet d'accueillir davantage de clients. Les propriétaires sont très avenants et savent bien conseiller les clients. Ils ont ajouté une petite épicerie où on peut se procurer des huiles d'olive, du feta en baril, du miel, et d'autres produits typiquement grecs.

INTERNATIONAL ET MÉTISSÉ

LE 47e PARALLÈLE ★★★

333, rue Jacques-Parizeau, Québec
Tél.: 418-692-4747
www.le47.com
SPÉCIALITÉS: Pieuvre braisée vin rouge et lardons, cassolette de haricots lingots à la tomate. Tartare de saumon et crevettes nordiques, pesto de coriandre, pistaches, piment jalapeños. Foie gras poêlé sur pain brioché, ketchup aux fruits maison. Crème brûlée maison à la pêche et fruits à coque, crumble miel, biscuit financier.
PRIX Midi: F. 16$ à 22$
Soir: C. 46$ à 68$
OUVERT le midi, du mar. au ven. Le soir, du mar. au sam. Fermé dim. et lun.
NOTE: Service de traiteur. Ouvert depuis 1996. Stationnement gratuit tous les soirs.
COMMENTAIRE: Le 47e Parallèle fait face au Grand Théâtre, sa salle est design et moderne, sa terrasse très belle. Maintenant plus éclectique que mondialiste, il tire davantage son épingle du jeu. Moins éparpillée, plus cohérente, la carte s'articule autour de produits nobles tels que le flétan et la pintade. Ce sont les garnitures, par exemple les dattes et les épices avec la volaille, qui soulignent les influences des cuisines d'ailleurs. Très bons tartares.

LE CENDRILLON ★★★★

1039, 3e Avenue, Québec
Tél.: 418-914-9838
www.lecendrillonrestaurant.com
SPÉCIALITÉS: Demi-caille grillée. Calmar grillé au charbon. Ris de veau poêlés, polenta frite, sauté de champignons, chorizo maison, sauge et sauce Albufera. Porchetta maison poêlée, sauce suprême au vin blanc, mouillette. Flétan de la Gaspésie. Pavlova aux fruits de saison.
PRIX Midi: (fermé)
Soir: C. 26$ à 40$
OUVERT le soir, du mar. au dim. Fermé lun.
NOTE: Buffet à huîtres, charcuteries maison. Sashimis de poisson d'arrivage. Carte des vins du Québec et du Canada.
COMMENTAIRE: En plus des plateaux à partager, Le Cendrillon mise sur la formule entrées chaudes et froides travaillées à la manière d'un plat avec un foisonnement de garnitures. La porchetta maison en duo avec un fromage du Québec ainsi que le risotto à la moelle et aux crevettes de roche s'illustrent comme des incontournables de la jeune adresse, où il fait bon commander deux ou trois de ces petits plats de pur bonheur. Carte de cocktails allumée et décor brut et chaleureux très rassembleur.

LE COSMOS CAFÉ ★★

575, Grande-Allée E., Québec
Tél.: 418-640-0606
www.lecosmos.com
SPÉCIALITÉS: Salade asiatique, crevettes tigrées, poulet mariné frit, rouleaux impériaux. Tartare de thon ou de crevettes. Duo de filet mignon AAA et de côtes levées. Cuisse de canard confite. Burger Highland, cheddar mi-fort, bacon, oignons frits, champignons sautés. Crémeux de trois chocolats belges. Rouleaux de Toscane.
PRIX Midi: F. 11$ à 34$
Soir: C. 21$ à 61$
OUVERT le midi et le soir, 7 jours.
COMMENTAIRE: Le Cosmos accueille une clientèle qui aime les atmosphères branchées. La carte est diversifiée (grillades d'inspiration asiatique, pâtes, burgers, pizzas, sandwichs, etc.) et les petits déjeuners sont l'une des forces de ce resto-bar tendance. Au Cosmos de Québec, Sainte-Foy et Lévis s'est joint récemment un Cosmos dans le secteur Lebourgneuf. Avec son décor ludique, ce dernier obtient la faveur des enfants.

LE MOINE ÉCHANSON ★★★[ER] (bistro)

585, rue Saint-Jean, Québec
Tél.: 418-524-7832
www.lemoineechanson.com
SPÉCIALITÉS: Accras de morue. Huîtres fraîches. Rillettes de sardines et chorizo. Os à moelle, magret de canard, foie de lotte, œufs de mulet. Caillette braisée, légumes racines. Gâteau aux panais et cannelle. Churros à l'écorce d'orange et amandes.
PRIX Midi: (fermé)
Soir: C. 33$ à 48$
OUVERT le soir, 7 jours.
NOTE: Brouet commun 8$. Chaque saison, une région vinicole est à l'honneur dans le verre et dans l'assiette. Carte des vins natures d'importation privée à 100%. Huîtres en saison. Menu apéro et fin de soirée.
COMMENTAIRE: Découvertes viticoles des grands terroirs du monde et cuisines régionales sont ici indissociables. Bien sûr, les cochonnailles occupent un large pan de la carte, mais au fil des ans plus de poissons et de fruits de mer, ainsi que certains mets moins carnés, ont été introduits à l'ardoise saisonnière. Excellent service-conseil sur les vins.

LE MONASTÈRE DES AUGUSTINES
★★★
77, rue des Remparts, Québec
Tél.: 418-694-1639
www.monastere.ca
SPÉCIALITÉS: Chili végétarien au tofu, courge spaghetti aux herbes, verdurette et graines de tournesol. Joue de bœuf braisée, sauce canneberge et oignons doux, purée de carottes, légumes rôtis. Supreme de poulet grillé au curry, épinards, edamames, carottes, vinaigrette coco-lime. Truite saumonée laquée à l'érable et tamarin, salade croquante de kale, chou rouge et fèves germées.
PRIX Midi: Buffet 25,30$
Soir: Idem
OUVERT le midi et le soir, 7 jours.
NOTE: Produits locaux et saisonniers, biologiques en majorité. Petit déjeuner en silence. Tisanes historiques des plantes des Augustines. «Composez votre assiette». Le soir, sur réserv.
COMMENTAIRE: Le restaurant du monastère élève la cuisine végétarienne, crue ou non, à un niveau gastronomique. En plus des légumes biologiques et des pousses cultivées sur place, la carte qui évolue au rythme des saisons et des arrivages locaux s'additionne de quelques viandes triées sur le volet et de poissons, tous apprêtés avec inspiration et créativité. À noter la sélection de vins québécois et de tisanes et infusions concoctées à partir de recettes ancestrales des Augustines.

MONTEGO RESTO CLUB ★★★
1460, rue Maguire, Sillery
Tél.: 418-688-7991
www.montegoclub.com
SPÉCIALITÉS: Risotto au homard. Bar noir du Chili, poivron grillé. Tataki de thon, vinaigrette aux 5 épices. Côte de veau de lait Charlevoix, tapenade d'olives noires calamata et romarin, risotto forestier. Beignets maison, coulis de caramel à l'érable.
PRIX Midi: T.H. 15$ à 31$
Soir: C. 30$ à 73$ T.H. 37$ à 50$
OUVERT le midi, du lun. au ven. Le soir, 7 jours. Brunch dim.
NOTE: Musiciens mer. à sam. soir dès 19h. DJ, jeu. à sam. 21h à 1h du mat. Cave à vin plus de 2 000 bouteilles. On peut réserver le chef pour un menu sur mesure, à partir de 47$, 25 à 80 pers., et aussi le salon à l'étage avec le chef qui cuisine devant nous.
COMMENTAIRE: Un restaurant qui obtient toujours la cote parmi ceux qui recherchent une atmosphère festive et un menu varié. Plusieurs dégustations sous forme de déclinaisons (saumon, bœuf, etc.), les assiettes sont copieuses et colorées. Les pâtes sont préparées en demi-portions et le veau y est très bien apprêté. Salons intimes pour les groupes.

ITALIEN

BATTUTO ★★★★

527, bd Langelier, Québec
Tél.: 418-614-4414
SPÉCIALITÉS: Foccacia. Arrancinis à la mayo safranée. Pâtes sauce Ragu à l'agneau et vin rouge. Raviolis beurre blanc à la courge et à la sauge. Gâteau à la polenta sur crème anglaise au romarin. Tiramisu.
PRIX Midi: (fermé)
Soir: C. 13$ à 48$
OUVERT le soir, du mar. au sam. Fermé dim. et lun.
COMMENTAIRE: Le chef Guillaume St-Pierre vient d'ouvrir, avec deux partenaires talentueux, ce nouveau petit restaurant situé dans le quartier Saint-Roch. Un must à ajouter dans notre carnet d'adresses. C'est de l'excellente cuisine italienne comme en Italie. Tout est fait maison, authentique et très bien apprêté. Les charcuteries sont fondantes, la focaccia soufflée à souhait et moelleuse et le service des plus gentils et précis. Comme il n'y a qu'une vingtaine de places, il faut réserver avant de pouvoir s'y attabler.

BELLO RISTORANTE ★★★
73, rue Saint-Louis, Québec
Tél.: 418-694-0030
www.belloristorante.com
SPÉCIALITÉS: Antipasto. Pizza au four à bois. Risotto, canard confit, foie gras torchon, oignons caramélisés. Linguine à l'encre de seiche, pétoncles, palourdes, crevettes, vin blanc, bisque, crème. Pizza dessert à la pomme caramélisée au calvados. Tiramisu.
PRIX Midi: F. 16$ à 21$
Soir: C. 37$ à 81$
OUVERT le midi et le soir, 7 jours.
NOTE: Ardoise du chef le soir. 15 choix de risottos. Carte des vins, 70% d'importation privée, 100 étiquettes. Magnifique verrière, très belle vue sur l'église. Salon privé (16 pers.). Service de voiturier gratuit.
COMMENTAIRE: Il Bello rajeunit le secteur de la rue Saint-Louis avec une restauration italienne à la mode sans que ce ne le soit au détriment de la qualité. Les pâtes très variées et gourmandes, comme le spaghetti au canard et foie gras au torchon, sont servies en deux formats. La carte de risottos est l'un des éléments forts du menu en raison de l'originalité des combinaisons d'ingrédients, dont le trio morue poêlée, pois verts et mascarpone. Belle terrasse à l'arrière. Personnel courtois.

CICCIO CAFÉ ★★★
875, rue Claire-Fontaine, Québec
Tél.: 418-525-6161
www.cicciocafe.com
SPÉCIALITÉS: Linguini alle vongole (pâtes et palourdes). Tartares de truite fumée, de bœuf, de saumon. Escalope de veau, champignons, pancetta. Tortellini au gorgonzola et pesto de

tomates séchées. Osso buco à la milanaise. Tiramisu au café. Crème brûlée à l'orange.
PRIX Midi: T.H. 14$ à 23$
Soir: C. 23$ à 48$ T.H. 27$ à 39$
OUVERT le midi, du mar. au ven. Le soir, du mar. au dim. Fermé lun.
NOTE: Musique d'ambiance et téléviseurs.
COMMENTAIRE: Excellentes pâtes et veau de lait. Très populaire pour dîner avant ou après le spectacle. Service attentionné. Décor moderne agréable, murs de pierres, miroirs, grandes baies vitrées. Depuis plus de 28 ans, un restaurant qui pratique toujours une politique de prix abordables au grand plaisir d'une clientèle fidèle. Les propriétaires Rosetta Cuglietta et le chef Bruce Davies sont toujours aussi accueillants.

RISTORANTE IL MATTO ★★★

850, av. Myrand, Sainte-Foy
Tél.: 418-527-9444
www.ilmatto.ca
SPÉCIALITÉS: Salade Rucola, prosciutto et copeaux de parmesan. Papardelles aux champignons sauvages à l'huile de truffe. Cannoli à la sicilienne. Agnelotti farcis avec veau et épinards, sauce à la crème, prosciutto, champignons, pesto. Bomba (beignet frit au chocolat). Tiramisu.
PRIX Midi: F. 14$ à 19$
Soir: C. 40$ à 69$
OUVERT le midi, du lun. au ven. Le soir, 7 jours.
COMMENTAIRE: Une adresse à la mode très conviviale. La carte est courte, mais recèle des recettes familiales réconfortantes, dont les aubergines parmigiana et d'excellentes pâtes aux champignons. Un très bon rapport qualité-prix. Le second établissement Il Matto, qui a ouvert dans le Vieux-Port il y a 6 ans, propose un cadre BDBG et design au cœur de l'Hôtel 71 au 71, rue Saint-Pierre.

RISTORANTE IL TEATRO ★★★

Le resto du Capitole
972, rue Saint-Jean, Québec
Tél.: 418-694-9996
www.lecapitole.com
SPÉCIALITÉS: Pétoncles rôtis tièdes, sauce miel et moutarde, tomates, basilic. Raviolis farci de canard, sauce beurre et parmesan. Côte de veau grillée, sauce à la crème de cèpes, gratinée de fromage brie. Tendre de veau aux poires, gorgonzola, noix de pin, gratin dauphinois, légumes, ail confit. Tarte aux fruits des bois, crème pâtissière.
PRIX Midi: T.H. 17$ à 22$
Soir: C. 40$ à 95$ T.H. 32$ à 55$
OUVERT le midi et le soir, 7 jours. Brunch sam. et dim.
NOTE: Assiette 7$ à 16$ au déjeuner. Assiette de fromages 15$. 24 choix de pâtes. Pâtes sans gluten. Menu santé, midi 17$. Salle de spectacle. Service de voiturier gratuit en tout temps.
COMMENTAIRE: Une belle table pour déguster les pâtes et les risottos. Grande sélection d'entrées authentiquement italiennes, ainsi qu'un très bon carpaccio. Superbe terrasse avec vue sur la place d'Youville, où il faut réserver. En plus de la grande sélection de pâtes et de veau (dont l'escalope alla milanese), on y trouve des tartares sans fioritures inutiles et des planches à partager à l'apéro.

RISTORANTE MICHELANGELO ★★★★[ER]

3111, ch. Saint-Louis, Sainte-Foy
Tél.: 418-651-6262
www.lemichelangelo.com
SPÉCIALITÉS: Assiette de fruits de mer. Carpaccio de bœuf au basilic. Spaghetti dans la meule de parmesan, sauce tomate et cognac (préparée à votre table). Foie gras poêlé, lentilles, pain brioché. Saisie de ris de veau au porto, risotto au homard. Côte de veau grillée. Glaces maison. Mi-cuit au chocolat.
PRIX Midi: T.H. 20$ à 32$
Soir: C. 44$ à 79$ T.H. 32$ à 46$
OUVERT le midi, du lun. au ven. Le soir, du lun. au sam. Fermé dim.
NOTE: Pâtes maison. Souper dans la cave. Beau choix de vins italiens. Visite de la cave à vin et de ses grands crus, 30 000 bouteilles. Terrasse pour l'apéritif. 4 salons privés (8 à 25 pers.). Brunch gastronomique pour Pâques 60$, fête des Mères 64$.
COMMENTAIRE: Une belle cuisine italienne très classique, notamment de succulentes pâtes fraîches. Décor design et service stylé, salons privés luxueux, très beaux celliers dans plusieurs salons. Nombreux espaces pour les réceptions intimes.

SAVINI ★★★

680, Grande-Allée E., Québec
Tél.: 418-647-4747
www.savini.ca
SPÉCIALITÉS: Fondue de parmesan. Tartare de saumon. Risotto aux fruits de mer. Fettucine au canard confit. Chili bœuf et lentilles, sauce au fromage et aux jalapeños, boulette de viande aux oignons caramélisés, pain brioché et chips de maïs. Pizza au four à bois. Le thon (tartare ou tataki). Tiramisu. Tarte au citron.
PRIX Midi: T.H. 16$ à 21$
Soir: C. 36$ à 82$
OUVERT le midi et le soir, 7 jours.
NOTE: Pâtes fraîches maison. Table du chef dans le cellier. Petit menu jeu. à sam. 23h30 à 1h du mat. Service de valet. DJ 7 jours à partir de 21h. Acrobate ven. et sam. 22h à 23h. 5 à 7 animés. Plus de 50 vins au verre, 600 vins différents. Prix d'excellence Wine Spectator.
COMMENTAIRE: Une adresse à la mode qui ne néglige pas sa carte composée de classiques de la cuisine italienne (pizzas, veau, pâtes) correctement exécutés et arrosés d'une sélection appréciable de vins au verre. Atmosphère très festive, beaucoup d'activités.

JAPONAIS

ENZO SUSHI ★★★
150, bd René-Lévesque E., Québec
Tél.: 418-649-1688
www.sushi-enzo.com
SPÉCIALITÉS: Bar noir chilien poêlé en cuisson lente. Oyshi (galette de riz frit tempura) Ryu (thon grillé, saumon tempura, patates douces). Mignon Bifu (6 oz AAA, réduction sauce porto). Geisha (sushis makis). Bouquet Enzo (sashimis). Dessert Enzo (crème glacée frite tempura).
PRIX Midi: F. 15$ à 45$
Soir: C. 25$ à 62$ F. 35$ à 45$
OUVERT le midi, du lun. au ven. Le soir, 7 jours.
NOTE: Menu dégustation 2 pers. 4 serv. 70$, 5 serv. 85$. Grande sélection de vins, plus de 50% d'importation privée.
COMMENTAIRE: Un restaurant au décor zen et épuré. Nous vous conseillons d'opter pour les spécialités du chef qui n'apparaissent pas à la carte, parmi lesquelles plusieurs makis nappés de sauce ou en chaud-froid. À noter que les présentations sont visuellement très soignées et appétissantes. Les plats chauds sont à la hauteur des sushis. Une adresse idéale pour s'initier aux bouchées nippones. Les puristes préféreront le minimalisme des sashimis.

MÉTROPOLITAIN
Eddie sushi bar ★★★★
1188, av. Cartier, Québec
Tél.: 418-649-1096
www.eddiessushi.com
SPÉCIALITÉS: Dumplings au porc, crevettes et légumes tempura. Sushis. Tartares de thon, de pétoncles et de saumon. Sauté de fruits de mer Teppanyaki. Saumon à la moutarde. Filet mignon Angus AAA sur plat chaud. Gâteau royal (frit dans tempura, farci de sorbet aux fruits des champs).
PRIX Midi: F. 15$ à 25$
Soir: C. 25$ à 64$ T.H. 35$ à 42$
OUVERT le midi et le soir, 7 jours.
NOTE: Décor suivant les règles du feng-shui. Love boat à partager, spécialités du chef. Carte de vins et sakés 80% d'importation privée.
COMMENTAIRE: Une référence en matière de sushis pour la grande fraîcheur des poissons, l'inventivité et la présentation soignée. Atmosphère zen. Plusieurs plats chauds à la carte. On peut aussi passer une commande à emporter chez soi.

RESTAURANT HOSAKA-YA ★★★
491, 3e Avenue (Limoilou), Québec
Tél.: 418-529-9993
www.hosaka-ya.com
SPÉCIALITÉS: Tako nanami (salade de pieuvre). Œufs de caille à la sauce soya (uzura tamago). Végé-dong: légumes de saison, tofu mariné. Sushis. Ailes de caille marinées. Karaage (poulet frit mariné à la japonaise). Crème glacée maison (sauce soya, wasabi, etc.). Dorayaki (crêpe).
PRIX Midi: T.H. 15$ à 17,50$
Soir: C. 18$ à 48$
OUVERT le midi, du mar. au ven. Le soir, du mar. au dim. Fermé lun.
NOTE: Cuisine familiale japonaise. Boîtes à bento le midi. Tsumami: petites bouchées japonaises, style tapas. Menu à l'ardoise changeant chaque mois. Sushi bar, ardoise sushis maison. 3 sakés, 3 vins du moment, 1 cidre.
COMMENTAIRE: Voici l'unique taverne japonaise à Québec. À l'adresse de Limoilou sont servis des tsumamis, ces «tapas» nippons, ainsi que d'excellents tartares, dont celui au thon blanc, et une variété enviable de sushis. Un autre restaurant, le Hosaka-Ya Ramen a ouvert au 75, rue Saint-Joseph. Dans Saint-Roch, les nouilles repas remplacent les sushis. C'est copieux et authentique. Dans les deux cas, l'accueil est charmant et le service efficace.

MEXICAIN

SEÑOR SOMBRERO ★★★
732, av. Royale, Beauport
Tél.: 418-666-5555
www.senorsombrero.com
SPÉCIALITÉS MEXICAINES: Tacos pastor (porc mariné avec ananas). Tacos de Cochinita (Maya). Enchiladas (tortillas de maïs roulées avec poitrine de poulet, sauce fromage, coriandre, oignon, crème sure, fromage gratiné). Churros. Bunuelo (crêpe croustillante, caramel, cannelle, vanille).
PRIX Midi: T.H. 10$ à 15$
Soir: C. 26$ à 45$ T.H. 32$
OUVERT le midi, du mar. au ven. Le soir, du mar. au dim. Fermé lun. Été: ouvert sam. midi.
NOTE: Assiette dégustation Señor Sombrero 18$. Assiette Taco loco 17$ à 20$. Plats inspirés d'une région mexicaine différente chaque fois. Service traiteur et épicerie avec produits mexicains. Service au comptoir et livraison. Bière mexicaine ou vin avec T.H. du soir. Mezcal. Carte de tequila. Internet sans fil. Musiciens fin de semaine 18h à 21h.
COMMENTAIRE: Resto typiquement mexicain installé dans une maison ancestrale rénovée que pilote toujours le chef propriétaire Hugo Rosas. Plat en vedette chaque jour. Le ceviche de crevettes vif et frais est à retenir particulièrement. Copieux, pas cher et savoureux.

QUÉBÉCOIS

AVIS

Une cuisine ne se définit pas seulement par l'utilisation des produits régionaux ni par la nationalité des gens qui la font. C'est avant tout la façon dont on travaille les produits (dans les recettes) et la manière dont on les mange. Et ce sont uniquement ces deux points qui sont culturellement défendables. Selon nous, la cuisine québécoise doit tirer ses sources dans les recettes de nos grands-mères, des recettes qu'on ne trouve plus aujourd'hui que dans les familles et les cabanes à sucre. Il n'y a que les grands chefs qui sont capables d'élever cette tradition culinaire actuellement encore rustique, voire folklorique selon certains, au niveau de la grande et fine cuisine.

AUX ANCIENS CANADIENS ★★★

34, rue Saint-Louis, Québec
Tél.: 418-692-1627
www.auxancienscanadiens.qc.ca
SPÉCIALITÉS: Fondue parmesan au bison fumé. Assiette québécoise (tourtière, ragoût de boulettes, grillades de lard salé, fèves au lard). Coureur des bois, tourtière du Lac-Saint-Jean au gibier, mijoté de bison et faisan. Aiguillettes de canard grillées, réduction à l'érable. Trois mignons (filet de cerf, wapiti, bison), sauce poivre rose. Tarte au sirop d'érable. Gâteau fromage et pommes caramélisées. Crème brûlée à l'érable.
PRIX Midi: T.H. 20$ à 68$
Soir: C. 53$ à 108$ T.H. 20$ à 59$
OUVERT le midi et le soir, 7 jours.
NOTE: Verre de vin ou bière compris dans T.H. du midi et du soir. Prix d'excellence Wine Spectator 2011, 2012 et 2014. Ouvert depuis 1966.
COMMENTAIRE: La plus vieille maison d'époque de la province, la Maison Jacquet 1675. Décor d'autrefois assuré: murs épais, beaux lambrissages, placards encastrés dans les murs. Un des derniers restaurants où l'on peut savourer une cuisine québécoise traditionnelle. Offre également sur sa carte une fine cuisine française. Un peu cher, mais portions généreuses.

LA BÛCHE ★★

49, rue Saint-Louis, Québec
Tél.: 418-694-7272
www.restolabuche.com
SPÉCIALITÉS: Pâté chinois. Jambon à la bière. Tourtière. Ailes de lapin. Foie gras poêlé et pouding chômeur au bacon. Boudin noir avec sauce aux pommes caramélisées à l'érable. Bavette de bison Première Nation, sauce kalibu aux champignons et bacon fumé. Sucre à crème.
PRIX Midi: T.H. 16$ à 22$
Soir: C. 28$ à 65$
OUVERT le midi et le soir, 7 jours. Brunch sam. et dim.
NOTE: Réservation préférable. Valet de stationnement gratuit.
COMMENTAIRE: La Bûche, véritable cabane à sucre urbaine, met au menu (toute l'année) les classiques d'une cuisine familiale du temps des sucres, apprêtée avec authenticité et une touche d'originalité. Exquise tarte au sucre et des marinades maison façon «grand-maman». Une adresse tout indiquée pour célébrer notre patrimoine culinaire en groupe.

RESTAURANT LÀ LÀ ★★★

303, rue Saint-Paul, Québec
Tél.: 418-802-4703
www.lala.quebec/
SPÉCIALITÉS DU LAC SAINT-JEAN: Soupe aux gourganes. Tourtière du Lac Saint-Jean. Tartare de truite aux bleuets, aulne crispée, légumes croquants. Saumon fumé, salade de concombre aux herbes. Foie gras. Tarte aux bleuets du Lac Saint-Jean.
PRIX Midi: F. 12$ à 20$
Soir: C. 29$ à 60$
OUVERT le midi, du mar. au ven. Le soir, du mar. au dim. Fermé lun.
NOTE: On peut déguster des bières de microbrasseries du Lac Saint-Jean telles que La Tour à Bières de Chicoutimi, La Chouape de Saint-Félicien, la Microbrasserie du Lac de Saint-Gédéon et l'Hopéra de Jonquière, ainsi que quelques vins du Saguenay.
COMMENTAIRE: Cet établissement est un «véritable hommage à la cuisine du Saguenay – Lac-St-Jean au cœur du Vieux-Port de Québec. Que ce soit pour le charmant accent de ses habitants, leur façon chaleureuse d'accueillir les visiteurs ou encore leur manière bien à eux de cuisiner des plats réconfortants, tout le monde aime le Saguenay-Lac-Saint-Jean!» (Équipe Brouillard). Dès l'entrée on est accueilli avec beaucoup de gentillesse dans un cadre agréable avec quelques antiquités qui

rappellent un Québec rustique d'antan des plus réconfortants. La musique traditionnelle québécoise ajoute à l'ambiance festive. Quant à l'assiette, elle est des plus traditionnelles et aux saveurs du Lac Saint-Jean bien sûr. Un dépaysement garanti!

SUISSE

LA GROLLA ★★★
815, Côte d'Abraham, Québec
Tél.: 418-529-8107
www.restaurantlagrolla.com
SPÉCIALITÉS: Raclette au fromage. Tartiflette, pommes de terre avec fromage et bacon. Fondues au fromage, bourguignonne, chinoise et aux fruits de mer. Raclette valaisanne. Pierrade de fruits de mer ou de filet mignon AAA flambé au cognac. Café flambé La Grolla. Fondue dessert (chocolat et érable).
PRIX Midi: (fermé)
Soir: C. 24$ à 68$ T.H. 33$ à 42$
OUVERT le midi et le soir, 7 jours.
NOTE: Grand choix de fondues au fromage et pains de boulangerie artisanale. Foyer. Ambiance suisse. Réserv. recommandée.
COMMENTAIRE: De très bonnes fondues au fromage. L'ambiance et le décor rustique font penser à un petit chalet des Alpes suisses. Petit et intime avec foyer pour se chauffer en hiver.

RESTAURANTS DE LA RÉGION DE QUÉBEC

ARCHIBALD ★★ cont
Microbrasserie et restaurant
1021, bd du Lac, Lac Beauport
Tél.: 418-841-2224 et 1-877-841-2224
www.archibaldmicrobrasserie.ca
SPÉCIALITÉS CONTINENTALES: Bavette de bœuf à la bière Chipie. Saumon fumé de notre fumoir. Tartare aux deux saumons. Burger Archibald, bœuf Highland, bacon, cheddar, laitue, tomates, sauce Archibald. Steak frites. Crème glacée frite. Brownie.
PRIX Midi: T.H. 14$ à 18$
Soir: C. 29$ à 60$
OUVERT le midi et le soir, 7 jours.
NOTE: 11 bières brassées sur place. Bières saisonnières. Ouverture prolongée selon l'achalandage (sans cuisine).
COMMENTAIRE: Située dans un très beau chalet en bois rond, la microbrasserie de Lac-Beauport brasse une variété de bières sur place. Son menu se compose de grillades et de plats revisités à la mode asiatique. Bel endroit pour l'après-ski ou l'heure du digestif. L'une des belles terrasses de Québec. Second restaurant au 1240, autoroute Duplessis, à Sainte-Foy. À ceux-ci se joignent les Archibald à Trois-Rivières et Montréal.

AUBERGE BAKER ★★★ qué
8790, av. Royal, Château Richer
Tél.: 418-824-4478 et 1-866-824-4478
www.aubergebaker.com
SPÉCIALITÉS INTERNATIONALES ET QUÉBÉCOISES: Trio québécois (boudin noir, pâté à la viande, ragoût de boulettes de porc). Cuisse d'oie confite, façon Wellington. Migneron de Charlevoix en croûte, sauce à l'érable. Tartelette fine aux pommes, crème glacée au miel. Tarte au sucre.
PRIX Midi: F. 14,95$ T.H. 14$ à 18$
Soir: C. 35$ à 69$ T.H. 40$ à 59$
OUVERT le midi et le soir, 7 jours. Brunch dim. Nov., ouvert du jeu. au dim. seulement.
NOTE: Fumoir maison. Menu dégustation 9 serv. 145$/2 pers. incluant un verre de porto/pers.
COMMENTAIRE: Le chef fait une cuisine québécoise traditionnelle et une cuisine plus créative. Bien située sur la côte de Beaupré, cette auberge est établie depuis 1930 dans une belle maison de ferme datant de 1840. Elle abrite sept chambres, dont cinq d'époque bien restaurées, meublées d'antiquités, et deux modernes (studio et chalet).

AUBERGE DES GLACIS ★★★★ fra
40, route de la Tortue, Saint-Eugène-de-L'Islet
Tél.: 418-247-7486 et 1-877-245-2247
www.aubergedesglacis.com
SPÉCIALITÉS FRANÇAISES: Matelote à l'esturgeon de la Côte-du-Sud. Agneau braisé de Saint-Jean-Port Joli. Escalope de foie gras poêlée, sauce au Chocolats Favoris. Quenelles lyonnaises (volaille, veau ou brochet). Crème brûlée au thé Kusmi.
PRIX Midi: (fermé)
Soir: T.H. 54$ à 89$
OUVERT le soir, 7 jours. Brunch sam. et dim.
NOTE: Réserv. fortement conseillée. On doit passer sa commande avant 20h. Auberge de 16 chambres, dont 2 suites, dans un ancien

Vous pouvez facilement identifier les établissements recommandés par le guide **Debeur** grâce à cet autocollant.

moulin à farine. Bâtisse ancestrale. À 50 minutes de la ville de Québec. Accessible aux personnes à mobilité réduite. Fait affaire avec environ 70 producteurs locaux pour concocter la table gourmande (voir glacis.tv). Gagnant de plusieurs grands prix de tourisme chaque année.
COMMENTAIRE: Une table sise dans le décor enchanteur de Saint-Eugène-de-L'Islet où coule la rivière Tortue. Le chef Olivier Raffestin s'illustre encore et toujours avec ses quenelles confectionnées selon la tradition lyonnaise. Inspiré par l'environnement agroalimentaire de la région de Chaudière-Appalaches, il apporte un soin jaloux à des produits locaux au meilleur de leur saison pour les mettre en valeur. La provenance de chaque produit et le nom du fournisseur sont indiqués sur la carte. Bel assortiment de thés Kusmi.

LA GOÉLICHE ★★★★ int

Auberge La Goéliche
22, rue du Quai, Sainte-Pétronille, Île d'Orléans
Tél.: 418-828-2248 et 1-888-511-2248
www.goeliche.ca

SPÉCIALITÉS INTERNATIONALES: Gravlax de saumon de l'Atlantique à l'aneth et vodka Kamouraska. Ballottine de poulet de la ferme d'Orléans, salade d'orge, fromage de Charlevoix. Cuisse de canard confite, duxelles de

Une rue de l'Île d'Orléans

champignons, foie gras en croûte. Crème brûlée à la véritable vanille.
PRIX Midi: F. 15$ à 26$
Soir: C. 51$ à 67$
OUVERT Le midi et le soir, 7 jours. Brunch dim.
NOTE: Menu collation, tapas froids 6,25$ à 15$. Verrière ouverte sur l'extérieur.
COMMENTAIRE: Grâce au jeune chef William Fortin, cet établissement a reçu une nouvelle impulsion et notamment un souffle plus français. Il y a introduit des spécialités du vieux continent avec quelques accents méditerranéens. Une cuisine de fraîcheur et de gourmandise. Superbe vue sur Québec. Plusieurs petites salles donnent sur le fleuve et offrent une belle vue maritime. L'établissement est doté d'une terrasse au bord de l'eau.

Daniel Pachon, chef propriétaire de l'Auberge Villa Pachon, et son fameux cassoulet *(archives Debeur)*

AVIS

Il arrive que des établissements utilisent les heures habituelles d'ouverture pour recevoir des groupes. Il y en a d'autres aussi qui ferment avant l'heure indiquée s'il n'y a pas de clients. Nous conseillons donc aux lecteurs de toujours vérifier si un restaurant est ouvert, en téléphonant, avant de s'y rendre.

CHICOUTIMI

LE LÉGENDAIRE ★★★★ cont

Hôtel Le Montagnais
1080, bd Talbot, Chicoutimi
Tél.: 418-543-6120 et 1-800-463-9160
www.lemontagnais.qc.ca

SPÉCIALITÉS CONTINENTALES: Feuilleté de la mer. Fondue de brie, parmesan, salade printanière. Saumon fumé façon carpaccio. Assiette du matelot (pétoncles, moules, filet de truite, crevettes). Mousse parfumée à l'amaretto.
PRIX Midi: T.H. 10$ à 25$
Soir: C. 30$ à 83$ T.H. 26$ à 46$
OUVERT le midi et le soir, 7 jours.
NOTE: Cave à vin, grande sélection d'importations privées italiennes. Verrière avec une très belle vue sur les Monts-Valin. Bar ferme à minuit. Hôtel et centre de congrès. Différents festivals durant l'année.
COMMENTAIRE: Établissement spécialisé dans la cuisson au gril, les fruits de mer et les pâtes. Belles assiettes servies de façon professionnelle dans un décor classique et confortable. Service courtois et convivial.

RÉGION DE CHICOUTIMI (Saguenay - Lac-Saint-Jean)

AUBERGE VILLA PACHON RESTAURANT ★★★★ fra

1904, rue Perron, Jonquière
Tél.: 418-542-3568 et 1-888-922-3568
www.aubergepachon.com

SPÉCIALITÉS FRANÇAISES: Saumon fumé à l'auberge, servi chaud, beurre blanc au vinaigre d'érable, poireaux frits. Carré d'agneau régional rôti à la moutarden, croûte d'épices à l'ail. Magret de canard au vinaigre de framboise et moutarde de Meaux. Cassoulet.
PRIX Midi: (fermé)
Soir: T.H. 52$ à 85$
OUVERT le soir, du mar. au sam.
NOTE: Menu saisonnier. Ouvert midi sur réserv. pour clients de l'auberge. Auberge de quatre chambres et une suite. Terrasse couverte et fleurie, au bord de la Rivière-aux-Sables, pour l'apéritif et le digestif.
COMMENTAIRE: Une auberge de charme qui vaut le détour, ne serait-ce que pour le superbe cassoulet confectionné avec passion par le chef proprio, Daniel Pachon, grand maître de la Confrérie du cassoulet. Tout est fait maison, même les charcuteries. Le cassoulet est une spécialité culinaire du sud-ouest de la France (haricots lingots, porc ou agneau, saucisse de Toulouse, confit de canard, oignon, ail, tomate, bouquet garni) qu'il faut avoir mangé au moins une fois dans sa vie.

RESTAURANT TENDANCE ★★★ cont

Delta Saguenay
2675, bd du Royaume, Jonquière
Tél.: 418-548-3124
www.deltahotels.com

SPÉCIALITÉS CONTINENTALES: Calmars frits, mayonnaise maison épicée. Trottoir aux escargots. Filet de truite rôtie façon boréale et amalgame de la Sagamie. Plaisir des champs, mousse fromage cheddar Perron et framboises. Amour du chocolat et son fondant
PRIX Midi: T.H. 14$ à 19$
Soir: C. 30$ à 60$ T.H. 22$ à 45$
OUVERT le midi et le soir, 7 jours. Brunch dim.
NOTE: Cuisine sans gluten, végétarienne et boréale. T.H. lun. à sam. midi. Mezzanine. Centre de congrès.
COMMENTAIRE: Dans un décor moderne, on y fait une cuisine régionale et internationale qui respecte le côté santé. Une cuisine de fraîcheur avec quelques plats santé intéressants.

GRANBY

ATTELIER ARCHIBALD ★★★ cont

Restaurant de cuisine ouvrière
150, rue Saint-Jacques, Granby
Tél.: 450-991-3336
www.attelierarchibald.ca

SPÉCIALITÉS CONTINENTALES et FRANÇAISES: Tartares de bœuf et de saumon. Calmars frits, sauce aigre-douce au chili, poivrons, échalotes, arachides, mayo au wasabi, graines de sésame. Jarret d'agneau braisé 12 heures, ragoût d'orzo à la provençale. Crème brûlée variation.
PRIX Midi: F. 14$ à 24$
Soir: C. 27$ à 61$ T.H. 25$ à 35$

OUVERT le midi, du lun. au ven. Le soir, 7 jours.
NOTE: Forfait jeu. à sam. soir. Bar à tapas. Carte des vins d'environ 60 étiquettes, 90% d'importation privée. Section lounge pour les 4 à 7.
COMMENTAIRE: Un décor simple et convivial composé d'une grande salle commune, d'un coin bar, d'une grande terrasse couverte et de coins sympas très cosy, comme un espace relax avec pouf pour prendre un verre ou un recoin plus haut de gamme très design. La cuisine est ouverte sur la salle à manger. On propose une assiette généreuse, simple, savoureuse et gentiment présentée, souvent de façon originale. Service agréable et convivial.

LA CLOSERIE DES LILAS

★★★ cont
21, rue Court, Granby
Tél.: 450-375-3597
www.closeriedeslilas.ca
SPÉCIALITÉS CONTINENTALES: Cœurs de Saint-Jacques: assiette de pétoncles. Saucisses de gibier. Filet mignon, fromage bleu, sauce forestière. Bavette aux échalotes et porto. Fondues (chinoise, fruits de mer, suisse, italienne, fromage, viande sauvage). Fondue au chocolat noir et à l'érable.
PRIX Midi: (fermé)
Soir: C. 31$ à 58$ T.H. 33$ à 49$
OUVERT le soir, les ven. et sam. L'été, ouvert jeu. Fermé dim. à mer.
NOTE: Réserv. préférable en tout temps. Viandes sauvages à l'automne. Terrasse l'été. Air conditionné. Lun. à jeu. ouvert sur réserv. pour 12 pers et +. 3 résidences de tourisme.
COMMENTAIRE: Établi depuis 1981 dans une maison centenaire, ce restaurant-bistro «apportez votre vin» offre en spécialités des fondues excellentes et des brochettes avec quelques mets français. Côté bistro, ce sont les moules et les saucisses qui tiennent la vedette. Décor plaisant dans l'ensemble, ambiance familiale, service compétent, très gentil et souriant.

LA MAISON CHEZ NOUS

★★★★ cont
847, rue Mountain, Granby
Tél.: 450-372-2991
www.lamaisoncheznous.com
SPÉCIALITÉS CONTINENTALES AVEC LES PRODUITS DU QUÉBEC: Gâteau de crabe, betteraves et lait de maïs. Tartare de bison à l'huile de truffe. Suprême de faisan, quinoa aux bleuets, trait de camerises. Choco au Coureur des bois.
PRIX Midi: (fermé)
Soir: T.H. 46$ à 55$
OUVERT le soir, du mer. au dim. Fermé lun. et mar.
NOTE: Apportez votre vin. Nouveau menu 5 serv. aux quatre mois. Réserv. sur internet. Décor champêtre. Réservation préférable.
COMMENTAIRE: Petite maison à l'extérieur de la ville, sur une légère hauteur, en pleine campagne. Décor champêtre, douillet et romantique de maison familiale, avec boiseries et papier peint. Cuisine régionale estrienne évolutive. Assiette excellente et joliment présentée. Service aimable et courtois. Ambiance très agréable. Une des bonnes adresses de la région. Vaut le détour.

LA ROTONDE ★★★ fra

Hôtel Castel et spa confort
901, rue Principale, Granby
Tél.: 450-378-9071
www.hotelcastel.ca
SPÉCIALITÉS FRANÇAISES: Fromage El Niño de la Fromagerie des Cantons, chemisé de canard fumé du lac Brome, concassé de tomates. Poitrine de canard du Lac Brome, aromatisée au Ras el-hanout et à l'orange. Mignon de veau du Québec mariné à la bière 35 Farnham Ale. Crème brûlée au foie gras.
PRIX Midi: T.H. 10$ à 16$
Soir: C. 32$ à 56$ T.H. 30$ à 46$
OUVERT le midi, 7 jours sur réserv. 15 pers. min. (sauf juil. et août). Le soir, 7 jours.
NOTE: Menu 4 serv. 49$ avec bouteille de vin. Chefs créateurs travaillant avec des producteurs locaux. Menu du terroir régional. Varie selon les saisons avec plus de 30 produits de la région. Vins d'importation privée.
COMMENTAIRE: Fine cuisine française classique avec une grande utilisation des produits du terroir avoisinant. Pertinent: la carte fait mention du nom des fournisseurs: ferme, fromagerie, érablière, hydromellerie, vignoble, etc.

RÉGION DE GRANBY

LES QUATRE CANARDS

★★★[ER] fra
Château Bromont
90, rue Stanstead, Bromont
Tél.: 450-534-3433 et 1-800-304-3433
www.chateaubromont.com
SPÉCIALITÉS FRANÇAISES: Tartare de truite des Bobines et de saumon fumé. Pavé de wapiti. Rôti de canard du lac Brome, glacé au gingembre, nectar de fleurs. Fondant aux pommes et caramel. Gâteau au chocolat amer, glace de la laiterie Chagnon.
PRIX Midi: T.H. 25$
Soir: C. 41$ à 70$ T.H. 52$
OUVERT le midi et le soir, 7 jours. Brunch dim.
NOTE: Membre de la Route des vins. Carte des vins. Terrasse panoramique ouverte 11h30 à 23h en été (heures des cuisines prolongées si nécessaire.). Pianiste sam. soir.
COMMENTAIRE: Salle de restaurant assez sympathique pour un hôtel, située non loin des pistes de ski. Très belle terrasse avec une magnifique vue sur la vallée et les montagnes. La cuisine semble se stabiliser. Assiette généreuse et savoureuse.

GATINEAU - OTTAWA

AVIS

Pour les clients des restaurants d'Ottawa: Une loi provinciale de l'Ontario autorise les consommateurs à apporter leur bouteille de vin dans tous les restaurants, même ceux qui ont leur propre carte des vins. Les restaurants peuvent cependant exiger un droit de bouchon, sans limite de prix. Les frais de débouchonnage sont élevés et, à vrai dire, notre évaluateur n'a jamais vu quelqu'un le faire à Ottawa. La fourchette des prix: 5$ à 12$ en général, quelquefois jusqu'à 25$.

ABSINTHE ★★★ fra
1208, rue Wellington O., Ottawa
Tél.: 613-761-1138
www.absinthecafe.ca
SPÉCIALITÉS FRANÇAISES: Caille farcie au foie gras, cuisse braisée. Trio de saumon en tartare, rillettes, gravlax. Flétan rôti au romarin, velouté aux fines herbes, ragoût de tomates séchées et artichauts, poivrons rôtis. Croustade de pêches au miel, glace à la cerise rôtie et kirsch.
PRIX Midi: T.H. 15$ à 20$
Soir: C. 38$ à 56$ F. 42$ à 50$
OUVERT le midi, du lun. au ven. Le soir, 7 jours.
NOTE: Menu changeant plusieurs fois la semaine. Droit de bouchon 20$/bout. Fondues classiques le lun. soir, de sept. à mars.
COMMENTAIRE: Les récents travaux sur la rue Wellington n'ont pas diminué la popularité de cette artère aux nombreuses adresses gourmandes, dont Absinthe est l'un des fleurons. Le chef propriétaire Patrick Garland n'a rien perdu de son feu sacré ni de son intérêt pour la cuisine française dont il est un champion. La belle salle à manger offre de larges fenêtres sur la rue pour donner de l'appétit aux passants.

ARÔME ★★★★ cont
Grillades et fruits de mer
Casino du Lac-Leamy
3, bd du Casino, Gatineau
Tél.: 819-790-6410
www.casino-du-lac-leamy.com (onglet: sortir)
SPÉCIALITÉS CONTINENTALES: Tartare de bœuf aux oignons confits, œuf au plat parfumé à la truffe, croustilles de pommes de terre. Pavé de saumon grillé, pattes de crabe en tempura, queue de homard rôtie, moules, pétoncles et crevettes vapeur, parfumés à l'ail et au gingembre, légumes, riz, mayonnaise épicée. Filet de bœuf de Kobe grillé, purée de Yukon gold à l'ail rôti. Trio de crème brûlée.
PRIX Midi: T.H. 20$ à 22$
Soir: C. 46$ à 98$ T.H. 34$ à 53$
OUVERT le midi et le soir, 7 jours. Brunch dim.
NOTE: Réserv. conseillée. Barbecue brésilien, ven. et sam. 17h, 39,95$. L'expérience Kobe: 170g 38$ et 340g 59$. Repas de cow-boy, bœuf tomahawk/2 (60oz) 115$. Bœuf vieilli à sec 46$ à 79$, 340g à 680g. Sélection de vins au verre.
COMMENTAIRE: Entre l'ultra chic Baccara et les foules du buffet du Casino du Lac-Leamy, il y a Arôme, le restaurant de l'hôtel Hilton voisin. Menu de grilladerie assez classique – maintenant alimenté par un frigo de vieillissement des viandes –, mais une belle salle à manger douillette avec une jolie vue sur Ottawa, surtout à partir de la terrasse. Service professionnel, attentionné et chaleureux.

ATELIER ★★★★★ fra

540, rue Rochester, Ottawa
Tél.: 613-321-3537
www.atelierrestaurant.ca
SPÉCIALITÉS FRANÇAISES: Soupe aux amandes, salade de crabe, raisins congelés, piments coréens. Entrecôte de bœuf Rochester, pouding au pain et crème sure à la truffe, oignons rouges marinés, navet, purée et croustilles de patates douces. Ladybug: purée de fraises gelée à l'azote liquide, meringue au basilic, baies assorties, crumble de Pop Corn.
PRIX Midi: (fermé)
Soir: Menu 125$
OUVERT le soir, du mar. au sam. Fermé dim. et lun.
NOTE: Menu dégustation 12 serv. 125$, avec accord des vins 75$. Cuisine moléculaire. Capacité 22 pers., sur réserv. Plats changeants. Vainqueur du Gold Medal Plates en 2015.
COMMENTAIRE: Étroitement associée au défunt restaurant catalan El Bulli, la cuisine moléculaire survit (prospère même!) à quelques endroits, dont Atelier à Ottawa. Pas donné, mais bien moins cher qu'ailleurs. Le chef propriétaire Marc Lépine se réinvente constamment pour offrir une expérience culinaire unique au Canada. Mais il faut trouver le restaurant: aucune affiche sur la porte, il faut bien noter l'adresse!

BECKTA ★★★★★ int
150, rue Elgin, Ottawa
Tél.: 613-238-7063
www.beckta.com
SPÉCIALITÉS INTERNATIONALES: Fraises fraîches, oseille, rhubarbe, fromage feta de lait de brebis saumuré à la mélisse, graines de sésame grillées, bourgeons de marguerite saumurés, concombre frais. Purée de pommes de terre fumées, champignons eryngii, laitue fanée, huile de truffe, sablé amandes et cacao, sauce soubise à l'ail sauvage. Biscuit graham, caramel de pin blanc, ganache au chocolat noir, meringue italienne fumée, gelato au chocolat.
PRIX Midi: F. 29$ à 49$

Soir: Menu 98$
OUVERT le midi, du lun. au ven. Le soir, 7 jours.
NOTE: Menu changeant aux saisons. Menu 5 serv. 95$, palette de vins 50$. Assiette de fromages 13$. Importante carte des vins, cocktails maison. On peut apporter son vin, droit de bouchon 25$/bout.
COMMENTAIRE: Pour un repas discret, les politiciens d'Ottawa se retrouvent dans un salon privé chez Beckta, comme à l'époque où ils avaient rendez-vous au Café Henry Burger. Les autres clients se massent au rez-de-chaussée où le sommelier propriétaire Stephen Beckta s'assure qu'ils seront bien choyés aussi, dans cette maison victorienne qui a longtemps abrité le Friday's Roast Beef House. Pour ceux qui veulent un endroit plus décontracté, Beckta a aussi lancé Play, dans le marché By, et Gezellig, plus à l'ouest.

BISTRO L'ALAMBIC ★★★[ER] int
307, bd Saint-Joseph, Gatineau
Tél.: 819-205-5755
SPÉCIALITÉS INTERNATIONALES: Soupe à l'oignon à la stout. Porc fumé BBQ sur naan, crevettes tempura. Arancini farci de fromage en grains, sauce tomate fumée. Pastel de nata.
PRIX Midi: C. 30$ à 43$
Soir: C. 33$ à 48$
OUVERT le midi, du mar. au ven. Le soir, du mar. au sam. Fermé dim. et lun.
COMMENTAIRE: L'Alambic est l'une des rares lueurs de la scène gastronomique en Outaouais, ralentie par la fermeture de presque toutes ses grandes tables depuis 10 ans. Le propriétaire David Gomes travaille fort pour offrir des plats modernes aux saveurs nettes et délicieuses, à partir de beaux ingrédients, régionaux si possible.

COCONUT LAGOON ★★★ ind
853, bd Saint-Laurent, Ottawa
Tél.: 613-742-4444
www.coconutlagoon.ca

SPÉCIALITÉS INDIENNES: Assortiment de légumes samosa, chutney à la menthe. Homard au marsala. Curry au poulet, au saumon ou aux crevettes. Agneau au curcuma. Poulet au beurre. Bœuf à la sauce crémeuse, noix de coco et curry. Gulab gamum.
PRIX Midi: Buffet 18$
Soir: C. 35$ à 47$
OUVERT le midi et le soir, 7 jours. Brunch sam. et dim.
NOTE: Menu changeant aux 6 mois. Carte des vins.
COMMENTAIRE: Fort modeste au début, Coconut Lagoon a subi une cure de jouvence depuis un an. Totalement refaites, la façade et la salle à manger sont plus modernes, plus accueillantes. Mais le chef propriétaire Joe Thottungal mise avant tout sur l'assiette. Fier fils de la région du Kerala, il est le pionnier de la cuisine du sud de l'Inde dans la capitale canadienne: une cuisine plus légère, avec de forts accents sur les poissons et fruits de mer, sur les plats végétariens, même végétaliens. Plusieurs convives en ont fait une habitude. Il a même remporté la dernière finale locale du concours culinaire Des chefs en or!

DAS LOKAL ★★★ aut
190, rue Dalhousie, Ottawa
Tél.: 613-695-1688
www.daslokalottawa.com
SPÉCIALITÉS AUTRICHIENNES: Spätzle aux pétoncles. Schnitzel. Caille braisée à la bière. Truite arc-en-ciel poêlée. Bifteck macreuse aux haricots blancs. Strudel aux pommes. Gâteau forêt noire. Qark sahne (gâteau au fromage allemand).
PRIX Midi: F. 10$ à 18$
Soir: C. 38$ à 64$
OUVERT le midi et le soir, 7 jours. Brunch sam. et dim.
NOTE: Stationnement gratuit. Vins 50% de réduction le mar.
COMMENTAIRE: La décoration dit: Scandinavie. La cuisine, elle, dit: Allemagne. Pas grave, on ne s'en formalise pas. Pour les Nord-Américains, ces coins du monde ne sont pas en contradiction, plutôt en complément. Cette cuisine n'est pas toujours légère, mais les portions compensent. Une expérience culinaire à Ottawa, un accueil sympathique, surtout quand le pianiste de fin de semaine égaie la petite salle à manger.

EIGHTEEN ★★★★ fra
18, rue York, Ottawa
Tél.: 613-244-1188
www.restaurant18.com
SPÉCIALITÉS FRANÇAISES: Foie gras du Québec, garnitures saisonnières. Morue noire, brodo dashi, sake, truffes. Carré d'agneau, galette de polenta, purée à l'ail printanier, cippolini rôti. Gâteau au fromage de chèvre.
PRIX Midi: (fermé)
Soir: C. 57$ à 94$
OUVERT le soir, du lun. au sam. Fermé dim.
NOTE: Menu dégustation 5 serv. 105$, accord vins 75$. Caviar d'esturgeon Acadien 150$. Carte des vins 225 étiquettes.
COMMENTAIRE: Sans contredit l'une des belles salles à manger de la capitale, avec les vieilles pierres et comme complément, le verre. Plusieurs chefs y sont passés, mais on y mange toujours bien – à ce titre, le crédit revient à la propriétaire Caroline Gosselin. Dès l'heure du cocktail, l'ambiance se réchauffe et ça dure: une clientèle assez jeune se donne rendez-vous dans ce lieu qui demeure branché malgré les années.

EL CAMINO ★★★★ int
Tacos, Tequilas, Rawbar
380, rue Elgin, Ottawa
Tél.: 613-422-2800
www.eatelcamino.com
SPÉCIALITÉS INTERNATIONALES: Tacos au poisson croustillant. Roulé de poitrine de

porc braisée, caramel chili-lime, salade de mangue verte, jeune noix de coco, arachides rôties. Churros au caramel salé.
PRIX Midi: C. 18$ à 35$
Soir: Idem
OUVERT le midi, du mar. au ven. Le soir, du mar. au dim. Fermé lun.
NOTE: Plats à emporter. Cocktails maison. Carte des vins, téquilas et bières.
COMMENTAIRE: Après ses années au Eighteen, le chef Matthew Carmichael a décidé de voler de ses propres ailes. Il a d'abord ouvert El Camino sur la rue Elgin, dans un demi-sous-sol tout en béton. La clientèle branchée réchauffe les lieux. En 2017, il vient d'en ouvrir un second, en tout point semblable, sur la rue Clarence, dans le marché By. Son premier atout, ce sont les tacos (et les cocktails!), mais il y a beaucoup plus, comme des dumplings. Aucune réservation permise: l'attente est parfois longue. Soyez avertis. Mais ça vaut le coup… et le coût!

ERLING'S VARIETY ★★★★[ER] can
225, av. Strathcona, Ottawa
Tél.: 613-231-8184
www.erlingsvariety.com
SPÉCIALITÉS CANADIENNES: Tofu fumé. Petite pieuvre poêlée, chorizo, sauce tomate, pois chiches. Bœuf braisé, pommes allumettes croustillantes, roquette, truffe, aïoli, crostini. Panna cotta.
PRIX Midi: F. 20$ à 23$
Soir: C. 44$ à 48$
OUVERT le midi, du mar. au ven. Le soir, du mar. au dim. Fermé lun. Brunch dim.
NOTE: Carte des vins et des bières. Menu sans gluten et végétarien.
COMMENTAIRE: La rue Bronson voisine est très animée, mais à quelques pas, Erling's dépayse le dîneur sur la rue Strathcona. Les larges fenêtres, elles doivent faire trois mètres de hauteur, éclairent une salle à manger invitante et à l'inverse, le soir, les lumières du restaurant éblouissent le trottoir. Reflétées sur la neige hivernale, c'est féérique. Un peu moins de poésie dans l'assiette, mais c'est une cuisine moderne, axée sur les produits locaux, préparés dans une cuisine ouverte qui anime la salle sans la déranger.

FAIROUZ ★★★★ lib
343, rue Somerset O., Ottawa
Tél.: 613-422-7700
www.fairouz.ca
SPÉCIALITÉS LIBANAISES: Tartare d'agneau, harissa fumé, craquelin de boulghour. Canard berbère épicé, mousse de safran béarnaise, jambon perse, champignons grillés. Gelée d'hibiscus, ekmek (pain turc), sauce à l'eau de rose, fève de cacao.
PRIX Midi: (fermé)
Soir: C. 40$ à 60$
OUVERT le soir, 7 jours.
NOTE: Ouvert en 2016. Pain pita maison frais. Fines herbes de producteurs locaux.
COMMENTAIRE: L'histoire de Fairouz est touchante. Le fils, devenu prospère médecin, a rouvert le restaurant que son père a tenu, à la même adresse, 20 ans auparavant. Et s'est assuré que la mémoire du paternel, aujourd'hui retraité, n'aurait pas à rougir: c'est là qu'entre en scène Walid El-Tawel, qui dirigeait auparavant Eighteen. Émirati d'origine, sa cuisine moyen-orientale est irréprochable. Et servie aujourd'hui dans un écrin doré. Ça explique le prix d'un plat simple comme le houmous, par exemple, peut-être le meilleur en ville.

FAUNA ★★★ int
425, rue Bank, Ottawa
Tél.: 613-563-2862
www.faunaottawa.ca
SPÉCIALITÉS INTERNATIONALES: Contre-filet vieilli 80 jours, sauce barbecue, oignon, cheddar, frites ou salade. Salade aux fraises, olives kalamata, graines de tournesol épicées, prosciutto de canard. Gâteau aux noisettes, chocolat crémeux, caramel au miel brûlé, crème de pop-corn, semi-freddo de maïs.
PRIX Midi: F. 25$ à 45$
Soir: C. 43$ à 64$
OUVERT le midi, du lun. au ven. Le soir, 7 jours.
NOTE: Menu 5 serv. 75$, accord mets et vins 40$ ou 60$. Produits locaux autant que possible. Menus de saison. Cocktails maison, vins et champagnes.
COMMENTAIRE: Fauna n'avait pas encore ouvert qu'il était déjà renommé. Des soucis avec le propriétaire ont prolongé indûment l'aménagement de ce lieu largement vitré, ouvert sur une rue Bank animée. Les attentes étaient énormes: ça ne méritait pas tout ce battage, mais voici un excellent resto de quartier, vivant, un peu bruyant, chaleureux, prisé par une clientèle de trentenaires et moins. Ce fut un succès néanmoins et le chef propriétaire Jon Svazas a depuis ouvert Bar Laurel, un bar à tapas sur la rue Wellington.

FRASER CAFÉ ★★★★ int
7, rue Springfield, Ottawa
Tél.: 613-749-1444
www.frasercafe.ca
SPÉCIALITÉS INTERNATIONALES: Plateau de charcuteries et fromages. Homard poché, légumes tempura, pesto de carotte et noix, mayonnaise au citron. Tarte fraises et rhubarbe, crème glacée vanille, sucre d'érable.
PRIX Midi: F. 18$ à 28$
Soir: C. 41$ à 70$
OUVERT le midi, du lun. au ven. Le soir, 7 jours. Brunch sam. et dim.
NOTE: Menu saisonnier. Carte des vins. Droit de bouchon 25$/bout.
COMMENTAIRE: Depuis 10 ans, les frères Simon et Ross Fraser n'ont rien perdu du feu sacré en cuisine. Ils ont créé un petit nouveau bistro, The Rowan, sur la rue Bank, mais le

Fraser Café demeure leur ancre. Tout a l'air si facile, on se demande pourquoi les autres ne réussissent pas. Il leur a suffi d'une cuisine ouverte et de bons produits pour faire leur place. Ce qui manque aux autres, ce sont les saveurs, et les Fraser ont le don d'en créer de délectables. Une valeur sûre à Ottawa.

GIOVANNI'S ★★★ ita

362, rue Preston, Ottawa
Tél.: 613-234-3156
www.giovannis-restaurant.com
SPÉCIALITÉS ITALIENNES: Linguine aux fruits de mer. Paupiettes de veau, farcies au prosciutto et fromage bocconcini, sauce au poivre. Raviolis au homard, sauce rosée. Profiteroles au chocolat.
PRIX Midi: F. 18$ à 22$
Soir: C. 44$ à 110$
OUVERT le midi et le soir, 7 jours.
NOTE: Spécialités du chef à l'ardoise le soir. Deux poissons frais tous les jours. Table de six dans le cellier. Carte des vins, bouteilles de 35$ à 4000$. Ouvert depuis 1983.
COMMENTAIRE: Le meilleur restaurant italien d'Ottawa célèbre ses 35 ans en 2018. Pour demeurer au top, tout en remettant des factures salées à leurs clients, il faut que Giovanni's fasse bien les choses. En fait, tout est irréprochable. De l'accueil (avec voiturier svp!) jusqu'au digestif, le service est attentionné, professionnel, chaleureux. Le menu ne surprend pas, c'est traditionnel, mais hyper bien fait. On y va le jour de paie, mais sans inquiétudes.

LE BACCARA ★★★★★ fra

Restaurant de l'année Debeur 2009
Casino du Lac-Leamy
1, bd du Casino, Ottawa
Tél.: 819-772-6210
www.casino-du-lac-leamy.com (onglet: sortir)
SPÉCIALITÉS FRANÇAISES: Tartare de bison de la ferme Takwânaw, truffe, fromage de brebis de la fromagerie Les Folies Bergères, œuf de caille tempura. Longe d'agneau du Québec, cromesqui au chorizo et au fromage manchebello, dariole à la courgette et poivrons grillés, figues confites, caramel de vin rouge aux épices, jus d'agneau. Moelleux au chocolat grand cru du terroir.
PRIX Midi: (fermé)
Soir: C. 73$ à 101$ T.H. 65$ à 75$
OUVERT le soir, du mer. au dim. Fermé lun. et mar.
NOTE: Menu préspectacle avant 18h, 3 serv. 49$. Menu dégustation du chef 5 serv. 95$, menu gastronomique 8 serv. 120$. Palette de vins 75$ à 105$ et plus. Choix de 700 références de vin dans le cellier parmi 13 000 bouteilles. Ouvert lun. et mar. soir pour 25 pers. et plus, sur réserv.
COMMENTAIRE: Avant la naissance de L'Atelier de Joël Robuchon, au Casino de Montréal, Le Baccara était le fleuron culinaire de la Société des casinos du Québec. Un troisième chef en cinq ans dirige les cuisines. La qualité ne fléchit pas, mais les repères français de Serge Rourre ont disparus à la faveur des meilleurs produits locaux sous le nouveau chef Yan Bilodeau. Un menu plus québécois, donc. La cuisine ouverte laisse voir les artisans de la finition des plats, mais le spectacle est dans l'assiette et dans un service exceptionnel, attentif, mais pas hautain. Un parcours obligé pour ceux qui peuvent se payer une telle soirée.

LE CELLIER ★★★★ fra

49, rue Saint-Jacques, Gatineau
Tél.: 819-205-4200
www.restaurantlecellier.com
SPÉCIALITÉS FRANÇAISES: Ceviche de fruits de mer. Tartare de bœuf. Pétoncles, croustillant de chorizo, purée de maïs. Bavette de bison. Risotto de fruits de mer. Carpaccio de wapiti. Terrine de chocolat et pistaches. Croustillant de noisettes et chocolat blanc.
PRIX Midi: T.H. 20$ à 25$
Soir: C. 45$ à 64$
OUVERT le midi, du lun. au ven. Le soir, du mar. au sam. Fermé dim.
NOTE: Cinq à sept, F. 20$/pers. avec un verre de vin ou de bière. Plateaux à partager. Huîtres fraîches en tout temps. Prix spéciaux mer. et jeu.
COMMENTAIRE: Après des années de flottement et de nombreux propriétaires, Joe Rego a remis cette maison sur le droit chemin, et confié les cuisines à Martin Parker. Le menu est assez traditionnel, complété par une offre de vins qui n'a pas peur d'oser, tant dans la sélection que dans le prix. C'est redevenu l'un des endroits de choix dans le secteur Hull, et la communauté d'affaires l'appuie avec enthousiasme.

LES VILAINS GARÇONS
★★★ (bistro) int

39A, rue Laval, Gatineau
Tél.: 819-205-5855
www.lesvilainsgarcons.ca
SPÉCIALITÉS INTERNATIONALES: Foie gras et pieuvre. Acras à la crème épicée. Tartares de cheval, cerf, agneau, saumon, etc. Canard laqué, poires asiatiques, mangue. Queue de castor.
PRIX Midi: F. 11$ à 17$
Soir: C. 23$ à 56$
OUVERT le midi, du lun. au ven. Le soir, 7 jours. Brunch dim.
NOTE: Menu à l'ardoise. Pintxos et plats du jour. Plateau de fruits de mer 30$. Menu change 2 fois par jour tous les jours. Carte des vins d'importation privée variant chaque semaine, 40 à 50 étiquettes. Belle carte de bières de microbrasseries du Québec.
COMMENTAIRE: Ces vilains, ce sont les compères Romain Riva (autrefois le chef du Moulin de Wakefield) et Cyril Lauer. De jeunes entrepreneurs qui attirent une jeune clientèle dans leur local à l'étage, sur la rue Laval, au

cœur de l'action nocturne dans le Vieux-Hull. Les meilleures trouvailles culinaires se trouvent sur l'ardoise, un menu qui change régulièrement; ici, on paie pour des bouchées inspirées des pintxos (ou tapas) du Pays basque.

NORTH & NAVY ★★★★ ita

226, rue Nepean, Ottawa
Tél.: 613-232-6289
www.northandnavy.com

SPÉCIALITÉS ITALIENNES: Truite du lac, haricots verts et pêches. Saumon du Pacifique, salade de grains anciens. Caille glacée au miel, artichaut et polenta. Foie à la vénitienne aux oignons. Bifteck à la florentine. Tortelleti et lapin du Québec. Tiramisu. Tarte à la rhubarbe et petits fruits.
PRIX Midi: F. 14$ à 36$
Soir: C. 40$ à 67$
OUVERT le midi, du lun. au ven. Le soir, du lun. au sam. Fermé dim.
NOTE: Réserv. conseillée. Huîtres fraîches en saison. Carte des vins d'importation privée à 90%.
COMMENTAIRE: Voici l'histoire d'un établissement qui s'est donné comme mission de faire la preuve qu'on peut cuisiner à l'italienne sans faire ces incontournables pâtes. En entrée, le chef Adam Vettorel mise sur les cichettis (bouchées sur pain grillé), puis sur les poissons frais et la viande. À noter: un massif «bistecca Fiorentina» de 46 oz... pour 165$. Un défi pour n'importe quel estomac!

PERSPECTIVES RESTAURANT ★★★ int

Hôtel Brookstreet
525, ch. Legget, Ottawa
Tél.: 613-271-3555 1-888-826-2220
www.brookstreet.com

SPÉCIALITÉS INTERNATIONALES: Pétoncles poêlés, courges rôties, champignons, purée de céleri-rave très fine, racine de taro, bacon. Bœuf vieilli AAA (5oz ou 8oz), fondant de pommes de terre, tomates fumées, champignons. Côtelette de porc Nagano, choux de Bruxelles, bacon, purée de panais et pommes, réduction érable et malt. Gâteau chocolat au cœur fondant.
PRIX Midi: C. 31$ à 49$
Soir: C. 34$ à 69$ T.H. 39$
OUVERT le midi, du dim. au ven. Le soir, du lun. au à sam. Dim. brunch.
NOTE: Réserv. conseillée. Menu enfants. Soirée sushi avec le chef Yasuda, du mar. au sam. «Apportez votre vin» lun. à mer., droit de bouchon. Liste de vins interactive iPad. Jazz live chaque soir. Accès pour handicapés.
COMMENTAIRE: On ne vient pas par hasard à l'hôtel Brookstreet: à l'extrême ouest d'Ottawa, c'est la seule tour des environs qui n'abrite pas des bureaux d'entreprises de haute technologie. La plupart des clients sont liés à cette industrie: manger est plus un besoin qu'un plaisir, mais le chef Clifford Lyness a su s'adapter et les inviter à la découverte. Le meilleur conseil? Réserver une table... et la chambre pour y passer la nuit. Une escapade en banlieue!

PLAY FOOD & WINE ★★★ fra

1, rue York, Ottawa
Tél.: 613-667-9207
www.playfood.ca

SPÉCIALITÉS FRANÇAISES: Plateau de charcuteries. Salade de tomates. Steak d'onglet, champignons, frites. Gâteau au chocolat, pistaches et orange. Gâteau au fromage et chocolat blanc.
PRIX Midi: F. 22$
Soir: C. 26$ à 44$
OUVERT le midi et le soir, 7 jours.
NOTE: Midi deux plats 22$/pers. Droit de bouchon 20$/bout. Événements privés et cocktails. Carte des vins.
COMMENTAIRE: Après avoir réussi avec son restaurant éponyme, Stephen Beckta cherchait un endroit pour une cuisine plus décontractée par son chef Michael Moffatt. Son local, à l'angle de Sussex et York, n'est qu'à 100 pas du marché By. C'est vaste, bruyant. Le mobilier est spartiate. Les prix paraîtront élevés pour des assiettes de dégustation, mais certaines sont bien généreuses – rien à voir avec les bouchées des bars à tapas de l'Espagne.

RESTAURANT SIGNATURES ★★★★ (bistro) fra

453, av. Laurier E., Ottawa
Tél.: 613-236-2499
www.signaturesrestaurant.com

SPÉCIALITÉS FRANÇAISES: Escargots au pastis et tomates, crème de persil, croustillant de pain à l'ail rôti au thym. Longe de cerf, compote de figues au porto et fraises, cavatelli à la crème d'olive, chanterelles, mini bettes raves Chioggia. Canard, carottes glacées au miel et romarin, compote aux deux abricots, gâteau de semoule de blé, sauce à la noisette.
PRIX Midi: T.H. 34$
Soir: T.H. 68$
OUVERT le midi, du mar. au ven. Le soir, du mar. au sam. Fermé dim. et lun.
NOTE: Menu dégustation 5 serv. 88$, 8 serv. 98$. Création du chef, menu végétarien sur demande, prix suivant ce qu'il a en cuisine. Grande carte des vins et cocktails. Réservation recommandée.
COMMENTAIRE: Signatures, c'est le restaurant de l'école de cuisine Cordon Bleu Ottawa. Les ambitions des premières années étaient grandes; plus maintenant. On a intégré des élèves dans les cuisines pour réduire les coûts, on a voulu en faire un bistro chic. Aujourd'hui, un peu plus de décorum est revenu. Le chef Yannick Anton a recommencé à offrir des plats sophistiqués, mais à moindre coût. C'est devenu un endroit pour le bon rapport qualité-prix.

RIVIERA ★★★ int

62, rue Sparks, Ottawa
Tél.: 613-233-6262
www.dineriviera.com
SPÉCIALITÉS INTERNATIONALES: Toast aux champignons sur pain, œuf au miroir. Tagliatelle «sanguine» au boudin. Pieuvre grillée, sauce romesco. Spaghetti au homard. Jarret d'agneau braisé, purée de céleri, gremolata, sorgho.
PRIX Midi: F. 18$ à 38$
Soir: C. 54$ à 80$
OUVERT le midi, du lun. au ven. Le soir, du lun. au sam. Fermé dim.
NOTE: Logé dans une ancienne banque, à deux pas de la colline parlementaire. Impressionnante carte des vins et alcools forts. Cocktails et bières.
COMMENTAIRE: Le chef Matthew Carmichael a la main heureuse ces années-ci. Riviera est le troisième de ses quatre restaurants inaugurés à Ottawa depuis cinq ans, et c'est de loin son plus beau. Nous sommes dans une magistrale ancienne banque sur la partie piétonnière de la rue Sparks, à deux pas du Parlement. La faune politique, orpheline depuis la fermeture de la grilladerie Hy's, s'y donne maintenant rendez-vous. Menu simple le midi, plus goûteux et élaboré en soirée.

SOIF
Bar à vin de Véronique Rivest
★★★ (bistro) fra
88, rue Montcalm, Gatineau
Tél.: 819-600-7643
www.soifbaravin.ca
SPÉCIALITÉS FRANÇAISES: Planche de charcuteries ou de fromages. Tartine de sobrasada, tapenade d'olives, poivrons rouges rôties, courgettes, salade. Tartine de truite de notre fumoir, crème fraîche, boutons de marguerite marinés. Tartare de bison. Planche de légumes saisonniers. Tarte chocolat et caramel salé, noisettes.
PRIX Midi: F. 20$ à 30$
Soir: Idem
OUVERT le midi, du lun. au ven. Le soir, 7 jours.
NOTE: Équipe de sommeliers sur le plancher. Une vingtaine de vins au verre. Véronique Rivest, deuxième place au Concours du meilleur sommelier du monde en 2013, meilleur sommelier des Amériques en 2012, meilleur sommelier du Canada en 2006 et 2012.
COMMENTAIRE: La propriétaire Véronique Rivest est une star de la sommellerie, attestée par sa deuxième place au concours mondial de 2013. Elle et ses sélections sont les raisons du succès de Soif, tout de liège paré. Pour une rare fois, les vins l'emportent sur la nourriture. Cela explique sans doute pourquoi les plats du solide chef Jamie Stunt passent souvent au second plan. Cela demeure un must à visiter.

STERLING ★★★ cont
835, rue Jacques-Cartier, Gatineau
Tél.: 819-568-8788
www.sterlingrestaurant.com
SPÉCIALITÉS CONTINENTALES: Foie gras poêlé, pomme caramélisée, chutney de bleuets, crumble à l'amande. Filet de saumon poêlé, béarnaise, risotto de champignons, asperges. Filet mignon grillé au bois d'érable, sauce deux poivres. Marquise au chocolat grand cru, coulis de fruits rouges.
PRIX Midi: T.H. 29,95$
Soir: C. 44$ à 101$ T.H. 65$
OUVERT le midi, du lun. au ven. Le soir, 7 jours.
NOTE: Maison fin du XIXe siècle. Menu saisonnier. Boucherie. Viande qualité Sterling Silver, vieillie sur place, 21-40 jours. Deux celliers à vins de 10 000 bouteilles, 250 étiquettes de vins et d'importation privée. Musiciens ven. et sam. 19h.
COMMENTAIRE: Aménagé dans ce qui fut autrefois le restaurant L'Eau vive, le Sterling est sans contredit LA grilladerie de Gatineau. Les affaires devraient rependre maintenant que la réfection de la rue Jacques-Cartier et les inondations du printemps 2017 sont chose du passé. La salle de vieillissement des viandes, près de l'entrée, annonce le sérieux du travail en cuisine. Le cellier n'est pas mal non plus. Les prix sont à l'avenant.

SUPPLY & DEMAND ★★★★ int
1335, rue Wellington O., Ottawa
Tél.: 613-680-2949
www.supplyanddemandfoods.ca
SPÉCIALITÉS INTERNATIONALES: Asperges grillées, sauce hollandaise, romarin et citron. Thon albacore cru, citron, huile de truffe, riz soufflé. Poitrine et escalope de porc, risotto de blé aux herbes, asperges grillées. Eton mess: meringue à la crème fouettée, rhubarbe et baies.
PRIX Midi: (fermé)
Soir: C. 42$ à 59$
OUVERT le soir, du mar. au dim. Fermé lun.
NOTE: Réserv. recommandée. Saucisses faites sur place. Pâtes fraîches du jour.
COMMENTAIRE: Le chef propriétaire Steve Wall s'est d'abord illustré chez Whalesbone. Il paraissait bien jeune pour voler de ses propres ailes. Il a démontré que dans son cas, la valeur n'attendait pas les années. Supply & Demand a fait parler de lui dès son ouverture. Une cuisine fortement tournée vers l'Italie, du bon pain de mie maison. Seule mise en garde: c'est bruyant. Pas idéal pour un tête-à-tête.

THE WELLINGTON GASTROPUB
★★★★ int
1325, rue Wellington O., Ottawa
Tél.: 613-729-1315
www.thewellingtongastropub.com
SPÉCIALITÉS INTERNATIONALES: Bœuf AAA grillé sous-vide, écrasé de légumes. Magret de canard mulard rôti, bacon, poireaux

et carottes, vinaigrette au kimchi. Pierogies au cheddar et pommes de terre, salade pommes-fenouil, crème d'oignons verts.
PRIX Midi: C. 32$ à 45$
Soir: C. 37$ à 60$
OUVERT le midi, du lun. au ven. Le soir, du lun. au sam. Fermé dim.
NOTE: Demi-litre de crème glacée à emporter 10$. Possibilité d'apporter son vin le lundi, droit de bouchon 25$/bout. Menu terrasse la semaine, 14h à 16h30. Premier mardi de chaque mois, record club, écoute de disques vinyle. Réserv. White Room pour événements.
COMMENTAIRE: Double reconnaissance pour le Wellington Gastropub: le chef Chris Deraîche a importé de l'Angleterre la mouvance vers des pubs gastronomiques où le menu va bien au-delà du fish and chips et où la bière a pas mal détrôné le vin. L'autre fait d'armes, c'est la revitalisation de la rue Wellington, aujourd'hui rendez-vous des gourmands à partir du marché Parkdale et à l'ouest. Très décontracté, presque lounge en fin de soirée.

THE WHALESBONE OYSTER HOUSE ★★★ cont

430, rue Bank, Ottawa
Tél.: 613-231-8569
www.thewhalesbone.com
SPÉCIALITÉS CONTINENTALES: Roulé de homard sur brioche, beurre, frites, aïoli. Fish and chips de morue du Pacifique. Tarte à la crème vanillée. Churros au chocolat.
PRIX Midi: C. 36$ à 61$
Soir: C. 58$ à 107$
OUVERT le midi, du lun. au ven. Le soir, 7 jours.
NOTE: Réserv. recommandée. Petit buffet d'huîtres. Menu variant tous les jours.
COMMENTAIRE: On va chez Whalesbone d'abord pour la plus intéressante sélection d'huitres à Ottawa. Puis pour les poissons. L'endroit est minuscule (40 places à peine) et le mobilier, disons, taillé à la scie mécanique; le confort est donc... relatif. Mais le tout a néanmoins un charme particulier. La qualité de la table a beaucoup varié, et ce sont de bonnes années maintenant. Pour une expérience moins «funky», on a ouvert un deuxième local, plus spacieux, sur la rue Elgin.

TOWN ★★★ int

296, rue Elgin, Ottawa
Tél.: 613-695-8696
www.townlovesyou.ca
SPÉCIALITÉS INTERNATIONALES: Asperges grillées et homard. Terrine de pieuvre grillée. Boulettes de viande farcies à la ricotta et au parmesan, polenta et sauce tomate. Panna cotta au babeurre, pomme pochée au caramel, crumble de cheddar et pacanes.
PRIX Midi: (fermé)
Soir: C. 32$ à 56$
OUVERT le soir, 7 jours.
NOTE: Ricotta maison. Importante carte des vins.
COMMENTAIRE: Sur la populaire rue Elgin, clignez des yeux et vous raterez Town. La devanture est minuscule, mais c'est un trompe-l'œil: l'intérieur, tout en longueur, est bien plus spacieux. Le chef propriétaire Marc Doiron y propose une cuisine d'inspiration italienne presque délicate, comme ses gnudis qu'il a été le premier à offrir à Ottawa: semblables aux gnocchis, mais faits à base de fromage ricotta au lieu de pomme de terre. Le menu est succinct, mais l'accueil, professionnel et chaleureux.

VITTORIA TRATTORIA ★★★ ita

35, rue William, Ottawa
Tél.: 613-789-8959
www.vittoriatrattoria.com
SPÉCIALITÉS ITALIENNES: Pizza quatre saisons (artichauts, olives noires, tomates séchées et prosciutto). Pâtes pescatore. Tortellini au gorgonzola. Poulet parmigiana. Carré d'agneau en croûte au sumac. Veau au marsala. Crème brûlée au chocolat blanc.
PRIX Midi: C. 31$ à 61$
Soir: C. 34$ à 73$
OUVERT le midi, du lun. au ven. Le soir, 7 jours. Brunch sam. et dim.
NOTE: Antipasti et desserts maison. Très grande variété de vins du monde entier. Droit de bouchon 25$/bout. Ouvert depuis 1991.
COMMENTAIRE: Depuis 25 ans, Vittoria Trattoria s'illustre avant tout grâce à sa cave à vins la mieux garnie d'Ottawa. Mais ce serait une erreur de croire que l'obsession vineuse des frères Santaguida les désintéresse de l'offre culinaire. Les pâtes y sont excellentes. Ils ont deux adresses, mais le décor vieillot de celle du marché By est plus charmeur que le moderne de la seconde. Pour un petit groupe, demandez à manger à la cave. Charmant!

WILFRID'S RESTAURANT ★★★★ can

Fairmont
1, rue Rideau, Ottawa
Tél.: 613-241-1414
www.fairmont.com/laurier
SPÉCIALITÉS CANADIENNES: Gaspacho aux tomates de la ferme Juniper. Carpacio de bison, pecorino, roquette. Truite arc-en-ciel poêlée, polenta au fromage de chèvre, asperges grillées. Crème brûlée chocolat blanc et framboises.
PRIX Midi: C. 43$ à 62$
Soir: C. 45$ à 77$
OUVERT le midi et le soir, du lun. au sam. Brunch dim.
NOTE: Réserv. recommandée. L'été, menu dégustation 3 serv. 65$, accord des vins 31$. Menu enfants. Menu différent sur la terrasse et menu saisonnier. Terrasse ouverte en été.
COMMENTAIRE: Ce Wilfrid's, c'est évidemment Wilfrid Laurier, le septième premier ministre du Canada et le premier à être fran-

cophone. Ici, on servait déjà des clients lorsque le Château Laurier a été inauguré. Le Wilfrid's sert à toutes les sauces: matin pour les clients de l'hôtel, midi et soir lorsqu'il se métamorphose en belle table chic. La maison tente de faire la part belle à des ingrédients qui mettent toutes les régions du Canada en valeur. Ça marche!

RÉGION DE GATINEAU - OTTAWA

ÀKABANE ★★★[ER] (bistro) fra

168, ch. Old Chelsea, Chelsea
Tél.: 819-827-8675
www.fr-ca.facebook.com/gynolefrancois71/
SPÉCIALITÉS FRANÇAISES: Escargots au fromage bleu. Canard confit. Tartares. Joue de porc braisée et gnocchis. Gâteau aux bananes, sucre à la crème, mousse au chocolat.
PRIX Midi: F. 15$
Soir: C. 28$ à 52$
OUVERT le midi et le soir, du jeu. au lun. Fermé mar. et mer.
NOTE: Style campagnard. Service de traiteur. Chef à domicile. Près du parc de la Gatineau.
COMMENTAIRE: Le chef Gyno Lefrançois avait pris une pause après une décennie à tenir son restaurant Gy. En 2017, il a retrouvé le goût d'avoir sa propre table et a ouvert Àkabane, un petit bistro à Chelsea, qui s'était appelé Ma Tante Carole, et encore plus loin dans le temps, Café Soup'Herbe. Loin de la ville, le chef a voulu lancer un «bistro funky campagnard» avec un menu plus champêtre, certes, et décontracté. Une constante: les trios de tartare (bœuf, saumon, pétoncles) qui ont fait la renommée du chef séduisent toujours sa clientèle de fidèles.

LE PIED DE COCHON ★★★ fra

242, rue Montcalm, Gatineau
Tél.: 819-777-5808
www.lepieddecochon.ca
SPÉCIALITÉS FRANÇAISES: Bisque de homard et quenelles. Terrine de foie gras maison. Avocat aux crevettes, rillettes de saumon fumé. Langoustines façon provençale. Croustade de rognons de veau, sauce moutarde. Foie de veau poêlé à l'aigre-doux. Côte de veau de lait aux champignons sauvages. Baba au rhum. Vacherin glacé.
PRIX Midi: T.H. 22$ à 30$
Soir: C. 37$ à 60$
OUVERT le midi, du mar. au ven. Le soir, du mar. au sam. Fermé dim. et lun.
NOTE: Petit menu 3 serv. et café. Grand menu 4 serv. et café.
COMMENTAIRE: Ce Pied de cochon existait bien avant celui de Martin Picard à Montréal. À Gatineau, Guy Mervellet tient le fort depuis 40 ans maintenant, un réel tour de force en cette époque de chefs qui passent le tourniquet. Ce chef propriétaire s'en tient à ses classiques, réalisés avec soin. La salle aurait besoin d'être rajeunie, mais une clientèle d'affaires s'y retrouve gaiement.

LES FOUGÈRES ★★★ fra

783, route 105, Chelsea
Tél.: 819-827-8942
www.fougeres.com
SPÉCIALITÉS FRANÇAISES: Curry maison. Confit de canard mulard, pommes de terre rôties, fromage de chèvre, poire pochée, épinards, compote de Lingonne. La Bouche du Saint-Laurent (pétoncles, crevettes, ravioli de morue, moules). Crème brûlée.
PRIX Midi: C. 17$ à 36$
Soir: C. 46$ à 67$ T.H. 54$
OUVERT le midi, du mer. au ven. Le soir, du mer. au dim. Fermé lun. et mar. Brunch sam. et dim.
NOTE: Menu végétarien midi et soir. Menu soir 4 serv. Menu dégustation 8 serv. 89$, accord vins 50$. Assiette de fromages québécois. Plats cuisinés à emporter, produits en vente dans plusieurs épiceries au Québec. Nombreux prix pour la cave à vin.
COMMENTAIRE: Le virage radical opéré par le chef propriétaire Charles Part (et sa compagne de toujours, Jennifer Warren) semble avoir fonctionné. Les admirateurs du passé ont été un peu déroutés, mais une nouvelle génération de dîneurs, plus jeunes, a pris le relais. On a gardé l'environnement champêtre invitant et les larges fenêtres qui donnent sur la forêt voisine du parc de la Gatineau.

L'ORÉE DU BOIS ★★★★ fra ♥

15, ch. Kingsmere, Chelsea
Tél.: 819-827-0332
www.oreeduboisrestaurant.com
SPÉCIALITÉS FRANÇAISES: Canard dans tous ses états (rillettes, fondant au foie gras, terrine, gésier). Pétoncles sauce à la coriandre. Filet d'agneau au romarin. Médaillon de cerf mariné à la lie de vin. Terrine aux trois chocolats, sauce à l'orange et gingembre. Féodal au chocolat, feuillantine croustillante, crème anglaise.
PRIX Midi: (fermé)
Soir: C. 43$ à 77$ T.H. 49,95$
OUVERT le soir, du mar. au dim. Fermé lun. Brunch dim.
NOTE: Réserv. nécessaire. Menu pour végétariens et personnes allergiques. Menu enfants. Brunch à thème mensuel. Produits maison et chocolat. Fumoir à poisson. Très belle carte de vins, 80% de sa propre agence d'importation.
COMMENTAIRE: Jean-Claude Chartrand a résolument tourné la page sur les belles années du chef fondateur Guy Blain, dont il a été le second pendant longtemps. Chartrand s'est fait son nom entre autres en se rendant en finale de l'émission Le combat des villes, à Radio-Canada. Une nouvelle équipe s'est rebâtie, mais l'obsession du rapport qualité-prix

est demeurée. Le site champêtre charme toujours autant.

SHERBROOKE

DA LEONARDO ★★★ ita
4664, bd Bourque, Sherbrooke
Tél.: 819-564-0666
www.restaurantdaleonardo.com
SPÉCIALITÉS ITALIENNES: Calmars frits. Linguini aux crevettes, sauce tomate, crème, cognac, bisque de homard. Veau Ferrari, prosciutto, champignons, vermouth rouge, vin blanc, bouillon, épices, artichauts. Suprême de poulet aux crevettes, sauce Rosario. Tartufo à l'italienne. Tiramisu maison.
PRIX Midi: F. 11$ à 19$
Soir: C. 23$ à 56$ F. 28$ à 39$
OUVERT le midi, du lun. au ven. Le soir, du lun. au sam. Fermé dim.
NOTE: Grande variété de risottos. Pâtes fraîches maison, 20 sauces différentes. Huîtres et fettucini au homard en saison. Très bon choix de vins italiens. Menu enfant 9,50$. Cafés flambés.
COMMENTAIRE: Restaurant typiquement italien, d'ambiance familiale, ouvert depuis 1984, par le chef Giampietro et Christiane, son épouse. La famille prend la suite avec Bruno et Marcello Mecatti avec un choix impressionnant de plats italiens et des sauces se mariant avec eux. La cuisine est toujours aussi bonne.

LA TABLE DU CHEF ★★★★ fra
11, rue Victoria, Sherbrooke
Tél.: 819-562-2258
www.latableduchef.ca
SPÉCIALITÉS FRANÇAISES: Ravioli de fruits de mer aux herbes, sauce au vin blanc rémoulade de moules et huile d'aneth. Foie gras de canard poêlé, compote de pêches à l'anis, gâteau au miel de Waterloo. Cuisse de lapin farcie à la viande fumée, gratin de patates sucrées. Filet de bœuf Angus poêlé, épinards au parmesan, jus de veau aux échalotes. Fondant de chocolat Guanaja, glace aux framboises.
PRIX Midi: F. 16$ à 25$
Soir: C. 56$ à 80$ F. 38$ à 49$
OUVERT le midi, du mar. au ven. Le soir, du mar. au sam. Fermé dim. et lun.
NOTE: Menu dégustation 5 serv. 63$, palette de vins 42$. Menu aux saisons. Chef à domicile, menu traiteur. Cave, plus de 1000 bouteilles en importation privée.
COMMENTAIRE: Le chef propriétaire a été le dernier chef de l'Auberge Hatley, avant l'incendie. Alain Labrie et son épouse ont installé leur restaurant dans un ancien presbytère, sur une petite colline dominant la vallée de Sherbrooke. Ils y servent une très belle cuisine française, revisitée à leur façon. Les mets sont fins, élégants et inventifs.

LE BACCHUS ★★★[ER] fra
2765, rue King O., Sherbrooke
Tél.: 819-823-3338
SPÉCIALITÉS FRANÇAISES: Mariage de pétoncles et crevettes, coulis de crustacés. Magret de canard en aiguillettes aux baies rouges. Ris de veau, sauce à la crème sure. Médaillon de jeune cerf au porto et romarin. Camembert au four, amandes et pêché mignon. Crème brûlée à la vanille fraîche.
PRIX Midi: T.H. 17$ à 30$
Soir: C. 44$ à 57$ T.H. 38$ à 49$
OUVERT le midi, du mar. au ven. Le soir, du mar. au dim. Fermé lun.
NOTE: Menu découverte 7 serv. 49$. On peut créer sa table d'hôte en ajoutant 15$ à un plat principal de la carte. Ouvert lun. 15 pers. et plus.
COMMENTAIRE: Un restaurant où l'on se sent bien. On y apporte son vin ou sa bière et sa bonne humeur pour y déguster une cuisine très agréable et gentiment servie. Quelques recettes italiennes se glissent dans les menus. Décor chaleureux et sans prétention, tout comme l'assiette d'ailleurs. Changement de direction, changement de chef.

LE BOUCHON ★★★ fra
107, rue Frontenac, Sherbrooke
Tél.: 819-566-0876
www.lebouchon.ca
SPÉCIALITÉS FRANÇAISES: Carpaccio d'omble chevalier, mayo citron confit, œuf de caille mariné. Tartare de bœuf du Bouchon et frites maison. Bavette de bœuf grillée, sauce au bleu et échalotes, frites maison. Cuisse de canard confite, légumes. Fondant au chocolat noir, sorbet aux fruits de la passion.
PRIX Midi: F. 14$ à 25$
Soir: C. 40$ à 75$ T.H. 42$ à 48$
OUVERT le midi, du lun. au ven. Le soir, du lun. au sam. Fermé dim.
NOTE: Cave à vin 100 références. Belle sélection de vins au verre.
COMMENTAIRE: Une cuisine bistro française de qualité dans un décor évolutif, servie avec professionnalisme. L'un des copropriétaires, Stéphane Fournier, le chef Martin Fortier et la sommelière copropriétaire Maude Lambert, la sœur de la fameuse sommelière Élyse Lambert, s'entendent pour faire de cet excellent bistro l'une des bonnes tables de Sherbrooke. Un incontournable où la passion et la rigueur nous assurent une belle aventure gastronomique.

LE CHOU DE BRUXELLES ★★★★ bel
1461, rue Galt O., Sherbrooke
Tél.: 819-564-1848
www.restaurantlechoudebruxelles.com
SPÉCIALITÉS BELGES: Moules (au bleu de l'Abbaye, zeebruggeoise, crabe, pesto, etc.). Waterzooï de turbot, pétoncles et crevettes. Rognons de veau «Sambre et Meuse». Filet

mignon de bœuf brabançon, sauce échalote française déglacée au porto. Ris de veau archiduc. Pavé de Bruxelles. Crème brûlée aux speculoos.
PRIX Midi: (fermé)
Soir: C. 23$ à 46$ T.H. 30$
OUVERT le soir, du mar. au dim. Fermé lun.
NOTE: Apportez votre vin et votre bière. Saumon fumé maison. Menu gastronomique 7 serv. soir 39$. Menu à emporter sur Internet. Réserv. préférable.
COMMENTAIRE: Une adresse stable, toujours égale à elle-même. Excellent rapport qualité-prix. Une des rares adresses servant des mets typiquement belges. 15 façons d'apprêter les moules. En cuisine, le chef Frank Baron prépare toujours des plats savoureux, sous la supervision de Gabrielle Homans. Ses parents Dominique et Jean-Louis Homans se sont retirés. À suivre...

RESTAURANT AUGUSTE
★★★ (bistro) fra
82, Wellington Nord, Sherbrooke
Tél.: 819-565-9559
www.auguste-restaurant.com
SPÉCIALITÉS FRANÇAISES ET QUÉBÉCOISES: Ravioles de patates douces, amandes au beurre et sauge. Risotto aux champignons, épinards, parmesan, huile de truffe blanche. Foie de veau de lait poêlé, grelots fondants au bacon et fèves vertes. Boudin noir croustillant, pommes purée, chou rouge aigre-doux. Pouding chômeur à l'érable, glace Coaticook.
PRIX Midi: T.H. 18$ à 30$
Soir: C. 42$ à 63$ T.H. 25$ à 45$
OUVERT le midi, du lun. au ven. Le soir, 7 jours. Brunch sam. et dim.
NOTE: Pêche responsable. Service de traiteur.
COMMENTAIRE: Le chef Julien Hamont a fait ses classes en France, notamment chez Rostang à Paris. Décor bistro, un peu en longueur, murs jaunes ornés de grands tableaux noirs, grosse armoire pour les vins. Grand comptoir avec cuisine ouverte. À la fois très moderne et très chaleureux avec beaucoup de bois. Nappe de papier sur les tables. On propose ici une cuisine française avec quelques accents québécois. Service aimable.

RESTAURANT DA TONI ★★★★ ita
15, rue Belvédère N., Sherbrooke
Tél.: 819-346-8441
www.datoni.com
SPÉCIALITÉS ITALIENNES ET FRANÇAISES: Bisque de homard. Thon poêlé à l'extra vierge, citron et fleur de sel. Escalope de veau de grain à la parmigiana. Escalope de veau lombarde, citron et champignons, linguine aux fines herbes. Filet mignon de bœuf AAA de l'Alberta. Crème brûlée. Torta de la nona.
PRIX Midi: F. 13$ à 25$
Soir: C. 29$ à 69$ T.H. 25$ à 50$
OUVERT le midi, du lun. au ven. Le soir, 7 jours.

NOTE: Ouvert depuis 1969. Mise en valeur des produits du terroir. Desserts maison. 100 sortes de vin, beaucoup d'importation privée, carte d'or 2009. Stationnement gratuit.
COMMENTAIRE: C'est l'un des plus anciens restaurants de Sherbrooke. Fondé par Toni Danella en 1969, déménagé sur Belvédère dans l'édifice d'une fabrique de laine et de flanelle en 1987. Repris par le chef Stéphane Fréchette et deux associé en 2007, Da Toni a conservé la même philosophie. Stéphane Fréchette a découvert sa vocation en travaillant avec les chefs Patrick Laignel de la Falaise Saint-Michel et Roland Ménard du Manoir Hovey. Chez Da Toni, le service attentionné fait qu'on s'y sent bien. Le plat vedette: un superbe filet mignon. Un endroit où l'on va aussi pour se montrer.

RESTAURANT LE SULTAN ★★★ lib
205, rue Dufferin, Sherbrooke
Tél.: 819-821-9156
SPÉCIALITÉS LIBANAISES: Falafel. Hommos (pois chiche et beurre de sésame). Moutabel (purée d'aubergines). Kibbe (bœuf avec blé concassé). Merguez (saucisses marocaines épicées). Chiche taouk. Brochettes (filet mignon, agneau, crevettes ou kafta). Baklava.
PRIX Midi: F. 11$ à 13$
Soir: C. 26$ à 49$ T.H. 25$ à 29$
OUVERT le midi, du lun. au ven. Le soir, du lun. au sam. Fermé dim.
NOTE: Apportez votre vin ou votre bière. Le prix du midi inclut la soupe, le plat principal et le café. Toutes les grillades sont faites au feu de bois.
COMMENTAIRE: Toujours une valeur sûre à Sherbrooke. Le chef est accueillant et passionné de cuisine libanaise. Ses plats font le bonheur de tous ses clients. L'ambiance est détendue, la salle à manger est agréable, l'assiette est très bonne, voire excellente, et le service assuré par Carole est attentionné. Toutes les odeurs, les couleurs et la musique du Moyen-Orient sont à leur maximum vendredi et samedi soir. En cas d'hésitation, choisissez les tables d'hôte déjà composées pour goûter un peu à tout.

RÉGION DE SHERBROOKE
(Cantons-de-l'Est)

LE HATLEY ★★★★★ qué
Manoir Hovey
575, rue Hovey, North-Hatley
Tél.: 819-842-2421 et 1-800-661-2421
www.manoirhovey.com
SPÉCIALITÉS QUÉBÉCOISES REVISITÉES: Foie gras au torchon à la rose sauvage, renouée, pain au méliot, églantier et fleurs du printemps. Flétan rôti sur l'hysope, fumet crémeux à la ciboulette à l'ail, pois sucré, mélisse, riz sauvage, mertensie maritime. Strudel au chocolat noir Nyangpo, cerises, yaourt gla-

cé au sorbier.
PRIX Midi: (fermé)
Soir: T.H. 75$
OUVERT le soir, 7 jours. Brunch dim.
NOTE: Menu découverte 7 serv. 110$, avec les vins 180$. Carte de thés et tisanes. Environ 1 000 étiquettes de vin. Brunch 50$ à l'Action de grâce, Noël, nouvel An, Pâques, fête des Mères. Auberge de 37 chambres sur le lac.
COMMENTAIRE: Une cuisine contemporaine québécoise revisitée mettant en valeur les produits régionaux. Un excellent chef soutenu par de bons sommeliers. Un très bel établissement au bord de l'eau. Manoir ancestral construit sur le modèle de Mount Vernon, résidence de George Washington, niché dans un nid de verdure, offrant une vue magnifique sur le lac Massawippi.

LE RIVERAIN ★★★★★[ER] int

Hôtel Ripplecove sur le lac
700, Ripplecove, Ayer's Cliff
Tél.: 819-838-4296 et 1-800-668-4296
www.ripplecove.com
SPÉCIALITÉS INTERNATIONALES. Saumon fumé Ripplecove, roulade de chèvre aux poivrons doux et câpres, mi-cuit à l'orange, caramel d'agrumes au piment d'Espelette. Ris de veau capucine, purée de patates douces, muscade, lie de vin à l'émulsion de beurre, citron aux câpres. Décadence bavaroise au chocolat blanc, crème prise, framboises balsamiques, glace au basilic.
PRIX Midi: C. 37$ à 47$
Soir: C. 70$ à 85$ T.H. 70$
OUVERT de mi-mai à mi-oct., le midi et le soir, 7 jours. Sur réserv. seulement le reste du temps.
NOTE: Réserv. préférable. Variété de fromages des Cantons-de-l'Est. Menu bar 18$ à 24$. Menu saisonnier. Menu découverte 7 serv. 95$, palette de vins 65$. Carte des vins 500 étiquettes, 5000 bouteilles. Prix du Wine Spectator 2001 à 2014. Carte d'or 2007 à 2011. Pianiste classique sam. soir.
COMMENTAIRE: Construite en 1945, l'auberge est située dans un décor enchanteur au bord du lac Massawippi. Un très bel endroit qui ne cesse de s'améliorer. La salle à manger est de toute beauté. L'assiette est savoureuse et très bien présentée, souvent originale. Un vrai plaisir pour les yeux tout autant que pour le palais. Service stylé et professionnel. Une adresse qui vaut largement le détour. Nouvelle direction, la famillle Stafford n'est plus là.

LES JARDINS ★★★ cont

Manoir des Sables
90, av. des Jardins, Orford
Tél.: 819-847-4747
www.hotelsvillegia.com
SPÉCIALITÉS CONTINENTALES: Croustillant de canard, nid de salsa fraîche, coulis de fraises et gingembre. Fondant Mont Saint-Benoit, tombée de tomates et poivrons rôtis. Filet de flétan grillé au vin blanc, sauce au safran. Contrefilet de bœuf, sauce au bleu fumé de l'Abbaye. Crème brûlée, chocolat blanc et lavande.
PRIX Midi: (fermé)
Soir: C. 34$ à 61$ T.H. 36$ à 46$
OUVERT le soir, 7 jours.
NOTE: Le midi, F. 8$ à 14$ au Bistro. Menu 3 serv. 36 $, 4 serv. 44 $. Brunch a Pâques et à la fête des Mères. 140 chambres, 27 suites haut de gamme. Centre de santé. Golf, spa nordique, piscines intérieure et extérieure.
COMMENTAIRE: Salle à manger gastronomique du Manoir des Sables avec vue panoramique sur le Mont-Orford, ouverte le soir seulement. Le midi on mange un menu bistro. Tout près du lac Memphrémagog. L'excellent chef Mirsad Basic vient de reprendre la direction des cuisines, pour le mieux. À suivre...

LES SOMMETS ★★★ cont

Hôtel Chéribourg
2603, ch. du Parc, Orford
Tél.: 819-843-3308 et 1-800-567-6132
www.hotelsvillegia.com
SPÉCIALITÉS CONTINENTALES: Pavé de saumon rôti à l'érable et épices tandoori. Côtes levées de porc, sauce barbecue au bourbon. Macreuse grillée, sauce à la bière rousse. Magret de canard rôti, légumes de saison poêlés, sauce au Sortilège. Pouding chômeur à l'érable.
PRIX Midi: (fermé)
Soir: C. 29$ à 52$ T.H. 33$
OUVERT le soir, 7 jours.
NOTE: Carte des vins 60 étiquettes. Aire de jeux pour enfants (cinéma maison, jeux vidéo, jeux gonflables), spa extérieur, terrains de tennis. Petite ferme à l'extérieur, l'été.
COMMENTAIRE: Situé près du parc du Mont-Orford et de la Rivière-aux-Cerises. Diplômé de l'ITHQ, Jérôme Turgeon joint l'équipe en 2010 et prend les commandes de la cuisine en 2012. Il propose une assiette continentale élaborée avec les produits de sa région. Le repas gastronomique est servi le soir seulement, le midi on mange des plats rapides au bistro.

LE TEMPS DES CERISES ★★★ int

79, rue du Carmel, Danville
Tél.: 819-839-2818 1-800-839-2818
www.cerises.com
SPÉCIALITÉS INTERNATIONALES: Agneau de Danville rôti. Foie gras au Coureur des bois. Saumon sauvage mariné. Moules en casserole à la belge. Mousse d'esturgeon fumé au chèvre de La Maison Grise. Téton d'enfer: cône crémeux aux chocolats noir et blanc. Crème brûlée au miel.
PRIX Midi: T.H. 14$ à 22$
Soir: C. 24$ à 52$ T.H. 29$ à 40$
OUVERT le midi, du mar. au ven. Le soir, du mar. au sam. Ouvert dim. soir en juil. et août. Fermé lun. Fermé mar. et mer. de fév. à mai.
NOTE: Menu dégustation 7 serv. 55$.

Brunch à Pâques et à la fête des Mères. Accessible aux handicapés.
COMMENTAIRE: Manger dans ce restaurant est vraiment unique, car il est installé dans une ancienne église presbytérienne depuis 1987. Les propriétaires ont su garder la magie des lieux. Le plancher de bois, la simplicité du mobilier, la sculpture aérienne de métal, la charpente du toit et les nombreux vitraux en font un endroit très spécial. De toute beauté le soir. La chef propriétaire, Martine Satre, cuisine avec les produits de la région. Elle donne des cours de cuisine et ses produits maison, confitures et marinades «Les délices de Martine», sont vendus dans les épiceries.

PLAISIR GOURMAND ★★★★ fra

2225, route 143, Hatley
Tél.: 819-838-1061
www.plaisirgourmand.com
SPÉCIALITÉS FRANÇAISES: Pétoncles, fenouil, concombre, sauce yuzu, échalotes, roquette sauvage. Carré de marcassin, purée de pommes de terre aux lardons fumés. Mi-cuit au chocolat Barry, crème brûlée au thé de Bleu lavande, glace maison aux épices.
PRIX Midi: (fermé)
Soir: Menu 49$ à 65$
OUVERT du 15 oct. au 15 juin, le soir, du jeu. au sam. Du 15 juin au 15 oct., le soir, du mer. au sam.
NOTE: Menu terroir québécois 4 serv. 49$. Menu dégustation table du chef 6 serv. 65$. Menu thématique selon les produits de saison. 50% des légumes, fines herbes et pousses sont produits sur place. Carte des vins d'importation privée à partir de 30$, 165 étiquettes. Service de traiteur, produits faits maison à emporter sur commande.
COMMENTAIRE: Mérite le détour pour la qualité d'une cuisine qui surprend agréablement. Restaurant installé dans une maison d'habitant isolée dans un pré, il s'en dégage un charme champêtre désuet des années 1860. On se croirait chez un particulier à la campagne. Menus thématiques. La cuisine pourrait se résumer à trois mots: beauté, saveur, simplicité. Un chef qui aime les plats bien assaisonnés et une épouse, chef pâtissière, y travaille avec délice!

TROIS-RIVIÈRES

AU FOUR À BOIS ★★ ita

329, rue Laviolette, Trois-Rivières
Tél.: 819-373-3686
www.aufourabois.ca
SPÉCIALITÉS ITALIENNES: Risotto aux fruits de mer. Pâtes fraîches à la carbonara. Pizza minceur. Bœuf bourguignon. Blanquette de veau à l'ancienne. Carré de porc ou Brochettes et filet mignon cuits sur la braise de bois. Tiramisu.
PRIX Midi: F. 11$ à 18$
Soir: C. 21$ à 52$
OUVERT le midi, du lun. au ven. Le soir, du mar. au dim.
NOTE: Ouvert depuis 1982. Salades repas. Pizzas cuites au four à bois. Grillades cuites sur braise. Mets mijotés au menu. Verrière. Véranda 4 saisons.
COMMENTAIRE: Une belle ambiance de four à bois, dans une maison ancestrale de 1877. Le four à bois est l'élément principal de ce restaurant, il captive l'attention, répand la bonne odeur des mets qui cuisent et celle du bois qui se consume. On y cuit pratiquement tous les plats. Les mijotés et les pizzas sont excellents. Belle terrasse couverte l'été.

LE CASTEL 1954
★★★[ER] (bistro) cont

5800, bd Gene H. Kruger, Trois-Rivières
Tél.: 819-375-4921
www.le-castel.ca
SPÉCIALITÉS CONTINENTALES: Tartare de saumon frais. Trilogie de saumon. Filet mignon de bœuf grillé, sauce poivre vert et madère. Carré d'agneau rôti à la moutarde. Pavé de veau Manhattan. Ris de veau façon Claude. Bavette de bœuf à l'échalote. Moelleux au chocolat noir. Crème brûlée surprise.
PRIX Midi: F. 14$ à 17$
Soir: C. 37$ à 60$
OUVERT le midi, du lun. au ven. Le soir, du lun. au sam. Fermé dim.
NOTE: Fumoir maison pour le saumon. Brunch à Pâques, fête des Mères, jour de l'An. Établi depuis 1954.
COMMENTAIRE: Un établissement décontracté, à l'ambiance animée et chaleureuse, différente selon que l'on choisisse L'Étiquette ou la salle à manger. Le menu affiche toujours les plats les plus populaires, ceux qui ont fait leur succès. La cuisine est parfois inégale. Le cellier à vin comprend plus de 250 produits, ainsi qu'un choix de vins et de portos servis au verre. Souvent difficile à rejoindre au téléphone.

LE ROUGE VIN ★★★ cont

Hôtel des Gouverneurs
975, rue Hart, Trois-Rivières
Tél.: 819-376-7774
www.lerougevin.com
SPÉCIALITÉS CONTINENTALES: Tartare de bœuf Angus façon brésilienne, quartiers de pommes de terre, mayo à l'ail rôti. Médaillons de filet de porc, fromage de chèvre, confit d'oignon, sauce demi-glace. Magret de canard poêlé au caramel d'agrumes, sauce porto vieilli et figues noires. Crème brûlée de saison.
PRIX Midi: Buffet 16,95$
Soir: C. 39$ à 73$ T.H. 36$ à 57$
OUVERT le midi et le soir, 7 jours. Brunch dim.
NOTE: Buffet midi, lun. à ven. Buffet fruits de mer ven. et sam. 17h30 à 22h. Ven. à dim. soir pianiste.
COMMENTAIRE: La salle à manger a été

revampée. La cuisine est très bonne et copieuse. Excellent choix de vins au verre. Service très gentil, qui veut bien faire. Depuis notre dernière visite, nous avons constaté une amélioration dans la décoration et dans l'assiette. À surveiller.

POIVRE NOIR ★★★★ (bistro) fra

1300, rue du Fleuve, Trois-Rivières
Tél.: 819-378-5772
www.poivrenoir.com/restaurant/

SPÉCIALITÉS FRANÇAISES: Calmar, beurre blanc, tuile à l'encre de seiche. Tartare de bison, armillaires, foie gras au sel. Morue charbonnière, fève de soya, chorizo Ibérico, kale. Bœuf Wagyu, topinambour, trompette, sauce truffe et moelle. Moelleux chocolat et thé matcha, ananas, crème glacée à la banane.
PRIX Midi: T.H. 25$ à 28$
Soir: C. 26$ à 42$
OUVERT le midi, de mer. au ven. Le soir, 7 jours.
NOTE: Menu dégustation 5 serv. 70$, avec accord de vin 115$, accord de prestige 145$. Menu terrasse forme tapas. Salle privée toute équipee d'équipements audio visuels, cocktail ou repas/50 à 70 pers.
COMMENTAIRE: On pourrait parler ici de bistronomie si on s'en tient aux tapas, et de gastronomie si on mange à la carte. Après un début où les mets servis étaient trop copieux, l'assiette a pris une taille de restaurant gastro. Les présentations sont belles comme des tableaux. Les gourmets y trouveront leur compte. La cuisson est quelquefois inexacte. Certains prix surprennent si on s'aventure vers les plats du marché et les vins. Réservé aux occasions uniques? Pas forcément, il s'agit de savoir choisir. La vue magnifique sur le fleuve fait oublier les petites erreurs.

RÉGION DE TROIS-RIVIÈRES (Centre-du-Québec - Mauricie)

AUBERGE GODEFROY ★★★ fra

17 575, bd Bécancour, Bécancour
Tél.: 819-233-2200 et 1-800-361-1620
www.aubergegodefroy.com

SPÉCIALITÉS FRANÇAISES: Tartare de truite, micro-pousses, huile de ciboulette. Magret de canard poêlé, croustillant à la fleur de sel, canneberges caramélisées, sauce porto et érable. Coupe de porc rôti, pommes du Québec, sauce au cidre de glace. Entremets au lait d'amande, compotée de fraises à l'amaretto.
PRIX Midi: T.H. 26,75$
Soir: C. 38$ à 88$ T.H. 48$
OUVERT le midi et le soir, 7 jours. Brunch dim.
NOTE: Menu dégustation 7 serv. 71$, avec vins 34$. Buffet lun. à ven. midi, 24$. Cave à vin, plus de 420 étiquettes étrangères et québécoises. Espace aqua-détente adjacent à la terrasse. Soirée dansante à la Saint-Sylvestre. Brunch thématique temps des sucres dim. 11h30 à 14h (l'unique cabane du cap Diamant).
COMMENTAIRE: Le chef cuisine avec les produits de la région. Sa carte cuisine française a une connotation québécoise teintée de cuisine internationale. Il fait même des tapas à saveurs du terroir québécois. L'auberge est située en plein centre du Québec, et les régions avoisinantes regorgent d'activités de toutes sortes.

L'AUBERGE DU LAC ST-PIERRE ★★★★ fra

10 911, rue Notre-Dame O., Pointe-du-Lac, Trois-Rivières
Tél.: 819-377-5971 et 1-888-377-5971
www.aubergelacst-pierre.com

SPÉCIALITÉS FRANÇAISES: Longe de wapiti de Sainte-Perpétue. Poêlée de foie gras de canard, poire confite et laque à l'anis, pain à la pistache. Ris de veau du Québec, sauce aux champignons, tuiles de tortillas et parmesan. Truite saumonée, émulsion froide à la mangue, ratatouille. Crème flambée à la noisette et à la vanille de Madagascar.
PRIX Midi: T.H. 25$ à 29$
Soir: C. 52$ à 75$ T.H. 45$ à 60$
OUVERT le midi et le soir, 7 jours.
NOTE: Réserv. préférable. Petit menu-terrasse 11$ à 17$. Les plats de la T.H. du soir peuvent être choisis séparément. Brunch du jour de l'An. Hôtel de 30 chambres. Deux spas, massages.
COMMENTAIRE: Auberge construite en 1988 au bord du fleuve Saint-Laurent. La salle à manger, rénovée en 2015, est nichée dans un grand espace vitré, pour profiter au maximum de la vue panoramique sur le lac Saint-Pierre. Chef de l'année 2010, le chef Alain Penot construit de belles assiettes savoureuses, travaillées avec les produits de la région.

LE BALUCHON ★★★[ER] fra Éco-villégiature

3550, ch. des Trembles, Saint-Paulin
Tél.: 819-268-2555
www.baluchon.com

SPÉCIALITÉS FRANÇAISES: Carpaccio de cerf. Effiloché de joue de bœuf du Québec, crumble épicé, fromage de chèvre, réduction de jus corsé. Sanglier braisé, beurre noisette, gnocchis, Gré des Champs et jus de cuisson à la sarriette. Verrine de citron, sorbet à la framboise. Gâteau au fromage.
PRIX Midi: (fermé)
Soir: C. 47$ à 84$ T.H. 49$
OUVERT le soir, 7 jours. Brunch dim.
NOTE: Plus de 10 choix de menus 4 serv. 59$. Soirées avec animation les 24 et 31 déc. Piscines intérieure et extérieure. Cabane à sucre. Spas nordiques.
COMMENTAIRE: Dirigé par toute une famille, le site comporte également une auber-

ge. Certains plats sont préparés en salle. La cuisine est de facture française avec des plats de cuisine continentale aussi. Également, un écocafé «Au bout du monde» avec cuisine du terroir québécois, épicerie avec dégustations est annexé à l'auberge.

MANOIR BÉCANCOURT ★★★★ cont
3255, av. Nicolas-Perrot, Bécancour
Tél.: 819-294-9068 et 1-877-994-9068
www.manoirbecancourt.com
SPÉCIALITÉS CONTINENTALES ET ITALIENNES: Assiette de fruits de mer. Carpaccio de filet mignon. Pétoncles poêlés avec bacon et fraises. Risotto fait minute. Filet mignon AAA vieilli. Effiloché de lapin, sauce parmesan, citron et basilic. Chateaubriand flambé. Fondant au chocolat maison.
PRIX Midi: (fermé)
Soir: C. 36$ à 78$ T.H. 26$ à 75$
OUVERT le soir, du mer. au sam. Fermé du dim. au mar.
NOTE: Jardin. Lounge. Menu gastronomique 6 serv. 85$. Brunch fête des Mères, Pâques et sur réserv. 35 pers. minimum 28$, dim. 10h30 à 14h. 9 chambres avec Internet haute vitesse sans fil. Spa sur place.
COMMENTAIRE: La talentueuse jeune chef Sophie Bourassa propose une cuisine française avec une influence italienne préparée avec des produits frais du Québec. Les pâtes sont faites maison, les raviolis aussi. La spécialité: le chateaubriand de 16 onces pour deux, flambé à table, sauce béarnaise, frites et légumes.

Restaurants des autres régions

Bas-Saint-Laurent Charlevoix, Gaspésie

AVIS

Il arrive que des établissements utilisent les heures habituelles d'ouverture pour recevoir des groupes. Il y en a d'autres aussi qui ferment avant l'heure indiquée s'il n'y a pas de clients. Nous conseillons donc aux lecteurs de toujours vérifier si un restaurant est ouvert, en téléphonant avant de s'y rendre. D'autre part, les établissements en région ont la plupart du temps une vocation saisonnière. Cela explique la difficulté qu'ils ont à garder leurs chefs d'une saison à l'autre.

BAS-SAINT-LAURENT

AUBERGE DU MANGE GRENOUILLE ★★★★[ER] fra
148, rue de Sainte-Cécile-du-Bic, Rimouski
Tél.: 418-736-5656
www.aubergedumangegrenouille.qc.ca
SPÉCIALITÉS FRANÇAISES: Crevettes de Sept-Îles, bouillon de crustacés, shiitake, baies de goji. Filet de cerf, mangue, jus au Myrica rubra. Tartelette aux agrumes et fraises, meringue cannelle, glace fromage, huile d'olive et pastis.
PRIX Midi: C. 18$ à 34$
Soir: C. 48$ à 61$
OUVERT le midi et le soir, du 24 juin à la fête du Travail, 7 jours. De sept. à juin, le soir, 7 jours.
NOTE: Menus saisonniers. Chef pâtissier sur place. Menu dégustation 5 serv. 65$, accord mets et vins 110$. Bar et cave à vin. Terrasse pour l'apéro et tapas. Auberge 22 chambres. Connexion haute vitesse sans fil. Jacuzzi au jardin. Parc du Bic et golf à proximité. Accordéoniste ven. soir l'été. Forfait théâtre Des gens d'en bas et spectacles à La Buvette.
COMMENTAIRE: Une belle assiette succulente et bien présentée, qui met en valeur les produits du terroir du Bic. Maison de charme au décor théâtral, voire exubérant, très chargé et original, qui est nichée dans un vieux magasin général centenaire réhabilité. Vue magnifique sur les îles du Bic.

Pour la petite histoire, l'établissement tient son nom de «frog eaters», un surnom que les Anglais donnaient aux Français parce que ces derniers mangeaient des cuisses de grenouille. L'Auberge du mange grenouille voudrait donc dire «l'auberge du Français». Anciennement chef copropriétaire du bar à vin «Le Sang royal», Philippe Trépanier, le nouveau chef du Mange grenouille, s'était autrefois illustré en relevant le défi de créer une crème glacée au... crabe. Tout un personnage! À suivre.

LE FAUBOURG ★★ cont
280, de Gaspé O., rte 132, Saint-Jean-Port-Joli
Tél.: 418-598-6455 et 1-800-463-7045
www.lefaubourgofleuve.com
SPÉCIALITÉS CONTINENTALES: Esturgeon du fleuve fumé maison, oignons confits. Jarret d'agneau, pâtes au pesto et légumes. Crème brûlée du Faubourg.
PRIX Midi: (fermé)
Soir: T.H. 32$ à 59$
OUVERT le soir, 7 jours.
NOTE: Réserv. souhaitable.
COMMENTAIRE: La cuisine est dirigée par le chef Ghislain Dallaire. La table est assez bonne dans l'ensemble. Sur le menu et sur la carte des vins, on accorde une large place aux produits du Québec. Dans le restaurant sont exposées les sculptures sur bois des artistes de la région. Ce complexe hôtelier est situé sur la route panoramique du bord du fleuve. Il offre une vue magnifique sur le Saint-Laurent.

CHARLEVOIX

AUBERGE DES 3 CANARDS
★★★★ fra
115, Côte Bellevue, La Malbaie (Pointe-au-Pic)
Tél.: 418-665-3761 et 1-800-461-3761
www.auberge3canards.com
SPÉCIALITÉS FRANÇAISES: Poêlée de foie gras de la ferme Basque, compote de pomme et rhubarbe. Médaillon de veau aux brisures de noisettes, vin muscat. Noix de ris de veau croustillantes flambées au calvados, gnocchis au parmesan, prosciutto et huile de truffe. Fleurmier de Charlevoix, liqueur de Sortilège et sirop d'érable.
PRIX Midi: (fermé)
Soir: C. 48$ à 82$ T.H. 60$ (5 serv.)
OUVERT le soir, 7 jours. Brunch sam. et dim.
NOTE: Grandes terrasses pour l'apéritif. Menu végétarien. Petit déjeuner buffet 17$, 7 jours, mai à nov. Auberge de 48 chambres, dont 8 de luxe. Un chalet 6 pers.
COMMENTAIRE: On sert ici une belle cuisine maison qui met en valeur les produits frais régionaux. Renommée pour sa table depuis plus de 50 ans, l'auberge domine le fleuve qui offre des paysages grandioses. Par beau temps, on peut prendre l'apéritif et le digestif sur les terrasses et profiter de la vue sur les jardins immenses.

AUBERGE DES FALAISES
★★★★ cont
250, ch. des Falaises,
La Malbaie (Pointe-au-Pic)
Tél.: 418-665-3731 et 1-800-386-3731
www.aubergedesfalaises.com
SPÉCIALITÉS CONTINENTALES: Duo de foie gras en terrine et au torchon, gelée Dame Prune. Goujonnette d'omble de fontaine de M. Benoît sur lit d'épinards. Veau saveur Orloff, champignons, prosciutto, parmesan. Filet mignon de bœuf Angus, réduction à la Vache folle, pommes de terre persillées. Tartelette au fromage de chèvre et banane.
PRIX Midi: (fermé)
Soir: C. 45$ à 67$ T.H. 55$
OUVERT le midi et le soir, 7 jours.
NOTE: Menu 5 serv. Petite terrasse boisée, vue sur le fleuve, couverte de toile de tente, pour prendre une boisson. Forfaits sur demande pour événement. Petit déjeuner 7 jours, 8h à 10h30. Brunchs jours fériés. Fermé de nov. à avril.
COMMENTAIRE: Un décor hors du temps et calme. On prend le temps de déguster une cuisine excellente avec des assiettes bien garnies. On utilise les produits du terroir dans chaque plat. Spécialité de la maison: la «Farandole de produits de notre fumoir, assortiment de confitures, condiments de saison et huile de noisettes». Depuis la salle à manger, on a une vue spectaculaire sur le fleuve.

AUBERGE DES PEUPLIERS
★★★★ fra
381, rue Saint-Raphaël, La Malbaie (Cap-à-L'Aigle)
Tél.: 418-665-4423 et 1-888-282-3743
www.aubergedespeupliers.com
SPÉCIALITÉS FRANÇAISES: Gravlax de saumon Atlantique, jus de lime gélifié, crème légère aux fines herbes. Foie gras poêlé de la ferme Basque, purée de fraises du Québec. Parmentier d'agneau, ratatouille, purée de parmesan. Flanc de porc braisé, ragoût de pleurotes, polenta crémeuse. Décadent au chocolat.
PRIX Midi: (fermé)
Soir: C. 47$ à 72$ T.H. 54$
OUVERT le soir, 7 jours.
NOTE: À la carte, on compose son menu soi-même. Menu saisonnier 3 serv. 36$, 4 serv. 54$. Brunch 21$ fête des Mères, Pâques, sur réserv. Terrasse avec vue sur les jardins de l'auberge. Activités hivernales. Spa, sauna, table de ping-pong et billard. Membre Terroir et saveurs du Québec.
COMMENTAIRE: Une véranda de style terrasse accueille les clients pour l'apériti. Les chambres de l'auberge, dont certaines sont situées dans les combles, sont confortables et très bien décorées. Terrasse avec vue sur le fleuve. L'une des plus anciennes auberges de la région. Cuisine soignée et service attentionné.

LE SAINT-PUB ★★[ER] (bistro) cont MicroBrasserie
2, rue Racine, Baie-Saint-Paul
Tél.: 418-240-2332
www.saint-pub.com
SPÉCIALITÉS CONTINENTALES: Salade 7ᵉ ciel au fromage charlevoisien. Crème d'oignons gratinée à la bière. Poulet fumé, sauce barbecue, mariné à la bière. Côtes levées cuites dans la bière maison, sauce barbecue fumée. Pouding chômeur à la bière Dominus Vobiscum double.
PRIX Midi: F. 14$ à 20$
Soir: C. 25$ à 55$ T.H. 25$ à 38$
OUVERT le midi et le soir, 7 jours.
NOTE: Smoked meat maison. Fumoir maison. Bières brassées sur place.
COMMENTAIRE: L'endroit est très sympathique. Une cuisine bistro, un accueil enjoué, une bonne ambiance, une couleur spéciale. Menu utilisant les produits de la région charlevoisienne. Un excellent choix de plus de 15 bonnes bières brassées sur place, utilisées aussi dans les recettes des plats.

LES LABOURS ★★★★[ER] fra
Le Germain Charlevoix
50, rue de la Ferme, Baie-Saint-Paul
Tél.: 418-240-4123
www.lemassif.com
SPÉCIALITÉS FRANÇAISES: Foie gras de la ferme Basque de Charlevoix. Omble entier rôti. Macreuse de bœuf. Foie de veau poêlé. Magret de canard (ferme Basque) endives, sirop de bouleau et sureau. Pièce d'agneau de Charlevoix et légumes de saison.
PRIX Midi: (fermé)
Soir: C. 45$ à 67$ T.H. 49$
OUVERT le soir, 7 jours.
NOTE: Cuisine ouverte, table du chef. Bistro Le Bercail ouvert l'été pour le lunch et le souper, spécialités pizzas et snacks.
COMMENTAIRE: Avec un menu appelé à évoluer au rythme des saisons, celui du restaurant Les Labours met en vitrine les producteurs de Charlevoix. Plusieurs plats partagés y figurent et les légumes occupent une part non négligeable de l'assiette. Atmosphère urbaine BCBG et détendue. Brunch gourmand avec pains et charcuteries de la région.

RESTAURANT LE CHARLEVOIX ★★★★★ fra

Fairmont Le Manoir Richelieu
181, rue Richelieu, La Malbaie
Tél.: 418-665-3703
www.fairmont.com
SPÉCIALITÉS FRANÇAISES: Duo de foie gras, mousse de foie gras avec biscuit de sarrasin, foie gras poêlé, purée de camerise. Agneau de Baie Saint-Paul, carré et cassoulet braisés, sauce aux bleuets et romarin. Gâteau au fromage, biscuit noisette, glace au fromage Migneron. Mousse au Secret de Maurice.
PRIX Midi: (fermé)
Soir: C. 55$ à 111$
OUVERT le soir en été, 7 jours. Hors saison, d'oct. à avr., ouvert sam. soir seulement, 7 jours en période de fort achalandage (temps des fêtes, relâche, etc.).
NOTE: Réserv. suggérée. Produits locaux. Menu découverte 4 serv. 93$, 5 serv. 117$, avec accord des vins 148$ à 196$. Carte des vins primée de plus de 300 étiquettes. Award 2017 Wine Spectator's. Plats végétariens haut de gamme. Service du café au guéridon. Gala des Grands Chefs, événement culinaire, une fin de semaine pour les amoureux de la gastronomie entièrement dédiée à la cuisine du terroir charlevoisien en nov.
COMMENTAIRE: Une très belle cuisine française traditionnelle, présentée avec une touche moderne, mettant en valeur les produits frais de la région. Bon service de salle et de sommellerie. La salle à manger, aux larges baies vitrées, qui marie l'ancien et le moderne, a une vue exceptionnelle sur le majestueux fleuve Saint-Laurent. Situé à côté du Casino de Charlevoix. Centre d'affaires, spa et plusieurs piscines. L'excellent chef Pierre-Laurence Valton-Simard a repris la direction des fourneaux.

GASPÉSIE

AUBERGE LA COULÉE DOUCE ★★ cont
21, rue Boudreau, Causapscal
Tél.: 418-756-5270 et 1-888-756-5270
www.lacouleedouce.com
SPÉCIALITÉS CONTINENTALES: Soupe de poisson et fruits de mer tomatée, pernod. Saumon à la Matapédia. Assiette fiesta (crevettes grises, langoustine à l'ail, pétoncles citronnés). Têtes de violon à l'ail. Mignon de bœuf, échalotes, bacon, fromage, légumes grillés. Gâteau au fromage, coulis de fraises maison.
PRIX Midi: T.H. 16$ à 18$
Soir: C. 32$ à 60$ T.H. 25$ à 30$
OUVERT le midi et le soir, 7 jours.
NOTE: Entrées à partager. Menu enfants. 4 tables bistro à la terrasse. Brunch et menu végétarien et sans gluten sur demande. 7 chambres et 5 chalets. Air conditionné. Internet sans fil.
COMMENTAIRE: Une table sans prétention, plutôt familiale, avec des mets à base de poissons et de fruits de mer. Le saumon est la vedette de la région. Une charmante petite auberge juchée sur la colline de Causapscal, à la jonction des rivières Matapédia et Causapscal. Tout y est vieux, délicat et chaleureux, comme autrefois.

AU GOÛT DU LARGE

La Marée chante ★★★ cont
Hôtel-Motel Le Gaspésiana
460, route de la Mer, Sainte-Flavie
Tél.: 418-775-7233 et 1-800-404-8233
www.gaspesiana.com

SPÉCIALITÉS CONTINENTALES ET GASPÉSIENNES: Linguini des grandes marées. Filet de morue rôti meunière. Homard thermidor. Darne de flétan meunière. Tartine de crème avec sucre d'érable.
PRIX Midi: T.H. 13$ à 19$
Soir: C. 28$ à 56$
OUVERT le midi et le soir, 7 jours. Brunch dim.
NOTE: Forfait pour la Saint-Valentin. Centre de santé.
COMMENTAIRE: Changement de nom de la salle à manger. La Marée chante est devenue Au Goût du large. Cuisine faite avec les produits de la région, avec une large part pour les poissons et les fruits de mer. Situé en bordure du Saint-Laurent depuis plus de 50 ans. Motel confortable, très belle vue panoramique sur l'océan.

LA MAISON DU PÊCHEUR

★★★ cont
157, route 132, Percé
Tél.: 418-782-5331
www.maisondupecheur.ca

SPÉCIALITÉS CONTINENTALES: Homard frais. Crème d'oursin. Tartare de saumon frais aux algues de mer. Pizza aux fruits de mer cuite au four à bois. Pizza à la morue séchée. Escalopes de homard au parfum d'érable et d'océan. Langues de morue au beurre d'oursin.
PRIX Midi: C. 22$ à 45$
Soir: C. 47$ à 84$ T.H. 44$ à 50$
OUVERT le midi, 7 jours en été. Le soir, en juil. et août, 7 jours. Fermé fin oct. à début mai.
NOTE: Menu 5 serv. Produits du terroir. Carte des vins, 80 étiquettes, 50% en importation privée.
COMMENTAIRE: Le restaurant est situé directement sur un quai. On mange dans un décor intérieur de pêche, en écoutant le ressac des vagues. Une des places pour déguster des fruits de mer, des crustacés et du homard frais conservés en vivier sous-marin près du rocher Percé. Un bon choix de pizzas cuites au four à bois d'érable, avec des garnitures de produits de la mer de toutes sortes. Très belle vue sur le rocher Percé, la jetée et la plage.

LA NORMANDIE ★★★★ fra

Hôtel La Normandie
221, Route 132 O., Percé
Tél.: 418-782-2112 et 1-800-463-0820
www.normandieperce.com

SPÉCIALITÉS FRANÇAISES: Duo de crevettes et pétoncles à l'émulsion de gingembre ou beurre d'agrumes. Feuilleté de homard au champagne. Wellington de pétoncles au fromage de chèvre, beurre blanc au basilic. Manchon de porc grillé, sauce au cidre. Gâteau Gadix (chocolat et noisettes).
PRIX Midi: (fermé)
Soir: C. 32$ à 74$ T.H. 24$ à 58$
OUVERT le soir, 7 jours de juin à début oct.
NOTE: Déjeuner buffet 15,50$. Bar ouvert 17h à 23h. 45 chambres.
COMMENTAIRE: Une vue imprenable sur le rocher Percé, l'île Bonaventure et le golfe du Saint-Laurent. La salle à manger surplombe la mer. Décor élégant et sans surcharge, sièges confortables, ambiance feutrée, belles présentations dans les assiettes, cuisine à la hauteur de l'ensemble. Service attentionné. Un bel endroit pour la détente au bord de l'eau.

LA SEIGNEURIE ★★★ cont

Hostellerie Baie Bleue
482, bd Perron, Carleton-sur-Mer
Tél.: 418-364-3355 et 1-800-463-9099
www.baiebleue.com

SPÉCIALITÉS CONTINENTALES: Foie gras poêlé, purée de fraises au vin rouge, sur gaufre. Médaillon de bison, purée de pommes de terre et fromage de chèvre. Pétoncle géant, bourgot mariné, sauce au bleu. Gnocchis aux crevettes nordiques, sauce au chèvre. Profiteroles sauce au beurre d'érable de l'Érablière Escuminac.
PRIX Midi: (fermé)
Soir: C. 46$ à 73$ T.H. 34$ à 52$
OUVERT le soir, 7 jours. Brunch dim.
NOTE: Homard l'été. Dim. brunch et menu à la carte au petit déjeuner. Menu enfants moins de 12 ans, 13,95$. Soirées thématiques ponctuelles, artistes locaux. Carte des vins avec 470 étiquettes, environ 2000 bouteilles.
COMMENTAIRE: On cuisine ici tous les produits frais de la Gaspésie. Un des rares établissements ouverts à l'année. Situé au bord de la Baie des Chaleurs, le restaurant offre une vue magnifique sur la baie, une des plus belles au monde. Souper spectacle fréquent, centre des congrès de la Gaspésie, club de golf. Au Pub Saint-Joseph, écrans géants, chansonniers et spectacles.

LE GÎTE DU MONT-ALBERT

★★★★[ER] cont
2001, route du Parc, Sainte-Anne-des-Monts
Tél.: 418-763-2288 et 1-866-727-2427
www.parcsquebec.com/albert

SPÉCIALITÉS CONTINENTALES: Carpaccio de bœuf Wagyu, mayo maison parfumée à la truffe noire et balsamique, boutons de marguerites ferme Paquet et Fils, pignons grillés. Ravioles de homard à l'encre de seiche, crémeuse au pastis et tomates soleil, sauce vierge de moules, crevettes de Matane et bourgots. Bison façon Rossini. Biscuit choco, fruits de la passion.
PRIX Midi: F. 13$ à 24$
Soir: C. 39$ à 71$ T.H. 36$ et 46$

OUVERT le midi et le soir, 7 jours. Fermé du 16 oct. au 25 déc. et du 1er avr. au 7 juin.
NOTE: Menu saisonnier 3 et 4 serv. Carte des vins. En été, menu barbecue 16h à 20h, sur la terrasse. Terrasse avec vue sur les jardins de l'auberge. Activités hivernales.
COMMENTAIRE: Service familial dans un décor enchanteur. L'assiette est bonne, on dénote une recherche dans la composition des plats, mais malheureusement leurs présentations sont assez inégales entre les plats principaux et les desserts. Ces derniers sont plus étudiés. On constate cependant un effort dans la qualité de la cuisine en général, mais pourrait faire encore mieux. Établissement perdu dans la montagne, au milieu du parc de la Gaspésie, vue sur le Mont-Albert. Un site incroyablement beau!

LE MARIN D'EAU DOUCE ★★★ fra

215, route du Quai, Carleton
Tél.: 418-364-7602
www.marindeaudouce.com

SPÉCIALITÉS FRANÇAISES AVEC INFLUENCES MÉDITERRANÉENNES: Harengs marinés, pommes acidulées. Langues de morue au beurre citronné. Merguez de l'Atlas à la marocaine. Lapin à la moutarde. Pétoncles sur lit de lentilles safranées. Ris de veau braisés aux champignons sauvages. Tarte Tatin. Fondant au chocolat.
PRIX Midi: T.H. 20$
Soir: C. 38$ à 53$ T.H. 35$ à 40$
OUVERT le midi et le soir, 7 jours toute l'année.
NOTE: Menu soir 4 serv. Nouvelle T.H. chaque jour. Cave à vin (200 étiquettes). Soirées thématiques marocaines de l'automne au printemps. Menu gibier à l'automne. Arrivage de poissons frais 2 à 3 fois/sem.
COMMENTAIRE: Une table sympathique, tenue par un chef d'origine maghrébine et son fils. Le père fait une cuisine française méditerranéenne avec les produits de la Gaspésie, tandis que le fils s'occupe de la salle et du service du vin. Ils sont installés dans une vieille maison construite en 1820, située sur le bord de la Baie des Chaleurs. Une adresse qui mérite le détour. Nous recommandons surtout les produits de la mer qui sont excellents et bien traités.

VILLA ESTEVAN ★★★★ int

Les Jardins de Métis
200, route 132, Métis-sur-mer
Tél.: 418-775-2222 #243
www.jardinsdemetis.com/francais/restauration-villa-estevan.php

SPÉCIALITÉS ORIENTÉES SUR L'UTILISATION DES VÉGÉTAUX: Terrines d'agneau et de porc, purée de pomme fermentée, roquette, estragon. Pancake au maïs, crevettes à la ciboulette et betterave blanche, mayonnaise au géranium, crème de homard au piment Gorio. Asperges, échalotes, pomme de terre, crème d'oignon, œuf mimosa. Crémeux au chocolat blanc, meringue à l'eucalyptus, mousse de fleurs de sureau.
PRIX Midi: T.H. 32$ à 43$
Soir: (fermé)
OUVERT le midi, en été, du lun. au sam. Brunch dim.
NOTE: Cuisine inspirée de la collection horticole des Jardins de Métis. Fermé d'oct. à juin.
COMMENTAIRE: Pour ceux qui connaissent l'hôtel Mount Stephen au centre-ville de Montréal, le nom de Reford ne leur sera probablement pas étranger. Cette riche famille québécoise l'avait construit pour y faire sa résidence. C'est cette même famille qui a créé les célèbres Jardins de Métis, cette magnifique propriété à l'entrée de la Gaspésie, dont le directeur actuel est l'un des descendants. Un endroit où il fait bon se promener l'été pour y admirer les innombrables variétés de plantes et de fleurs, dont le très rare pavot bleu. C'est là, dans cet écrin naturel, que le restaurant Villa Estevan ouvre sa table aux visiteurs. Le talentueux jeune chef Pierre-Olivier Ferry propose une cuisine axée sur les végétaux comestibles de la collection horticole des Jardins de Métis. Il récolte plus de 150 végétaux sur la propriété pour en garnir ses assiettes de façon originale, tout à fait charmante et délicieuse, voire quelquefois surprenante. Un incontournable si vous passez par là!

Vous pouvez facilement identifier les établissements recommandés par le guide **Debeur** grâce à cet autocollant.

INDEX DES RESTAURANTS

INDEX ALPHABÉTIQUE

Restaurants - Index alphabétique

Restaurants - Index alphabétique

Restaurants qui offrent des brunchs - Index

MONTRÉAL

ARGENTIN

LA LAVANDERIA [ER] 16
À l'assiette 14$ à 24$, sam. et dim.

CANADIEN

BAR GEORGE ★★★ 17
10$ et 28$, sam. et dim. 9h à 15h.

CHINOIS

YUAN ★★★ 18
17$ adulte, 10$ enfant, sam. et dim. midi à 14h30.

ESPAGNOL

PINTXO ★★★ 23
10$ à 22$, sam. et dim. 11h30 à 15h.

FRANÇAIS

ALEXANDRE ET FILS ★★★★ (bistro) 24
23$, sam. et dim. 11h30 à 15h30.
AU PETIT EXTRA ★★★[ER] (bistro) 25
13$ à 18$, dim. 10h à 14h30.
CHEZ CHOSE ★★★ 27
Brunch à l'assiette 15$ à 20$, dim. 10h à 14h30.
CHEZ LÉVÊQUE ★★★★ (bistro) 28
À la carte 29$ à 35$, sam. et dim. 11h à 16h.
H4C PLACE ST-HENRI ★★★★ (bistro) 29
6$ à 29$, sam. 10h à 14h et dim. 10h à 15h.
HAMBAR ★★★★ (bistro) 29
À l'assiette 12$ à 24$, sam. et dim. 11h à 15h.
LA SALLE À MANGER ★★★ (bistro) 31
11$ à 17$, sam. 10h à 15h, dim. 10h à 17h.
LA SOCIÉTÉ ★★★★ (bistro) 31
À la carte 13$ à 19$, sam. et dim. 11h à 15h.
LEMÉAC ★★★ (bistro) 33
12$ à 19$, sam. et dim. 10h à 15h et lun. fériés.
LE POIS PENCHÉ ★★★ (bistro) 33
À la carte 25$, sam. et dim. 10h à 15h.
LE VALOIS ★★[ER] 35
10$ à 19$, sam. et dim. 9h à 15h.
L'EXPRESS ★★★ (bistro) 36
À la carte 5$ à 13$, sam. et dim. 10h à 12h.
MAISON BOULUD ★★★★★ 36
44$ à 54$, sam. et dim. 12h et 14h30.
MARCHÉ DE LA VILLETTE ★★★[ER] (bistro) 36
13$ à 19$, sam. et dim. à partir de 9h30.
RENOIR ★★★★ 37
Buffet 56$, dim. 11h à 15h.
RESTAURANT O'THYM ★★ (bistro) 38
À l'assiette 16$ à 22$, sam. et dim. 10h à 14h.
XO LE RESTAURANT ★★★★★ 38
29$ à 39$, dim. 11h à 15h.

GREC

IKANOS ★★★★ 39
11$ à 25$, dim. 10h30 à 15h30.

INTERNATIONAL ET MÉTISSÉ

BISTROT LA FABRIQUE ★★★ (bistro) 41
À la carte 7$ à 20$, sam. et dim. 10h30 à 14h30.
BRASSERIE LES ENFANTS TERRIBLES ★★★ (bistro) 41
À la carte 11$ à 21$, sam. et dim. 9h30 à 15h.
BRASSERIE LES ENFANTS TERRIBLES ★★★ (bistro) 42
10$ à 18$, sam. et dim. 9h30 à 15h.
Ê.A.T. Être Avec Toi ★★★[ER] 42
À la carte 5$ à 32$, sam. et dim. 11h30 à 16h.
HOOGAN & BEAUFORT ★★★★ (bistro) 44
À l'assiette 5$ à 25$, dim. 10h à 14h.
LABARAKE Caserne à manger ★★★ (bistro) 44
À l'assiette 9$ à 16$, dim. 10h à 14h.
LE CHIEN FUMANT ★★★ (bistro) 45
À l'assiette 11$ à 32$, dim. 10h à 15h.
LE MONTRÉAL Grillades et fruits de mer ★★★ 45
30$, dim. 10h à 14h. Pour le brunch, on est en contact avec la brigade, car on se sert directement dans les cuisines.
ROSÉLYS BISTRONOMIE ★★★★ (bistro) 49
46$, 6 à 12 ans moitié prix, 5 ans et moins gratuit, dim. 11h et 13h, 2 serv.
VERSES ★★★ (bistro) 50
À la carte 8$ à 28$, sam. et dim. 11h30 à 15h.

ITALIEN

LA MOLISANA ★★★ 52
15$, dim. 11h à 15h.
LE RICHMOND ★★★★[ER] 52
À l'assiette 11$ à 24$, dim. 11h à 16h.

JAPONAIS

PARK RESTAURANT ★★★★ 54
À la carte 8$ à 45$, sam. 10h à 14h30.

LIBANAIS

RESTAURANT SOLEMER ★★★ 57
20$, dim. 11h à 14h.

MÉDITERRANÉEN

BYLA.BYLA. ★★★ 58
À l'assiette 6$ à 15$, sam. et dim. 10h à 15h.

MEXICAIN

LE PETIT COIN DU MEXIQUE ★★ 58
8$ à 12$, sam. et dim. 11h à 15h.

TURC

BARBOUNYA ★★★ 63
16,50$, sam. et dim. 10h à 15h.

RIVE SUD

CAFÉ RICARDO ★★★ (bistro) int 65
À l'assiette 8,95$ à 13,95$, sam. et dim. 9h à 16h.
CHEZ LIONEL ★★★ (bistro) fra 65
À l'assiette 11$ à 16$, sam. et dim. 9h à 14h.
L'INCRÉDULE ★★★ fra 69
À l'assiette 9$ à 15$, sam. et dim. 9h à 15h.
MESSINA ★★★ ita 69
Adultes 16,95$, enfants 4 à 13 ans 4,95$, gratuit moins de 4 ans, dim. 8h à 15h.

LAURENTIDES

ADÈLE BISTRO ★★★★ fra 75
À la carte 19$ à 25$, dim. 10h à 15h.
AUBERGE DU VIEUX FOYER ★★★★ cont 75
Adultes 22,50$, enfants 10 ans et moins 10$, dim. à 10h30 et 12h30.
BISTRO À CHAMPLAIN ★★★★ (bistro) fra 76
Buffet 36$, dim. 11h à 14h.
ltdg's LA TABLE DES GOURMETS ★★★★ fra 77
À la carte 8$ à 18$, dim. 11h à 14h.
MAISON 1890 ★★★ fra 77
À la carte 2$ à 15$, sam. 11h à 15h.

MONTÉRÉGIE

1171 - AUBERGE DES GALLANT ★★★★★ qué 78
Buffet 29,95$, dim. 9h et 14h.
AUBERGE HANDFIELD ★★★ qué 79
Buffet 36$, 5 à 12 ans 17$, dim. 10h à 14h.
BISTRO CULINAIRE - LE COUREUR des BOIS ★★★★ (bistro) fra 79
À l'assiette 16$ et 24$, sam. et dim. 10h30 à 14h.
FOURQUET FOURCHETTE ★★ qué 80
24$, dim. 10h à 14h.

QUÉBEC

AMÉRINDIEN

BORÉAL

CONTINENTAL

FRANÇAIS

INTERNATIONAL ET MÉTISSÉ

ITALIEN

QUÉBÉCOIS

RÉGION DE QUÉBEC

AILLEURS DANS LA PROVINCE

RÉGION DE CHICOUTIMI

RÉGION DE GRANBY

GATINEAU - OTTAWA

RÉGION DE GATINEAU - OTTAWA

SHERBROOKE

RÉGION DE SHERBROOKE

TROIS-RIVIÈRES

Restaurants qui offrent des brunchs - Index

RÉGION DE TROIS-RIVIÈRES

AUTRES RÉGIONS

CHARLEVOIX

GASPÉSIE

Restaurants où l'on peut apporter son vin - Index

MONTRÉAL

AFRICAIN

ALGÉRIEN

ASIATIQUE

CORÉEN

FRANÇAIS

HAÏTIEN

IRANIEN

ITALIEN

PÉRUVIEN

BANLIEUE DE MONTRÉAL

RIVE SUD

RÉGION DE MONTRÉAL

MONTÉRÉGIE

QUÉBEC

CHINOIS

FRANÇAIS

AILLEURS DANS LA PROVINCE

GRANBY

GATINEAU - OTTAWA

SHERBROOKE

Restaurants qui offrent une terrasse - Index

MONTRÉAL

AFRICAIN

GRACIA AFRIKA ★★★ 15
À l'arrière du resto, 42 pers.

ALGÉRIEN

LES RITES BERBÈRES ★★ 15
2 terrasses à l'arrière, dans un jardin, couvertes de végétation, 65 pers.

ASIATIQUE

MISO ★★★[ER] 16
Sur les rues Sainte-Catherine et Atwater, semi-privée, avec arbres, 40 pers.

CAJUN

LA LOUISIANE ★★ 17
Ouverte sur la rue, fleurie, 30 pers.

CANADIEN

BAR GEORGE ★★★ 17
Très bel espace en espalier, élégant, avec sofas, parasols, fleurie, 45 pers.

CHINOIS

L'ORCHIDÉE DE CHINE ★★★★★ 18
Privée, au 2e étage, 9 tables, vue sur la rue Peel, 26 pers.

CONTINENTAL

CHEZ MA GROSSE TRUIE CHÉRIE ★★★[ER] 19
Une terrasse privée sous chapiteau, 30 pers. Une terrasse à l'arrière, intime, design, 50 pers.

LA CHAMPAGNERIE ★★★ 19
Boisée et fleurie, décor bois et métal, en face du marché Bonsecours. Enfants avant 20h. Section VIP séparée. 20 pers.

L'Ô ★★★ 21
Sur le devant, sur la rue, fleurie, plantes grimpantes, avec parasols, bar complet, sofas, une section lounge, une section restauration classique, 60 pers.

MAESTRO S.V.P. ★★★ 22
Sur le bd Saint-Laurent, 3 tables, 6 pers.

QUEUE DE CHEVAL et HOMARD FURIEUX ★★★ 22
Sur la rue, fleurie, 20 pers.

RIB'N REEF ★★★ 22
Sur le toit, entièrement couverte, nappes blanches. Ouverte midi et soir. Jusqu'à 50 pers.

CORÉEN

LA MAISON DE SÉOUL ★★★ 23
Sur le trottoir, 4 tables, 8 pers.

RESTAURANT 5000 ANS ★★★ 23
À l'avant, sur le trottoir, 15 pers.

SAM CHA ★★[ER] 23
Sur la rue, verrière extérieure, 12 pers.

ESPAGNOL

PINTXO ★★★ 23
Sur l'avenue Mont-Royal, ombragée par une toiture, colorée, chaleureuse, en bois, 12 pers.

TAPAS,24 ★★★★ 24
Sur le trottoir, 35 pers.

FRANÇAIS

ALEXANDRE ET FILS ★★★★ (bistro) 24
Sur le trottoir de la rue Peel, style brasserie parisienne, 30 pers.

BISTRO CHEZ ROGER ★★★ (bistro) 25
Sur la rue Beaubien, 26 pers.

BISTRO L'AROMATE ★★★ (bistro) 25
Sur le bd de Maisonneuve, urbaine, 2 sections lounge avec divans, élégante et confortable, parasols, 40 pers.

BORIS BISTRO ★★★ (bistro) 27
Dans une cour intérieure, urbaine, latérale, sur deux niveaux, ombragée par des arbres, avec un mur historique, plus de 140 pers.

CHAMBRE À PART ★★★★ 27
Petite terrasse sur la rue Saint-Denis, ombragée, fleurie, 40 pers.

CHEZ LÉVÊQUE ★★★★ (bistro) 28
Plateforme clôturée, aménagée sur Laurier avec auvent et parasols, sections couverte et non couverte, 60 pers.

CHEZ SOPHIE ★★★★ 28
Petite terrasse ombragée à l'arrière du restaurant, 16 pers.

EUROPEA ★★★★★[ER] 28
Petite terrasse sur la rue, à l'entrée du restaurant, 24 pers.

H4C PLACE ST-HENRI ★★★★ (bistro) 29
En avant du restaurant, sur la place publique de Saint-Henri, ceinturée de jardinières et banquettes en îlots de végétation, 35 pers.

HAMBAR ★★★★ (bistro) 29
Terrasse modulaire angle d'Youville et McGill, bar extérieur, tables avec parasols, jardin d'herbes, jusqu'à 40 pers.

LA GARGOTE ★★ 30
Deux terrasses juxtaposées, une sur la place d'Youville, en bois, à l'ombre des arbres, 30 pers. Une autre en façade, 15 pers.

LALOUX ★★★[ER] (bistro) 30
Couverte, sur la rue des Pins, avec treillis, fleurie, tables avec nappes, 16 pers.

LA SOCIÉTÉ ★★★★ (bistro) 31
Sur la rue, fleurie, clôturée, 20 pers.

L'ATELIER DE JOËL ROBUCHON ★★★★★+ 32
Chauffée, moustiquaires, 20 pers.

L'AUBERGE SAINT-GABRIEL ★★★★ 32
Sur la rue Saint-Gabriel, mi-couverte par un auvent, fleurie, protégée par des murs en pierre, avec des meubles en teck, 60 pers.

LE MARGAUX ★★★★ (bistro) 33
Sur le trottoir, terrasse en bois sous un auvent, intime, éclairée, fleurie, 12 pers.

LEMÉAC ★★★ (bistro) 33
Sur la rue Durocher, intime, avec beaucoup d'arbres, recouverte d'un auvent, chauffée à l'année, 50 pers.

L'ENTRECÔTE ST-JEAN ★★★ (bistro) 33
Ombragée, fleurie, sur la rue, 20 pers.

LE POIS PENCHÉ ★★★ (bistro) 33
Sur le bd de Maisonneuve, de style parisien, tables en bois, abritée par des arbres et auvents, 70 pers.

LE RENDEZ-VOUS DU THÉ ★★[ER] 35
Sur la rue, avec un auvent, tapis, tables nappées, 10 pers.

LES CONS SERVENT ★★★ (bistro) 35
Sur la rue, avec parasols, 8 pers.

LE VALOIS ★★[ER] 35
Sur la place Valois, couverte, 130 pers.

MAISON BOULUD ★★★★★ 36
Deux terrasses, l'une dans le jardin intérieur du Ritz, à l'arrière, mare à canards, 40 pers, l'autre sur la rue Sherbrooke, 130 pers.

RENOIR ★★★★ 37
Très belle terrasse ouverte, sur le côté, avec parasols, loin de la rue, 20 pers., aussi une partie couverte, 35 pers.

RESTAURANT CHRISTOPHE ★★★ 37
Sur la rue, clôturée, baie vitrée, 15 pers.

RESTAURANT PLEIN SUD ★★ 38
En bois, sur l'avenue Mont-Royal, ombragée, 20 pers.

TOQUÉ ! ★★★★★ 38
Sur la rue, devant le restaurant, ombragée, vue sur le parc, 20 pers.

GREC

FAROS ★★★ 39
Surélevée, sur la rue, pergola fleurie, verdure abondante, 12 pers.

IKANOS ★★★★ 39
Sur le trottoir, rue McGill, ombragée et clôturée, 25 pers.

RODOS ★★ 40
Sur un balcon, abondamment fleurie, genre méditerranéen, jusqu'à 15 pers.

HAÏTIEN

CASSEROLE KRÉOLE
Traiteur, plats à emporter, lunch sur place ★★★ 40
Petite, fleurie, sur le trottoir, 6 pers.

INDONÉSIEN

NONYA ★★★★ 41
Sur la rue Waverly, en bois, banquettes rembourrées, avec auvent, 25 à 30 pers.

INTERNATIONAL ET MÉTISSÉ

ACCORDS ★★★★[ER] 41
Sous le porche d'entrée, végétation, murs de pierres et de briques, 80 pers.

ITALIEN

JAPONAIS

LIBANAIS

MAROCAIN

MÉDITERRANÉEN

PÉRUVIEN

PORTUGAIS

SALVADORIEN

THAÏLANDAIS

TURC

VIETNAMIEN

RIVE SUD

Restaurants qui offrent une terrasse - Index

RIVE NORD

LANAUDIÈRE

LAURENTIDES

MONTÉRÉGIE

Restaurants qui offrent une terrasse - Index

LE SAMUEL ★★★★[ER] fra 83
Vue sur la rivière Richelieu, couverte en partie, très élégante, sofas, petit foyer central, 25 pers.
LES CHANTERELLES DU RICHELIEU ★★★★ fra 84
Belle vue panoramique sur la rivière Richelieu, au calme, gloriette dans le jardin, ombragée par des arbres centenaires, 40 pers.
LES ESPACES GOURMANDS ★★★ fra 84
Sur le côté, vue sur la rivière Richelieu, avec auvent et moustiquaires, 26 pers.
MISTA ★★★ ita 84
Très grande terrasse en pavé uni, paysagée, parasols, entourée d'arbres, avec estrade pour musiciens, 150 pers.
RESTAURANT LYVANO ★★★ cont 84
Sur le bord de la rivière Brochet. Une en bois, fleurie, 35 pers. L'autre en pavé uni, fleurie, 30 pers.
SUCRERIE DE LA MONTAGNE ★★★★★ suc 85
En plein bois, fleurie, ombragée par de grands érables, 25 pers.

QUÉBEC

AMÉRINDIEN

RESTAURANT LA TRAITE ★★★★ 86
Entourée d'arbres, au bord de la rivière Saint-Charles, foyer extérieur, 60 pers.

BORÉAL

CHEZ BOULAY Bistro Boréal ★★★★ 87
En été, 18h à 23h, sur le trottoir de la rue Saint-Jean qui est piétonne le soir, ombragée, 24 pers.
LÉGENDE par La Tanière ★★★★★ (bistro) 87
Sur la rue, fleurie, 60 pers.

CONTINENTAL

ALBACORE ★★★★ (bistro) 87
Belle vue sur la Basse-Ville, 24 pers.
LA BÊTE Bar-Steakhouse ★★★★ 88
Fleurie, avec jardin de ville, 75 pers.
LE CHARBON ★★★★ 88
Délimitée par des arbustes et une clôture, sofas, ambiance urbaine, 40 pers. Cour intérieure, fleurie, cèdre rouge, gazebo, 90 pers.
MNBAQ GASTRONOMIE signé Marie-Chantal Lepage ★★★★ 89
Vue sur les plaines d'Abraham et le fleuve, au calme, grande terrasse derrière le musée, 80 pers.

CORSE

PETITS CREUX & GRANDS CRUS ★★★ 89
Sur le trottoir, côté façade, 50 pers.

CRÊPERIE

CRÊPERIE LE BILLIG ★★ 89
Plateforme en bois, décorée de plantes, 8 pers.

FRANÇAIS

AUBERGE LOUIS-HÉBERT ★★★★ 90
Autour d'un arbre, chauffée, fleurie, sur la rue, abritée d'un auvent, 85 pers.
BISTRO B par François Blais ★★★★ 90
Sur la rue, 13 pers.
BISTRO LA COHUE ★★★ 90
Terrasse en briques avec parasols et fleurs, à l'avant du restaurant, 41 pers.
CAFÉ DU MONDE ★★★ 90
Vue sur le fleuve, 2e étage. Véranda avec fenêtres coulissantes, 50 pers.
CHEZ MUFFY ★★★★[ER] (bistro) 90
À l'étage, vue sur le fleuve, décorée de fleurs en pots, 20 pers.
LA PLANQUE ★★★★ (bistro) 91
Face à la rue, devant le restaurant, structure en bois et métal, 14 pers.
LAURIE-RAPHAËL Restaurant Atelier Boutique ★★★★★ 92
Sur la rue, semi-couverte, fleurie et bien aménagée, 24 pers.
LE BISTANGO ★★★★ (bistro) 92
À l'avant, couverte, terrasse-jardin paysagée, bien aménagée, parasols, décor européen, 40 pers.
LE BOUCHON DU PIED BLEU ★★★ (bistro) 92
Sur le trottoir, style resto français, tables pour 2, 10 pers.
L'ÉCHAUDÉ ★★★★ 92
Sur rue piétonnière, fleurie, avec tables et auvent, chauffée au besoin, 44 pers.
LE SAINT-AMOUR ★★★★★[ER] 93
Terrasse intérieure, jardin quatre saisons, protégée par une verrière climatisée, 65 pers.
LES FRÈRES DE LA CÔTE ★★★ (bistro) 93
Sur la rue, fleurie, auvent, soir et fin de semaine seulement, 18 pers.
PARIS GRILL ★★★ (bistro) 94
Sur le trottoir du bd Laurier, fleurie, presque fermée, ombragée, chauffée, 80 pers.
RESTAURANT LE GRAFFITI ★★★★ 95
Sur le trottoir de la rue Cartier, 2 terrasses fleuries, 28 pers.
RESTAURANT SIMPLE SNACK SYMPATHIQUE ★★★ (bistro) 95
Dans un vieux quartier, semi-couverte avec auvent et parasols, sur le trottoir, 26 pers.
RESTAURANT TOAST! ★★★★★ 95
Couverte et chauffée si nécessaire, cour intérieure de l'hôtel, très belle, à ciel ouvert, 75 pers.

INTERNATIONAL ET MÉTISSÉ

LE 47e PARALLÈLE ★★★ 96
À l'avant, sur la rue Jacques-Parizeau, très espacée, 80 pers.
LE CENDRILLON ★★★★ 96
Sur le devant, couverte, 25 pers.
LE COSMOS CAFÉ ★★ 96
Sur le trottoir, chauffée, parasols, jardinières, banquettes, 100 pers.
LE MOINE ÉCHANSON ★★★[ER] (bistro) 96
Plateaux de table haute, sur le trottoir, vue sur la rue Saint-Jean, fleurie, 14 pers.
MONTEGO RESTO CLUB ★★★ 97
2 terrasses sur la rue, couvertes, fleuries et chauffées au besoin, 90 pers.

ITALIEN

BELLO RISTORANTE ★★★ 97
Verrière ouverte, semi-couverte, fleurie, 60 pers.
RISTORANTE IL MATTO ★★★ 98
Dans un jardin, très chic, avec auvent, chauffée, 70 pers.
RISTORANTE IL TEATRO ★★★ 98
Sur le trottoir, vue sur la place d'Youville, superbe terrasse de style européen, très fleurie, parasols, 110 pers.
RISTORANTE MICHELANGELO ★★★★[ER] 98
Vue sur le pont Pierre-Laporte, avec jardin fleuri à l'arrière, 36 pers. Balcon, 22 pers.
SAVINI ★★★ 98
Chauffée ou climatisée (brume), banquettes et meubles confortables, éclairage coloré Del, auvent, 150 pers.

JAPONAIS

ENZO SUSHI ★★★ 99
Sur le trottoir, fleurie, parasols, 30 pers.

MEXICAIN

SEÑOR SOMBRERO ★★★ 99
Clôturée avec des arbustes, fleurie, parasols, 30 pers.

QUÉBÉCOIS

LA BÛCHE ★★ 100
Dans la cour arrière, côté jardin, 50 pers.
RESTAURANT LÀ LÀ ★★★ 100
Sur la rue, plate-bande fleurie, parasols, 28 pers.

ARCHIBALD ★★ cont 101
Sur le coin devant le resto, paysagée, avec auvent, chauffée, 160 pers.
AUBERGE BAKER ★★★ qué 101
À l'avant, vue sur l'av. Royal, avec parasols, 20 pers. À l'arrière, terrasse-bar surélevée, couverte, vue sur le fleuve, 50 pers.
AUBERGE DES GLACIS ★★★★ fra 101
Tout près de la rivière Tortue, vue sur le jardin, 25 pers.
LA GOÉLICHE ★★★★ int 102
Au bord du fleuve, parasols, 24 pers. Verrière, vue sur le fleuve, 35 pers. Terrasse entre deux ponts, durant les beaux jours d'été, 56 pers.

AILLEURS DANS LA PROVINCE

CHICOUTIMI

GRANBY

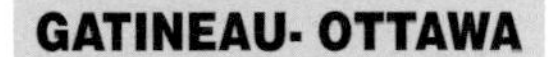

RÉGION DE GATINEAU - OTTAWA

SHERBROOKE

RÉGION DE SHERBROOKE

TROIS-RIVIÈRES

AUTRES RÉGIONS

BAS-SAINT-LAURENT

CHARLEVOIX

GASPÉSIE

Les BOUTIQUES

boulangeries, pâtisseries, chocolateries, boucheries, fromageries, épiceries fines, accessoires de cuisine, traiteurs, cours de cuisine, marchés publics, salons de thé et cafés, etc.

Tartelettes aux fruits de Pains et Saveurs *(Photo d'archives Debeur)*

ACCESSOIRES

ARTHUR QUENTIN

3960, rue Saint-Denis, Mtl | 514-843-7513

Tout pour l'art de la table, vaisselle de Limoges, verrerie, coutellerie, accessoires de cuisine, objets décoratifs, linge de maison. Bagagerie. Magasinage sur Internet.

À TABLE TOUT LE MONDE

361, rue Saint-Paul O., Mtl | 514-750-0311

Une boutique dédiée aux arts de la table dans le monde. Objets fonctionnels, matériaux nobles, lignes contemporaines, designers inspirés s'y retrouvent. Porcelaines Bousquet et Goyer Bonneau du Québec, coutellerie du Portugal, verres Sugahara du Japon, etc.

BOUTIQUE 1101

1101, av. Laurier O., Mtl | 514-279-7999

Spécialisé en accessoires de la table, articles cadeaux et objets design, d'importation européenne (Bodum, Nespresso, Chilewich, Guzzini, Lekue, Alessi, Kate Spade et autres marques renommées).

DANTE

6851, rue Saint-Dominique, Mtl | 514-271-2057

Un grand choix d'articles de cuisine importé d'Italie. La quincaillerie Dante, c'est l'endroit idéal où acheter une machine à faire les pâtes. Elena Venditelli y fait régulièrement des démonstrations très populaires de pâtes fraîches. Bien que l'on accorde une large place à la cuisine, on y trouve de tout, machines à café, vaisselle, couteaux, machines à tomates, etc. Ouvert depuis 1956. Devant le succès remporté auprès de sa clientèle, elle a ouvert une école de cuisine appelée Mezza Luna.

DESPRÉS LAPORTE

**994, bd Curé-Labelle, Chomedey, Laval |
450-682-7676 et 1-877-682-7676**

Aussi en région:

185, de La Burlington, Sherbrooke | 819-566-2620 et 1-800-378-2620

44, rue Saint-Jude Sud, Granby | 450-777-4644 et 1-800-378-4644

Boutique d'accessoires de la table, articles de cuisine, de pâtisserie et de sommellerie. Très beau choix de matériel, d'équipement professionnel et résidentiel. Nombreuses marques de qualité et haut de gamme. Conception de caves à vin pour particuliers et professionnels. Aussi, une adresse à Rimouski.

DOYON CUISINE

Quartier DIX30

8505, bd du Quartier, Brossard | 450-462-5555

**2600, rue Saint-Denis, Trois-Rivières
819-376-2600 et 1-877-376-2600**

**436, rue Saint-Pierre, Drummondville
819-477-6255 et 1-800-268-6255**

Boutique d'art culinaire vendant un grand choix d'accessoires de cuisine, articles de décoration de table et d'accessoires pour amateurs de vin. Machines à café. Barbecues. Beau matériel de professionnels accessible à tous. Vend les meilleures marques dans tous les domaines. À surveiller, il y a toujours des nouveautés. Enfin, les amateurs de vin y trouveront certainement leur bonheur: verres Riedel, seaux à champagne, aérateurs, bouchons, becs verseurs, pompes à vin, carafes, limonadiers, tire-bouchons, refroidisseurs à bouteille. Casiers modulaires pour faire sa cave soi-même. Plan d'aménagement de cave.

ESPACE RICARDO

Accessoires de cuisine - bistro - chocolaterie

310, rue d'Arran, Saint-Lambert | 450-465-4500

Produits et articles de la marque Ricardo pour la cuisine. Pièces de grande qualité (couteaux, batteries de cuisine, verres à vin, etc.) testées et sélectionnées par Ricardo lui-même et son équipe. Des idées de cadeaux amusants, utiles, pratiques ou des gadgets de qualité. La décoration intérieure et extérieure de l'Espace Ricardo, claire et assez conviviale, crée une atmosphère agréable où il fait bon circuler. La chef Kareen Grondin dirige la chocolaterie Mama Choka qui se trouve à l'intérieur de l'espace. Chocolat, caramel, barbe à papa à l'érable et aux noix. Ne pas manquer d'essayer le Café Ricardo.

FRANCE DÉCOR CANADA

290, bd Henri-Bourassa O., Mtl | 514-331-5028 et 1-800-463-8782

Matériel de pâtisserie gros et détail. Pour les professionnels et les amateurs. Moules (pour gâteaux ou chocolats, en silicone, etc.), boîtes d'emballage (pour cupcakes, gâteaux et chocolats), douilles, poches à pâtisserie, colorants alimentaires, verrines, décorations de gâteaux, fleurs en pastillage, fondant à gâteau, chocolat. On y trouve tout ce que l'on veut et beaucoup plus.

LE CREUSET

**3035, bd le Carrefour Laval, Laval
450-682-9591**

2121, rue Crescent, Mtl | 514-284-0330

Plus besoin d'aller au Carrefour Laval pour dénicher les dernières cocottes et autres indispensables de la cuisine puisque Le Creuset vient d'ouvrir une boutique en plein centre-ville. Vous y trouverez une belle sélection des produits de la célèbre marque française.

LES TOUILLEURS

152, av. Laurier O., Mtl | 514-278-0008

Très beau magasin spécialisé en outils de cuisine qui vend des accessoires de table de qualité. Offre aussi «Ateliers des chefs» qui sont des cours de cuisine donnés trois fois par semaine.

MAYRAND Resto dépôt
9701, bd Louis-H.-Lafontaine, Anjou
514-255-9330
Un entrepôt ouvert au public où les chefs s'approvisionnent. Des assiettes et des plats de service de toutes formes et de différentes qualité, principalement en blanc, de même qu'un grand choix de verres. Sans oublier tous les articles de cuisine nécessaires... et bien plus! Qualité professionnelle accessible au consommateur.

MOSTI MONDIALE
6865, rte 132, Sainte-Catherine | 450-638-6380
Depuis 1989, vend tous les éléments nécessaires à la fabrication de vins maison. Aussi vinaigre balsamique. Salle d'exposition. En gros seulement.

PAVILLON CHRISTOFLE
2015 rue de la Montagne, Mtl | 514-987-1242
La plus grande maison d'orfèvrerie au monde. Coutellerie et argenterie en métal argenté et argent massif, cristal et porcelaine. Existe depuis 1830, orfèvre du roi Louis-Philippe et de l'empereur Napoléon III. Travaille avec des designers de renom.

VIN ET PASSION
110, Promenades du Centropolis, Laval
450-781-8467
Quartier DIX30
8640, bd Leduc, Brossard | 450-653-2120
Installé depuis 2003. Spécialisé en celliers de diverses tailles, verres, carafes et autres accessoires destinés au service du vin. Conception de caves à vin sur mesure. Humidors. Offre aussi des cours de dégustation.

VINUM DESIGN
1480, rue City Councillors, Mtl | 514-985-3200 et 1-877-305-1919
Très grand choix de verres, de carafes, tire-bouchons, guides, couteaux Laguiole véritables et autres, sabres. Celliers, supports à bouteilles et climatiseurs pour caves à vin. Cadeaux d'entreprise et de mariage, articles de la table, machines à café. Dépositaire de grandes marques. Consultation et aménagement de caves à vin. Fournisseur pour restaurants et hôtels.

BOUCHERIES CHARCUTERIES

ADÉLARD BÉLANGER ET FILS
Marché Atwater
138, av. Atwater, #12A, Mtl | 514-935-2439
Cette boucherie, gérée par deux cousins, des petits-enfants d'Adélard, propose entre autres: veau de lait, agneau écologique, bœuf de qualité et écologique, saucisses maison, produits du Canard Goulu incluant magrets et

AVIS

Nous ne prétendons pas inscrire ici toutes les boucheries et charcuteries. Encore une fois, nos choix sont subjectifs et arbitraires et il arrive que nous ne recommandions pas certains commerces, même très connus, à cause du mauvais acceuil qu'ils ont pu réserver à nos journalistes.

foies gras de canard de Barbarie. Toutes sortes de viandes marinées maison.

ATLANTIQUE

5060, ch. Côte-des-Neiges, Mtl | 514-731-4764

Entreprise familiale. Boucherie, charcuterie, épicerie fine, fromagerie, boulangerie, poissonnerie, service de traiteur. Saumon fumé, saucisses et saucissons maison. Importations d'Europe (poissons, chocolats, confitures). Bières provenant d'Allemagne, de Hollande, du Danemark, de Suède et de France. Département de pains importés d'Allemagne.

BOUCHERIE CLAUDE ET HENRI 2005

Marché Atwater, # 11
138, av. Atwater, Mtl | 514-933-0386

Produits provenant des meilleures fermes du Québec. Viande vieillie 30 jours, carcasse entière. Bœuf de 1re qualité. Agneau frais et veau de lait du Québec. Gibier (cerf, sanglier, bison, caille, pintade, faisan, lièvre). Foie gras de choix. Spécialiste des saucisses (merguez, Toulouse, italienne, etc.), des brochettes, des marinades faits maison sans agent de conservation.

BOUCHERIE GRINDER

Griffintown
1654, rue Notre-Dame O., Mtl | 514-903-0763

Située dans une ancienne maison haute de plafond, une boucherie qui sort de l'ordinaire, vaste, bien éclairée, avec une chambre froide tout en verre dans laquelle sont accrochés des quartiers de viande Wagyu (Québec), 1855 Black Angus (E.U.) et Angus Triple A (Québec) en train de vieillir à sec. Spécialiste de la viande vieillie chouchoutée par un maître boucher. Viande traditionnelle également. Mets préparés.

BOUCHERIE PRINCE NOIR

Marché Jean-Talon
7070, rue Henri-Julien, Mtl | 514-906-1110

Spécialisé en gibier et produits du Québec (lapin, pintade, canard, cerf, bison, pigeonneau, etc.). Volaille de grain. Viande de bœuf, de cheval (sous-vide). Viandes bio, sans hormones, ni antibiotiques (poulet, agneau, bœuf et, en saison, canard, pintade et dinde). Plats cuisinés.

BOULANGERIE PREMIÈRE MOISSON

Voir section BOULANGERIES

CHARCUTERIE VIANDAL

550, rue de l'Église, Verdun | 514-766-9906

Boucherie de première qualité, excellent étal de charcuterie. Fermé le dimanche.

LA BERNOISE

3988, bd Saint-Charles, Pierrefonds
514-620-6914

Fabricant de charcuterie fine (viande des Grisons, bacon, saucisses en tous genres, jambon fumé naturel). Aliments importés et fromages.

LA MAISON DU RÔTI

Boucherie - épicerie fine - fromagerie
1969, av. Mont-Royal E., Mtl | 514-521-2448

Un très grand choix de saucisses, terrines, volailles fines (perdrix, faisan, pintade, caille), gibier, bœuf, agneau, veau, porc et charcuteries maison. Beaucoup de choix aussi dans la section épicerie fine. On y trouvera foie gras, salaisons, plats cuisinés à emporter, produits fins et du terroir, cafés équitables et thés, ainsi qu'une grande sélection de fromages artisanaux du Québec et d'importation.

LA P'TITE CHARCUTERIE

Boucherie - charcuterie - traiteur
7615, ch. de Chambly, Saint-Hubert
450-656-9070

Bons produits naturels, sans conservateurs et sans produits chimiques. Terrines, viandes froides, saucisses, boudins, viandes marinées faits maison. Plats cuisinés (tourtière du Lac Saint-Jean, etc.). Côté traiteur, il s'agit d'une cuisine maison, tout est cuit sur place. Buffet chaud-froid. Présentation sur miroir. Livraison et prêt à emporter. 5 à 7, réunions professionnelles, baptêmes, etc. Quelques tables pour le dîner. Fermé du dimanche au mardi.

LA QUEUE DE COCHON

Boucherie - charcuterie - traiteur
6400, rue Saint-Hubert, Mtl | 514-527-2252

Depuis 1994, le propriétaire Benoît Tétard, originaire de Vendée en France, confectionne une remarquable charcuterie artisanale. Bon choix de terrines, boudins, andouillettes, saucissons à l'ail, foie gras, confit de canard, pâtés et saucisses. Épicerie fine. Saumon fumé sur place. Grand choix de plats cuisinés prêts à emporter (gibier, poisson et porc) suivant les saisons. Mets congelés. Traiteur jusqu'à 100 pers.

LE BUCAREST

4670, bd Décarie, Mtl | 514-481-4732

Produits importés de Roumanie et d'autres pays d'Europe de l'Est. Mets roumains préparés sur place. Charcuterie. Pâtisseries roumaines.

LE COMPTOIR ESPACE GOURMAND

Boucherie - charcuterie - épicerie - traiteur
1052, rue Lionel-Daunais, #201, Boucherville | 450-645-1414
Toutes les pièces de viandes transformées sont vendues crues ou prêtes à cuire. Terrines, pâtés, saucisses, boudins, foie gras, confits, bouillon de volaille, fond de veau et de gibier. Plats à emporter. Plats congelés. Beaucoup de produits sont bio. Une petite partie d'épicerie fine. On peut manger sur place à l'heure du lunch, 16 à 30 pers. Terrasse en été. Vins d'importation privée à emporter.

LE MAÎTRE GOURMET

1520, av. Laurier E., Mtl | 514-524-2044
Cette boucherie fine offre des viandes biologiques, des viandes sauvages, des coupes fraîches. Aussi une panoplie de volailles, de l'agneau de Kamouraska nourri aux algues, de l'onglet de bœuf mariné, de la saucisse de veau, du saumon irlandais bio. C'est aussi une petite boutique écolo de quartier qui vend des produits d'épicerie fine biologiques et équitables, un excellent gâteau aux carottes, quelques fruits et légumes. On y propose également un service traiteur avec des plats cuisinés maison prêts à emporter. Fonds de volaille, veau, agneau, bœuf, préparés sur place.

LE MARCHAND DU BOURG

1661, rue Beaubien E., Mtl | 514-439-3373
Un duo de bouchers, père et fils, pas tout à fait comme les autres! Ils se spécialisent dans la vente de viande de bœuf Black Angus vieillie. Seulement la côte de bœuf, le contre-filet, le filet mignon et la bavette. Ils font vieillir la côte de bœuf de 60 à 730 jours, dans une pièce à atmosphère et à température contrôlées. La déco du magasin surprend, elle aussi, c'est plein d'antiquités. Un vrai musée! Fermé lundi et mardi.

MARCHÉ DE LA VILLETTE

Boucherie - fromagerie - bistro
Quartier des Arts
324, rue Saint-Paul O., Vieux-Mtl | 514-807-8084
Entreprise familiale de longue date. Savoureux pâtés et terrines maison, spécialiste des confits. Cassoulet et choucroute garnie. Comptoir de fromages du terroir et importés, rosette de Lyon. Une grande section bistro où on peut manger des cochonailles et des plats canailles, dans une ambiance animée de café-bistro parisien.

SOS BOUCHER

Marché Atwater
138, av. Atwater, Mtl | 514-933-0297
Production artisanale de charcuterie. Variété de saucisses maison aux légumes, de terrines maison, de coupes européennes, de marinades. Travail personnalisé et unique.

SPÉCIALITÉS SLOVENIA

Boucherie-charcuterie
3653, bd Saint-Laurent, Mtl | 514-842-3558
Boucherie-charcuterie ouverte depuis 1970. Une institution à Montréal où on trouve de nombreuses spécialités slovènes. Un bon nombre de restaurateurs viennent se fournir à cette adresse. Viandes fraîches, poulets de grain, volailles, charcuteries variées, saucisses, jambonneaux, choucroute, épicerie fine. Agneau frais du Bas-du-Fleuve. Comptoir chauffant. Smoked meat à emporter.

BOULANGERIES

BOULANGERIE DE FROMENT ET DE SÈVE

2355, rue Beaubien E., Mtl | 514-722-4301
Boulangerie utilisant une méthode artisanale pour fabriquer ses pains, à partir de farine non blanchie, non traitée ou biologique. Variété de viennoiseries et de pâtisseries sans graisses végétales ni saindoux. Biscuiterie artisanale. Épicerie fine. Fromages et charcuteries. Produits maison. Section bistro sympa avec terrasse.

BOULANGERIE REMIÈRE MOISSON

Boulangerie - pâtisserie - charcuterie - salon de thé - traiteur
Gare centrale
895, rue de La Gauchetière O., Mtl | 514-393-1247
Redpath Libary
3459, rue McTavish, Mtl | 514-398-6834
Marché Atwater
3025, rue Saint-Ambroise, Mtl | 514-932-0328
New Residence Hall
333, rue Prince-Arthur O., Mtl | 514-398-3397
Marché Maisonneuve
4445, rue Ontario E., Mtl | 514-259-5929
Plateau Mont-Royal
860, av. Mont-Royal E., Mtl | 514-523-2751
1271, rue Bernard, Outremont | 514-270-2559
Notre-Dame-de-Grâce
5500, rue Monkland, Mtl NDG | 514-484-5500
1297, ch. Canora, Mont-Royal | 514-739-9998
Rosemont
3001, rue Masson, Mtl | 514-374-7010
Marché Jean-Talon
7075, rue Casgrain, Mtl | 514-270-3701
Côte-des-Neiges
5199, ch. Côte-des-Neiges, Mtl | 514-731-3322
5660, bd Henri-Bourassa O., Saint-Laurent | 514-336-2377
Marché gourmand Centropolis
2888, av. du Cosmodôme, Laval | 450-682-1800
2021, ch. Gascon, Terrebonne | 450-964-9333
Métro Marquis
150, rue Louvain, Repentigny | 450-585-3022
790, montée Masson, Mascouche | 450-474-2911
790, Montée Saint-Sulpice, L'Assomption | 450-589-2906
189, bd Harwood, Vaudreuil-Dorion | 450-455-2827
3565, Saint-Charles, Kirkland | 514-426-0024
Marché de l'Ouest
11678, bd de Salaberry O., Dollard-des-Ormeaux | 514-685-0380

Quartier DIX30
7200, bd du Quartier, Brossard | 450-676-7500
350, rue Lawrence, Greenfield Park | 450-766-0863
2479, ch. de Chambly, Longueuil | 450-468-4406
Depuis 25 ans, Première Moisson fabrique et vend des produits de boulangerie, de pâtisserie et de charcuterie élaborés selon une approche artisanale avec des ingrédients sains. Pour se démarquer, l'entreprise mise dès le début sur la fraîcheur, la qualité et l'authenticité, des valeurs qui sont toujours au cœur de sa stratégie de développement. Première Moisson, qui emploie plus de 1200 personnes, compte 25 boulangeries au Québec et un magasin à Ottawa. Plusieurs de ses produits sont vendus en épicerie au Québec et en Ontario. Visitez www.premieremoisson.com pour découvrir tous les produits et nouveautés.

BOUTIQUES AU PAIN DORÉ

Boulangerie - salon de thé - traiteur
115, av. Atwater, Mtl | 514-989-8898
1455, rue Peel, Mtl | 514-843-3151
1, place Ville-Marie, Mtl | 514-903-2919
1250, René Levesque O., Mtl | 438-386-1696
1145, av. Laurier O., Mtl | 514-276-0947
5214, ch. Côte-des-Neiges, Mtl | 514-342-8995
3075, rue de Rouen, Mtl | 514-528-8877
Marché Jean-Talon
228, place du Marché-Nord, Mtl | 514-276-1215
1650, bd de l'Avenir, Laval | 450-682-6733
Ateliers boulangers depuis plus de 60 ans. Plusieurs variétés de vrais pains français artisanaux et de viennoiseries cuits sur place tous les jours. Pâtisseries du boulanger, sandwichs, salades et cafés spécialisés. On peut consommer sur place. Service de traiteur.

L'AMOUR DU PAIN

Boulangerie - pâtisserie - salon de thé
393, rue Samuel-de-Champlain, Boucherville
450-655-6611
3050, bd Matte, Brossard | 450 444-4508
Griffintown
323, rue de la Montagne, Mtl | 514-846-4070
Plus de 42 sortes de pains et de viennoiseries fabriqués à la main chaque jour par d'excellents boulangers. Meilleur artisan boulanger du Québec en 2014 et 2015. En 2017, gagnant de la meilleure baguette tradition au levain. Exceptionnelle fougasse aux olives. L'un des bons croissants au beurre au Québec. Viennoiseries à emporter, préparées et surgelées sur place. Beaucoup d'imagination dans les créations de spécialités accordées avec les saisons et sans cesse renouvelées. Belle présentation des pâtisseries, couleurs chatoyantes. Crumbles en verrine, millefeuilles, feuilletés caramélisés, tartelettes. Enfin une section bistro où l'on peut venir déjeuner et dîner en toute simplicité. Pizzas, paninis garnis, quiches, soupes et comptoir de fromages québécois et d'importation. Cafés équitables. Ouvert dès 6h du matin. La fabrique est sur le bd Matte

LE FROMENTIER

1375, av. Laurier E., Mtl | 514-527-3327
Grand choix de pains traditionnels. Pains au levain et à la levure. Pains artisanaux. Pains sans gluten. Viennoiseries maison. Étal de charcuteries de La Queue de cochon. Fromages frais, aussi sandwicherie. La présence du four à pain donne une ambiance très chaleureuse au magasin.

LE GARDE-MANGER DE FRANÇOIS

Boulangerie - pâtisserie - salon de thé - traiteur
2403, av. Bourgogne, Chambly | 450-447-9991
Grande variété de pains (noix, olives, multigrain, rustique, à la bière, etc.) en miche ou en baguette, faits par un boulanger de métier, très doué; ils se marient bien aux produits du terroir offerts sur place. Brioches, croissants, chocolatines, danoises ou viennoiseries moins classiques comme le croissant fourré au sucre d'érable. Tout est bon, surtout le croissant aux amandes! Toujours un pur délice! Combiné à une petite section de produits du terroir québécois, le service de traiteur du chef François Pellerin offre de délicieux plats cuisinés, faits maison, prêts à emporter, dont l'originalité séduit. Sélection de charcuterie maison, produits fumés, très bons produits du canard (foie gras, version au torchon, magret, cuisses de canard mulard, terrine, confits, rillettes, etc.). On peut manger sur place des sandwichs et autres préparations maison. Une adresse qui vaut réellement le détour, à recommander! On retrouve ces bons produits à la Boulangerie du marché de Longueuil, qui leur appartient ainsi qu'une section bistro où se régaler de toutes ces bonnes choses, dans une belle ambiance.

LA BOULANGERIE DU MARCHÉ DE LONGUEUIL

Marché public de Longueuil
4200, ch. de la Savane, Longueuil
450-656-5151 et 450-447-9981
Succursale de Le Garde-Manger de François de Chambly.

LE PAIN DANS LES VOILES

357, rue de Castelnau E., Mtl | 514-278-1515
Trois ans après l'ouverture de la boulangerie d'origine (250, Saint-Georges, Mont-Saint-Hilaire, 450-281-0779), François Tardif se classe 2e dans la catégorie «Meilleure baguette» au Mondial du pain, en France! Il recherche les meilleures farines, les meilleures techniques jusqu'à obtenir une mie grasse et un pain alvéolé. Ses pains sont délicieux et très bien faits, du vrai pain, citons le «Pain du peuple» une belle miche qui se conserve plusieurs jours. Création d'une nouvelle adresse 44, boulevard Clairevue, à Saint-Bruno, ouverture fin automne 2017. Dans les deux magasins, on vend aussi de la viennoiserie, des créations sucrées, des pizzas et des sandwichs.

LES CO'PAINS D'ABORD

Boulangerie - pâtisserie - viennoiseries - salon de thé

1965, av du Mont-Royal E., Mtl | 514-522-1994
2727, rue Masson, Mtl | 514-593-1433
418, rue Rachel E., Mtl | 514-564-5920

Leur philosophie: «L'art est "bon" quand la main, la tête et le cœur travaillent ensemble». Une bande de cinq copains, cinq passionnés, de vrais professionnels qui vous proposent chaque jour des pains, des croissants et autres gourmandises, faits à la main, dans le respect de la tradition. On y sert également des sandwiches gourmands, des cafés savoureux que l'on peut boire sur place, des pâtisseries françaises comme le fameux far breton (pas facile à trouver à Montréal), ou encore des quiches, des pâtés, des pizzas, etc.

PAINS ET SAVEURS

Boulangerie - pâtisserie - salon de thé - traiteur

2130, bd de Boucherville, Saint-Bruno | 450-441-4155
2000, av. Victoria, Greenfield Park | 450-486-1717
5959, bd Cousineau, Saint-Hubert | 450-890-3441

Leur pain est très bon, avec sa mie souple et sa croûte croustillante. Les pains artisanaux (au levain, bio, Kamut, céréales...) sortent de l'ordinaire. Les croissants sont parmi les meilleurs que nous ayons goûtés, le feuilletage au pur beurre est une réussite. Un bel assortiment de pâtisseries classiques et revisitées, aussi d'excellentes viennoiseries et des macarons. Ici, on suit les saisons et les fêtes de l'année pour faire des créations thématiques, comme un merveilleux gâteau aux pommes et au sucre d'érable. On y vend aussi des cafés spéciaux. Espace bistro et beau comptoir de prêt-à-manger, avec des produits frais du jour, à l'emballage soigné. Menu simple et plats santé, pour manger sur place ou emporter. Dégustation de toutes les gourmandises confectionnées par la maison. Belle ambiance, très beau magasin, bien fourni, décoration réussie. On peut aussi commander une boîte à lunch ou un service traiteur pour les fêtes de famille, lunchs d'affaires, cocktails dînatoires, grands événements. Service professionnel complet.

PÂTISSERIE Ô GÂTERIES

Pâtisserie - boulangerie - traiteur - bistro

364, rue Saint-Charles O., Vieux-Longueuil | 450-674-8400

Pâtisseries, chocolats, petits fours, macarons faits maison. Plusieurs variétés de pain artisanal, viennoiserie, un peu d'épicerie fine. Salon de thé, thé en feuilles et café en vrac. Service traiteur de mets froids pour toutes occasions. Déjeuners, menu du jour, menu bistro et gâteaux servis sur place dans l'espace bistro et sur la terrasse en été. La maison a aussi un comptoir de vente, au niveau métro du Complexe Desjardins, 150, Ste-Catherine Ouest, à Montréal, proposant des plats à emporter, soupes, sandwichs et pâtisseries.

CHEFS À DOMICILE

CHEF MAISON

438-872-9500

Ancien chef du restaurant L'Express, Roger Hang Hong possède sa propre entreprise de chef à la maison. Il prépare des mets frais ou congelés et livre gratuitement chez vous dans la Vallée du Richelieu, Rive-Sud, Montérégie. Pour toute autre destination, appeler.

GOURMEYEUR

514-754-3850

Chef personnel qui fait une cuisine française gastronomique. Tout est préparé au domicile du client: dîner ou souper. Choisissez le menu, il fait le marché et s'occupe de tout, même du vin. Cocktails dînatoires. Service dans tout le Québec. Traiteur haut de gamme.

CHOCOLATERIES

CHOCOBEL

374, rue de Castelneau E., Mtl | 514-276-9875

Belle sélection de chocolats maison. Brownies à la fleur de sel, chocolat chaud maison. Chocolats sans sucre. Chocolats au fromage de chèvre, bleu ou parmesan. Thé chaï du chocolatier. Noix, liqueurs, gelées de fruits, grains de café et de cacao intégrés dans les créations. Crème molle trempée dans leur chocolat en saison estivale. Sundae, sauce au chocolat et coulis de fruits maison.

CHOCOLAT BELGE HEYEZ PÈRE ET FILS

16, Rabastalière E., Saint-Bruno | 450-653-5616

Très bon chocolatier (de père en fils). Plus de 75 sortes de petits chocolats fabriqués avec beaucoup de finesse. Hubert Heyez ne semble pas avoir de limite dans ses créations, il réalise de magnifiques sculptures en chocolat. Magasin impeccable, une réjouissance pour l'œil et la gourmandise. Fabrication, montage et moulage pour chaque événement de l'année. Chocolats sans sucre. Sculptures en chocolat pour mariage, événements d'entreprise. Ateliers pour enfants, sur réservation. Distribution.

CHOCOLAT BELGE LÉONIDAS

605, bd de Maisonneuve O., Mtl | 514-849-2620
Les Halles de la Gare centrale
895, rue de La Gauchetière O., Mtl | 514-393-1505
5133, av. du Parc, Mtl | 514-278-2150
Centre du commerce mondial
383, rue Saint-Jacques, Mtl | 514-279-6365

Chocolats belges à la crème fraîche, pralines et ganaches, truffes, liqueurs, importés par avion de Belgique. Boutiques cadeaux. Crèmes glacées maison. Bonbons aux noix, spéculoos, nougats, calissons, pâtes de fruits. Confiserie. Panini, sandwich, café à l'avenue du Parc.

CHOCOLATERIE LA CABOSSE D'OR
Chocolaterie - pâtisserie - glacier - salon de thé
973,Ozias-Leduc, Otterburn Park | 450-464-6937
La grande maison de la famille Crowin, en bordure d'un boisé, ressemble à un château de légende. À l'intérieur, une multitude de délicieux chocolats travaillés avec beaucoup de finesse. Grande boutique cadeau, visite de la fabrique, du petit musée du chocolat et histoire du chocolat sur réservation de groupe. Pâtisseries fraîches, croquants et gâteaux (même pour les mariages). Grosses portions délicieuses, de quoi satisfaire les plus gourmands. Au bar laitier, quelque 25 saveurs de glaces fabriquées sur place selon une méthode ancienne, 6 sorbets, 18 crèmes glacées, 6 crèmes molles trempées dans du chocolat aux parfums des plus gourmands. Un très grand salon de thé, confortable. Vingt variétés de thés, cafés traditionnels (moka, cappucino, espresso), trois sortes de chocolats chauds. Grande terrasse ombragée et minigolf thématique sur le chocolat.

CHOCOLATS ANDRÉE
5328, av. du Parc, Mtl | 514-279-5923
Commerce établi en 1940 et déjà trois générations de chocolatiers. Fabrication sur place. Chocolats faits à la main sans agents de conservation, selon des recettes traditionnelles. Service de livraison.

CHOCOLATS GENEVIÈVE GRANDBOIS
5524, rue Saint-Patrick, #211, Mtl | 514-270-4508
162, rue Saint-Viateur O., Mtl | 514-394-1000
Marché Atwater
138, av. Atwater, étal C-1, Mtl | 514-933-1331
Quartier DIX30
7200, bd du Quartier, Brossard | 450-462-7807
Chocolats artisanaux confectionnés à Montréal par Geneviève Grandbois. Dynamique et perfectionniste, elle est en quête constante du bon et du beau. On peut y déguster des chocolats, des tablettes, du caramel, des pâtisseries et des glaces maison.

CHOCOLATS PRIVILÈGE
Marché Jean-Talon
7070, rue Henri-Julien #C3, Mtl | 514-276-7070
Marché Atwater
138, av. Atwater, Mtl | 514-419-9248
Marché public 440
3535, aut. Laval O., Laval | 450-682-3666
Variété de chocolats pour cuisiner à la maison. Pâtisseries chocolatées. Chocolaterie artisanale utilisant des produits naturels de qualité. Truffes, ganaches, pralinés, tablettes, etc. Moulages pour toutes occasions. Chocolats personnalisés (logo d'entreprise, mariage, etc.). Glaces et sorbets.

CHOCOLATS SUISSES
411, ch. Grande-Côte, Rosemère | 450-621-8440
Chocolaterie artisanale de tradition suisse, chocolats fins. Fier chocolatier d'origine suisse qui maîtrise son métier. Travail impeccable, savoir-faire indéniable, présentation soignée. Articles cadeaux avec du chocolat incorporé à l'intérieur. Chocolats en vrac.

DIVINE CHOCOLATIER
2158, rue Crescent, Mtl | 514-282-0829
Boutique sympathique, connue pour ses fameuses truffes en chocolat, beaucoup d'arômes dont chai mafala et cayenne. Chocolat sensuel. Produits avec fruits (fraises, bleuets). Truffes aromatisées au cachemire. Truffes à la boule de melon. Coquelicot. Gâteau au fromage au chocolat, truffes ganache blanc. Double chocolat. Chocolat noir et orange. Pancakes orange, citron et chocolat blanc. Comptoir à café et chocolats. De nouvelles saveurs chaque semaine. Crème glacée, gâteaux au fromage et macarons maison. Chocolats sans lactose, sans gluten, biologiques. Huile de massage hypoallergène au chocolat par Pierre Zwierzynski.

GOURMET PRIVILÈGE
Chocolaterie - pâtisserie
1001, rue Fleury E., Mtl | 514-385-6335
3614, bd Saint-Charles, Kirkland | 514-694-2261
Chocolaterie artisanale utilisant des produits naturels de qualité. Chocolats personnalisés (logo d'entreprise, mariage, etc.). Moulages pour toutes occasions. Glaces et sorbets. Pâtisseries, gâteaux pour toutes occasions. Aussi, boulangerie, lunch, sandwichs. Beau magasin offrant une multitude de bons produits.

LA FARANDOLE
1089, Sainte-Adèle, Sainte-Adèle | 450-229-5225
Boutique de chocolats et de pâtisseries. Décor, montage, boulangerie et petit déjeuner. Apparatient à l'Atelier d'apprentissage du chocolat à Saint-Jérôme

LA MAISON CAKAO
5090, rue Fabre, Mtl | 514-598-2462
Chocolats artisanaux très fins confectionnés à la main, sur place, avec des ingrédients frais. Produits du chocolat et de ses dérivés. Glaces et sorbets maison. Pots de caramel et confitures. Tarte au chocolat noir. Brownies décadents. Il faut goûter son gâteau aux fruits confits maison à Noël et ses poires et cardamome au sirop. Moulages spéciaux. Une chocolatière passionnée toujours à la recherche de nouveaux mariages, de nouveaux parfums.

L'ARTISAN CHOCOLATIER
450-707-3003 ou www.lartisanchocolatier.com
Fabricant et distributeur de chocolats fins desservant plusieurs établissements. Chocolaterie virtuelle accessible via leur site internet. Un choix irrésistible de plus de 96 variétés de chocolats fins haut de gamme, confectionnés avec des ingrédients de première qualité, par

une chef chocolatière passionnée depuis plus de vingt ans. Multitude de figurines et de moulages selon les occasions.

LES CHOCOLATS DE CHLOÉ

546, rue Duluth E., Mtl | 514-849-5550

Une petite boutique à la façade orange. Chloé, un petit bout de femme sympathique, vous accueille au milieu des bonbons de chocolat fourrés de ganache parfumée, différentes tablettes de chocolat, gingembre confit, les confitures de sa maman et autres délices. On recommande les brownies chocolat, pacanes et fleur de sel, chargés en chocolat, mais délicieusement décadents.

LES CHOCOLATS FAVORIS

Chocolaterie - glacier

Complexe Desjardins
150, rue Sainte-Catherine O., Mtl |438-387-3381
Quartier DIX30
9380, bd Leduc, Brossard | 579-723-1875
1005, rue Lionel-Daunais, Boucherville
450-906-3996
7750, bd Cousineau, Saint-Hubert | 450-676-0739

Chocolaterie artisanale et boutique cadeau ouverte à l'année. Grande variété de chocolats fins, moulages, chocolats sans sucre, paniers cadeaux, confiseries d'importation, produits du terroir québécois et fondues au chocolat. C'est aussi une destination pour quiconque raffole de la crème glacée molle enrobée de chocolat véritable. On fait tremper sa crème glacée dans un chocolat fondu offert en 12 saveurs. Sorbets, yaourts glacés et glaces artisanales. Environ 26 adresses au total.

LESCURIER TRADITION GOURMANDE

Chocolatier - pâtissier

1333, av. Van Horne, Outremont | 514-273-8281

Très beau magasin. Chocolats fabriqués sur place aux parfums variés (café, fruits exotique, etc.). Pour toutes occasions: Halloween, fête des Mères, Pâques. Chocolats importés de Tanzanie, de Madagascar et du Vénézuela. Gâteaux pour toutes occasions, chocolats, pains et brioches maison, fromages et charcuteries. Une quinzaine de sortes de quiches. Service de livraison.

MARLAIN CHOCOLATIER

21, rue Cartier, Pointe-Claire | 514-694-9259

Vingt-six sortes de truffes et chocolats fourrés, confiseries, torréfaction de café, pâtisseries, macarons, confitures, sauces piquantes et produits diététiques. Fabrique ses propres tablettes de chocolat à partir de fèves importées par ses soins. Mets préparés congelés.

PECCADILLE

629, rue Adoncour, Longueuil | 450-646-5604

Anciennement «Chocolaterie à la truffe», a changé de nom et pris une nouvelle direction en 2016. Boutique artisanale en pleine expansion. Un petit paradis avec de savoureux chocolats confectionnés à la main, à haute teneur en cacao, des gâteaux savoureux et des glaces et sorbets maison. Cafés spécialisés. À visiter sans faute.

CONFISERIE

LA CURE GOURMANDE

Place Montréal Trust, niveau Métro
1500, av. McGill, Mtl | 514-700-1058

D'origine française, véritable lieu de tentation pour les gourmands, ce magasin de confiserie est le premier à s'implanter au Québec. Un monde de couleurs chatoyantes avec beaucoup de diversité qui offre: biscuits artisanaux salés et sucrés, Berlandises (bonbons à la pulpe de fruits), olives au chocolat, nougats, caramels, calissons, sucettes, madeleines et cakes (spécialités pâtissières tendres et mœlleuses), etc. Boîtes décorées et patinées à l'ancienne pour conserver les biscuits.

COURS

ATELIERS & SAVEURS

444, rue Saint-François Xavier, Mtl
514-849-2866
4832, bd Saint-Laurent, Mtl | 514-849-2866

Une approche nouvelle, plus ludique, d'enseigner la cuisine, l'art des cocktails et la dégustation des vins. Ateliers grand public ou en groupes. Environnement convivial. Menus, horaires et tarifs au www.ateliersetsaveurs.com.

CHEF EN VOUS

1751, rue Richardson, Mtl | 514-303-9801

Activités culinaires «Briser la glace et apprendre à découvrir l'autre en cuisinant!». Cours de cuisine, service de chef à domicile.

ÉCOLE DE CUISINE MEZZA LUNA

57, rue Dante, Mtl | 514-272-5299

Cours de cuisine traditionnelle italienne. C'est en voyant l'intérêt de ses clients pour ses démonstrations sur l'art de fabriquer des pâtes fraîches qu'Elena Venditelli a décidé d'ouvrir son école de cuisine. Son but était de donner l'envie de cuisiner aux Montréalais. Les cours sont donnés par Elena et certains par des chefs renommés de Montréal, dont son fils Stefano Faita. On peut aussi acheter des accessoires de cuisine chez Dante, son autre magasin, où elle fait aussi des démonstrations de fabrication de pâtes fraîches.

L'ACADÉMIE DU CHOCOLAT

Centre de formation Montréal
4850, rue Molson, Mtl | 1-855-619-8676

On y donne des cours de formation autant pour les professionnels que pour le grand public, sous l'égide de Chocolat Barry Callebaut. On y trouve un amphithéâtre pour les démonstrations et les conférences, une salle de cours, une salle d'éveil sensoriel, des espaces événements, une pâtisserie. Des professeurs de haut niveau y enseignent l'art du chocolat, celui de la pâtisserie en relation avec le chocolat et aussi des cours d'harmonie du chocolat avec le vin, etc.

LA GUILDE CULINAIRE

École de cuisine - accessoires - traiteur
6381, bd Saint-Laurent, Mtl | 514-750-6050
Le chef Jonathan Garnier et ses chefs invités donnent des cours de cuisine sur mesure; cuisine moléculaire, activités d'entreprises, cours privés, ateliers de préparation pour ceux qui n'ont pas le temps de cuisiner. Une boutique vend tous les ustensiles de cuisine avec de grandes marques. Espace bien organisé, convivial, de jolis objets cadeaux, utilitaires et produits d'épicerie fine. Aussi un service traiteur et boîtes à lunch pour le public, les entreprises, les événements de grande envergure (100 pers. et plus). Formule axée sur une cuisine savoureuse et conviviale, utilisant les produits du terroir.

L'ATELIER D'APPRENTISSAGE DU CHOCOLAT

726, Saint-Georges, Saint-Jérôme | 450-565-3773
Depuis la création de leur école en 2002, Julie Beauchamp et Eddy Rosine partagent leur passion pour le véritable chocolat belge en offrant des cours de chocolatier à tous les amateurs de chocolat. Cours tout public, professionnel ou non, à l'année sauf l'été, mi-juin à mi-sept. À partir de 6 ans. Journées portes ouvertes au mois d'août. Cours individuel sur demande. On peut y acheter du matériel et des produits de base pour le chocolat, ustensiles, sur commandes seulement. Viennent d'ouvrir La Farandole à Sainte-Adèle, une boutique de chocolats, de pâtisseries et de boulangerie où on peut prendre un petit déjeuner.

SAVORI

Cours sur les vins, bières et spiritueux
1178, rue Bishop, Mtl | 1-877-7savori
Jessica Harnois et son équipe de spécialistes en sommellerie ont pour mission de faire découvrir le monde du vin, des bières et des spiritueux. Douze thèmes sur le sujet permettent de s'initier au langage, aux méthodes de dégustation, d'approfondir ses connaissances et d'expérimenter par la dégustation de produits. Aussi, cours privés bilingues partout au Québec, animation personnalisée à domicile ou en entreprise, dégustation Végas, vins et fromages, etc.

ÉPICERIES FINES

AUX SAVEURS DES SÉVELIN

Épicerie fine - boucherie - charcuterie - boissons
1575, Jacques-Cartier E., Longueuil | 450-448-3918
Produits d'épicerie du Québec et d'importation en quantité. Étalage de fruits et légumes frais. Près de 50 sortes d'huiles et de vinaigres. Sirops, tartes maison, confitures et bonbons. Dépositaire des pâtisseries de La petite Madeleine, des brownies Juliette & chocolat, des bouchées de chocolat du chocolatier Raffin.
Rayon boucherie doté d'un savoir-faire à l'ancienne, en lien direct avec les producteurs locaux. Viandes du Québec sans hormones de croissance ni d'antibiotique. Spécialités françaises maison: saucisson à l'ail, andouille de Vire, rillettes de lapin. Charcuteries d'importation (jambon de Bayonne) et du terroir (saucisson Fou du cochon, de Kamouraska). Plats cuisinés sur place (cinq à six par semaine) à emporter.
Rayon bières issues de 25 microbrasseries exclusivement québécoises, plus d'une centaine de bières différentes classées par région. Nombreux cidres et vins québécois (avec et sans alcool).

AVRIL SUPERMARCHÉ SANTÉ

1185, ch. du Tremblay, Longueuil | 450-448-5515
Quartier DIX30
8600, bd Leduc, Brossard | 450-443-4127
11, rue Évangéline, Granby | 450-375-6446
Grande variété de fruits et légumes certifiés biologiques. Produits équitables, écologiques et locaux. Viandes biologiques sans additifs chimiques. Grande section de produits sans gluten. Suppléments alimentaires et vitamines. Comptoir Crudessence et Avril café avec possibilité de manger sur place. Plus deux magasins au 2385, rue Principale O., Magog et au 35, rue J.-A. Bombardier, Sherbrooke.

CHEZ LOUIS FRUITS ET LÉGUMES

Marché Jean-Talon
222, pl. du Marché-du-Nord, Mtl | 514-277-4670
Grand choix de légumes, de fruits, de champignons du Québec et importés. Asperges blanches, crosnes et espèces exotiques recherchées. Ail de Provence. Roquette d'Italie tout au long de l'année. Laitues de M. Daigneault et autres légumes fins. Spécialisé en mangues (4 ou 5 sortes). Melons charentais.

CHEZ NINO

Marché Jean-Talon
192, pl. du Marché-du-Nord, Mtl | 514-277-8902
Marché de légumes réputé pour son choix diversifié. Minilégumes, fruits exotiques, haricots extra-fins, grande variété de champignons (cèpes, chanterelles, champignons sauvages), melons et fruits importés. Truffes fraîches d'octobre à février. Produits du Québec en saison.

ÉPICERIE CORÉENNE ET JAPONAISE

6151, rue Sherbrooke O., Mtl | 514-487-1672
Véritable coffre aux trésors. Un mur de congélateurs bourrés de dumplings, de nouilles, de poissons et de viandes, des frigos pleins de marinades et de kimchis maison. Accessoires pour les sushis.

GARIÉPY ET FILS FINS GOURMETS

3240, rue Dandurand, Mtl | 514-722-7398
Épicerie fine, fromagerie, boulangerie, pâtisserie, fruits et légumes, charcuterie, boucherie, plats cuisinés et buffets.

GOURMET LAURIER

1042, av. Laurier O., Outremont | 514-274-5601
Épicerie fine d'importation européenne où on trouve de tout, comme autrefois, même des produits de notre enfance comme du Banania, de la chicorée, des cachous, des biscuits BN, des galettes Saint-Michel. Une grande quantité de produits importés, conserves, huiles d'olive, vinaigres, moutardes, biscuits, caviars, foie gras, etc. Mais aussi du café, des fromages et des charcuteries. Articles ménagers et cafetières.

LA GRANDE EUROPE

141C, de Mortagne, Boucherville | 450-641-1900
Charcuterie artisanale maison, boulangerie, pâtisseries italiennes, pâtes fraîches, salades diverses, tous les plaisirs de l'Italie en un seul endroit. Un très grand choix de produits importés rangés avec soin. Service de traiteur 10 à 500 pers., buffet. Tout est italien! Ouvert depuis 1997.

LATINA

185, rue Saint-Viateur O., Mtl | 514-273-6561

LATINA GOLDEN SQUARE MILE

1434, rue Sherbrooke O., Mtl | 514-507-6561
Produits locaux et internationaux. Aliments fins, plusieurs sortes d'huiles d'olive et de vinaigres balsamiques, sauces fortes, bières de microbrasseries, cafés de micro-torréfaction. Fruits et légumes, boucherie, charcuterie, poissonnerie, fromagerie et plats cuisinés. La section boucherie offre de la viande de bœuf vieillie à sec et celle des fromages un large éventail de qualité. Grand choix de plats cuisinés, frais ou surgelés. Soupes, viandes, poissons et crustacés, tourtières, pâtés et quiches, sauces pour les pâtes. Livraison. Vaisselle prêtée sur demande. Composition de plateaux de dégustation, de menus sur mesure et de paniers cadeaux.

LE CARTET RESTO BOUTIQUE ALIMENTAIRE

106, rue McGill, Mtl | 514-871-8887
Épicerie fine, au décor très urbain, avec un bon choix de produits importés. Gamme assez complète d'huiles d'olive, d'eaux minérales et de chocolats. Belle sélection de plats cuisinés à emporter. Menu pour manger sur place sur de longues tables, genre monastère. Brunch la fin de semaine et petit déjeuner en semaine.

LE FOUVRAC

Épicerie fine - Salon de thé
1404-A, rue Fleury E., Mtl | 514-381-8871
«Hâtons-nous de succomber à la tentation avant qu'elle ne s'éloigne» formule d'Épicure, nous dit le propriétaire Marc Doré. Dans son sympathique capharnaüm, vous trouverez une bonne sélection d'huiles d'olive, de vinaigres, de cafés, de confitures, de tisanes, de thés, de chocolats, de pâtes italiennes. Une foule d'odeurs, de formes, de couleurs vous sollicitent de toute part.
Tous les accessoires pour le thé. Collection de théières en fonte, porcelaine et terre cuite. Grand choix de thés, de tisanes et de cafetières. Porcelaine, Bibol, chocolats Gendron. À cette adresse, on sert des gaufres liégoises, du café et du thé Betjeman et Barton dont ils sont le distributeur exclusif. Terrasse en été.

LE MARCHÉ DES SAVEURS DU QUÉBEC

Épicerie fine - fromagerie - boissons
Marché Jean-Talon
280, pl. du Marché-du-Nord, Mtl | 514-271-3811
Épicerie fine réunissant des produits du terroir québécois. Service de plateaux de fromages et charcuteries. Comptoir de fromages entièrement consacré aux fromages artisanaux du Québec, environ 200 sortes, dégustation possible. Sélection de produits laitiers et autres. Charcuterie à base de gibier, plats cuisinés. Grand choix de vins, cidres, bières de microbrasseries, hydromels et boissons artisanales du Québec. Paniers cadeaux personnalisés.

LES 5 SAISONS

Épicerie fine - boucherie - fromagerie - poissonnerie
1280, av. Greene, Mtl | 514-931-0249
1180, rue Bernard O., Outremont | 514-276-1244
Épicerie épicurienne haut de gamme axée sur le service à la clientèle avec un vaste choix de produits. Parmi les produits fins, sélection intéressante d'huiles d'olive, de vinaigres balsamiques, de moutardes fines, de craquelins fins, de sauces et de pâtes fraîches italiennes. Champignonnière, laitues hydroponiques, légumes fins, fruits exotiques, produits du Québec en saison. Au rayon boucherie: bœuf Black Angus AAA vieilli 30 jours, foie gras de canard frais de grandes marques (Rougié, Delpeyrat, Labeyrie), magret de canard de Barbarie, agneau du Québec, gibier, volaille de grain et bio, variété de saucisses fraîches naturelles, boudin et jambon à l'os Les Cochonnailles. Au rayon poissonnerie: caviar frais DaVinci et Oscìètre, saumon biologique d'Écosse, saumon fumé (style Balik), filets de

poisson d'Islande, fruits de mer gros format. Bonne variété de fromages de chèvre fermiers et fromages au lait cru dans le comptoir des fromages, beaucoup de produits du Québec. Plateaux pour dégustation de vins et de fromages. Au rayon boulangerie-pâtisserie: choix de pains artisanaux et biologiques, macarons, gâteaux et tartes faits des meilleurs ingrédients. Boutique de chocolats fins Godiva en magasin (à Westmount seulement). Aussi un service de traiteur.

LES DOUCEURS DU MARCHÉ

Marché Atwater
138, av. Atwater, #150, Mtl | 514-939-3902

Une véritable caverne d'Ali Baba où les senteurs apportent un vent d'aventure. Plus de 250 sortes d'huiles d'olive importées, grand choix de vinaigres, cafés, thés, épices indiennes et louisianaises, produits chinois, confitures, chocolat, pâtes et sauces, biscuits, biscottes, sirop d'érable. Grande sélection d'aliments sans gluten. Nouvelle section, produits de mixologie (cocktails), sirops et amers. De quoi satisfaire les plus difficiles. Le commerce a été vendu, mais la gérante est toujours fidèle à son poste.

MARCHÉ ADONIS

2655, av. des Aristocrates, Laval | 450-665-8801
2425, bd Curé-Labelle, Laval | 450-978-2333
7250, bd des Roseraies, Anjou | 514-493-6667
2001, rue Sauvé O., Mtl | 514-382-8606
3100, Thiemens, Saint-Laurent | 514-904-6789
2173, Sainte-Catherine O., Mtl | 514-933-4747
Griffintown
225, rue Peel, Mtl | 514-905-6499
4601, bd des Sources, Roxboro | 514-685-5050
Quartier DIX30
8880, bd Leduc, Brossard | 450-656-9595

Les marchés Adonis sont des entreprises fort appréciées qui vous transportent dans un voyage olfactif, gustatif et auditif au Moyen-Orient et dans la Méditerranée de vos rêves. Odeurs, saveurs, couleurs, saveurs exotiques. Marché détaillant. Épicerie de grande surface très bien diversifiée, avec des sections de vrac et des comptoirs de produits frais avec service, viandes, poissons, olives, condiments, fromages, pâtisseries orientales, etc.

OLIVE ET OLIVES

Marché Jean-Talon
7070, rue Henri-Julien, Mtl | 514-271-0001
8262, bd Pie IX, Mtl | 514-381-4020
428-B, Victoria, Saint-Lambert | 450-923-2424
Marché gourmand Centropolis
2888, av. du Cosmodôme, Laval | 450-687-8222

Spécialisé en huiles d'olive extra-vierge d'Espagne, de France, de Grèce, d'Italie, de Tunisie, d'Afrique du Sud, des États-Unis, d'Argentine et du Portugal. Huiles d'appellation d'origine contrôlée. Superbe variété d'olives. Dégustation sur place. Ateliers d'huiles d'olive. Aussi, un magasin à Mirabel, chemin Notre-Dame.

PASTA CASARECCIA

5849, rue Sherbrooke O., Mtl | 514-483-1588

Ce magasin offre un comptoir de produits maison et de produits fins importés d'Italie jumelé avec un restaurant-trattoria. Grand choix de pâtes, sauces, charcuteries et fromages.

PROVISIONS MIYAMOTO

382, av. Victoria, Westmount | 514-481-1952

Produits japonais, chinois et coréens. Œufs de poissons, algues, accessoires pour la cuisine japonaise. Sushis préparés sur place. Cours de confection de sushis et de cuisine japonaise. Livres sur les sushis.

RICHMOND MARCHÉ ITALIEN

333, rue Richmond, Mtl | 514-508-8749

Épicerie, bistro et traiteur à l'italienne, décoration moderne dans un local style entrepôt. Beaucoup d'espace mais aussi un grande diversité de produits fins d'importation privée en provenance d'Italie et du Québec. Une sélection d'huiles d'olive, de fromages bien choisis, une excellente charcuterie italienne, des pâtes diverses et du fromage, du café, du chocolat, des ustensiles ainsi que des mets préparés à emporter ou à manger sur place dans la partie bistro, tout ce qu'il faut pour être heureux. Une section bistro 100 places. Beaucoup d'espace, décoration au design moderne.

TAU

4238, rue Saint-Denis, Mtl | 514-843-4420
7373, Langeller, Saint-Léonard | 514-787-0077
6845, bd Taschereau, Brossard | 450-443-9922
3216, bd Saint-Martin O., Laval | 450-978-5533

Aliments naturels de choix. Fruits et légumes biologiques. Nourriture empaquetée et en vrac. Boulangerie. Suppléments et vitamines. Boucherie bio et bar à jus à Laval.

FABRIQUE DE PÂTES

HISTOIRE DE PÂTES

458, rue Victoria, Saint-Lambert | 450-671-5200

Excellente petite fabrique de pâtes fraîches faites maison. Plats cuisinés à manger sur place ou à emporter; 20 sortes de sauces maison et antipasti. Lundi à vendredi, service des repas de 11h30 à 13h30. Et pas après! Fermé dimanche.

FROMAGERS MARCHANDS

AVIS

Il y a une différence entre un fromager marchand qui vend des fromages et un fromager artisan, ou fermier, qui fabrique des fromages. Cependant, les deux peuvent faire l'affinage ou le vieillissement.

FROMAGERIE DU MARCHÉ ATWATER
Marché Atwater
134, av. Atwater, Mtl | 514-932-4653
FROMAGERIE ATWATER DE SAINT-JACQUES
Marché Saint-Jacques
1125, rue Ontario E., Mtl | 514-527-8219
Gilles Jourdenais, fromager marchand qui connaît bien son métier de longue date, propose plus de 800 sortes de fromages importés et locaux, dont des fromages fermiers au lait cru. Affinage et distribution de fromages fins québécois et importés. Assiettes de viandes froides et de fromages pour toutes occasions. Produits fins et charcuterie. Importante section de bières québécoises. La fromagerie de Saint-Jacques lui appartient aussi; on y offre 300 fromages, dont une grande sélection de fromages québécois. Il a aussi un étal à la Ferme Guyon.

FROMAGERIE DES NATIONS
Marché public 440
3535, autoroute Laval O., Laval | 450-682-5538
Marché gourmand
2888, av. du Cosmodôme, Laval | 450-681-5726
Halles d'Anjou
7500, des Galeries d'Anjou, Anjou | 514-356-2102
Quartier DIX30
7200, du Quartier #50, Brossard | 450-443-4344
Marché public de Longueuil
4200, de la Savane, Longueuil | 450-462-4666
Installées depuis près de 30 ans, ces fromageries offrent un très bon choix d'environ 800 variétés de fromages. Charcuterie et épicerie fine, elles proposent d'excellents prosciuttos, des épices, des huiles et des vinaigres variés, des sels, des poivres, des tisanes et des thés de diverses provenances.

FROMAGERIE HAMEL
622, Notre-Dame, Repentigny | 450-654-3578
975, rue Fleury E., Mtl | 514-383-1500
Marché Jean-Talon
220, rue Jean-Talon E., Mtl | 514-272-1161
2117, av. Mont-Royal E., Mtl | 514-521-3333
9196, rue Sherbrooke E., Mtl | 514-355-6657
Marché Atwater
138, rue Atwater, Mtl | 514-932-5532
Vaste sélection de fromages locaux et importés. Affineur avec une cave d'affinage agréée. Gamme de fromages Le Pic, exclusive à la maison. Dégustations vins et fromages sur demande. Vente et location de girolles et de fours à raclette. Recommandation de vins et de bières assortis aux fromages. Plateaux et boîtes de fromage pour particuliers et entreprises.

FROMAGERIE MARCHÉ VILLAGE
Fromagerie - épicerie fine
Marché Village
7800, bd Taschereau, Brossard | 450-671-7961
Grand choix de fromages importés de France et d'Italie. Bon choix de fromages fermiers du Québec. Fromages en portions et à la coupe. Marie Martella, la propriétaire, est une vraie passionnée des fromages du monde. Elle n'a aucun préjugé, elle les goûte tous et se renseigne pour mieux conseiller ses clients. Bonne sélection d'huiles d'olive du monde, vaste choix de pâtes alimentaires italiennes de qualité, vinaigres haut de gamme et plusieurs produits d'épicerie fine. Olives niçoises, marocaines et grecques. Charcuteries européennes et importées. Panettone, nougat et marrons glacés (Pâques et Noël). Un très bon jambon cuit à la coupe et du fromage frais râpé. Ouvert depuis 1982.

LA BAIE DES FROMAGES
1715, rue Jean-Talon E., Mtl | 514-727-8850
Fromagerie, charcuterie, épicerie fine, sandwicherie, ouverte depuis 1973. Véritable paradis des produits italiens importés directement. Un très grand choix de fromages d'Italie, de merveilleuses charcuteries, d'huiles d'olive, de vinaigres, de légumes marinés, de mets préparés sur place. Une vaste gamme de pâtes spécialisées exceptionnelles. On se croirait en Italie du Sud.

LA FOUMAGERIE
4906, Sherbrooke O., Westmount | 514-482-4100
Depuis 1995, la Foumagerie nous offre son service de fromagerie et son comptoir-lunch. Épicerie fine, fromages, casse-croûtes, soupes et salades, cafés, paniers cadeaux, service de traiteur. Un lieu bien sympathique où on est assuré de satisfaire sa faim.

L'ÉCHOPPE DES FROMAGES
12, rue Aberdeen, Saint-Lambert | 450-672-9701
Propose un bon choix de 300 variétés de fromages, dont plusieurs au lait cru. Fromages fermiers et québécois. Affineur de métier. Pain artisanal et épicerie fine. Service de dégustation, vins et fromages sur place, le midi et à domicile. Cours et conférence sur le fromage. Ouvert depuis 1990.

MAÎTRE CORBEAU
5101, rue Chambord, Mtl | 514-528-3293
Bonne variété de fromages québécois et d'importation. Épicerie fine, produits laitiers, bio, bières et cidres du Québec. Produits biologiques de Charlevoix, gamme de produits Saum'mom.

QUI LAIT CRU!?! FROMAGERIE
Marché Jean-Talon
7070, rue Henri-Julien, Mtl | 514-272-0300
Variété de 300 fromages différents, importés et sélectionnés dans l'année. Plusieurs fromages du terroir. Section d'épicerie fine. Cantine mettant en vedette le fromage.

YANNICK FROMAGERIE
1218, av. Bernard O., Outremont | 514-279-9376
Marché de l'Ouest
11690, rue de Salaberry, Dollard-des-Ormeaux | 514-421-9944
357, rue Parent, Saint-Jérôme | 450-436-8469

Un très beau choix allant de 150 à 350 fromages fins québécois et importés, au lait cru et pasteurisé. Établie depuis 1975, à Saint-Jérôme d'abord. Yannick Achim est un fromager marchand qui connaît très bien son domaine. Épicerie fine, majoritairement d'importation privée. Service traiteur pour plateaux de fromages. Location d'équipements liés au fromage. Soirées dégustation à Saint-Jérôme.

YANNICK FROMAGERIE - LES ÉTALS

Les Étals
140, Bélanger, Saint-Jérôme | 450-432-1213 #5
Groupement de spécialistes en alimentation, poissonnerie, boulangerie, fromagerie, boucherie, maraicher. Ressemble à un marché avec plusieurs commerçants dans lesquels on retrouve Yannick Fromagerie et ses excellents produits.

GLACIERS

CRÈME GLACÉE HUDSON

10, rue Sunrise, Hudson | 514-497-9742
Une crème glacée du Québec sucrée au sirop d'érable. Son créateur Jean-Pierre Martel, membre des créatifs de l'érable, emploie des produits québécois, crème, lait frais et sirop d'érable. Elle est 100 % naturelle, sans gluten, sans additif. Fine, onctueuse, avec un bon goût de lait frais.

LE GLACIER BILBOQUET

4864, Sherbrooke O., Westmount | 514-270-4217
1311, av. Bernard O., Outremont | 514-276-0414
1600, av. Laurier E., Mtl | 514-439-6501
Quartier DIX30
9190, bd Leduc #110, Brossard | 579-720-7330
309C, chemin du Bord-du-Lac, Pointe-Claire | 514-505-0680
Un incontournable qui propose plus de 50 saveurs de crèmes glacées et de sorbets qui sont de véritables péchés glacés. Macarons fourrés de crème glacée. Gâteau à la crème glacée, sandwichs à Westmount et Pointe-Claire. Tartes et biscuits faits maison à Outremont (magasin fermé en hiver).

MARCHÉS DE QUARTIER DE MONTRÉAL

Tout le monde connaît les trois grands marchés publics de Montréal. Mais voici également quelques petits marchés de quartier qui vous enchanteront certainement.

Marché Jean-Brillant
Angle Jean-Brillant et Côte-des-Neiges (Métro Côte-des-Neiges)
514-937-7754

Marché Mont-Royal
Angle Mont-Royal et Berri

Marché Papineau
Angle Cartier et Sainte-Catherine

Marché place Jacques-Cartier
Sur Notre-Dame, entre Saint-Vincent et Gosford

Marché solidaire Frontenac
Angle Frontenac et Ontario E.

Marché Square Phillips
Angle Sainte-Catherine et Union (face à la Baie)

Marché Square Saint-Louis
Carré Saint-Louis et Saint-Denis

Marché Square Victoria
Entre Viger et Saint-Antoine, côté ouest de McGill

MARCHÉ FERMIER

FERME GUYON

1001, Patrick-Farrar, Chambly | 450-658-1010
Marché fermier, ferme pédagogique et destination agrotouristique. Vente d'aliments du terroir, fruits et légumes, fromages et produits laitiers, boulangerie et pâtisseries, charcuteries, coin-repas, etc. Il y a aussi une pépinière, des plantes maraîchères et une papillonnière. Produire en serre, cultiver en champ, faire participer les fermiers situés à moins de 100 km, voilà ce qui est à l'origine de la plus grande partie de ce qu'on vend sur place.

MARCHÉS PUBLICS DE MONTRÉAL

Marchés publics urbains avec des étals de producteurs ou de marchands en plein air, mais aussi avec des commerces à l'intérieur. Produits locaux et du terroir de belle qualité. Magasins à recommander. Le service est très souvent agréable et les produits sont toujours d'une grande fraîcheur.

MARCHÉ ATWATER

138, av. Atwater, Mtl | 514-937-7754

MARCHÉ JEAN-TALON

7070, av. Henri-Julien, Mtl | 514-937-7754

MARCHÉ MAISONNEUVE

4445, rue Ontario E., Mtl | 514-937-7754

MARCHÉS PUBLICS RIVE-SUD DE MONTRÉAL

MARCHÉ DES JARDINIERS
1200, ch. Saint-Jean, La Prairie | 514-387-8319
Un vaste marché public où l'on trouve des fruits et des légumes frais, des fines herbes et des herbes aromatiques, une boucherie, une boulangerie, une charcuterie, une crémerie, une fromagerie, une poissonnerie, une saucisserie et un bistro, ainsi qu'une vaste gamme de plantes annuelles et vivaces.

MARCHÉ PUBLIC DE CHAMBLY
Parc de la commune
1999, av. Bourgogne, Chambly | 450-346-3389
On y trouve de vrais producteurs et transformateurs, qui apportent là leur production de la semaine. Des produits sans pesticides, ni engrais chimiques, ni exhausteurs de goût, ni colorants et encore moins de conservateurs, non, rien de tout cela. Ce sont des produits de qualité, authentiques, bio, frais et savoureux. Et, lorsqu'il n'y en a plus, bien c'est tout simple, il faut revenir le samedi d'après. L'hiver, ce petit marché traverse la rue dans un local abrité.

MARCHÉ PUBLIC DE LONGUEUIL
4250, de la Savane, Longueuil | 450-463-7100
Marché où sont réunis producteurs, distributeurs et transformateurs agroalimentaires. Une multitude de produits frais: fruits, légumes, fromages, saucisses, foies gras, pâtisseries, confitures, miels, etc. Des gens qui, pour la plupart, peuvent répondre à nos questions sur les produits que nous achetons. Aussi ateliers culinaires, démonstrations d'horticulture et autres activités sur place. D'importantes rénovations l'ont transformé en une galerie marchande moderne, fonctionnelle et permanente.

PÂTISSERIES

BOULANGERIE PREMIÈRE MOISSON
Voir section BOULANGERIES

EUROPEA ESPACE BOUTIQUE
Pâtissier - traiteur
33, rue Notre-Dame O., Mtl | 514-844-1572
Tout est confectionné au restaurant Europea. Boîte de petit déjeuner (café, jus, mini-viennoiseries, salade de fruits frais). Sélection de pâtisseries. Macarons en 16 saveurs et desserts succulents. À emporter, se faire livrer ou à grignoter sur place. Lunch rapide le midi. Une dizaine de places assises. Propose également: plateau repas à composer soi-même, boîte à lunch gourmande. Pour tout événement (5 à 7, réunions, etc.), miniatures salées et sucrées.

FOUS DESSERTS
809, av. Laurier E., Mtl | 514-273-9335
Gâteaux de création de tradition française, faits à partir de sucre de canne et de farine biologique. Un des meilleurs croissants en ville. Gâteaux de mariage. Bonbons, chocolats maison, sablés sans gluten. Utilise uniquement le chocolat Valrhona. Aussi crème glacée, sorbet et gelato maison. Thé japonais et autres. On peut déguster sur place.

LA GASCOGNE
Pâtisserie - chocolaterie - salon de thé - traiteur
1950, bd Marcel Laurin, Mtl | 514-331-0550
237, av. Laurier O., Mtl | 514-490-0235
268, rue Jean-Talon E., Mtl | 438-387-6444
4825, Sherbrooke O., Westmount | 514-932-3511
Les Colonnades
940, bd Saint-Jean, Pointe-Claire | 514-697-2622
Marché public 440
3535, Autoroute Laval O., Laval | 450-781-3700
212, bd Curé-Labelle, Rosemère | 579-630-6444
Produits de haute qualité et méthodes artisanales. Parmi les entremets: charlotte aux framboises, croquant au chocolat, key lime pie. Produits de boulangerie, pains artisanaux façonnés à la main, longue et lente fermentation. Viennoiseries pur beurre faites à la main (bostock, brioche provençale, cannelé), madeleine au gianduja. Grande variété de chocolats faits maison, truffes, marrons glacés, mendiants et rochers suisses. Gâteaux de mariage sur commande. Choix de glaces, sorbets et entremets glacés maison. Plats frais ou congelés pour emporter (lapin aux pistaches, terrine de chevreuil, rillettes d'oie maison). Également un service traiteur.

LE PALTOQUET
1464, rue Van Horne, Outremont | 514-271-4229
Produits faits maison. Croissants au beurre et aux amandes, brioches et chocolatines, chaussons aux pommes, tartes au citron et autres pâtisseries. Traiteur pour buffet froid. Pâtisserie-café-restaurant, on peut se restaurer sur place le midi. Gâteaux à emporter.

MAISON CHRISTIAN FAURE
355, Place Royale, Mtl | 514-508-6452
1225, bd de Maisonneuve O., Mtl | 514-289-8788
Très belles et délicieuses pâtisseries françaises. Comptoir de «snacking chic» le midi. Boutique de cadeaux gourmands. À la tête de l'équipe, le chef pâtissier Christian Faure, meilleur ouvrier de France. Également une école de pâtisserie française haut de gamme pour amateurs sérieux et professionnels. Cours pour enfants. A repris le Café Grévin, Centre Eaton.

MARIUS ET FANNY PÂTISSERIE PROVENÇALE

Pâtisserie - boulangerie - chocolaterie - traiteur

3119, rue Victoria, Lachine | 514-637-2222
4439, rue Saint-Denis, Mtl | 514-844-0841
239, bd Samson, Sainte-Dorothée, Laval 450-689-0655

Tout est fait maison avec des produits fins de qualité. Pâtisseries d'inspiration provençale, tarte tropézienne (pâte fine de brioche, crème légère au lait de fleur d'oranger), tarte au citron de Menton et une douzaine de saveurs de macarons. Confitures maison aux fruits. Pain maison, pain Marius (farine de seigle et levain au miel), viennoiseries pur beurre. La grande spécialité: des chocolats fins de qualité, fabriqués sur place, travaillés de façon artisanale. Cafés gourmands, thés et smoothies frais. Plats à emporter. Terrasse aux trois adresses. Réceptions amicales ou professionnelles réunissant jusqu'à 500 personnes.

PAINS ET SAVEURS

Voir section BOULANGERIES

PÂTISSERIE CHOCOLATERIE LAURENT PAGÈS

1436, bd Curé Labelle, Blainville | 450-434-8149

Laurent Pagès, chef propriétaire, joue sur les couleurs, les textures et le goût avec dextérité. Il fait partie des meilleurs pâtissiers de la région, que nous aimerions avoir à Montréal. Une simple boutique, mais ne vous y trompez pas, vous y trouverez des gâteaux délicieux, d'une grande élégance, aux décors enchanteurs et une excellente viennoiserie.

PÂTISSERIE DE SAVOIE

566, bd Adolphe-Chapleau, Bois-des-Fillions | 450 621-4110

Pâtisseries françaises. Chocolats fins. Viennoiseries. Aussi vente en gros. Fromages d'importation. Charcuterie.

PÂTISSERIE MERCIER

200, rue Jarry E., Mtl | 514-387-1741

Très belle boutique, beaux produits. Pâtisseries classiques et modernes, entremets, chocolats. Trente sortes de chocolats maison. Spécialisé dans les gâteaux de mariage. Moulages pour occasions spéciales, sur commande. Variété de pizzas. Plats à emporter. Ouvert depuis 1956.

PÂTISSERIE RHUBARBE

5091, de Lanaudière, Mtl | 514-903-3395

Parmi l'une des meilleures pâtissières de Montréal. Gâteaux à l'européenne au gré des saisons, à la présentation élégante, de très belle qualité. Produits saisonniers et locaux. Pâtisseries fraîches, éclair pistache-cerise, gâteau fromage-rhubarbe, tarte aux fraises, gâteau chocolat-caramel à la fleur de sel, tarte au citron, millefeuille vanille-caramel. Resto-apéro, brunch, plats et vins à emporter à leur comptoir: 1479, Laurier E. Montréal.

PÂTISSERIE ROLLAND

Pâtisserie - chocolaterie - glacier - traiteur

170, Saint-Charles O., Longueuil | 450-674-4450
504, rue Albanel, Boucherville | 450-655-3821

Entreprise familiale fondée en 1940. Une multitude de sortes de gâteaux raffinés, présentation créative, personnalisés. Un très beau choix de chocolats présentés comme des bijoux, créations de Christophe Morel. Un chocolatier de haut calibre, meilleur au Canada et 4e au «World Chocolate Master», à Paris, en 2005. Glaces et sorbets maison fabriqués avec de vrais fruits. Goût unique et véritable. Service traiteur de 10 à 1 000 pers., pour toutes les occasions. Commander 48 heures à l'avance. Aussi comptoir dans Université de Sherbrooke, 150, pl. Charles-Le Moyne à Longueuil.

POINT G

1266, rue Mont-Royal E., Mtl | 514-750-7515

Boutique 100% artisanale. Le propriétaire est un excellent chef pâtissier. Desserts haut de gamme et gourmandises. On y trouve, entre autres, 25 parfums de macarons. Aussi, événements d'entreprises, fêtes, mariages.

POISSONNERIES

LA MER

1840, bd René-Lévesque E., Mtl | 514-522-3003

À la fois grossiste, distributeur et traiteur, La Mer existe depuis 1968. Elle offre des poissons des quatre coins du monde, des fruits de mer, et respecte la pêche durable. Ouverte tous les jours, on peut y acheter 40 sortes de poissons et de nombreux produits maison. En plus d'offrir un choix complet de produits de la mer, cette poissonnerie propose des produits d'importation privée (huiles d'olive, vinaigres balsamiques, tomates séchées, artichauts, confitures biologiques, etc.), des produits locaux et du terroir. Livraison à domicile.

LE POISSON VOLANT

584, ch. Saint-Jean, La Prairie | 450-444-8821

Petite poissonnerie avec un bon choix de poissons frais et de fruits de mer en provenance des Îles de la Madeleine et aussi d'importation privée. Saumon mariné fumé. Produits maison. Sushis préparés sur place. Tartares et ceviches sur commande. Très exigeants dans la sélection du poisson.

ODESSA POISSONNIER

4900, rue Molson #100, Mtl | 514-908-1000
7500, des Galeries d'Anjou, Anjou | 514-355-4734
2888, av. du Cosmodôme, Laval | 450-681-3399
Quartier DIX30
7200, bd du Quartier, Brossard | 450-656-9599

145, bd Saint-Joseph, Saint-Jean-sur-Richelieu | 450-349-5330
338, bd Laurier, Beloeil | 450-446-2000
6950, Marie-Victorin, Sorel-Tracy | 450-743-0644
Un immense choix de fruits de mer, de poissons frais et surgelés et une grande variété de plats cuisinés. On peut même faire cuire son homard sur place. Odessa est la plus grande chaîne de poissonnerie au Québec, ses produits sont toujours frais.

POISSONNERIE FALERO
5726-A, av. du Parc, Mtl | 514-274-5541
Créée en 1959, c'est l'une des plus anciennes poissonneries et sans doute une des meilleures aujourd'hui. Vendent plus de 900 kg de poissons et de fruits de mer par semaine. Crabe des neiges, homard des Îles, huîtres, burgot, espadon, pieuvre, saumon, thon, mérou, poissons entiers, etc. Épicerie fine au 1er étage. Livraison à domicile.

POISSONNERIE RENÉ MARCHAND
1138, av. Victoria, Saint-Lambert | 450-672-1231
Entreprise familiale de vente au détail, en affaires depuis 1969. Produits de qualité. Choix de poissons exotiques et de fruits de mer. Belle variété de produits fumés. Produits maison prêts à emporter. Beaucoup de plats cuisinés. Aussi, succursale à Sainte-Catherine, route 132.

SAUM-MOM
4378, av. Papineau, Mtl | 514-564-3024
Saumon équitable, saumon frais, saumon fumé, gravlax, tartare, tartinade de saumon fumé et autres. Depuis 1992, cette maison ne vend que des produits à base de saumon riches en oméga-3, un savoureux produit du terroir québécois.

SALONS DE THÉ ET CAFÉS

AU FESTIN DE BABETTE
4085, rue Saint-Denis, Mtl | 514-849-0214
Grande variété de thés servis à la tasse. Crèmes glacées molles maison. Crêpes bretonnes. Cafés italiens. Chocolats chauds et grands crus de chocolats. Salades, sandwichs. Brunch 7/7.

BOULANGERIE PREMIÈRE MOISSON
Voir section BOULANGERIES

BRÛLERIE ST-DENIS
3967, rue Saint-Denis, Mtl | 514-286-9158
3039, rue Masson, Mtl | 514-750-6259
1389, av. Laurier E., Mtl | 514-508-9159
226, rue Brien, Repentigny | 450-704-2288
Maison de torréfaction, installée depuis 1985, qui importe ses propres grains de café. 97 sortes de cafés, dont 28 mélanges maison, de 25 régions différentes. Accessoires pour le café et le thé. Choix de cafés équitables. Plusieurs points de vente (cafés et bistros), vérifier à ces numéros pour avoir leurs adresses.

CAMELLIA SINENSIS
351, rue Emery, Mtl | 514-286-4002
Marché Jean-Talon
7010, rue Casgrain, Mtl | 514-271-4002
Thés en vrac (vert, noir, blanc, jaune, wulong, pu-erh) d'importation privée (Chine, Japon, Taïwan, Inde, Sri Lanka, Vietnam). Très belle boutique avec thés en vrac et accessoires pour le thé. Livres sur le thé. Salon de thé. École de thé. Dégustations et conférences. Distribution.

ÉPICES DE CRU
Épicerie - salon de thé et café
Marché Jean-Talon
7070, rue Henri-Julien, C-6, Mtl | 514-273-1118
Boutique d'épices, de thés et de céramiques tenue par la famille De Vienne. 200 thés dont le très apprécié chaï route de la soie ainsi que la marque maison «thé de cru». Thés froids et chauds. Au-delà de 400 épices uniques et mélanges. Céramiques Arik de Vienne

KUSMI
3875, rue Saint-Denis, Mtl | 514-840-5445
Boutique et bar à thé. Sélection complète des thés Kusmi, dont 80 en exclusivité, à emporter ou à déguster sur place. Vendus en feuilles dans les fameuses boîtes colorées Kusmi, en vrac ou en sachet mousseline. Gamme complète de la ligne de thé entièrement biologique: lov Organique (30 variétés). Sélection d'accessoires autour du thé.

LES BRÛLERIES FARO
Marché gourmand Centropolis
2888, av. du Cosmodôme, Laval | 450-973-9992
Ont une très grande variété de café vert. Cafés gourmets, biologiques et équitables, fraîchement torréfiés selon une méthode personnelle. Produits complémentaires, cafetières. Une adresse aussi à Sherbrooke. Visiter le site web pour plus d'info.

LES THÉS DAVIDsTEA
Carrefour Laval
3035, bd Le Carrefour, Laval | 450-681-0776
Centre Fairview
6801, Autoroute Transcanadienne #D003E, Pointe-Claire | 514-697-3331
4859, rue Sherbrooke O., Mtl | 514-489-0404
1207, av. Mont-Royal E., Mtl | 514-527-1117
Centre Eaton
705, Sainte-Catherine O., Mtl | 514-284-6060
Mail Champlain
215, bd Lapinière, Brossard | 450-671-4848
Un milieu accueillant, une boutique moderne, spacieuse et colorée. Plus de 150 sortes de thés, dont des mélanges exclusifs, des collections saisonnières de série limitée, des thés classiques traditionnels et des infusions exotiques provenant des quatre coins du globe. Sans oublier une vaste collection de thés et infusions biologiques en Amérique du Nord.

Une gamme novatrice, ludique d'accessoires pour le thé de conception maison, des cuillères aux infuseurs, en passant par les services à thé et les tasses de voyage.

MAISON DE THÉ CHA NOIR

4611, rue Wellington, Verdun | 514-769-1242

Fondée en 2003. Maison de thé offrant une sélection de plus de 100 sortes de thés et de tisanes, 80 modèles de théières, bouilloires électroniques, paniers d'accessoires. Bouchées chinoises, assiettes repas, carte de douceurs craquantes parfumées aux épices ou aux fleurs. Ateliers et dégustations de thés.

PAINS ET SAVEURS

Voir section BOULANGERIES

TOI, MOI ET CAFÉ

244, av. Laurier O., Mtl | 514-279-9599
2695, rue Notre-Dame O., Mtl | 514-788-9599
220, bd Labelle, Rosemère | 450-433-9599

Un simple bistro avec une jolie terrasse en bois (sauf à Notre-Dame) qui cache un des meilleurs importateurs et torréfacteurs de café en ville. Cafés équitables et bio. Table d'hôte midi et soir. Permis d'alcool. On peut y manger du canard, du gibier et du poisson. Menu végétarien. Desserts maison.

UN AMOUR DES THÉS

1224, av. Bernard O., Mtl | 514-279-2999

Plus de 250 variétés de thés, thés verts, thés noirs, wulong, thés blancs, thés rouges, thés parfumés, mélanges maison. Près de 200 modèles de théières et le nécessaire pour préparer le thé. Les thés sont aussi en vente dans les épiceries fines. Importations privées depuis 2002. Vente en ligne.

TRAITEURS

AGNUS DEI TRAITEUR

1260, rue Mill, Mtl | 514-866-2323 et 514-223-7311

Important traiteur de Montréal. Cocktails dînatoires, buffets thématiques, repas à l'assiette, soirées privées, mariages et événements d'envergure. Créateur de concepts culinaires. Traiteur très créatif, gagnant de prix internationaux. Traiteur officiel du Cirque du Soleil.

AUBERGE SUR LA ROUTE

430, rue Saint Gabriel, Vieux-Mtl | 514-878-3561 #270 ou 271

Traiteur pour les entreprises ou les événements. Grande variété de services (boîtes à lunch, cocktails, banquets réunissant jusqu'à 2 000 pers.). Démonstrations culinaires (1 000 bouchées préparées le plus rapidement possible, etc.).

AVEC PLAISIRS
1260, rue Mill #200, Mtl | 514-272-1511
Traiteur pour événements au bureau ou à la maison. Commande pour le lunch le jour même avant midi. Gamme de repas servis froids ou chauds. Déjeuners, repas individuels (plateaux, salades-repas, bentos et sacs à lunch), pauses-café, buffets froids et chauds, cocktails, 5 à 7, repas d'affaires. Livraison rapide et garantie région grand Montréal et Laval.

BOULANGERIE PREMIÈRE MOISSON
Voir section BOULANGERIES

CASSEROLE KRÉOLE
4800, rue de Charleroi, Mtl | 514-508-4844
Deux chefs haïtiens Hans Chavannes et Kenny Pelissier, sympathiques et accueillants, une serveuse au sourire magique. Des études faites au Québec, mais une cuisine des Antilles qui leur collent à la peau. Leur inspiration vient de la cuisine des femmes de la famille. 8 tables, boutique ouverte jusqu'à 19h, du mardi au samedi. Un décor frais et simple fait de couleurs vives. Produits en vente: sauce Pikliz, marinade pour la viande, sirop à la cannelle, purée de piments, huiles aromatisées, le tout fait maison. Traiteur, plats à emporter et lunch sur place. Service de livraison.

DANSEREAU TRAITEUR
243, av. Dunbar, Mtl | 514-735-6107
Variété de menus pour tous genres de réceptions et d'événements spéciaux. Menus à thème.

GOURMEYEUR BOUTIQUE TRAITEUR
Marché public 440
3535, aut. 440 O., Laval | 450-681-5528
C'est une cuisine du monde réinventée, des produits frais retravaillés, des recettes audacieuses qui associent l'élégance à la modernité. Boutique-traiteur. Plats préparés sur place à déguster ou à emporter. En face, Gourmeyeur café-bistro.

LA PALETTE GOURMANDE par Alain Pignard
Traiteur - salon de thé - pâtisserie - brunch
1486, rue Sherbrooke O., Mtl | 514-750-1492
Alain Pignard, ancien chef du fameux Reine Elizabeth, fort de son expérience dans les événements d'envergure, et Liliana de Kerorguen créent un nouveau service traiteur pour la maison. Il y a aussi un service traiteur pour événements, de quoi époustoufler la galerie. Les pâtisseries sont confectionnées par le chef Christian Campos, élu pâtissier régional en 2015 et 2016, qui réalise de petits bijoux sucrés. Tables pour 20 pers. et terrasse pour 12 pers. Carte de thés ultra chics Mariages Frères à déguster avec des macarons ou les merveilleuses pâtisseries du chef Campos. Sacs de thé en vente: Mariages Frères, le meilleur de Paris. Pour céder à la demande de leurs clients, ils s'aventurent vers le brunch le dimanche, le salon de thé à l'anglaise l'après-midi et le Tea Time le samedi. Ils n'ont pas fini de nous surprendre par la qualité et l'élégance de leur service.

LES FOLIES DE SOPHIE
39, rue Saint-Hubert, Laval | 450-629-4591
Entreprise familiale en affaires depuis 1987. Buffets en tous genres. Buffet d'entreprise 10 pers. ou plus. Déjeuner, cocktail, événement, location d'équipement. Service à la table.

PAINS ET SAVEURS
Voir section BOULANGERIES

ROBERT ALEXIS TRAITEUR
3693, rue Wellington, Verdun | 514-521-0816
Service de traiteur avant-gardiste pour réceptions, réunions de travail, fêtes familiales, événements thématiques et soirées de gala. Lunchs corporatifs, cocktails, cocktails dînatoires.

VINCENT LAFLEUR TRAITEUR
200, av. Bernard O., Mtl | 514-272-9060
Fine cuisine du marché, création culinaire. Spécialisé dans les événements d'entreprises haut de gamme de grande envergure. Cocktail dînatoire aussi offert. En été, le Coin Street - Food drink et terrasse.

Vous pouvez facilement identifier les établissements recommandés par le guide **Debeur** grâce à cet autocollant.

ACCESSOIRES

DESPRÉS LAPORTE
474, 2e Rue E., Local B, Rimouski
418-724-7712 et 1 866 724-7712
Boutique d'accessoires de la table, d'articles de cuisine, de pâtisserie et de sommellerie. Très beau choix, intéressant et complet, d'équipement professionnel et résidentiel. Nombreuses marques de qualité et haut de gamme. Conception de caves à vin pour particuliers et professionnels.

DOYON CUISINE
525, rue du Marais, Québec | 418-681-6366
Boutique d'art culinaire vendant un grand choix d'accessoires de cuisine, articles de décoration de table et d'accessoires pour amateurs de vin. Machines à café. Un très beau matériel de professionnels accessible à tous. Vend les meilleures marques. Verres Riedel, seaux à champagne, aérateurs, bouchons, becs verseurs, pompes à vin, carafes, limonadiers, tire-bouchons, refroidisseurs à bouteille. Casiers modulaires pour faire sa cave soi-même. Plans d'aménagement de caves. Aussi, un magasin à Rimouski.

LA FOLLE FOURCHETTE
986, 3e Avenue, Québec | 581-742-0767
Depuis un peu plus de 3 ans, le secteur Limoilou bénéficie d'une quincaillerie de cuisine où chacun des ustensiles et outils indispensables a été choisi avec soin. Pas de gadgets inutiles, que des essentiels testés par les deux propriétaires qui sont de bon conseil. Section école de cuisine, cours enfant et adulte (techniques de base et cuisine du monde).

LE CREUSET
Place Sainte-Foy
2450, bd Laurier, Sainte-Foy | 418-651-2667
Seul magasin dans la région de Québec entièrement dédié aux articles Le Creuset. Grand choix de casseroles, de cocottes, de plats à rôtir et d'accessoires pour la préparation, la cuisson et la présentation des mets. Déclinaison en plusieurs couleurs.

LUCIE CÔTÉ CUISINE
680, Saint-Joseph E., Québec | 418-948-4098
Une adresse incontournable pour la quincaillerie de cuisine de haute qualité. Que de grandes marques reconnues et éprouvées ainsi que des conseils d'achat et d'utilisation avisés. Aiguisage de couteaux à la pierre. Section de produits fins de cuisine (huiles, vinaigres, etc.). Livres de cuisine choisis. Spécialisé en cuisson à induction et couteaux japonais d'importation privée. Linges de maison en coton pour la vaisselle, collection privée. Achats sur internet.

VINUM GRAPPA
355, rue du Marais, Québec
418-650-1919 et 1-877-305-1919
Un grand choix de verres, carafes, tire-bouchons, livres, couteaux Laguiole véritables, et autres. Celliers, supports à bouteilles et climatiseurs pour caves à vin. Cadeaux d'entreprise et de mariage, articles de la table. Machines à café. Conception et aménagement de caves à vin. Fournisseur de verres et accessoires de service pour les restaurants et hôtels.

ZONE
999, av. Cartier, Québec | 418-522-7373
De l'art de la table (vaisselle, couverts) aux gadgets à petits prix. À noter la sélection intéressante d'ustensiles de cuisine pratiques. Éléments de décoration et autres accessoires pour la maison.

BOUCHERIES CHARCUTERIES

BOUCHERIE AUX 3 POIVRES
4577, Guillaume-Couture, Lévis | 418-835-5525
Boucherie complète (gibier, volailles, etc.), mais aussi, un vrai boucher. Viande vieillie de bœuf wagyu (style Kobe). Plats cuisinés. Aussi boulangerie, épicerie fine (grande variété de fromages québécois, pâtes fraîches maison), pâtisserie, poissonnerie (gravlax, tartares, saucisses de saumon) et saucisserie (53 sortes de saucisses maison, dont 5 sans gluten). Boudin blanc et boudin noir maison. Service de traiteur, boîte à lunch, cocktail dînatoire.

BOUCHERIE MARCEL LABRIE
1191, av. Cartier, Québec | 418-523-2022
Une grande boucherie où l'on trouve du gibier, des viandes du Québec et de l'Ouest canadien de première qualité. Un excellent jambon maison, ainsi qu'un assortiment de saucisses préparées sur place. Fonds de volaille, de gibier et de veau nature. Brochettes, cretons, pâtés et mets préparés.

BOULANGERIE PREMIÈRE MOISSON
Voir section BOULANGERIES

DÉLECTA PLAISIR COCHON
2500, rue Beaurevoir, Québec | 581-450-9696
5751, rue J-B Michaud, Lévis | 581-450-9696
Une boucherie qui se distingue par la variété des viandes en comptoir, des coupes et surtout un service de conseil, de sorte que la clientèle connaisse la provenance et les types de cuisson appropriés pour l'agneau, le gibier, le bœuf et les volailles. Charcuteries et mets préparés sur place à emporter.

DESORMEAUX PRÉS ET MARÉES

4835, de la Promenade-des-Sœurs, Cap-Rouge
418-654-9034 et 1-866-666-9034

Boucherie de quartier qui fournit également ses clients en poissons et fruits de mer. Impressionnante sélection de viandes pour fondue. Saucisserie, charcuterie, produits d'épicerie fine, fromages et plats à emporter. Gibier à plume et à poil. Mets cuisinés sur place. Excellent service. Sur demande, on cuit les pièces de viande comme le rosbif. 30 à 40 saucisses faites maison. Offre une variété de produits sans gluten et des pâtisseries. Service de traiteur.

FERME EUMATIMI

241, rue Saint-Joseph E., Québec | 418-524-4907

Minuscule boucherie offrant de belles coupes de bœuf Angus AAAA, élevé sans hormones et sans antibiotiques. Mention spéciale pour la macreuse, la diversité des pièces, les coupes de porc, etc. Viande de producteurs de porcs, d'agneaux et de volailles. Charcuterie de producteurs sans agents de conservation, sans nitrites (pintade, lapin, caille, faisan).

FERME ORLÉANS

7344, ch. Royal, Saint-Laurent, Île d'Orléans | 418-828-2686

Ferme ouverte en 1973, pour les volailles. Gibier à plume élevé sans antibiotiques, sans facteurs de croissance, poulet de grain, lapin, caille, perdrix, pintade, faisan, canard, coquelet, oie, dinde de grain, lièvre sauvage, etc. Abattoir de volaille avec inspection provinciale. Comptoir de vente.

LE PIED BLEU

179, rue Saint-Vallier O., Québec | 418-914-3554

Le Pied bleu est médaillé d'or et d'argent au concours international de la Confrérie des chevaliers du Goûte-Boudin de Mortagne-au-Perche en Normandie 2015, mention spéciale du jury 2014. Bar à charcuterie de charcuterie cuite. Son boudin mérite les honneurs ainsi que ses charcuteries 100% artisanales. Ils transforment le cochon de la tête aux pattes. Palme d'or en 2017.

PAPILLOTE ET COMPAGNIE, LA BOUCHERIE

Les Halles de Sainte-Foy
2500, ch. des Quatre-Bourgeois, Québec
418-659-4248

Cette boucherie favorise les producteurs locaux. Bœuf Highland, veau, agneau, gibier (faisan, caille, pintade), lapin, volaille de grain du Québec. Viande marinée et viande à fondue chinoise. Un bon choix de sauces, de fonds et de saucisses maison, ainsi que des pizzas.

BOULANGERIES

ARTISAN BOULANGER BORDERON ET FILS

Halles du petit Quartier
1191, av. Cartier, Québec | 418-521-5757
925, av. Newton, #117, Québec | 418-877-1818

Connu pour sa grande variété de pains au levain et de viennoiseries. Pâtisseries. Fournisseur de nombreux restaurants. Aussi, au Marché public de Lévis, 5751, rue J.B. Michaud.

AU PALET D'OR

1325, rte de l'Église, Sainte-Foy | 418-692-2488

Baguette française au levain, assortiment de pains spéciaux, viennoiseries pur beurre. Pâtisseries européennes: millefeuilles, opéras, éclairs, mousses et large choix de gâteaux secs et de sablés. Aussi cafés, chocolats chauds maison, cappuccinos et expressos. Bon éventail de chocolats maison présentés dans des boîtes. Dégustation de différents sandwichs composés avec les pains faits sur place, et de pâtisseries vendues en magasin. Saucissons, terrines, fromages, plats préparés. Service de traiteur. Salon de thé. Terrasse.

BOULANGERIE CHEZ OLI

826, av. Myrand, Québec | 418-527-5627

Grande sélection de pains – baguette parfaite – et de viennoiseries, des torsades et des sandwichs gourmets qui sont préparés sur place. Quiches, pâtés. Tout est fait maison. Notez que les pains aux fruits et aux noix sont généreux en matières premières.

BOULANGERIE CULINA

2510, ch. Sainte-Foy, Québec | 418-653-9894

Artisan boulanger depuis 1971. De bons pains de fabrication artisanale, de la viennoiserie, des fromages au lait cru québécois et des sandwichs. Propose également des produits maison traditionnels européens et orientaux.

BOULANGERIE PAUL

1646, ch. Saint-Louis, Sillery | 418-684-0200

Pains sans gras, sans sucre. Utilise du blé du Québec cultivé en agriculture raisonnée. Baguette Banette, fougasses, viennoiseries, brioches maison. Tartelettes aux fruits frais. Fermé les lundi et dimanche après-midi.

BOULANGERIE PREMIÈRE MOISSON

Boulangerie - pâtisserie - charcuterie - salon de thé - traiteur
625, bd Lebourgneuf, Québec | 418-623-9161

Depuis 25 ans, Première Moisson fabrique et vend des produits de boulangerie, de pâtisserie et de charcuterie élaborés selon une approche artisanale avec des ingrédients sains. Pour se démarquer, l'entreprise mise dès le début sur la fraîcheur, la qualité et l'authenticité, des valeurs qui sont toujours au cœur de sa stratégie de développement. Première Moisson, qui emploie plus de 1200 personnes, compte 25 boulangeries au Québec et un magasin à Ottawa. Plusieurs de ses produits sont vendus en épicerie au Québec et en Ontario. Visitez premieremoisson.com pour découvrir tous les produits et nouveautés.

CAFÉ-BOULANGERIE PAILLARD

1097, rue Saint-Jean, Québec | 418-692-1221 #1
4141, de l'Auvergne, Québec | 418-692-1221 #2
Galeries de la Capitale
5401, bd des Galeries, Québec | 418-622-1221 #3
811, rte Jean-Gauvin, Québec | 418-622-1221 #4

Une des seules boulangeries à l'intérieur des vieux murs de Québec. Tout est fait maison: pains, viennoiseries, bon choix de pâtisseries dont les macarons, «gelato» et sorbets. Chocolats fins. Sélection de sandwichs chauds et froids, salades et soupes.

LA BOÎTE À PAIN

289, rue Saint-Joseph E., Québec | 418-647-3666
396, 3e Avenue, Québec | 418-977-7571

Pains façonnés de façon artisanale, sandwichs gastronomiques, viennoiseries (croissants, chocolatines, brioches). Pains de fantaisie (ail et lardons, chocolat et bleuets). Pizzas cuites au feu de bois et salades gourmets. Pâtisseries fines. Cafés équitables, espressos, vins. Places assises et terrasse. Également une adresse au 2836, ch. Sainte-Foy.

LA BOULE MICHE

1483, ch. Sainte-Foy, Québec | 418-688-7538

Boulangerie reconnue pour ses pains biologiques, certifiés Québec Vrai, ses pâtisseries et ses mets préparés à base de produits de première qualité. Pains au levain faits sur place, sandwichs et salades. Pâtisseries avec de la farine et du sucre non raffinés biologiques. Section de fruits, légumes et produits laitiers bios.

L'ARTISAN ET LA PORTEUSE DE PAIN

1070, av. Cartier, Québec | 418-523-7066

Petite boulangerie artisanale. Toute la boulangerie est confectionnée sans gras et sans sucre. Un bon choix de pains très variés.

LE PAINGRÜEL

578, rue Saint-Jean, Québec | 418-522-7246

Boulangerie créative, authentique, pratiquant la panification au levain, naturelle et manuelle. Utilisation de farine certifiée biologique et essentiellement produite au Québec. Pain à très faible teneur de gluten. Créations uniques, la tradition rejoint l'actuel.

LES COUSINS

1029, av. Cartier, Québec | 418-522-8889

Dorénavant, à cette adresse Picardie devient Les *Cousins, café, arts et festins*. Le nouveau nom est pour rappeler les cousins français, leur gastronomie, l'ambiance des cafés, et aussi toutes les bonnes confections boulangères, pâtissières et recettes sur le pouce. Christina Lapegna tient toujours la barre, elle est italienne, mais adore la France. L'endroit est agréable, la petite terrasse sympathique, les produits n'ont pas changé. Toujours un beau choix de pains, de pâtisseries classiques françaises, des encas pour le lunch, de la charcuterie, des produits importés, des fromages français et québécois.

PICARDIE DÉLICES ET BOULANGERIE

1292, av. Maguire, Sillery | 418-687-9420

Plusieurs variétés de pains et de viennoiseries (dont des croissants au beurre), pâtisseries françaises classiques (framboisier, opéra, trois chocolats, royal, tarte au citron ou au chocolat, tarte normande...). Bistro café, sandwichs, plats préparés et salades de saison. Saucissons, jambons, pâtés, terrines et rillettes, confits de canard, magrets et blocs de foie gras. Bonne variété de fromages français et québécois. Produits d'épicerie provenant d'Europe, comme les huiles d'olive, vinaigres et pâtes. Service traiteur (plats maison, buffets, canapés, boîtes à lunch) équipé pour tous genres de réceptions.

CHOCOLATERIES

ARNOLD CHOCOLAT

1190-A, av. Cartier, Québec | 418-522-6053
3333, rue du Carrefour, Beauport | 418-661-7995

Chocolats fins de confection artisanale, créations d'une chocolatière gourmande. Ganaches, fondants, fourrés, truffes et pralinés. Dépositaire des glaces de chez Tutto Gelato en été. Section de confiserie. Atelier ouvert pour les fêtes d'enfants.

EDDY LAURENT CHOCOLATIER BELGE

1276, av. Maguire, Québec | 418-682-3005

Chocolats de qualité fabriqués à la main, de façon artisanale, suivant la pure tradition belge. Chocolat fait à partir du grué (de la fève à la tablette). Aucun agent de conservation. Grands crus de chocolat en provenance de quatre pays. Gourmandises. Atelier de chocolat. Boutique d'accessoires-cadeaux et art de la table (Alessi, Ritzenoff, Laguiole).

ÉRICO CHOCOLATERIE PÂTISSERIE

Chocolaterie - pâtisserie - glacier
634, rue Saint-Jean, Québec | 418-524-2122

Chocolaterie de quartier qui offre des chocolats fins, mais aussi un très bon gâteau au chocolat, des glaces, des biscuits, des brownies, des cupcakes et une dizaine de mélanges à chocolat chaud. Une soixantaine de variétés de chocolats en alternance (chocolat à la bière Fin du monde ou à la pomme confite au cidre). Moulages et impression sur chocolat. Un musée du chocolat où l'on peut voir s'affairer les chocolatiers en cuisine. Fabrication artisanale européenne, pâtisseries françaises. Outre une sélection de glaces chocolatées, Érico concocte 69 glaces et sorbets aux parfums exotiques: chaï Bombay, thé et dattes, hibiscus, bière stout, fraise basilic, yogourt à l'argousier.

LES CHOCOLATS FAVORIS

Chocolaterie - glacier

9030, bd L'Ormière, Québec | 418-476-1647
32, av. Bégin, Lévis | 418-833-2287
1810, route des Rivières, Lévis | 418-836-1765
8320, 1re Avenue, Charlesbourg | 418-627-2288
1480, rue Provancher, Cap-Rouge | 418-653-2414
65, René-Lévesque O., Québec | 418-653-2414

Chocolaterie artisanale et boutique cadeau ouverte à l'année. Grande variété de chocolats fins, moulages, chocolats sans sucre, paniers cadeaux, confiseries d'importation, produits du terroir québécois et fondue au chocolat. Une destination pour quiconque raffole de la crème glacée molle enrobée de chocolat véritable offert ici en 12 saveurs. Sorbets, yogourts glacés et glaces artisanales dans cette glacerie de style européen ouverte du printemps à la fin d'octobre. Il y a aussi une terrasse extérieure.

CONFISERIE

LES CONFISERIES PINOCHE

1048, av. Cartier, Québec | 418-648-8460

Caverne d'Ali Baba des sucreries aux couleurs attrayantes. Bonbons d'importation, jelly belly, jujubes, réglisses assortis, sucettes de sucre filé et chocolats fins. Idées-cadeaux, ballons et peluches. Café de torréfaction artisanale.

COURS

ATELIERS & SAVEURS

830, rue Saint-Joseph E., Québec | 418-380-8167

Une approche nouvelle, plus ludique, d'enseigner la cuisine, l'art des cocktails et la dégustation des vins. Ateliers grand public ou en groupes. Environnement convivial. Menus, horaires et tarifs au www.ateliersetsaveurs.com. Situé dans le Nouvo Saint-Roch.

ÉPICERIES FINES

AVRIL SUPERMARCHÉ SANTÉ

1033, rue des Rocailles, Québec | 418-425-0255
Carrefour St-Romuald
1218, rue de la Concorde, Lévis | 418-903-5454

Grande variété de fruits et légumes certifiés biologiques. Produits équitables, écologiques et locaux. Viandes biologiques sans additifs chimiques. Grande section de produits sans gluten. Suppléments alimentaires et vitamines. Comptoir Crudessence et Avril café avec possibilité de manger sur place.

CRAC ALIMENTS SAINS

690, rue Saint-Jean, Québec | 418-647-6881

Produits naturels et aliments sains certifiés biologiques, mets cuisinés. Section d'épices, de fines herbes et de thés. Choix de céréales, de noix et de légumineuses. Fruits et légumes. Vitamines et suppléments.

ÉPICERIE EUROPÉENNE

560, rue Saint-Jean, Québec | 418-529-4847

Produits européens. Belle sélection de charcuteries (jambon de Parme d'Italie, serrano d'Espagne). Grand choix d'huiles d'olive, très importante section de fromages de grande qualité et beaucoup de produits importés. Variété de pâtes. Cafetières à espresso. Biscuits.

ÉPICERIE J.A. MOISAN

Épicerie fine - fromagerie

699, rue Saint-Jean, Québec | 418-522-0685

Une grande variété de produits d'épicerie servis dans l'ambiance d'autrefois. Produits du terroir québécois et d'importation. Grand choix de fromages, de charcuteries et de chocolats. Quelque 200 sortes de fromages, à la coupe et à l'unité, québécois ou européens, à pâte molle ou ferme, de chèvre, de brebis ou de vache. Plats cuisinés à emporter, aire de dégustation sur place. Paniers-cadeaux. Vins québécois. Bières de microbrasserie. Variété d'épices. Thés Kusmi et cafés. Ouvert 7/7.

ÉPICERIE LAO-INDOCHINE

538, av. des Oblats, Québec | 418-524-3955

Grand choix de produits pour cuisiner des mets asiatiques. Mets thaïlandais à emporter. Petite salle de dégustation.

LA CORNE D'ABONDANCE

Épicerie fine - traiteur

1988, rue Notre-Dame, L'Ancienne-Lorette
418-872-7987

Une centaine de fromages importés et de fabrication québécoise. Boucherie, boulangerie, charcuterie et épicerie fine. Fruits et légumes frais. Service de traiteur jusqu'à 1 000 pers. Vaste gamme de produits biologiques. Tartare de saumon. Tartare de bœuf. Bouchées chaudes et froides. Repas santé. Service de livraison.

LA MONTAGNE DORÉE

652, rue Saint-Ignace, Québec | 418-649-7575

Grand choix de produits pour cuisiner des mets asiatiques. Excellents rouleaux impériaux et de printemps.

LA RÉSERVE ÉPICERIE FINE

994, 3e Avenue, Québec | 418-914-5061

Une belle sélection d'huiles d'olive et de vinaigres balsamiques. Du prêt-à-manger, des fromages, des charcuteries ainsi que des conserves et une grande sélection de pâtes sèches constituent le garde-manger de La Réserve. Importations italiennes et européennes.

LA ROUTE DES INDES

Marché du Vieux-Port
160, Quai Saint-André, Québec
418-692-2517 #241

Produits fins exotiques, biologiques et équitables des 5 continents. Toutes les épices du monde. Gousses de vanille. Tisanes fraîches et 300 sortes de thé en feuilles. Théières. 100 sortes de plantes à infusion. 40 sortes de riz et de fèves. Noix, sels, poivres. Comptoir d'huiles et vinaigres en vrac. Desserts glacés.

LE CANARD GOULU

811, rte Jean-Gauvin, Cap-Rouge | 418-871-9339
1281, av. Maguire, Québec | 418-687-5116
524, Bois Joly O., Saint-Appollinaire
418-881-2729

Producteur artisanal de canard de Barbarie: foie gras, rillettes, pâtés aromatisés, cuisses confites, gamme complète des produits de canard. Des mets préparés tels que cassoulet et sauce à spaghetti en vente dans une boutique épicerie-concept. Menu tout canard où le gibier à plume a la vedette, sur la rue Maguire, sur réserv. 10 à 35 pers.

LE COMPTOIR DU TERROIR

Marché du Vieux-Port
160, quai Saint-André, Québec | 418-571-6566

Boutique regroupant les meilleurs produits du terroir québécois, cidres, vins, alcools, confitures et confits, terrines et foie gras, caviars. Variété de miels, de vinaigres, de vinaigrettes et de produits fins de l'érable. Choix de tisanes. Héberge des entreprises spécialisées dans la transformation vinicole.

MARCHÉ EXOTIQUE LA FIESTA

101, rue Saint-Joseph E., Québec | 418-522-4675

Épicerie fine. Produits pour cuisiner les spécialités d'Amérique latine.

MORENA PRÊT À MANGER

1038, av. Cartier, Québec | 418-529-3668

Grandes huiles et fameux vinaigres. Pâtes fraîches et sèches, fines et farcies. Café, thé, tartinades de premier choix, épices et produits du terroir québécois. Spécialités méditerranéennes. Plats préparés à emporter. Spécialité: le prêt-à-manger. Paniers et cadeaux gourmands. Service de traiteur (cocktails, buffets, boîtes à lunch). Bistro ouvert 7/7.

FABRIQUES DE PÂTES

ET PÂTACI ET PÂTAÇA

Halles du Petit Quartier
1191, av. Cartier, Québec | 418-641-0791

Une fabrique de pâtes fraîches à l'italienne avec, aussi, des pâtes sèches ou farcies. Grande sélection d'huiles d'olive et de vinaigres balsamiques. Sauces maison en grande quantité. Plats à emporter. À découvrir, les pestos et la fondue parmesan maison.

PAPILLOTE ET COMPAGNIE

42, bd René-Lévesque O., Québec
418-529-8999
Les Halles de Sainte-Foy
2500, ch. des Quatre-Bourgeois, Québec
418-651-8284

Une grande variété de pâtes fraîches et de pâtes farcies comme on les fabrique en Italie avec des œufs frais et de la semoule de blé durum. Ici, aucun additif ni agent de conservation. Une vingtaine de sauces maison et de nombreux plats à emporter, entre autres des lasagnes et cannellonis, des pizzas maison, des mets cuisinés sous vide. Produits de la marque Canard Goulu, du canard gavé de façon artisanale.

FROMAGERS MARCHANDS

AVIS

Il y a une différence entre un fromager marchand qui vend des fromages et un fromager artisan, ou fermier, qui fabrique des fromages. Cependant, les deux peuvent faire l'affinage ou le vieillissement.

AUX PETITS DÉLICES

Halles du petit Quartier
1191, av. Cartier, Québec | 418-522-5154
Les Halles de Sainte-Foy
2500, ch. des Quatre-Bourgeois, Sainte-Foy
418-651-5315

Un très grand choix de fromages (350 variétés), charcuteries, importations européennes, produits maison (terrines de chevreuil aux pignons de pin, pâtés en croûte, pâtés de foie aux figues, cretons périgourdine, rillettes d'oie sauce chardonnay, galantines de faisan forestière, saucisses de cerf rouge), produits préparés (quiches, tourtes, coquilles Saint-Jacques, fondues, croustades, tartes à l'oignon, lentilles et crevettes à la Poire William). Un choix époustouflant de bonnes choses.

LA FROMAGÈRE DU MARCHÉ

Marché du Vieux-Port
160, Quai Saint-André, Québec
418-692-2517 #238

Fromager de père en fille. Au cœur du marché du Vieux-Port, cette fromagerie propose entre 100 et 150 sortes de fromages issus du terroir québécois. Grand choix de fromages vendus à pleine maturité et coupés selon la demande.

YANNICK FROMAGERIE
901, 3e Avenue, Québec | 418-614-2002
Spacieuse fromagerie, au beau design, avec un très bon choix d'environ 150 fromages fins québécois et importés, au lait cru et pasteurisé. Location d'équipement lié au fromage. Épicerie fine, majoritairement d'importation privée. Soirée de dégustation vins/fromages en hiver.

GLACIER

TUTTO GELATO
716, rue Saint-Jean, Québec | 418-522-0896
Glaces artisanales italiennes, sorbets et desserts glacés. Espresso importé d'Italie. Biscotti maison. Sandwich fourré à la crème glacée. Ouverture saisonnière: fin mars à mi-octobre.

MARCHÉ PUBLIC

MARCHÉ DU VIEUX-PORT
Vieux-Port de Québec
160, quai Saint-André, Québec | 418-692-2517
Situé en plein cœur du quartier portuaire, on y trouve toute l'année des produits frais et transformés de qualité, directement des producteurs locaux (produits du terroir québécois à l'honneur). Marché de Noël fin nov. à fin déc.

PÂTISSERIES

BOULANGERIE PÂTISSERIE LE CROQUEMBOUCHE
225, rue Saint-Joseph E., Québec | 418-523-9009
Le chef propriétaire d'abord pâtissier se tourne bientôt vers les mystères de la boulangerie et de la viennoiserie pour enfin ouvrir son commerce en 2003. Pâtisseries françaises, viennoiseries, chocolats, «gelato», petits fours, assortiment de 15 éclairs, sandwichs, pains. Tout est fait maison. On peut manger sur place.

BOULANGERIE PREMIÈRE MOISSON
Voir section BOULANGERIES

LES CUPCKAKES DE COQUELIKOT
9145, bd de l'Ormière, Québec | 418-843-7222
Coquelikot propose des petits gâteaux aux essences naturelles de fleurs, à l'alcool (en saison estivale) ainsi que d'autres plus classiques, comme l'Himalaya à la vanille. Les seuls à offrir des cours de décoration de cupcake à l'année. Teneur de la collection bonheur sucré.

LE TRUFFÉ
Pâtisserie - boulangerie - traiteur
2300, bd Père Lelièvre, Québec | 418-681-3384
Alain Bolf, chef pâtissier, est propriétaire du Truffé depuis 1988. Il mène de front les activités de pâtissier et de traiteur. Pâtisseries classiques confectionnées artisanalement. Choix de 32 pâtisseries par année, suivant des thèmes saisonniers: fruits l'été, érable au printemps, etc. Chocolaterie, goûter son Truffé noisette et chocolat. Pain français cuit sur place sur la sole du four. Importante variété de pains du jour, excellentes baguettes. Les plats cuisinés sur place de la section traiteur méritent que l'on s'y attarde. Terrines. Buffets froids. Menu traiteur. Mets régionaux. Repas distinction chaud servi à l'assiette. 5 à 7, réceptions, événements.

Mlle CUPCAKE PETITS GÂTEAUX
1660, rue de Bergeville, Québec | 418-614-7700
Une adresse incontournable pour tout amoureux de petits gâteaux. À base d'ingrédients frais et naturels, ces douceurs se déclinent en plusieurs saveurs avec des glaçages pur beurre, à la vanille, au citron, au thé matcha, au café, etc. Produits sans œuf, sans lait, sans arachides, sans noix, sans colorants ni arômes artificiels. Section sans gluten. Gelato maison en saison. Spécialisé en cupcakes et gâteries sucrées. Fermé le lundi.

NOURCY
2452, bd Laurier, Sainte-Foy | 418-651-7021
Grand choix de pâtisseries françaises et libanaises de style classique et actuel. Produits de viennoiserie et épicerie fine (huiles, vinaigres et confitures). Plats cuisinés.

PÂTISSERIE ANNA PIERROT
Les Halles du Petit Cartier
1191, av. Cartier, Québec | 418-524-2662
Les Halles de Sainte-Foy
2500, av. des Quatre-Bourgeois, Sainte-Foy
418-659-4876
Pâtisserie et chocolaterie. Grande variété de pâtisseries françaises. Choix de viennoiseries, de caramels salés, de chocolats de dégustation, de macarons aux divers parfums et de petits fours. À Sainte-Foy, tout est fait sur place.

POISSONNERIES

POISSONNERIE UNIMER
1191, av. Cartier, Québec | 418-648-6212
2500, ch. des Quatre-Bourgeois, Sainte-Foy
418-654-1880
Poissons et fruits de mer variés. Comptoir à sushis. Prêts à emporter ou sur réservation. Ouvert 7/7.

QUÉBEC OCÉAN
Les Halles Fleur de Lys
245, rue Soumande, Québec | 418-704-3757
1699, route de L'aéroport, L'Ancienne-Lorette
418-874-7773
Fruits de mer et poissons en tout genre. Au magasin des Halles Fleur de Lys seulement, il y a un comptoir à sushis et on peut manger un Fish and chips pour le dîner. Huîtres, crabes et homards en saison. Service de cuisson. Plats cuisinés (pâtés, tartares, coquilles Saint-Jacques, etc.). Le magasin des Halles Fleur de Lys doit déménager.

SALONS DE THÉ ET CAFÉS

BOULANGERIE PREMIÈRE MOISSON
Voir section BOULANGERIES

BRÛLERIE ROUSSEAU
1191, rue Cartier, Québec | 418-522-7786
710, rue Bouvier, Québec | 418-948-7786
Les Halles de Sainte-Foy
2500, ch. des Quatre-Bourgeois, Sainte-Foy
418-659-7786
Plus de 50 sortes de cafés en grains provenant du monde entier, torréfiés sur place. Vente de cafés en grains pour la maison. Cafés frais tous les jours. Distributeur de la cafetière italienne Simonelli. Pâtisseries et sandwichs maison.

BRÛLERIE SAINT-ROCH
375, Saint-Joseph E., Québec | 418-704-4420
Un grand choix de cafés, de Sumatra jusqu'au Brésil, torréfiés à Vieux-Limoilou. Une grande sélection de thés ainsi que des repas légers sont servis dans cette brûlerie de quartier. Aussi cinq autres adresses, Brûleries Saint-Jean, Limoilou, Vieux-Limoilou, Sainte-Foy et Vanier.

CAFÉ KRIEGHOFF ET PETIT HÔTEL
1220, rue des Sœurs-du-Bon-Pasteur, Québec
418-522-3711
Petit hôtel 3 étoiles au-dessus du café.
1326, rue Maguire, Québec | 418-570-3541
Café de style européen installé depuis 1977 sur des rues très animées, reflétant la vie du Vieux-Québec. Café espresso de goût européen au mélange bien choisi. Cuisine bistro: tourtière de cerf rouge, canard confit, plats cuisinés maison composés de produits locaux. Menu moins élaboré sur la rue Maguire.

CAMELLIA SINENSIS
624, Saint-Joseph E., Québec | 418-525-0247
Thés en vrac (vert, noir, blanc, jaune, wulong, pu-erh, thés sculptés), importés directement de l'artisan (Chine, Japon, Taïwan, Inde). Accessoires pour le thé. Livres sur le thé. École du thé. Dégustations et conférences, cérémonie du thé.

LES THÉS DAVIDsTEA
Galeries de la Capitale
5401, bd des Galeries, Québec | 418-624-1333
1049, rue Saint-Jean, Québec | 418-692-4333
Un milieu accueillant, une boutique moderne, spacieuse et colorée. Plus de 150 sortes de thés, dont des mélanges exclusifs, des collections saisonnières de série limitée, des thés classiques traditionnels et des infusions exotiques provenant des quatre coins du globe. Sans oublier une vaste collection de thés et infusions biologiques en Amérique du Nord. Une gamme novatrice, ludique d'accessoires pour le thé de conception maison, des cuillères aux infuseurs, en passant par les services à thé et les tasses de voyage.

MONSIEUR T.
Lebourgneuf
5700, bd des Galeries, Québec | 418-524-5544
Les Halles de Sainte-Foy
2500, Quatre-Bourgeois, Québec | 418-353-2943
2600, bd Laurier #103, Québec | 418-353-2091
Galeries de la Capitale
5401, bd des Galeries, Québec | 418-204-8230
Thés en vrac, mixologie et infusions pour emporter. Accessoires de thé.

SEBZ THÉ ET LOUNGE
67, René-Lévesque E., Québec | 418-523-0808
Une maison qui tient plus de 190 variétés de thés classiques ou aromatisés (avec des fruits entiers), vendus au poids. On y trouve aussi un choix de tisanes ainsi que des théières. Ateliers de dégustation. Club de thé; dégustation mensuelle de thé, nouvel arrivage ou thé plus rare.

TRAITEURS

BOULANGERIE PREMIÈRE MOISSON
Voir section BOULANGERIES

BUFFET MAISON
1165, av. Cartier, Québec | 418-828-2287
340, rue Seigneuriale, Beauport | 418-828-2287
1090, bd des Chutes, Beauport | 418-828-2287
995, route Prévost, Saint-Pierre, Île d'Orléans
418-828-2287
Savoir-faire, tradition de prêt à manger fait à partir de matières de première qualité. Récep-

tions jusqu'à 2 000 pers. (mariages, funérailles, etc.), buffets chauds et froids, plats cuisinés et pâtisseries maison. Épicerie fine. Service de chef à domicile. Beauport et Cartier sont seulement des points de service sans cuisine faite sur place.

DEUX GOURMANDES, UN FOURNEAU

2405-3, rue De Celles, Québec | 418-687-3389

Boîtes à lunch à partir de 5 pers. aussi sans gluten ou végétariennes. Boîtes pour repas chauds. Buffet froid ou chaud, cocktail dînatoire, repas à l'assiette, chef à domicile. Service de traiteur pour 8 à 800 pers. Mariages.

MAISON THAÏLANDAISE

3, bd René-Lévesque E., Québec | 418-523-1849
4307, rue Saint-Félix, Cap-Rouge | 418-659-2332
2485, ch. Saint-Louis, Québec | 518-981-0515

Prépare une variété de plats thaïlandais sous vide; il suffit de réchauffer. Commande sur place seulement; plats savoureux et authentiques à emporter. Aucun service à domicile. Une cuisine santé, épicée et sans MSG (glutamate monosodique).

NOURCY TRAITEUR

680, Perreault, Saint-Romuald | 418-653-4051

Compagnie très prolifique, innove tout le temps. Service de traiteur complet, conseiller en vins, personnel, location de matériel, livraison. Grande variété de boîtes à lunch. Buffets chauds et froids. Traiteur pour 5 à 7, cocktails dînatoires, mariages, concept clé en main.

PASTISSIMO

272, Saint-Joseph E., Québec | 418-648-2805

Traiteur de fine cuisine internationale. Buffets, cocktails dînatoires. Boîtes à lunch. Spécialisé dans les événements corporatifs et culturels.

RESTOS PLAISIRS TRAITEUR

1280, Chanoine-Morel, Québec | 418-704-6114

En plus d'un menu du jour à consommer sur place le midi et d'un service de chef à domicile, le Restos plaisirs traiteur prépare une sélection de plats frais et surgelés. Peut recevoir jusqu'à 20 pers. dans sa salle à manger. Services cocktails, mariages, événements corporatifs. Aussi: Chef chez soi (le chef est son équipe se déplace chez vous) et Soyez le chef (c'est vous qui finalisez le repas chez vous).

Domaine de Terrebrune (p. 222)

SÉLECTION 2018

Le petit debeur

des vins, cidres et spiritueux

- Guide d'achat
- Index par pays

Une passion, un plaisir

De plus en plus de Québécois se passionnent pour le vin, la bière et le cidre. Certains sont déjà d'excellents dégustateurs, d'autres aimeraient bien le devenir. Notre propos, dans cet ouvrage, n'est pas de faire de vous des sommeliers professionnels ni des experts en oenologie, mais plutôt de vous aider à faire de meilleurs choix lors de vos achats.

Sélection de vins, cidres et spiritueux

Ce guide vous propose une Sélection de vins, cidres et spiitueux qui est modifiée chaque année. Elle regroupe des produits vendus au Québec qui ont été choisis par trois dégustateurs d'expérience. **Tous les produits sont classés par catégorie (blanc, rosé, rouge, etc.) et par prix (du moins cher au plus cher).** Cela permet au consommateur d'orienter ses choix non seulement en fonction de ses goûts, mais aussi de son budget. Ce système original, créé par les Éditions Debeur en 1990, est largement imité aujourd'hui par d'autres guides connus. Ce qui est bien. Cela prouve que c'est une bonne idée.

Note sur les millésimes

Les millésimes (années des récoltes) des vins indiqués dans notre **Sélection** sont ceux des produits qui étaient en vente au moment de la dégustation. **Il se peut que ces derniers soient épuisés et qu'une année plus récente les ait remplacés ou que le prix ait changé.** Néanmoins, les descriptions et les commentaires qui sont donnés devraient déjà permettre de vous faire une bonne opinion au moment de vos achats.

Nous souhaitons que ce **guide d'achat** vous fera faire de belles découvertes et que, compagnon de vos recherches, il vous procurera beaucoup de plaisir.

Les notes

Nous avons longtemps hésité à mettre des notes dans le présent ouvrage. Nous considérons que le vin peut évoluer, en bien ou en mal, et ne plus correspondre à l'aspect rigoureux d'une notation quelconque, entre le moment de notre dégustation et celui de la lecture du guide par le consommateur.

Après de longues et mûres réflexions, nous avons décidé de mettre des évaluations notées pour chacun des produits présentés. Nous n'avons pas changé d'avis pour autant. Mais nous nous sommes dit que le consommateur avait besoin d'une conclusion et de connaître nos impressions en un seul coup d'œil, rapide et précis, comme le sont les étoiles pour les restaurants. Les mots sont souvent interprétés de façon différente selon la perception des gens, leur culture et leur sensibilité. On dit parfois qu'il faut dix mots positifs pour contrebalancer un mot négatif. La notation peut donc aider le lecteur à mieux comprendre nos critiques et à en tirer une conclusion supplémentaire.

Cependant, nous mettons quand même le lecteur en garde contre le fait qu'il peut y avoir une petite différence entre notre notation faite à un moment donné et celle faite par le lecteur. De plus, comme ce guide est un ouvrage collectif, l'interprétation de cette notation peut changer d'un dégustateur à l'autre. Un dégustateur peut noter plus sévèrement ou plus généreusement qu'un autre.

Encore une fois, toute évaluation, qu'elle soit écrite ou notée, n'est donnée qu'à titre indicatif et il appartient au lecteur de faire sa propre expérience. C'est lui, en fin de compte, qui sera le seul juge.

Thierry Debeur
Rédacteur en chef

SYMBOLES UTILISÉS

Le nom de chaque produit est toujours suivi du prix suggéré au moment de la mise sous presse. Il est possible que ce dernier soit modifié au moment de l'achat. Il en est de même pour le millésime qui peut aussi avoir changé.

Code SAQ
Les produits vendus par la SAQ com portent toujours un code CCNP **(+00000000)** qui, dans ce guide, se trouve inséré dans le nom du produit, juste avant le prix. Cela suppose qu'un produit sans code ne sera vendu que sur les lieux de production (certains produits de vignoble québécois, de cidrerie, etc.) ou encore dans certains points de ventes exclusifs.

(D): Produit vendu au domaine.
(E): Produit vendu en épicerie

♥ Indique un **coup de coeur** des dégustateurs.

Signatures des dégustateurs

DJL: Don Jean Léandri
GR : Guénaël Revel
TD : Thierry Debeur

Cotation

L'évaluation correspond à ce que l'on a apprécié au moment de la dégustation. Il est fort possible que le produit ait évolué, en bien ou en mal, depuis cet instant-là.

Légende

★ : Correct
★★ : Bon
★★★ : Très bon
★★★★ : Excellent
★★★★★ : Exceptionnel
(★) vaut une demi-étoile

Crédit photos des bouteilles figurant dans le texte:
Courtoisie Société des alcools du Québec (SAQ)

Sommeliers accrédités

L'Association canadienne des sommeliers professionnels (ACSP) est membre de l'Association de la sommellerie internationale (ASI) qui regroupe plus de 50 000 sommeliers dans le monde. Sa mission est de défendre et promouvoir le métier de sommelier au Canada.

L'ACSP-Québec, représentante du Québec à l'ACSP et à l'ASI, accueille tous les amateurs de vin désireux de faire rayonner la sommellerie et offre de nombreux avantages à ses membres, dont des rabais dans des magasins spécialisés ou l'accès gratuit (ou à rabais) à des événements prestigieux.

Fondée en 1989 et forte aujourd'hui de plus de 1000 membres de Vancouver à Halifax, l'ACSP jouit d'un rayonnement international, notamment par ses participations remarquées au concours du **Meilleur sommelier du monde.**

En 2018, c'est d'ailleurs à Montréal que se tiendra le concours du **Meilleur sommelier des Amériques,** en présence et avec la participation des lauréats du concours du Meilleur sommelier du monde.

Pour les sommeliers professionnels, l'ACSP joue essentiellement trois rôles

La protection et la promotion du titre de sommelier

- Accréditation annuelle des sommeliers professionnels après étude de leur niveau de formation et de leur expérience en restauration.
- Récompense des restaurants qui embauchent des sommeliers accrédités, qui consiste en une visibilité accrue, notamment dans les guides de restaurants (dont l'excellent *Guide Debeur*!) et dans des vidéos mises en ligne. www.sommelierscanada.com/quebec/fr/videos

La valorisation de l'enseignement, de la formation continue et du développement professionnel en sommellerie

- Partenariats avec les écoles hôtelières du Québec pour aider les sommeliers de toutes les régions à développer et à faire reconnaître leurs compétences.
- Organisation de classes des maîtres, de conférences et de symposiums reliés au domaine des vins, des spiritueux et des autres boissons.

La promotion de l'excellence

- Organisation des Concours du meilleur sommelier du Québec et du meilleur sommelier du Canada et soutien des candidats à chaque étape des compétitions, jusqu'au concours mondial.

Amis sommeliers, nous vous invitons à vous inscrire à l'ACSP et à rejoindre la plus grande famille du vin.

Santé!

Aline Migneault
Présidente, ACSP - Québec
Vice-présidente, ACSP - Canada
www.sommelierscanada.com/fr

ASSOCIATION CANADIENNE DES
SOMMELIERS PROFESSIONNELS

Le Québécois Carl Villeneuve-Lepage
remporte le titre de
Meilleur sommelier du Canada 2017

par Françoise Pitt
Photos: Scott Little Photography

Carl Villeneuve-Lepage entouré de ses adversaires et amis

«Trop beau pour être vrai!», s'est exclamé, avant d'éclater en sanglots, le tenant du titre qu'on venait de remporter, en septembre dernier, à Vancouver. Neuf sur la ligne de départ, les concurrents se sont retrouvés trois en finale. Et **Carl Villeneuve-Lepage** connaissait bien les deux autres, **Pier-Alexandre Soulière** (2e) et **Steve Robinson** (3e), de fort bons candidats. «Ce n'était pas gagné d'avance, confie-t-il. Même si je me sentais en confiance et que j'ai bien performé en théorie, le plus dur restait à venir, soit la pratique, le volet service.» Le verdict est finalement tombé au bout d'angoissantes minutes. Carl Villeneuve-Lepage avait reçu le titre de ***Meilleur sommelier du Québec en 2014.*** Il admet volontiers que le bilinguisme favorise les Québécois dans ces concours, car certains examens pratiques se font dans la langue seconde, ce qui n'aide pas toujours les autres Canadiens.

Que faire pour se préparer à un concours de ce calibre? «Étudier, lire, apprendre tout sur le monde des vins et sur les pays qui en produisent, répond-il. Une mine d'or pour moi: le site *GuildSomm.com*, qui m'a permis de me mettre constamment à jour. Il faut fouiller tous les sujets connexes au vin. Se tenir au courant de tout, aiguiser sa curiosité. Déguster le plus souvent possible. Créer des mises en situation dans le service des vins.» Pour ces deux derniers volets, il reconnaît que son travail de sommelier au Toqué! lui a quelque peu facilité la tâche, tout comme le fait que sa copine, Mylène Poisson, est sommelière à La

Maison Boulud… Et pourquoi tant d'efforts? «Pour le parcours, avoue-t-il. Le meilleur moyen d'atteindre son but, c'est d'acquérir le savoir et la discipline qui permettent de parler en connaissance de cause.»

C'est donc la curiosité qui a mené **Carl Villeneuve-Lepage** là où il est aujourd'hui. Barman chez Mélies à Montréal, il y côtoie un sommelier qui lui a fait confiance et l'a aidé. Il décide alors de se diriger dans cette voie: «Les clients appréciaient déjà ma compréhension et ma vulgarisation du monde des vins.» Il s'inscrit à l'Institut de tourisme et d'hôtellerie du Québec (ITHQ), en service et en sommellerie professionnelle, puis fait un stage en Provence. Après un autre cours à l'ITHQ en analyse sensorielle, il retourne en France, à Suze-la-Rousse, pour un certificat en œnologie. Il travaille ensuite au restaurant Le Local dans le Vieux-Montréal, dans le seul but d'être près de la sommelière Élyse Lambert, qu'il apprécie au plus haut point. Ses préférences en vins: la Bourgogne (blanc et rouge), la vallée du Rhône pour les syrahs, le Piémont pour le nebbiolo.

Ce qu'il aime dans ce métier? «L'interaction avec les clients. Essayer d'éveiller leur intérêt pour le vin, les mettre à l'aise pour qu'ils passent une belle soirée et vivent une expérience inoubliable. Pas d'esbroufe, mais plutôt le désir de faire sentir aux clients l'importance qu'on leur accorde.» Des qualités qui ont sans doute plu aux membres du jury: la séduction, le charme, un peu de naïveté bien dosée, le sens de l'humour, des gestes attentionnés, comme celui de donner une petite boîte pour rapporter le bouchon à la maison. Toutes choses qui font qu'on aimerait bien être servi par ce sommelier.

Pour décompresser, il joue du violon, du piano et de la guitare, rien de moins. Une formation classique acquise dans ses jeunes années. Et il trouve le temps de faire son pain. Ses collègues du Toqué! lui ont fait la fête et l'encouragent fortement pour la prochaine étape: le Concours du meilleur sommelier des Amériques, en mai prochain à Montréal. Mais lui voit encore plus loin: le titre de Master sommelier et la participation au Mondial du vin en Belgique, en 2019! **D**

Photo: charleshenridebe.ir.com

Don-Jean LÉANDRI

Sommelier-conseil, conférencier et animateur de soirées vinicoles Maître sommelier à l'Association canadienne des sommeliers professionnels Ambassadeur du vin pour la Société des alcools du Québec Membre de nombreuses confréries gastronomiques et vinicoles

membre actif

Don-Jean Léandri œuvre dans le domaine de l'hôtellerie-restauration depuis son adolescence. Après avoir travaillé en France, en Grande-Bretagne, puis aux Bermudes, il est entré comme sommelier au service de plusieurs établissements montréalais de renom, dont le restaurant Les Halles (★★★★★ Debeur), le Club Castel et Chez Jongleux Café (★★★★★ Debeur), avant de se joindre, en 1981, à l'équipe de l'hôtel Quatre Saisons (maintenant l'Hôtel Omni) où il cumulait les fonctions de sommelier et de directeur du restaurant principal. Il a ensuite enseigné la sommellerie pendant 20 ans à l'École hôtelière de Laval. Aujourd'hui, Don-Jean est conférencier et animateur de soirées vinicoles, entre autres pour Les Belles Soirées de l'Université de Montréal (depuis 2006), Desjardins Valeurs mobilières (2006-2015), l'Orchestre symphonique de Laval (2014), la ville d'Anjou (2013, 2014), et il est membre de nombreuses confréries gastronomiques et vineuses.

Il s'est aussi impliqué dans plusieurs activités vinicoles. Ainsi, il a été vice-président de l'Association canadienne des sommeliers professionnels (1992-2002) et directeur technique du concours Meilleur sommelier du monde (Rio de Janeiro en 1992, Tokyo en 1995, Vienne en 1998, Montréal en 2000), juge expert dans de grands jurys de concours internationaux comme les Sélections mondiales de la SAQ (1998-2002) et membre du comité organisateur de Montréal Passion Vin (2004-2016).

Il a également collaboré à des émissions de télévision et de radio comme *Vins et fromages* (1992-1997) et *Cuisinez avec Jean Soulard* (2001, 2002), et il a tenu une chronique dans plusieurs magazines culinaires, comme *Flaveurs* (2001-2006). Don-Jean a aussi collaboré au *Debeur* (1990-1993; 2015 à aujourd'hui).

Humble et généreux par nature, il n'a pas hésité à se remettre en question en participant au concours **Sopexa du meilleur sommelier au monde en vins et spiritueux de France**, dont il a été le lauréat en 1988.

Enfin et ce n'est que juste récompense, Don-Jean Léandri a obtenu des honneurs prestigieux comme celui de l'Association internationale des maîtres-conseils en gastronomie française, le prix Jules-Roiseux, le prix Claude-Hardy de la Fondation des amis de l'art culinaire, le Mérite et reconnaissance Debeur 2008 pour son implication et dévouement à la gastronomie québécoise.

Guénaël Revel

Auteur, conférencier, chroniqueur et sommelier

membre actif

Historien et sommelier de formation, **Guénaël Revel** a suivi des études en histoire de l'art à l'École du Louvre à Paris, avant d'en poursuivre en œnologie à l'Université de Bordeaux.

Il s'installe au Québec en 1995 et travaille à titre de sommelier dans plusieurs établissements montréalais (Winnie's, Churchill, Hôtel Germain). En 1997, il fonde l'entreprise Le petit canon, spécialisée en évaluation de caves auprès des assureurs et en création d'événements culinaires et bachiques.

Il a été chroniqueur pour plusieurs magazines culinaires (*Flaveurs, Vins & Vignobles, Effervescence*), membre de jurys internationaux de concours de dégustation de vin ou de sommellerie, dont le Concours du meilleur sommelier du monde, et président de l'Association canadienne des sommeliers professionnels de 2002 à 2006. Il siège aujourd'hui à la commission de l'éducation de l'Association de la sommellerie internationale.

Guénaël Revel est l'auteur des livres *L'essentiel des caves et des celliers,* aux éditions Les 400 coups, *La bible du porto,* publié par Modus Vivendi, *Couleur champagne* coécrit avec la romancière québécoise **Chrystine Brouillet,** publié par Flammarion et choisi comme meilleur livre sur les vins au Canada en 2007 par le concours Cuisine Canada, et enfin *Vins mousseux et champagnes: les 500 meilleurs effervescents du monde entier.*

Ses collègues journalistes et sommeliers le surnomment **Monsieur Bulles** depuis qu'il écrit des ouvrages sur les vins effervescents du monde et qu'il a été l'auteur et animateur de l'émission *Champagne* pour la chaîne télé Canal Évasion. L'idée de créer un site et un blogue sous ce surnom en 2010 était donc naturelle. Consacré au champagne et aux appellations de vins effervescents, **Monsieur-Bulles.com** présente les actualités vinicoles ainsi que des anecdotes historiques et des vidéos tournées dans les régions du monde que Guénaël Revel parcourt pour la rédaction de son guide annuel, le *Guide des champagnes et des autres bulles.*

Thierry DEBEUR

Journaliste gastronomique
et vinicole

Chevalier de l'ordre
du Mérite agricole

Personnalité de l'année 2006
de la Société des chefs du Québec (SCCPQ)

membre
honoraire

Éditeur du présent guide, **Thierry Debeur** s'est fait connaître en tenant des chroniques régulières et en écrivant des articles dans plusieurs revues dont *La Barrique* (magazine spécialisé en vins), *Magazine M, Vivre, Montréal ce mois-ci, L'Hospitalité, L'Actualité*, et en coanimant l'émission radiophonique *Plein Soleil* avec **André Marcoux,** à CKMF 94,3. Il a également animé, avec **Bruno Lacombe,** l'émission *Gourmet gourmand* à CFLX FM Sherbrooke. Enfin, il a été animateur à l'émission télévisée *Guide Debeur* à Canal Évasion. Thierry Debeur a été chroniqueur à la radio au 98,5FM, chaque samedi à 9h30, à l'émission *Dutrizac le Week-End* animée par **Benoît Dutrizac.** Il est actuellement chroniqueur au 103,3FM, à l'émission animée et produite par **Diane Trudel.**

Membre de nombreux jurys nationaux et internationaux dont juge pour le Mérite de la restauration 1986 et 1987, membre du Jury international des Sélections mondiales, dégustateur officiel au Concours des grands vins de France à Mâcon, il est également l'auteur du livre *Les Arts de la table* aux éditions La Presse. Président ex-officio de l'Association canadienne pour la presse gastronomique et hôtelière, et vice-président ex-officio de la Fédération internationale de la presse gastronomique vinicole et touristique, Thierry Debeur a remporté le deuxième Prix des critiques canadiens francophones des restaurants de l'année en 1987, pour son excellence professionnelle. En 2003, il est nommé Personnalité journalistique canadienne de l'année par la Fédération culinaire canadienne, qui lui remet également le trophée Signature pour l'est du Canada ainsi que le trophée Sandy Sanderson pour le Canada.

Thierry Debeur est membre de la Fédération professionnelle des journalistes du Québec, de la Fédération internationale des journalistes et des écrivains du vin, de l'Association canadienne des sommeliers professionnels et membre honoraire permanent de la Société des chefs, cuisiniers et pâtissiers du Québec (SCCPQ).

Il est aussi Membre de l'Ordre Mondial des Gourmets Dégustateurs, Commandeur de l'Ordre du bon temps de Médoc et des Graves, Prudhomme de la Jurade de Saint-Émilion, Hospitalier de Pomerol, Compagnon du Beaujolais et membre de l'Ordre des Disciples d'Auguste Escoffier, Vigneron d'honneur des Vignerons de Saint-Vincent.

La SAQ au coeur de la découverte

Les Québécois, c'est connu, sont curieux et apprécient la découverte de nouveaux produits. C'est pourquoi la **SAQ** offre 13 500 vins, bières et spiritueux en provenance de 77 pays. Elle les commercialise dans son réseau de 406 succursales et 440 agences et aussi sur le site SAQ.com. Chaque année, elle renouvelle 10% de ses produits pour satisfaire les clients. Ce renouveau constant de la gamme d'alcools est le fruit d'une collaboration entre la SAQ et ses 3 200 fournisseurs.

Expérience SAQ Inspire, déjà 1 an!

SAQ Inspire : une expérience à mon goût
Parce que chaque client est unique, la SAQ propose depuis un an, une nouvelle expérience encore plus branchée sur ses goûts. Le client est invité à se procurer **sa carte SAQ Inspire** en succursale ou sur SAQ.com et à créer son profil en ligne. Il recevra ainsi des informations liées à ses goûts et à ses intérêts, comme des idées de recettes, des nouveaux arrivages, des concours, des invitations à des dégustations, des promotions, etc. Le client pourra ainsi accumuler des points sur tous ses achats de produits effectués en succursale, sur SAQ.com, par le Courrier vinicole, et sur certains services, dont des ateliers de formation. Ce sera une autre façon, pour le client, de se faire plaisir. Le client pourra aussi consulter **son espace personnel en ligne**, dans lequel il retrouvera des informations, comme son solde de points, son profil de goût, **son historique d'achat** et les promotions liées à ses préférences. Au fil du temps, le client profitera d'autres avantages, toujours axés sur le plaisir et la découverte. Depuis son lancement, plus de 1,7 million de clients ont adhéré à la proposition SAQ Inspire.

Accompagner dans la découverte
Qui de mieux que les experts en succursale pour guider les clients dans leurs choix? Passé maître dans l'art de prodiguer des conseils en matière d'accords vins et mets, mais surtout de comprendre les goûts et besoins, le personnel de la SAQ se distingue par sa passion, son professionnalisme et ses connaissances.

Pour tout renseignement, communiquez avec le Centre de relation clientèle de la SAQ au **514-254-2020**, au **1-866-873-2020** ou consultez la page «Pour nous joindre» de **SAQ.com**.

VINS BLANCS

VINS BLANCS À MOINS DE 20$

États-Unis, Californie
Chardonnay, R.H. Phillips +00594457 - 13,15$
Voici un blanc au boisé bien intégré et jouissant d'un bel équilibre. Il offre des odeurs intenses d'agrumes, de poire, de fruits tropicaux, de fleurs et de miel avec une pointe de vanille. Bien fruité, puissant, vif et frais en bouche, il évolue longuement avec des notes délicatement épicées. Un vin très plaisant à boire frais (9°C) lorsqu'on sert un agneau au cari, de la dinde aux girolles ou une fricassée de homard. ★★(★) TD

France, Vallée de la Loire, Anjou et Saumur
aop Saumur
Marcel Martin par la Sablette, Chenin blanc +13188794 - 14,55$
À l'origine, le cépage dit chenin blanc aurait été cultivé par les moines de l'abbaye de Saint-Maur, dans la région de l'Anjou (Val de Loire). Ce grand cépage blanc, aujourd'hui aussi cultivé en Afrique du Sud, peut tout autant entrer dans l'élaboration des vins blancs liquoreux que dans celle des vins mousseux ou des vins blancs secs comme ce chenin blanc de Marcel Martin. Il nous offre un vin blanc qui s'ouvre sur des parfums de fleurs blanches, d'agrumes et de miel avec une bonne minéralité qui se retrouve en bouche. Vif, frais et fruité, il bénéficie d'une bonne longueur finissant sur une touche un peu verte. D'un bon potentiel de garde, ce vin blanc de caractère sera particulièrement bien mis en valeur s'il est servi à 10°C en compagnie de poissons et fruits de mer ou d'un fromage de chèvre affiné. ★★(★) TD

Canada, Québec, Basses-Laurentides
Cuvée William blanc, Vignoble Rivière du Chêne +00744169 - 14,65$
Je suis convaincu que le Québec, pays nordique, est un terroir bien adapté à la production de vin blanc ainsi qu'à celle du vin de glace. Le vin de glace québécois se classe d'ailleurs parmi les meilleurs au monde. Pour revenir au vin blanc sec, je vous propose celui du Vignoble Rivière du Chêne, qui serait fait d'un assemblage de six cépages: frontenac blanc, vidal, vandal-cliche, seyval blanc, swenson white et acadie, traités en culture raisonnée. Ce vin, élevé sur ses lies, s'ouvre sur des parfums intenses de miel, de fleurs blanches, de fruits exotiques (litchi) avec une note d'agrumes. Beau volume fruité en bouche, frais et vif, il bénéficie d'un bel équilibre et évolue agréablement avec quelques épices. Le servir frais (8°C) à l'apéro ou au moment de déguster un tartare de saumon, une cassolette de fruits de mer sur riz blanc, ou encore un fromage de chèvre. Ce vin a obtenu la médaille d'argent à la Coupe des nations. ★★(★) TD

Italie, Toscane
Igt Toscana
Fumaio, Sauvignon blanc et Chardonnay, Castello Banfi +00854562 – 15,45$
Voici un vin blanc de la Toscane aux arômes d'agrumes (zeste de pamplemousse), de fruits exotiques, de fleurs, de noisette et de beurre frais avec une note minérale et végétale. Bien fruité, frais et vif, presque croquant en bouche, il continue son voyage de saveurs et de plaisir avec des notes à la fois fruitées voire exotiques et florales. Le boire frais (9°C) avec un gratin de pâtes à la carbonara, des ris de veau panés ou une pizza aux fruits de mer. ★★(★) TD

Grèce, Thessalie
Vin de pays Thessalia
Agioritikos, Evangelos Tsantali
+00861856 - 15,55$
Profitez de l'aubaine pour ce vin grec de Thessalie, vendu moins cher qu'il y a un an. Il est produit dans une région historique située au centre de la Grèce, au sud du mont Olympe. Un vin aimable et rafraîchissant aux odeurs d'agrumes et de jasmin avec des notes minérales et végétales. Fruité, vif et très frais en bouche, il finit sur de petites notes épicées. Le servir frais (6°C) à l'apéro, ou avec des huîtres ou des poissons grillés. ★★ **TD**

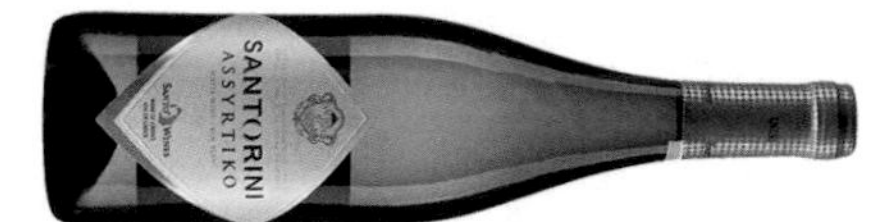

Grèce, Îles de la mer Égée, Cyclades
opap Santorini
Santorini, Assyrtiko, Santo wines
+13360195 - 15,55$
J'ai adoré ce vin blanc sec qui nous vient de Grèce, de l'île de Santorini dans les Cyclades plus précisément. Il est fait à 100% d'un cépage rustique et généreux, l'assyrtiko. Ce vin est couvert de médailles dans des concours internationaux de renom; est-ce un motif suffisant pour l'acheter? Peut-être. Mais, quoi qu'il en soit, vous en deviendrez rapidement un amoureux inconditionnel dès que vous l'aurez goûté. Un vin bien fait aux parfums intenses de fleurs blanches, d'agrumes (citron, orange) et de fruits exotiques. Ample, fruité, long et frais en bouche, il évolue gaiement sur une très belle acidité qui lui confère une vivacité et un bel équilibre avec une note minérale intéressante. Il faut le boire frais (8°C) à un repas de poissons grillés ou de fruits de mer. J'ai adoré! ★★★(★) **TD**

France, Alsace
aop Alsace
Pinot gris réserve, Alsace Willm
+00370676 - 16,05$
Le pinot gris ne représente pas la production des vins blancs d'Alsace la plus importante, qui est plutôt l'apanage des

rieslings et des gewurztraminers. Néanmoins, ce pinot gris me plaît beaucoup avec ses parfums de pêche blanche, de poire, de fruits exotiques et de fleurs blanches avec une petite note de fumée. Bien fruité, frais, long et gras en bouche avec des notes de miel et une finale doucement épicée. Servir frais (10°C) ce vin blanc élégant et plaisant en même temps que des bouchées à la reine, des plats asiatiques ou un homard mayonnaise. ★★(★) **TD**

France, Alsace
aop Alsace
W3, Wolfberger +12284792 - 16,20$
Fait d'un assemblage de trois cépages (riesling, muscat et pinot gris), d'où son nom W3 (W pour Wolfberger), cet excellent vin blanc offre des odeurs puissantes de fruits tropicaux, de litchi, d'agrumes (pamplemousse, citron) et de fleurs. Largement fruité, long et très frais en bouche, il poursuit sa route savoureuse dans un équilibre parfait avec quelques épices délicates en finale. Il faut le boire frais (9°C), jumelé à une choucroute garnie, un bavarois de homard froid ou un gratin de langoustes. ★★(★) **TD**

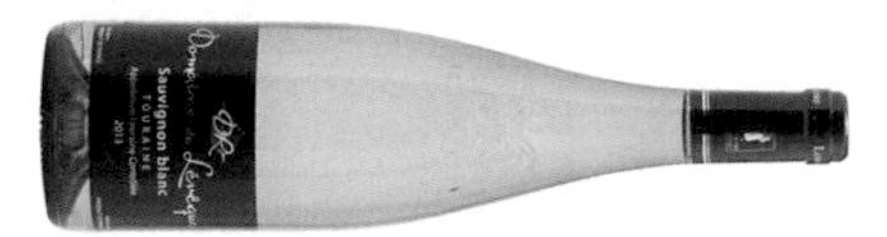

France, Vallée de la Loire, Touraine
aoc Touraine
Domaine de Lévêque, Sauvignon, Domaine de la Renne
+12207009 - 16,35$
La Touraine est une région de la France située au sud-ouest de Paris, dans la vallée de la Loire. Celle où se trouvent le plus grand nombre de châteaux d'exception, tels que ceux de Chambord, de Blois, de Chenonceau ou de Cheverny. Une des plus vieilles régions de France, chargée d'histoire et de bons vins. Outre les vins rouges, elle y produit des vins blancs séduisants et très agréables à boi-

re, comme celui que je vous propose ici. Assemblage de sauvignon blanc essentiellement et d'un peu de sauvignon gris, ce vin tourangeau s'ouvre sur des odeurs florales et fruitées de zeste de pamplemousse avec une petite touche empyreumatique et végétale. Intense et plein en bouche, il offre tout un potentiel de générosité où le fruit s'exprime longuement avec beaucoup de franchise et de fraîcheur. Une bonne matière évoluant sur un bel équilibre, qui finit sur des notes de rose et de litchi. Un vin de plaisir, vif, fruité et frais, qu'on servira (8°C) en même temps que des poissons blancs en sauce, un risotto de fruits de mer, des acras de morue ou un fromage de chèvre. Excellent rapport qualité-prix! ★★★ **TD**

États-Unis, Californie
ava Monterey, Central Coast
Pinot Grigio Private Selection, Robert Mondavi +12952906 - 16,55$
Pinot grigio est le nom italien du cépage pinot gris, qui compose à 100% le vin blanc proposé ici. Il présente des parfums délicats et élégants de fleurs, d'agrumes et de fruits à chair blanche avec une touche minérale très agréable. Bien fruité et long en bouche, il évolue avec une jolie acidité qui lui confère beaucoup de fraîcheur. Servi frais (8°C), il se révèlera l'agréable compagnon de tapas à l'apéro, d'huîtres nature ou de fettucinis Alfredo. ★★(★) **TD**

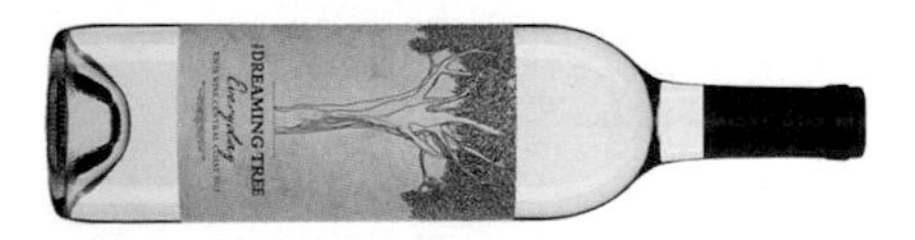

États-Unis, Californie
ava Alameda, Central Coast
Everyday, The Dreaming Tree +12270913 - 16,60$
Everyday? Chaque jour? Certainement oui. On aimerait boire ce vin chaque jour. Un vin fait d'un assemblage de gewurztraminer, riesling, albarino (cépage du nord de l'Espagne) et viognier avec quelques notes épicées. Il offre des parfums intenses de fruits tropicaux, de litchi, de raisin muscat et d'épices. Généreusement fruité et gras en bouche, il bénéficie d'une bonne acidité, ce qui lui confère beaucoup de fraîcheur. Le servir frais (10°C) lorsqu'on décide de manger un poulet au cari et lait de coco, un poisson grillé ou un fromage de brebis. Il s'entend très bien aussi avec les mets asiatiques. ★★★ **TD**

Nouvelle-Zélande, South Island, Marlborough
Nobilo Sauvignon Blanc Regional Collection, Nobilo Vintners +12270948 - 16,60$
Sympa, ce vin blanc aux odeurs d'agrumes, notamment de citron avec des notes végétales, florales, minérales et une brassée de fruits tropicaux. Vif, fruité et long en bouche, il bénéficie d'une belle acidité qui lui confère beaucoup de fraîcheur. Un vin qui ne manque pas d'élégance et qu'on servira frais (9°C) à l'apéro tout simplement ou bien avec des escalopes de veau à la milanaise, un riz aux crevettes parfumé au cari. ★★ **TD**

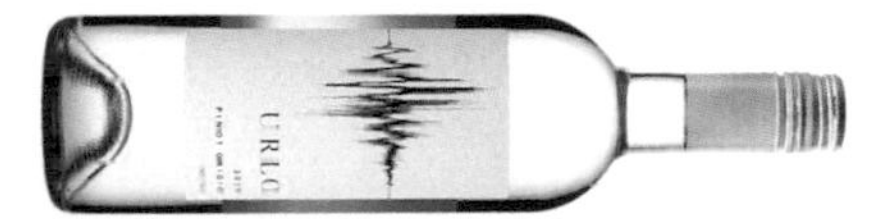

Italie, Vénétie
igt Veneto
Urlo Pinot Grigio, Ruffino +13374693 - 16,65$
Un vin fin et délicat du nord de l'Italie, des odeurs minérales avec une pointe de pétrole (fins minéraux surtout présents dans les rieslings d'Alsace), auxquelles s'ajoutent des notes de miel, de fruits exotiques et de fleurs qu'on retrouve en bouche avec beaucoup de fraîcheur. Le boire frais (9°C) et lui choisir des fettucinis Alfredo, un risotto aux fruits de mer ou un fromage gorgonzola. ★★ **TD**

États-Unis, Californie, Alameda
ava Central Coast
Chardonnay Private Selection, Robert Mondavi Winery +00379180 - 16,95$
Le chardonnay est certainement le cépage le plus populaire aux États-Unis. Il

reflète un peu l'image sélecte et élégante de la France où il s'exprime particulièrement bien en Bourgogne. En Californie, Robert Mondavi produit le chardonnay Private Selection, un excellent vin blanc qui offre des odeurs complexes de fleurs, d'agrumes, de beurre, de brioche, de noisette et de vanille avec une touche minérale. Largement fruité, coulant et frais en bouche, il a du gras et évolue longuement avec une petite note boisée très bien intégrée. Un vin de plaisir, élégant, à servir frais (9°C) lorsqu'on mange un navarin d'agneau au cari, des asperges sauce hollandaise ou un fromage comté comme le Juraflore du Fort des Rousses.
★★★ TD

France, Alsace
aop Alsace
Riesling Réserve, Willm
+00011452 - 16,95$
J'aime à rappeler que la culture du riesling, premier cépage alsacien, remonterait au 15e siècle. Un cépage qui donne son nom au vin dont il est issu. Il produit des vins fruités, droits et d'une belle minéralité comme celui que je vous propose ici. Un vin aux parfums d'agrumes, de pêche blanche et de fleurs avec une note de pétrole (fins minéraux). Attaque franche en bouche, puis il évolue sur un bon volume de fruit. Un vin élégant et fin à servir frais (9°C) pour accompagner une choucroute de la mer, un vol-au-vent de fruits de mer ou une mousse de saumon fumé. ★★(★) **TD**

France, Sud-Ouest
aop Pacherenc du Vic-Bilh
Les Jardins de Boucassé,
Alain Brumont +11179392 - 17,95$
Celui qu'on surnomme le «metteur en scène des cépages locaux», Alain Brumont, nous gâte avec cette cuvée issue presque à 100% de petit courbu. Ce cépage autochtone pyrénéen est implanté en altitude dans l'aire d'appellation Pacherenc-du-Vic-Bilh. Nous sommes séduit d'emblée par sa robe dorée lumineuse et par son nez intense, qui évoque une corbeille de fruits confits (abricot, pêche, litchi), de fleurs miellées et d'épices douces. Dépourvue de toute sucrosité, la bouche se révèle ample, riche sans excès et parfaitement tenue par l'apport d'une fraîcheur minérale. Le servir à l'apéritif, sur une terrasse ensoleillée, tout en chipotant des chipirons (petites seiches) au piment d'Espelette, cuits à la plancha.
★★ DJL

Nouvelle-Zélande, Marlborough
Chardonnay Unoaked, Kim Crawford Wines +10669470 - 19,55$
Après le superbe sauvignon blanc de Kim Crawford, je vous présente son non moins excellent chardonnay. Un beau vin blanc aux odeurs d'agrumes (zeste d'orange), de pomme et de brioche au beurre. Généreusement fruité, long et frais en bouche, il bénéficie d'un très bel équilibre. Servi frais (9°C), il s'entendra très bien avec des acras de morue, une darne de saumon au beurre blanc ou un homard cuit vapeur sauce mayonnaise.
★★★ TD

Nouvelle-Zélande, Marlborough
Sauvignon blanc, Kim Crawford
+10327701 - 19,55$

Ce sauvignon blanc fut mon premier contact avec la gamme des vins Kim Crawford. Je fus séduit d'emblée. Je recommande donc sans hésiter cet excellent sauvignon blanc, charmeur, qui offre des parfums intenses d'agrumes, de fruits exotiques et de fleurs avec une petite touche minérale. Largement fruité, vif et intense en bouche, il évolue avec une belle acidité qui lui confère beaucoup de fraîcheur. Ce vin tout en équilibre, on le sert frais (8°C) et on le marie à des asperges sauce hollandaise, un carpaccio de saumon ou des acras de morue. Un vrai plaisir! ★★★★ **TD**

France, Alsace
aop Alsace
Pinot Blanc, F.E. Trimbach
+00089292 - 19,95$
Un pinot Bbanc sincère et droit qui s'ouvre sur des notes de poire, de fleurs blanches avec des notes minérales et épicées. Vif et fruité en bouche, il bénéficie d'une belle acidité qui lui confère de la fraîcheur et un certain croquant très agréable. Un vin convivial à boire frais (8°C) avec un saumon fumé, une daurade au fenouil ou un plateau de fromages au lait cru. ★★★ **TD**

VINS BLANCS À 20$ ET PLUS

Espagne, Castille-Leon
do Rueda
Shaya Verdejo, Bodegas y Viñedos Shaya +11377014 - 20,65$
L'appellation Rueda met à l'avant-scène le verdejo, cépage prolixe dont les composés aromatiques ne sont pas sans nous rappeler ceux du sauvignon blanc. La silhouette de l'élégant cervidé affublé de grandes oreilles stylisées qui illustre l'étiquette ne doit pas nous faire oublier son contenu. Des arômes de poire mûre et d'agrumes mêlés de fruit de la passion et de subtiles touches minérales et végétales (fenouil) donnent à l'olfaction une impression harmonieuse de douceur et de fraîcheur. À contrario, la bouche déploie une texture plus ample, plus grasse que son alter ego ligérien. Complexe et persistante, cette cuvée issue de vignes presque centenaires se dégustera avec plaisir si on l'accompagne de langoustines rôties à la coriandre. ★★★★ **DJL**

Italie, Frioul Vénétie-Julienne
do Venezia Giulia
Attems, Sauvignon blanc, Marchesi de Frescobaldi +12257946 - 21,95$
Depuis plus de 700 ans, cette illustre famille florentine est associée à l'art, à la culture et, bien évidemment, à la viticulture. La famille Frescobaldi règne aujourd'hui sur six domaines historiques (1250 hectares de vignes) et se dévoue essentiellement à la production de grands vins de Toscane. Nichée dans la région du Frioul, l'Azienda Agricola Conti Attems est, depuis l'an 2000, la propriété de la famille. Dans la version 2015, le sauvignon transparaît dès le premier nez en s'ouvrant sur la feuille de tomate, relayée à l'agitation par des notes d'agrumes et de fruits à chair blanche. Souple et fraîche à l'attaque, la bouche évolue ensuite vers plus de rondeur et de gras. Un beau vin harmonieux et persistant qui s'épanouira à souhait avec une chaudrée de fruits de mer des Maritimes ou de Trieste (brodeto alla triestina). ★★★★ **DJL**

France, Bourgogne, Yonne
aoc Chablis
Château de Maligny, La Vigne de la Reine, Jean Durup Père & Fils +00560763 - 23,45$
Ce beau chablis vient d'une vigne bénéficiant d'un microclimat et d'un sol pierreux qui réfléchit les chauds rayons du soleil vers les grappes. Voici un vin sec aux parfums d'agrumes, de fruits exotiques, de pomme et de fleurs, avec une belle minéralité. Fruité, vif et frais à l'attaque en bouche, il démontre un bel équilibre. Un vin blanc élégant qu'on servira froid (9°C) avec un chapon farci aux cèpes, un ris de veau aux morilles ou des escargots à l'ail. ★★★(★) **TD**

France, Bourgogne, Yonne
aoc Chablis
Chablis Champs Royaux, William Fèvre +00276436 - 23,55$
Situé à l'extrême nord de la Bourgogne,

le Chablisien produit des vins depuis le 3e siècle. À cette époque, un village gaulois occupait le quartier sud de la ville de Chablis qui a donné son nom à la région. Puis, au 9e siècle, des moines développent le vignoble qui sera déclaré bien national à la Révolution française (1789) et vendu en parcelles permettant ainsi l'accès à la propriété pour de nombreux vignerons. Terroir d'exception, il ne peut que produire des vins exceptionnels, fins et élégants comme celui-ci, qui offre des parfums complexes d'agrumes, de fleur d'acacia, de miel et de vanille avec des notes minérales. Bien fruité, long, vif et frais en bouche, il évolue sur un bel équilibre et une finale délicatement épicée. Un beau chablis à déguster frais (10°C), en même temps que des huîtres crues, une daurade au fenouil ou un homard sauce mayonnaise. ★★★ **TD**

France, Bourgogne
aoc Bougogne
Les Coteaux des Moines blanc, Bouchard Père & Fils
+10796524 - 23,95$
Il arrive que des noms de vins suscitent l'intérêt et le questionnement comme celui-ci: Coteaux des moines. Un coteau, c'est facile. Il s'agit d'un espace en pente sur les flancs d'une colline. Mais «des moines»? Il faut savoir qu'autrefois les vignes étaient cultivées par des religieux, des moines le plus souvent. Le bourgogne blanc que je vous suggère ici offre des arômes d'agrumes, de fruits à chair blanche et de fleurs, plus une jolie touche minérale. Fruité, floral et frais en bouche avec un bel équilibre, de la finesse et un léger boisé. Un vin agréable à servir frais (10°C) avec un calamar farci aux crevettes, un roulé de dinde ou un lapin à la crème d'ail. ★★★ **TD**

France, Bourgogne
aoc Saint-Bris
William Fèvre Saint-Bris
+11034484 - 24$
Situé au cœur de l'Auxerrois en Bourgogne, Saint-Bris a cette particularité de posséder des caves médiévales et des carrières creusées à une soixantaine de mètres sous terre qui courent sous toute la région. Cela devait très certainement être un véritable casse-tête avec les résistants sous l'occupation allemande durant la Seconde Guerre mondiale. Si un jour vous passez par là, arrêtez-vous pour visiter.
Le vin blanc de cette région que je vous propose ici est fait à 100% de sauvignon blanc. Il s'ouvre sur des notes d'agrumes, de fruits exotiques, de litchi, de fleurs et de vanille avec des notes végétales et minérales. Léger et frais en bouche, il évolue gentiment sur des notes fruitées et florales. Le servir frais (10°C) à l'apéritif ou avec un poulet au cari ou encore un fromage de chèvre affiné. ★★★ **TD**

France, Vallée du Rhône méridionale
aop Lirac
Château Mont-Redon, Lirac, Abeille - Fabre +12258973 - 24,05$
Installée dans le prestigieux Châteauneuf-du-Pape, la famille Abeille-Fabre travaille dans le respect du terroir en privilégiant les arômes, l'équilibre et la couleur. Cette philosophie se retrouve dans ses vins comme ce Lirac, une appellation protégée native d'une région voisine. Un vin blanc fait d'un assemblage de cépages avec des noms qui sonnent déjà la Provence: clairette, grenache blanc, roussanne et viognier. Il offre des arômes de fleurs blanches et de fruits, des notes d'anis et un léger boisé bien intégré avec une touche végétale et minérale. En bouche, on trouve des fruits exotiques, de la poire et des amandes fraîches, le tout dans un très bel équilibre. Un vin blanc élégant et charmeur, plein

de belle matière, qu'on servira frais (9°C) en même temps qu'un filet de daurade grillé, une joue de porc braisée à la bière ou un navarin aux fruits de mer.
★★★(★) **TD**

France, Alsace
aop Alsace

Riesling, F.E. Trimbach
+11305547 - 24,05$
Le riesling produit de très grands vins blancs d'Alsace, région de France dont ce cépage est originaire. Un coin collé à l'Allemagne qui, elle aussi, l'utilise abondamment. Sec, fruité et droit comme un «i», il doit une partie de ses caractéristiques aux notes de pétrole qu'on retrouve en bouche.
J'ai déjà eu l'occasion de visiter la maison Trimbach en Alsace. Depuis 1626, treize générations de vignerons passionnés se sont succédé dans cette entreprise vinicole dont la philosophie fondée par Pierre Trimbach se résume ainsi: «l'équilibre, l'équilibre et l'équilibre». Ce très beau riesling en est l'expression. Un riesling aux parfums d'agrumes et de miel avec des notes de pétrole de bon aloi et surtout une magnifique minéralité. Vertical, droit, sec, fruité, vif et frais en bouche, il évolue dans un équilibre parfait. Un riesling élégant, racé et fin, à servir frais (10°C) si vous aimez boire un vin blanc sec tout en mangeant de la choucroute garnie aux fruits de mer ou une fricassée de homard. ★★★★ **TD**

France, Bourgogne, Mâconnais
aoc Pouilly-Fuissé
Pouilly-Fuissé, Jean-Claude Boisset
+11675708 - 24,45$
«Pouilly-Fuissé» est une appellation d'origine contrôlée française qui tient son nom de deux des quatre communes de Bourgogne (France) composant cette appellation, soit Solutré-Pouilly et Fuissé. Le pouilly-fuissé de la maison Boisset, fait à 100% de cépage chardonnay, s'ouvre sur des arômes complexes de fleurs blanches, d'agrumes, de fruits exotiques, de miel et de beurre avec une touche à la fois boisée, minérale et végétale. Intense, riche, vif et frais en bouche, il bénéficie d'un très bel équilibre. Un vin blanc racé et élégant à servir frais (10°C) en même temps qu'un feuilleté de ris de veau et quenelles, une dinde aux champignons des bois ou un foie gras mi-cuit.
★★★(★) **TD**

France, Touraine
aop Chinon
Domaine de la Marinière, Renaud Desbourdes +12823910 - 25,65$
Aussi surnommé le «plant de clair de lune», le chenin blanc a fait la gloire des vins de Chinon au temps de la Renaissance. Aujourd'hui, ce cépage ne couvre plus que 2% de la superficie plantée à Chinon, mais il éveille toujours la curiosité des œnophiles. Sa robe claire et scintillante évoque la couleur de lunes d'or lointaines d'Émile Nelligan dans son poème Clair de lune intellectuel. Le nez, encore sur la réserve, livre à l'agitation des parfums de fleurs de tilleul et de fruits blancs frais. La bouche, sur les mêmes tonalités mais plus expressive encore, se révèle souple et équilibrée, vivifiée par une saveur acidulée. Accord parfait avec les produits de la mer, notamment les moules marinière (en référence au nom du domaine), mais aussi avec le koulibiac de saumon. ★★★ **DJL**

France, Val de Loire
aoc Sancerre
Sancerre, Pascal Jolivet
+00528687 - 26,10$
J'aime les vins blancs de Sancerre pour leur droiture et leur élégance. Située à l'extrême est de la vallée de la Loire, cette région produit des vins sincères et bien typés comme celui-ci, élevé sur des levures indigènes. Il présente des parfums d'agrumes avec des notes florales, mi-

nérales, et une touche végétale. Long, vif et très frais avec du bon fruit en bouche, des épices douces et des notes de calcaire. À boire frais (8°C) tout en mangeant des huîtres fraîches, des asperges sauce hollandaise ou, bien sûr, un fromage de chèvre affiné du genre crottin de Chavignol. ★★★(★) **TD**

États-Unis, Washington, Columbia ava Walla Walla Valley
Chenin Blanc, L'École no 41
+11416950 - 27,30$
L'appellation (AVA) Walla Walla s'étend le long de la frontière entre l'État de Washington et celui de l'Oregon, de part et d'autre du fleuve Colombia. L'entreprise viticole tire son nom de l'école de la petite municipalité de Frenchtown située dans le district 41, et appelée ainsi en l'honneur des pionniers canadiens-français qui s'y installèrent au début du 19e siècle. Dans un décor digne des vieux films western des années 1950, la vallée offre aux prospecteurs des temps modernes, non pas des pépites mais de l'or liquide, grâce à une terre d'exception qui donne naissance à d'excellents vins blancs issus des cépages riesling, chardonnay et chenin blanc, dans une moindre mesure. La cuvée 2015, élaborée exclusivement avec le cépage emblématique du Val de Loire, affiche une robe brillante et bien dorée. Elle livre des parfums de fruits jaunes et tropicaux. On retrouve ces arômes dans une bouche ample et onctueuse soulignée d'un trait acide qui se prolonge jusqu'en finale. Pour un accord qui a de la classe, je suggère une aumônière aux noix de Saint-Jacques à la crème de safran.
★★★ **DJL**

France, Val de Loire
aoc Sancerre
Domaine La Moussière, Alphonse Mellot +033480 - 28,85$
Sancerre est une région vinicole située dans l'est de la vallée de la Loire en France. La culture de la vigne dans ce terroir remonterait aux premiers siècles de notre ère. Je vous propose ici un vin de ce terroir, celui d'Alphonse Mellot, que j'ai eu l'occasion de visiter, un homme authentique et généreux qui produit des vins vrais et droits comme ce sancerre blanc. Au nez, il présente des parfums d'agrumes et de fleurs, évoluant harmonieusement sur une trame minérale. Droit, généreux, long, vif et fruité en bouche, il bénéficie d'un bel équilibre et de beaucoup de fraîcheur. Un vin élégant, à boire frais (9°C) avec des fruits de mer à la plancha, des moules au safran ou un tartare de saumon fumé. ★★★(★) **TD**

France, Loire
Saumur
Saumur, Château Yvonne
+10689665 - 29,70$
Le chenin blanc autrement nommé pineau de la Loire est le cépage emblématique du Val de Loire, son terroir de prédilection. Son caractère polyvalent permet de grandes réussites aussi bien en effervescent qu'en sec, demi-sec, mœlleux et liquoreux. Élevé avec soin dans la cave troglodytique du Château Yvonne (douze mois en barrique et six mois en cuve avant la mise en bouteilles), le Saumur 2015 exprime bien son caractère ligérien. Quelques reflets verts présagent un vin encore jeune, ce que confirme la fraîcheur du bouquet: fleurs blanches, pomme, coing, soulignés d'une fine minéralité. L'attaque est franche, tonifiée par une belle acidité qui étire la finale et laisse une impression d'élégance. Un doré jaune nappé d'un filet d'huile d'olive aux agrumes frétille déjà de bonheur!
★★★(★) **DJL**

France, Bourgogne, Mâconnais
aop Pouilly-Fuissé
Pouilly-Fuissé, Bouchard Père et fils
+13116256 - 30,75$

Le pouilly-fuissé est un vin blanc produit sur les communes de Fuissé, Vergisson, Solutré-Pouilly et Chaintré, situées dans le Mâconnais, au sud de la Bourgogne (France). Appelé aussi «roi du Mâconnais», il est fait à 100% de cépage chardonnay. Celui que je vous propose ici présente des parfums subtils de fleur d'acacia, de beurre frais et de brioche au beurre avec une note végétale et une très belle minéralité. Délicatement fruité en bouche, vif et frais, il évolue longuement avec une belle matière et finit sur quelques épices douces et des notes d'amande grillée. Un grand vin, harmonieux et élégant, à servir frais (10°C) lorsqu'on déguste des quenelles de brochet en sauce, du saumon en gravlax, un bavarois de homard froid ou un fromage de chèvre affiné. ★★★★(★) **TD**

VIN BLANC DOUX

France, Languedoc-Roussillon
aop Muscat de Rivesaltes
Domaine Cazes, André et Bernard Cazes +00961805 - 26,05$
Une halte au Domaine Cazes à Rivesaltes s'impose! L'appellation a pris le nom de la commune de Rivesaltes. Avec 2 600 heures d'ensoleillement par an, les muscats à petits grains et les muscats d'Alexandrie produisent au-delà des 252 grammes de sucres naturels nécessaires à l'appellation. Comme pour tous les vins doux naturels (VDN), le Muscat de Rivesaltes est élaboré par mutage; cette opération traditionnelle consiste à stopper la fermentation alcoolique du moût par un apport d'alcool neutre vinique titrant au minimum 96% vol. Union parfaite entre douceur, fraîcheur et parfums, le Muscat de Rivesaltes du Domaine Cazes nous donne l'impression de croquer dans le raisin à pleines dents. Avec ses arômes évoquant un panier de fruits confits, de fruits tropicaux et de fleurs (freesia) auxquels se mêlent des touches de menthe froissée, il se laissera courtiser par des entremets aux fruits exotiques ou aux fruits d'été. ★★★ **DJL**

VINS MOUSSEUX ET CHAMPAGNES

VINS MOUSSEUX ET CHAMPAGNES À MOINS DE 25$

Hongrie
Hungaria Grande Cuvée, Hungarovin +00106492 - 12,55$
À un prix toujours aussi étonnant pour cette qualité, ce vin mousseux est élaboré selon la méthode traditionnelle avec du chardonnay (60%), du pinot noir et du riesling pour le reste. Une formule gagnante qui s'ouvre sur des odeurs florales et fruitées avec des notes de pomme verte, de beurre, de noisette, de brioche et une belle minéralité. Intense, frais et fin en bouche, il poursuit longuement le plaisir. Le servir frais (8°C) à l'apéro ou avec des huîtres au naturel, un soufflé au fromage ou encore une charlotte aux pommes. ★★★ **TD**

Italie, Vénétie
doc Prosecco
Fiol, 3 GP +12999333 - 15,55$
Plus enveloppant que d'autres proseccos, donc moins sec, il accompagnera à merveille les parfums artificiellement asiatiques et relevés des croustilles de ce type. Les bulles sont menues, nouées, elles forment une agréable onctuosité qui transporte les classiques notes de pomme et d'amande de l'appellation. Le vin combat ici la sensation piquante des chips, on pourra aussi le déguster avec bien d'autres canapés... ★★★ **GR**

Espagne, Catalogne
Cavas Parès Baltà, Brut +10896365 - 16,55$
Une cuvée catalane de facture classique et prévisible, mais tellement bien cons-

truite pour les huîtres. D'abord minérale (presque typée riesling) au premier nez, puis rapidement axée sur des arômes de fruits blancs si on aère son verre; on est surpris dès l'attaque en bouche par son caractère citrique, légèrement rehaussé de notes pâtissières. L'effervescence est foisonnante et légère sur les papilles et la finale de dégustation un tantinet iodée complètera l'accord avec le mollusque marin. C'est un cava abordable qu'on achète à la caisse, comme les huîtres... ★★(★) **GR**

Italie
ac Glera
Ruffino Sparkling Rosé
+13330682 - 17,10$
Ce vin mousseux est fait principalement du cépage blanc Glera et d'in peu de Pinot noir pour lui donner sa couleur rosée. Le Glera a donné son à une nouvelle appellation de vin mousseux italiens afin de ne pas les confondre avec celle de Prosecco réservé aux région de la Vénétie et du Frioul. Ce glera, donc, présente une robe rosée avec des reflets cuivrés et de fines bulles. Léger et fruité au nez on y distingue des notes de mûre, de groseille, de fraise et de cerise. Léger, fruité et frais en bouche il se boit (8°C) agréablement à l'apéro ou avec du poulet en sauce ou encore une cassolette de fruits de mer. ★★(★) **TD**

France, Bourgogne
Bourgogne mousseux
Gamay Fizz, Mommessin
+11154857 - 17,75$
Soyons original, orientons-nous vers un mousseux rouge! Très parfumé au nez (cerise, cassis, noyau, violette), cet effervescent se montre très fruité, certes sucré, sans que cela occulte la fraîcheur nécessaire à ce type de vin. Une fine âcreté enveloppe le volume en bouche, il rappelle qu'on déguste un cépage noir aux tanins peu marqués. L'effervescence est riche, les bulles sont menues et abondantes, perdurantes, mais pas trop; en fait juste assez pour la durée d'un apéritif avec quelques chips BBQ dont le sucre et les épices seront en belle adéquation. ★★(★) **GR**

France, Languedoc-Roussillon
Crémant
Cuvée Expression Brut,
G. et R. Antech, Domaine De Flassian
+10666084 - 18,40$
Nez élégant, voire discret (fruits dorés et pain au lait), attaque en bouche assez tendue presque ferme, signe d'une jeunesse encore bien présente. Cette fougue se montre toutefois charmeuse grâce au comportement de l'effervescence fine et soyeuse. Les arômes sont pâtissiers, ils rappellent ceux initialement perçus. C'est un mousseux accompli. ★★(★) **GR**

France, Alsace
aoc Crémant d'Alsace
Wolfberger Brut, Cave Vinicole Eguisheim +00732099 - 19,10$
Fondée en 1902, la maison Wolfberger a bâti sa réputation sur l'authenticité, la qualité et l'innovation. Toujours en constante recherche, elle crée le premier vin d'Alsace effervescent en 1970. Celui que nous avons dégusté offre des parfums délicats d'agrumes, de pomme et de fleurs blanches, avec des notes de brioche et de beurre frais. Gentiment fruité, vif et frais en bouche, il évolue avec beaucoup d'élégance et d'équilibre. Un beau crémant à boire frais (8°C), en même temps qu'on savoure une choucroute au riesling, des moules marinière ou une tarte à la rhubarbe. ★★★ **TD**

France, Vallée de la Loire
aop Crémant de Loire
Ackerman Brut +13188891 - 20,40$
Ce crémant a été dégusté à l'aveugle comme on dit, parmi une dizaine de bulles ligériennes, donc de même catégorie. Je l'ai apprécié parce qu'il m'a surpris pour... son dosage marqué! Il est forcément sorti du lot entre deux Brut plus secs, plus rigides, et ce qui aurait pu me déconcerter m'a finalement séduit, car les notes de biscuit spéculoos et de citron confit qu'il transporte, parcourent toute la dégustation. Certes, je mets en doute ici le dosage de cinq grammes annoncé dans la fiche technique du produit, mais qu'importe... Le plaisir est au rendez-vous, c'est là l'essentiel, surtout si vous accompagnez ces bulles de quelques canapés de mousse de foie de volaille ou de crevettes grillées. ★★★(★) **GR**

Espagne, Catalogne
do Cava
La Vida al Camp Brut, Viñedos Familiares +12693895 - 20,75$
La majorité des cavas présentent un premier nez légèrement axé sur des arômes d'hydrocarbures. Celui-ci ne déroge pas à la règle; l'aération apporte toutefois la note fruitée également attendue (poire, pomme), puis celle plus subtile de mie de pain chaude.
L'attaque en bouche rappelle les fruits blancs initiaux, l'effervescence abonde et caresse le palais, elle a été très correctement établie, on déguste un très bon vin effervescent qui, dans la catégorie des 20$, est aujourd'hui dans le top 5 au Québec. ★★★ **GR**

France, Bourgogne
aop Crémant de Bourgogne
Cuvée Perle rare, Louis Bouillot +00884379 - 21,55$
Très expressif au nez, très blond dans ses arômes de baguette fraîche, voire de pêche bien mûre; on s'attend à déguster un

vin riche, déjà gagné par le temps, avec un rancio quelque peu appuyé et c'est pourtant le contraire qui gagne les papilles.
Au sein d'une effervescence aérienne où les bulles bien menées se détachent pour provoquer un effet oxygéné, on déguste un vin aux saveurs de poire et de pomme qui, de l'attaque à la finale, dégage un caractère de fraîcheur et d'équilibre impeccable. Un crémant qu'on place à l'apéritif ou qu'on sert avec un fromage jeune de type brie. ★★★(★) **GR**

France, Languedoc-Roussillon
aop Crémant de Limoux
Clos Des Demoiselles, Tête De Cuvée, Brut, J. Laurens +10498973 - 22,50$
Ce crémant est très expressif au nez, oscillant entre les notes de levures de boulanger jusqu'à une touche oxydative à l'aération, en passant par celle de croissant beurré. Il charme indéniablement et se montre bien construit grâce à une texture tendre, à l'enveloppe citrique qui apporte l'adéquate fraîcheur. Il est séduisant dès l'apéritif, mais je le préconise tout de même à table sur un plat aussi bien construit comme des pétoncles grillés, couronnés d'une lamelle de foie gras. Une réussite qui place ce vin parmi les meilleures bulles actuellement vendues au Québec, et sans doute en France, hors

Champagne... ★★★★ **GR**

France, Bourgogne
aoc Crémant de Bourgogne
Brut Prestige, Veuve Ambal +12889134 - 23,50$
Beaucoup de plaisir! Voici un vin effervescent de la Bourgogne, aux bulles fines et nombreuses et aux parfums de fleurs et d'épices avec une belle minéralité. En-

chanteur en bouche, crémeux, bien fruité et frais avec un beau volume et une note d'élégance qui renforce le plaisir. Servez-le frais (8°C) et il se révèlera le bon compagnon d'un apéro, d'un plateau d'huîtres fraîches ou d'une tarte Tatin. Très bon rapport qualité-prix. ★★★(★) **TD**

Italie, Trentin
Trento
Ferrari Brut, Ferrari Filli Lunelli
+10496898 - 24,95$
Avec la même cuvée dans la catégorie des rosés, celle-ci est l'incontournable de la maison et se distingue par sa constance de goût et de comportement. Des notes de pain frais derrière une minéralité expressive se laissent d'abord saisir. On les retrouve en bouche au sein d'une effervescence très fine, compacte, riche, impeccable. Les flaveurs sont complexes, levurées, peu enjôleuses (farine de kamut), malgré des accents de banane et de poire en finale. Le dosage est parfait, c'est un vin effervescent sec très agréable, digne d'un champagne.
★★★★(★) **GR**

VINS MOUSSEUX ET CHAMPAGNES DE 25$ À 50$

Grèce, Peloponnèse, Arkadia
igp Arkadia
Amalia Brut, Domaine Tselepos
+11901103 - 25,40$
La Grèce viticole est à la mode au Québec et ses bulles valident cette dernière. Celles du domaine Tselepos sont originales, car élaborées à partir d'un cépage local, le moschofilero, qui apporte une touche florale très nette. La méthode traditionnelle employée offre des bulles menues au sein d'une chair aérienne qui file vers une belle fraîcheur finale, même si quelques accents de miel se laissent capter. C'est justement grâce à eux qu'on pourra tenter une recette particulière de sauce avec le homard: une laque à base de sauce soja, de sirop d'érable et de graines de sésame. Essayez, c'est magnifique. ★★(★) **GR**

Italie, Vénétie
do Prosecco di Valdobbiadene
Bisol Vigneti del Fol, Bisol Desiderio & Figli +12914248 - 25,65$
La fulgurante ascension des ventes de prosecco à travers le monde fait sourciller de nombreux producteurs de vins effervescents. Certes, les bulles de luxe du champagne et du franciacorta continueront de souligner les grands moments heureux de nos vies. Mais le prosecco est un vin informel, décontracté, à prix abordable qui exerce un réel pouvoir de séduction auprès d'une clientèle plus jeune. Issu du cépage glera, il est élaboré selon la méthode Charmat et sa prise de mousse se réalise donc en cuve et non pas en bouteille, comme c'est le cas pour la méthode traditionnelle. Voilà qui explique son coût moindre. Pourquoi ne pas le servir en Bellini, comme au célèbre Harry's Bar de Venise? (Recette: une part de pêche aoûtée (Saturne), dénoyautée et pressée avec trois parts de prosecco.) Un crime de lèse-majesté? Non, un délice!
★★★ **DJL**

États-Unis d'Amérique, Californie
Chandon Brut Rosé, Domaine Chandon
+11565007 - 32,35$
La Californie et sa température généralement clémente sont ici bien identifiées: le nez est expressif, à la fois fruité et épicé, on déguste une agréable vinosité, juste assez ferme à l'attaque pour rappeler la couleur du produit, l'effervescence l'habillant de délicatesse.
C'est un rosé Brut qui a de la mâche et qu'on pourra oser avec du homard grillé ou cuisiné de façon plus sophistiquée

avec tomates et épices relevées.
★★★(★) GR

Italie, Lombardie
docg Franciacorta
Satèn Brut, Ricci Curbastro
+13335109 - 45$
Tout est blond dans cette cuvée. De la robe aux parfums qui rappellent les fruits printaniers jaunes, la croûte d'une baguette fraîche et ce soupçon de malt après quelques minutes d'aération dans le verre. L'effervescence soignée et crémeuse transporte les mêmes saveurs en bouche, enveloppée d'une fraîcheur typique de la catégorie Satèn. Aucun rancio d'évolution en vue ici, cette cuvée est encore jeune, elle devrait s'étirer en cave jusqu'en 2022, si vous êtes patient. Ne la manquez pas, elle est au Québec depuis peu en modeste quantité. C'est un franciacorta plus tourné vers l'acidité des fruits jaunes que celle d'éléments salins, ce qui permet une association multiple à table, depuis les huîtres jusqu'à la viande blanche, cuite par ailleurs, en papillote plutôt que grillée. Je vous laisse puiser dans vos recettes personnelles...
★★★★(★) GR

France, Champagne, Montagne de Reims
aop Champagne
Champagne Henri Abelé, Cuvée Brut Traditionnel +11469568 - 49,75$
Nez expressif et biscuité, où pointe un léger rancio de maturité très charmeur. Attaque tendre, un peu dosée, bulles au calibre moyen, toutefois abondantes et nouées, formant une savoureuse effervescence. Peu complexe au niveau aromatique (fruits jaunes, toast blond), ce champagne de facture classique, plus concentré que minéral, est bien construit.
★★★ GR

VINS MOUSSEUX ET CHAMPAGNES À 50$ ET PLUS

France, Champagne
aop Champagne
Zéro, Brut nature, Champagne Tarlant
+11902763 - 54$
Un champagne aux accents marins, un brin austère et anisé qui finit par séduire après quelques minutes dans le verre à travers des flaveurs d'agrumes, puis de pâtisseries beurrées. L'effervescence apporte une matière veloutée qui canalise l'acidité en bouche. Une cuvée d'apéritif où les huîtres pourront être servies avec du citron. ★★★★(★) GR

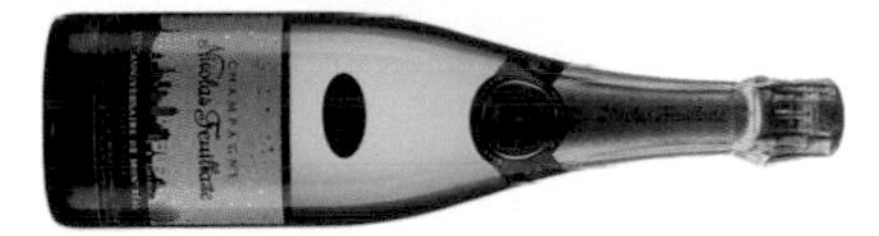

France, Champagne, Vallée de la Marne
aoc Champagne
Nicolas Feuillatte Brut Grande Réserve Cuvée 375e Anniversaire de Montréal
+13210517 - 54,75$
Que d'élégance et de finesse dans ce beau champagne! Des arômes de fleurs, d'agrumes et de brioche au beurre avec des notes minérales. Fin, racé, fruité, fin et frais en bouche, il offre une longueur généreuse sur le fruit. Un champagne de fête, de célébration et de plaisir à servir frais (8°C) à l'apéritif ou en même temps que des poissons et des fruits de mer, ou encore tout au long d'un repas. Il ne faut certainement pas s'en priver, car il est d'un très bon rapport qualité-prix. Alors, courez à la SAQ pour vous en procurer une bouteille et célébrez avec enthousiasme le 375e anniversaire de la ville de Montréal. Quoi de mieux? ★★★★★ TD

France, Champagne
aop Champagne
Cuvée Charles Champagne Brut, Charles Collin +13212109 - 56,25$
J'ai laissé le verre respirer quelques minutes, car le vin était peu expressif. Se

dégagent alors d'agréables notes de pain grillé blond, voire de biscuit au sucre roux, derrière des accents de fruits jaunes très mûrs. Ce sont ces derniers qu'on retrouve dès l'attaque en bouche au sein d'une matière peu complexe, mais équilibrée: des bulles nouées et persistantes qui transportent «la fraîcheur du sud» de l'appellation... C'est-à-dire un champagne plus marqué par le fruit que la minéralité, plus biscuité que tranchant, fidèle au pinot et construit indéniablement pour la table ou un apéritif gourmand. Dans tous les cas, parfaitement équilibré de l'attaque à la finale. ★★★ **GR**

France, Champagne
aop Champagne
♥
Champagne Blanc de blancs, Nicolas Feuillatte +12687436 - 57$
Comme toujours avec ses millésimes déclarés, la coopérative Nicolas Feuillatte épate parce qu'elle les commercialise au bon moment, c'est-à-dire lorsqu'ils sont à maturité. Le 2006 ne déroge pas à la règle permettant de déguster un champagne aussi parfumé qu'élégant, au chardonnay typé qui se pare d'arômes de fruits jaunes confits, de notes pâtissières feuilletées qu'habille une effervescence crémeuse à l'enveloppe juste assez citronnée pour réveiller nos papilles. Un millésime à ce prix, c'est une aubaine, offrez-vous des huîtres pour l'accompagner! ★★★★ **GR**

France, Champagne
aop Champagne
Les Vignes de Montgueux Blanc de Blancs, Champagne Lassaigne +12061311 - 64,25$
Nez d'une grande pureté de fruit (mirabelle, pomme) et d'une vinosité «tranchante» dès l'attaque en bouche. On découvre un vin d'un grand équilibre, à la fois minéral et riche dans son comportement, où l'on perçoit à la fois des arômes toastés blonds et la fraîcheur d'une pomme jaune. Du plaisir accessible à l'état pur. ★★★(★) **G**

France, Champagne
aop Champagne
Champagne Henriot, Blanc de Blancs, Brut +10796946 - 78,75$
Très frais, d'abord axé sur des arômes de tarte au citron, puis éclatant d'amandes fraîches qu'on perçoit également une fois en bouche, ce vin se comporte comme un frizzante d'une superbe vivacité, tellement les bulles sont fines! Sa nervosité se conjugue aux notes de bergamote, de gingembre, et de façon plus classique, à des notes de pain grillé blond en finale. Il a porté magnifiquement son nom autrefois (Pur Chardonnay), et la pureté est toujours au rendez-vous. ★★★★(★) **GR**

France, Champagne
aop Champagne
♥
Champagne rosé Brut, Duval-Leroy +11316334 - 87,75$
Cette maison familiale fondée en 1859 à Vertus dans la Côte des Blancs est dirigée aujourd'hui par Carol Duval-Leroy aidée de sa chef de cave, Sandrine Logette-Jardin. Son Champagne rosé est construit autour du chardonnay (85%) et complété de pinot noir pour apporter la couleur lors de la macération. Il en résulte une jolie robe rose clair traversée d'un cordon de bulles fines. Bien ouvert, le nez se partage entre les petits fruits rouges (framboise), la pâtisserie ainsi que des notes plus évoluées d'épices. Le palais conjugue harmonieusement vinosité et vivacité. Voilà un rosé gourmand savamment dosé (11g/l) qui saura tenir sa place lors d'un repas de fête. Un feuilleté au saumon suivi d'un suprême de poulet fermier aux sanguins (lactaires délicieux)

et d'une tartelette aux framboises (peu sucrée) me semblent un menu tout indiqué. Et que la fête commence!
★★★★ **DJL**

France, Champagne
aop Champagne
Champagne Bollinger, La grande année Brut +00145169 - 171,25$
Les notes d'amande fraîche sont assez nettes au nez, elles dominent celles de fruits jaunes, tantôt confits (citron), tantôt exotiques (mangue). On s'attend à déguster alors un vin plus axé sur le fruit que sur le terroir, pourtant le caractère crayeux se laisse capter en bouche. Il enveloppe une texture riche, conduite par des perles bien nouées qui confirment la signature de la maison. Les amers sont également présents, ils apportent la tenue à un ensemble encore jeune, quoique plus adolescent que minot: maladroit dans le comportement, mais assurément plein d'avenir. Il a 10 ans; c'est selon moi sa première phase de dormance. Il en subira d'autres, toutefois moins que d'autres millésimes plus endurants. C'est donc une bonne nouvelle pour les impatients, car si vous aimez le style Bollinger, ce 2007 vous accueille aujourd'hui avec la même générosité qu'habituellement... ★★★★★ **GR**

VINS ROSÉS

VINS ROSÉS À MOINS DE 20$

France, Sud
igp Sable de Camargue
Listel gris, Grain de Gris +00270272 - 11,05$
Voici un petit rosé sympathique et rafraîchissant, mais il tient bien la route lorsqu'on le sert avec des mets consistants. Il offre un nez délicat de fruits et de fleurs que l'on retrouve en bouche avec une belle acidité lui conférant de la fraîcheur. À la fois léger, souple et mœlleux avec une petite note épicée. On le boit frais (8°C) avec une soupe de poisson, une bouillabaisse ou un aïoli. ★(★) **TD**

France, Auvergne-Rhône-Alpes
igp Puy de Dôme
7e Ciel, Vignobles Saint-Verny +13343248 - 17,40$
Le Puy-de-Dôme tient son nom d'un volcan endormi au centre de la France. Département français créé à la Révolution française, il fait partie de ce qu'on appelait autrefois la Basse-Auvergne. J'ai rarement eu l'occasion de déguster un vin de cette région et c'est un tort, car ce joli vin rosé 100% gamay que je vous propose ici vaut vraiment la peine, tout comme son prix d'ailleurs.
Au nez ce sont des parfums de fleurs, de violette, de fruits mûrs, de framboise, de fraise, et de fruits exotiques avec une petite note minérale. Croquant, généreusement fruité, long et frais en bouche avec une finale épicée. Un rosé élégant, très agréable, gourmand, qui a du corps, un très bon rosé! Je l'ai goûté frais (10°C) avec des pâtes au citron et des calamars sautés à l'ail, mais il ira très bien aussi avec une soupe de poisson ou un fromage comté Juraflore. ★★(★) **TD**

France, Provence
aoc Côtes-de-Provence
Vieux Château d'Astros, Château d'Astros +10790843 - 17,50$
L'histoire du Domaine d'Astros commence au 12e siècle, lorsque les Templiers s'installent sur ses terres. Puis, en 1314, les Chevaliers de Malte leur succèdent et y construisent une commanderie. À la Révolution française, le domaine sera vendu comme bien national. En 1802, sous l'empereur Napoléon Bonaparte, la propriété sera achetée par «Maximin Martin, membre d'une famille d'indus-

triels marseillais protestants, propriétaires de savonneries. Marc-Maximin Martin, son petit-fils, fait édifier en 1860 une construction inspirée des villas italiennes. Sans descendance, il lègue ses biens au petit-fils de son cousin germain Joseph Maurel, grand-père de l'actuel propriétaire.»(1)

Les vignes de ce domaine produisent d'excellents vins d'appellation Côtes-de-Provence, dont ce beau rosé que je vous propose ici. Il offre des odeurs de petits fruits rouges, d'agrumes, de fruits exotiques et de vanille avec une touche minérale. Généreux, gras, fruité, long et frais en bouche avec des notes de beurre frais et une finale délicatement épicée. À boire frais (10°C) avec du homard sauce mayonnaise, des poissons grillés, un aïoli ou une cassolette de fruits de mer.

(1): *Source: Château d'Astros.* ★★★ **TD**

France, Provence
aop Côtes-de-Provence
Pétale de Rose, Régine Sumeire
+00425496 - 19,10$
Comme je l'ai déjà déclaré par le passé, voici le prince des vins rosés! Et je réitère. Un rosé bio en plus. Produit à Pierrefeux au-dessus de Toulon, dans le midi de la France, il offre des parfums de fleurs, de rose, de pivoine, puis de petits fruits rouges, et une jolie note minérale. Dense, fruité, long et frais en bouche, cet élégant vin rosé est servi à 8°C pour accompagner une bouillabaisse, un filet de daurade grillé ou un poulet au fenouil.
★★★(★) **TD**

France, Provence
aoc Côtes-de-Provence
Rosé Sainte Victoire, Domaine Jacourette +12887294 - 19,55$
De fait, Sainte-Victoire est une sous-appellation des vins Côtes-de-Provence. Elle se situe au pied de la montagne Sainte-Victoire, à l'est d'Aix-en-Provence. Ce joli vin rosé de Provence que je vous propose ici est, quant à lui, vinifié et mis en bouteille au domaine situé à Pourrières, petit village médiéval installé à 5 km de la montagne. Il est élaboré avec passion et amour par Hélène Dragon et Frédéric Arnaud, vignerons depuis quatre générations.
Ce vin présente une robe rose clair avec des reflets cuivrés, dorés. Au nez, ce sont des parfums de fleur, de fruits et de vanille avec une touche minérale. Intense et fruité en bouche, il évolue sur des notes de beurre frais et quelques épices. Un joli rosé qui ne manque pas d'élégance, à servir frais (9°C) à l'apéro ou en même temps qu'une soupe de poisson, un aïoli ou encore un poisson grillé.
★★(★) **TD**

VINS ROSÉS À 20$ ET PLUS

France, Provence
aop Côtes-de-Provence
Château de Miraval, Perrin et Fils
+12296988 - 22,25$
J'ai eu le plaisir de visiter ce beau domaine et de rencontrer celui qui l'a complètement revalorisé, Thomas Bove, un industriel américain, marié à une Parisienne. Un homme simple, avenant et passionné. Le domaine fut racheté par Angelina Jolie et Brad Pitt. C'est un domaine magnifique qui vaut le détour. Les vins sont élaborés par Perrin et fils, avec la même philosophie et un objectif unique: la qualité. Ils font notamment ce superbe vin rosé vendu en flacon trapu que j'adore. Il présente des parfums délicats de fleurs, de fruits et d'agrumes avec une touche minérale. Fruité, intense, frais et tendu en bouche, il jouit d'un bel équilibre. Le servir frais (10°C) lors d'un repas de bouillabaisse, de beignets de fleurs de courge ou de poulet au fenouil. ★★★(★) **TD**

France, Vallée du Rhône
aop Tavel
Vieilles Vignes, Tardieu-Laurent
+13199274 - 23,25$
Situé entre Avignon et Châteauneuf-du-Pape, Tavel est la seule appellation rhodanienne entièrement réservée au vin rosé. Surnommé le «roi des rosés» par Honoré de Balzac, le Tavel était le vin privilégié des rois de France et des papes en Avignon, et sa réputation n'a jamais cessé de le précéder. Sa couleur d'un rose intense nuancé de rubis clair est à l'image de la reine des fleurs: la «rose de Tavel» créée en 2002 par le Syndicat viticole pour commémorer les 100 ans de l'appellation. Ce vin, à dominante de grenache (60%), développe au nez un fruité généreux (grenadine, fraise écrasée) auquel répond une bouche fraîche en attaque, puis ronde, chaleureuse et concentrée. Un vin de plaisir! Mais le Tavel n'est pas seulement un vin qu'on apprécie lors d'un «farniente-chaise longue». Bien au contraire, il s'agit d'un vin de gastronomie à consommer tout au long de l'année. On le sert avec des mets qui fleurent bon la Méditerranée ou même un colombo de poulet des Antilles françaises. ★★★ **DJL**

VINS ROUGES

VINS ROUGES À MOINS DE 20$

Argentine, Mendoza, Maipú
Malbec Roble, Finca Flichman
+10669832 - 9,15$
Rapport qualité-prix, difficile à battre! Voici un vin gorgé du soleil d'Argentine, aux odeurs intenses de mûre, de prune, de cassis, de myrtille, de grillé et de boisé avec des notes animales. Corsé, fruité, frais en bouche, il continue assez longuement sur des tanins serrés, voire charnus, et une finale épicée. Plutôt souple, il se mariera bien à un agneau au cari, un boudin noir aux pommes, un cassoulet au canard ou un fromage à pâte molle et à croûte fleurie comme un brie fermier. ★(★) **TD**

Italie, Pouilles
igt Puglia
Sangiovese, Pasqua Vigneti e Cantine
+00545772 - 10,15$
Le sangiovese tient son nom de «sang» et de «Jupiter» ou littéralement: sang de Jupiter. Plutôt populaire en Toscane, ce cépage s'exprime bien aussi dans la région des Pouilles plus au sud de l'Italie, où est produit ce vin. Au nez, ce sont des odeurs de petits fruits noirs, de baies sauvages, de violette et de vanille avec des notes d'épices. Largement fruité en bouche, il évolue sur des tanins mûrs. Il accompagnera agréablement une daube de bœuf à la provençale, un carré d'agneau aux herbes ou une terrine de foies de volaille. ★★ **TD**

Italie, Vénétie
igt Veneto
Pasqua Rosso Vigneti e Cantine
+12560419 - 10,25$
À ce prix-là, pourquoi s'en priver! Rapport qualité-prix difficile à battre. J'en ferais bien mon quotidien. Ce joli vin de la région de Venise, dans le nord-est de l'Italie, s'ouvre gentiment sur des odeurs de fleurs, de fruits rouges avec des notes végétales légères et des épices. Dans son genre, il rappelle un peu le beaujolais. Gouleyant, fruité et frais en bouche, il offre des tanins souples et une petite note de tabac. Un vin simple et de bon goût à servir légèrement frais (15°C) pour accompagner une joue de bœuf braisée, une entrecôte aux champignons des bois ou un camembert au lait cru. Il ira très bien aussi avec un spaghetti sauce bolognaise. ★★(★) **TD**

Grèce, Péloponnèse, Korinthos
opap Nemea
Nemea, Evangelos Tsantali
+00713602 - 10,75$
Le cépage agiorgitiko pousse sur le terroir de Némée, dans le Péloponnèse en Grèce, un lieu de légendes dont le célèbre Hercule est le personnage prédominant. Ce vin rouge nous entraîne dans cet univers mythique, mais il nous offre, quant à lui, des odeurs de fraise, de pruneau et de violette avec des notes de vanille et de boisé. À la fois fruité, frais et floral en bouche, il évolue gentiment sur des tanins souples. Un vin charnu et charmeur à servir à table lorsqu'on déguste une moussaka, des spaghettis à la bolognaise ou des charcuteries. ★★ **TD**

Grèce, Thessalia, Larissa
opap Rapsani
Rapsani, Evangelos Tsantali
+00590836 - 11,50$
Les vignobles du village de Rapsani sont situés sur le versant sud du mont Olympe, en Grèce, dit la «montagne des dieux». Ils produisent des vins corsés comme celui-ci, aux arômes de mûre, de cassis, de pruneau et de fruits secs avec des notes de boisé et d'épices. Largement fruité et frais en bouche, il évolue longuement sur des tanins serrés et finit sur des notes d'épices. Un vin de caractère, à servir en carafe, lorsqu'on mange un canard sauce au poivre vert, une joue de bœuf braisée ou un carré d'agneau au thym. ★★ **TD**

Portugal, Haut-Douro
docp Douro
Altano, Symington Family Estates Vinhos +00579862 - 11,55$
Le Douro est mieux connu pour sa production de porto et de tawny. Mais il arrive que certaines récoltes soient commercialisées en vin rouge comme celui que je vous propose ici. Au nez, on découvre des odeurs intenses de petits fruits rouges, de rose, de vanille et d'épices (poivre) avec un léger grillé. Robuste, bien fruité et frais en bouche, il continue longuement sa course sur des tanins soyeux et mûrs. Le servir en même temps qu'un bœuf teriyaki, une entrecôte sauce aux champignons ou un fromage de type tome du Jura comme le Juraflore. Un bon vin de tous les jours. ★(★) **TD**

France, Vallée du Rhône,
Rhône méridional
aoc Côtes du Ventoux
Grande Réserve des Challières, Ventoux, Bonpas +00331090 - 11,95$
Autrefois considéré comme des petits vins, ceux du Ventoux ont considérablement amélioré leur qualité. Une culture plus adaptée et une vinification plus rigoureuse et moderne ont permis de produire des vins qui ont le portrait du terroir comme celui-ci, fait d'un assemblage de grenache et de syrah. Il présente des odeurs de cassis, de mûre sauvage et de vanille avec des notes de réglisse et d'épices. Bien fruité et frais en bouche, il évolue longuement sur des tanins souples et une pointe de poivre en finale. Il ira bien avec une assiette de charcuteries, une joue de porc braisée ou un magret de canard. ★★ **TD**

France, Languedoc-Roussillon
aoc Coteaux du Languedoc
Comtes de Rocquefeuil, Cave des Vignerons de Montpeyroux
+00473132 - 12,15$
Les plus vieux vignobles de France seraient situés dans le Languedoc-Roussillon, au sud de la France. Le savoir-faire vinicole remonte très loin dans l'histoire de la vigne et du vin. On y produit de bons vins comme celui-ci, toujours égal à lui-même, sauf le prix qui a baissé un

peu, ce qui en fait un vin d'un excellent rapport qualité-prix. Il s'ouvre sur des parfums de mûre, de framboise et de lys avec une petite note épicée. Ample, bien fruité, gouleyant et long en bouche, il évolue avec des tanins serrés et charnus. Le servir en carafe lorsqu'on mange un carpaccio de bœuf, des fajitas ou une côte de bœuf grillée. ★★ **TD**

France, Languedoc-Roussillon
aoc Minervois
Château de Gourgazaud
+00022384 - 12,50$
La famille Piquet a fait le pari de donner ses lettres de noblesse à cette appellation et semble bien y être parvenue. Fait d'un assemblage de syrah et de mourvèdre cultivés «sur des terrasses anciennes décalcifiées et des terroirs en pente de grès et de sable», ce vin rouge s'ouvre sur des odeurs animales avec des notes de baies noires et de fleurs avec des notes légères de vanille, de grillé, de boisé et de garrigue. Ample, intense et largement fruité en bouche, il évolue longuement sur des tanins souples et une finale légèrement poivrée. Un vin rouge agréable et bien fait, qui se révèlera le bon compagnon d'un lapin aux olives ou d'une fricassée de poulet et champignons. ★★(★) **TD**

Espagne, Castilla la Mancha
ac Vino de la tierra
Liberado Cabernet Sauvignon Tempranillo, Constellation Brands Espana +13285367 - 13,05$
Nez fin où s'expriment gentiment des nuances florales (violette) et fruitées (mûre, framboise) avec des notes de menthe et d'épices. Plus expressif en bouche, il se révèle gouleyant, long, fruité et frais avec des tanins souples et une finale légèrement épicée. Un vin simple et facile à servir en même temps qu'un poulet à l'estragon, un cassoulet au canard ou une côte de bœuf grillée. ★(★) **TD**

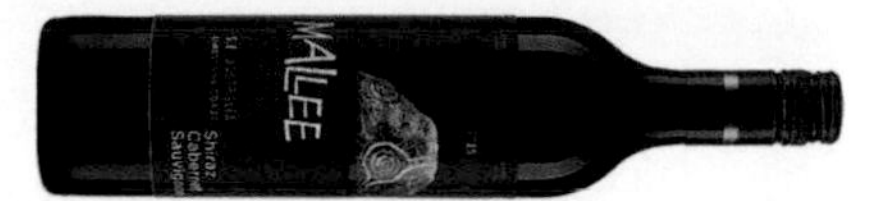

Australie méridionale,
Linestone Coast

Mallee Rock Shiraz Cabernet-Sauvignon, Arterra Canada
+13359178 - 13,45$
«Mallee» signifie «eucalyptus» en langue aborigène. «C'est à l'endroit où la terre aride rencontre le roc que les arbres mallee parsèment le sol baigné de soleil», peut-on lire sur le site web du vignoble. Une terre brute et riche comme le caractère de leurs vins qui s'ouvrent sur des odeurs de fruits noirs, de mûre sauvage, de pruneau et d'eucalyptus avec des notes de boisé, de grillé et d'épices. Un vin ensoleillé, puissant, onctueux, long et fruité avec un boisé bien intégré et des tanins ronds. Un vin très agréable et plaisant à servir en même temps que des côtelettes d'agneau au thym, des aiguillettes de canard ou un cassoulet.
★★★(★) **TD**

Portugal, Provinces de Beira
docp Dâo
Duque de Viseu, Vinhos Sogrape
+00546309 - 13,55$
Ce vin du Dão est le résultat d'un assemblage de cépages traditionnels portugais, et je cite: touriga nacional (48%), tinta roriz (34%), alfrocheiro (12%) et un petit peu de tinta barroca (6%). Il en résulte un vin de plaisir aux parfums complexes de mûre, de prune et de violette avec des notes de vanille, de grillé et d'épices. Largement fruité, gouleyant et frais en bouche, il continue longuement sur des tanins souples et une petite note boisée. Un vin qui ne manque pas d'élégance, à servir en même temps qu'un poulet grillé à la portugaise ou un pain de viande aux champignons des bois. ★★(★) **TD**

France, Vallée du Rhône méridionale
aoc Côtes du Rhône
Grande Réserve des Challières, Côtes-du-Rhône, Bonpas +12383352 - 13,55$
Voici un assemblage au trois quarts de

pinot noir et le reste partagé entre la syrah, le petit verdot et un peu de zinfandel. Une recette sympathique qui offre des odeurs de cerise confite, de confiture de fruits rouges, de torréfié et de garrigue. Coulant et fruité en bouche, il évolue sur des tanins souples et une finale légèrement mentholée. Un bon vin gouleyant, un vin de tous les jours, agréable à consommer rafraîchi (15°C) en même temps qu'une assiette de charcuteries, un chapon farci aux champignons ou des côtes de porc grillées. ★★ **TD**

État-Unis, Californie, Napa, Napa Valley
Woodbridge Pinot Noir, Woodbridge Winery +13188920 - 13,55$
Fait d'un assemblage de grenache (60%), cépage roi de cette région qui en compte plus d'une vingtaine, puis de syrah (30%) et d'un peu de mourvèdre (10%), ce vin rouge du sud de la vallée du Rhône, offre des odeurs de mûre, de framboise et de cassis avec des notes épicées (poivre et tabac notamment). Ample, généreusement fruité, long et frais en bouche, il évolue sur des tanins souples et une finale poivrée. Cet aimable vin se boit bien légèrement rafraîchi (17°C), à un repas où l'on sert un bœuf en daube, un chili con carné ou des rognons de veau au cognac. ★★ **TD**

Australie méridionale
Wakefield Shiraz/Cabernet Promised Land, Wakefield Wines +12989899 - 14,95$
«Promise land» ou «terre promise» est le reflet de trois terroirs australiens. En effet, ce vin rouge est le résultat d'un assemblage de syrah (80%) et de cabernet-sauvignon (20%) provenant des régions de Barossa, de Padthaway et de Coonawarra, cela dans le but d'obtenir un vin de style moderne, élégant et généreux. Il faut dire qu'il nous a beaucoup plus. Gouleyant, aromatique, simple et généreux, il s'ouvre rapidement sur des odeurs de mûre, de framboise, de violette, de grillé et d'épices, avec de petites notes animales. Coulant, frais et offrant un joli fruité en bouche, il évolue longuement sur des tanins souples. Un vin de plaisir, facile à boire légèrement rafraîchi (16°C), et servi par exemple avec de la charcuterie, du poulet grillé, des saucisses délicatement relevées ou des lasagnes à la viande. Assez polyvalent, il pourra bien se marier aussi avec beaucoup d'autres mets. Un vin convivial!
★★(★) **TD**

Espagne, Campo de Borja
ac Campo de Borja
5G, Cinco Garnacha, Miguel Torres +13358706 - 15,50$
Torres, cette grande maison d'Espagne, produit des vins d'exception, souvent à des prix abordables comme celui qui vous est proposé ici. La mention «5G» rappelle que ce vignoble célèbre sa cinquième génération de vignerons passionnés, mais c'est aussi un hommage aux cinq cépages qui composent ce vin. Il s'agit ici d'un assemblage de cinq variétés de garnacha (grenache) issues de cinq parcelles sélectionnées pour leur qualité dans la région de Campo de Borja.
Voici un vin aux parfums concentrés de fruits noirs, de mûre et de framboise avec des notes de vanille, une touche végétale et un léger boisé. Généreusement fruité et intense en bouche, il évolue sur des tanins soyeux, des notes de garrigue et des épices. Le servir en carafe à une table où l'on mange un carré d'agneau grillé aux herbes de Provence, un filet de porc aux champignons, un couscous. Excellent rapport qualité-prix! ★★★(★) **TD**

France, Bordeaux
aop Bordeaux
Mouton Cadet, Baron Philippe de Rothschild +00000943 - 15,65$
Belle évolution pour ce vin rouge, un

classique mais qui se défend très bien sur le marché québécois. Des arômes de cassis, de mûre et de violette avec des notes de boisé, de grillé et une touche végétale. Ample, rond, long et généreusement fruité en bouche, il évolue sur des tanins serrés mais pas agressifs. Un vin facile, très agréable à déguster avec des grillades de viande rouge, des cailles aux raisins ou un camembert au lait cru.
★★(★) **TD**

État-Unis, Californie,
Napa, Napa Valley
Ravage, Cabernet Sauvignon
+13359098 - 16,50$
J'ai cherché longtemps pourquoi l'étiquette de ce vin représentait un chevalier. Et le nom du vin: Ravage! Était-ce celui d'un chevalier du Moyen-Âge? Un personnage mythique? Rien sur internet! J'ai même appelé les responsables du fonds de livres de la bibliothèque de Brossard, la deuxième en importance au Québec. Rien non plus!
Alors, j'ai eu l'idée d'appeler Jean-Claude Guertin, directeur au Québec des Vins Arterra Canada, l'agent qui importe ce fameux vin rouge dont je veux vous entretenir. Il contacta le producteur californien dont voici la réponse: «Nous recherchions un nom et une image qui évoque le style sombre et provocateur de ce vin réalisé par notre brillant, audacieux et rebelle vigneron, Bryce Willingham, et qui en même temps laisse une impression qui perdure auprès des consommateurs. L'évocation d'audace et de courage du chevalier associée à l'intensité du nom Ravage laisse entendre à ceux qui vont le boire qu'ils devraient s'attendre à un vin évocateur et riche.»
Et c'est tout à fait réussi! Ce vin rouge américain de la région de Napa en Californie est fait d'un assemblage subtil et bien dosé des cépages cabernet-sauvignon principalement, de merlot, de zinfandel et d'un peu de syrah. Il en résulte un très beau produit, complexe, aux odeurs de café, de grillé, de fruité (cerise, mûre sauvage) avec des notes de vanille, une touche végétale et quelques épices (poivre). Très rond, ample, intense et fruité en bouche, il évolue sur des tanins soyeux et une finale légèrement épicée. Un bon vin sincère et généreux, droit dans ses bottes comme le chevalier qui orne l'étiquette. À boire en même temps que des grillades de viandes rouges ou un poulet barbecue. ★★★(★) **TD**

État-Unis, Californie
Seaside Syrah +13358183 - 16,60$
«Seaside» c'est le côté mer, celui qui fait rêver, celui où l'on prend le temps de bien faire les choses. Comme celui de déguster ce vin rouge qui a mis du temps à bien se faire, grâce à des vignerons passionnés. Ce vin californien fait de syrah offre des odeurs de cerise, de mûre, de grillé, de café, d'épices et de vanille. Fruité, rond et gouleyant en bouche, il évolue longuement sur des tanins soyeux. Un bon vin qui s'accordera parfaitement avec un carré d'agneau au thym et à l'ail ou un magret de canard au poivre vert.
★★★ **TD**

Uruguay, Canelones, Juancio
Don Pascual Reserve Tannat, Establecimiento Juanico
+10299122 - 16,70$
Par ce vin, fait à 100% de tannat, le producteur a rendu hommage à Don Pascual Harriague qui a introduit ce cépage dans le vignoble d'Uruguay en 1978. Le tannat, originaire du sud de la France, tire son nom de la langue d'oc et veut dire «tanin». Ce vin rouge frais et fruité offre des parfums intenses et complexes de mûre, de vanille et de réglisse avec des notes de cacao, de cuir et d'épices (poivre). Corsé, généreusement fruité et frais en bouche, il continue longuement sur des tanins serrés et finit sur de petites notes épicées. Un bon choix de vin pour

un carré d'agneau aux herbes, des boulettes de bœuf sauce à la viande ou un fromage de type brie au lait cru.
★★(★) TD

France, Sud-Ouest
aoc Côtes du Brulhois
Le Vin Noir, Les Vignerons de Brulhois
+11154822 - 17,40$
Les Vignerons du Brulhois, c'est une cave-coopérative qui produit des vins de qualité, dont celui que je vous propose aujourd'hui, un côtes-du-brulhois dont l'AOC a été accordée il n'y a pas si longtemps, le 14 octobre 2011. Le vignoble du Brulhois, situé entre Toulouse et Bordeaux (France), produit des vins puissants et à la couleur sombre qui leur a donné le surnom de «vins noirs», et ce, depuis le Moyen-Âge.
Voici donc un vin rouge à la robe très dense, sombre, presque noire, aux odeurs de mûre, de sang de bœuf, de grillé et de garrigue avec des notes animales et d'épices. Bien fruité, corsé et épicé en bouche, il possède des tanins serrés et bien construits. Un bon vin à boire avec des grillades de viande de bœuf, un pâté de campagne ou un confit de canard.
★★(★) TD

♥

États-Unis, Californie
Cabernet Sauvignon, Private Selection, Robert Mondavi +00392225 - 17,55$
Le cabernet-sauvignon fait partie de ces cépages trop utilisés dans les assemblages des vins en général. Je me souviens que le président de l'appellation Bordeaux, où ce cépage est roi, faisait une tournée dans le monde pour inciter les viticulteurs à tenter de faire autre chose que des imitations des vins du Bordelais. Alors, voici un vin rouge qui n'imite pas. Un vin de caractère fait aux trois quarts abernet-sauvignon, d'un peu de sy- de quantités subtiles de cabernet petite syrah. Il en résulte un able qui présente des parfums de cassis et de mûre avec des notes de vanille, de boisé et de grillé. Généreusement fruité et concentré en bouche, il évolue longuement avec des tanins souples et finit par une petite note mentholée. Un très bon vin agréable à boire en mangeant un magret de canard sauce au poivre vert, des rognons de veau sauce moutarde ou un carré d'agneau au thym. ★★★(★) TD

Australie méridionale, Barossa
Wyndham Estate 12 Brothers, Wyndham Estate Winery
+12823442 - 17,60$
Ce vin est un hommage aux 12 fils de George Wyndham, le premier vigneron à avoir planté de la syrah en Australie, en 1830. Les raisins qui ont servi à le fabriquer viennent de 12 parcelles différentes. Fait d'un assemblage de syrah (80%) et de cabernet-sauvignon (20%), il présente des odeurs puissantes et complexes de baies sauvages, de confiture de cassis, d'épices et de vanille avec des notes de réglisse, de grillé, de boisé et une petite touche végétale. Généreusement fruité en bouche, il évolue longuement sur une belle structure avec des tanins charnus et finit sur des notes d'épices. Le servir en carafe lorsqu'on mange un carré d'agneau aux herbes de Provence, un magret de canard sauce au poivre vert ou un fromage de chèvre affiné.
★★★ TD

Espagne, Catalogne
do Catalunya
Gran Sangre de Toro, Miguel Torres
+00928184 - 17,65$
Ce vin espagnol, fait d'un assemblage de grenache (60%), de carignan (25%) et de syrah (15%), présente des odeurs de chocolat, de petits fruits noirs et de raisins secs avec des notes de vanille, de café et un léger boisé. Velouté, copieusement fruité et légèrement sauvage en bouche, il continue longuement sur des

tanins serrés et finit sur une petite touche poivrée. Il se révèlera idéal pour une assiette de charcuteries, une côte de bœuf aux champignons ou un fromage de type bleu. ★★(★) **TD**

France, Bordeaux
aop Fronsac
Fronsac, Merlot, Chartier Créateur d'Harmonies +12068070 - 18,05$
Voici un beau vin rouge qui s'ouvre sur une belle concentration de fruits noirs (mûre, cerise, cassis) et de jeunêt avec des notes végétales, minérales, boisées et grillées. Fruité, équilibré, texturé et long en bouche, il évolue sur des tanins élégants et quelques épices délicates. Un vin complet et très agréable à boire en mangeant des viandes rouges grillées, une salade de poivrons grillés et de tomates à l'huile d'olive ou des saucisses au barbecue. ★★★ **TD**

États-Unis, Californie
Zinfandel Vintners Blend, Ravenswood +00427021 - 18,10$
Fait d'un assemblage des meilleures parcelles de vignobles californiens, voici un excellent «zin», concentré, intense et bien aromatique, qui présente des odeurs de mûre, de framboise et de vanille avec un léger boisé et quelques épices. Généreusement fruité, à la fois corsé et mœlleux en bouche, il continue assez longuement avec des tanins serrés et une finale doucement épicée. Un vin agréable et frais à boire avec une terrine de pâté de campagne, des rillettes de canard ou un foie de veau poêlé. ★★★ **TD**

Grèce, Thessalia, Larissa
aoqs Rapsani
Rapsani Reserve, Evangelos Tsantali +00741579 - 18,15$
Les vignes de ce vin sont situées sur les coteaux est du mont Olympe. Ce rouge fait à 100% de cépage xinomavro a des odeurs intenses de mûre sauvage, de

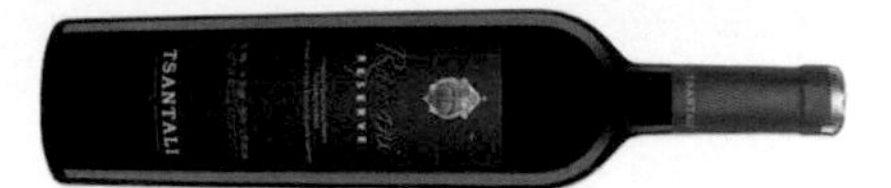

prune et de vanille avec des notes de boisé, de grillé et d'épices. Intense, bien fruité, long et frais en bouche, il continue agréablement sur des tanins souples. Il sera le bon partenaire d'un canard rôti aux cèpes, une épaule d'agneau braisée ou un fromage type gouda. ★★★ **TD**

État-Unis, Californie, Monterey, Central Coast
The Dreaming Tree Pinot Noir, Robert Mondavi Winery +13359071 - 18,50$
Voici un vin rouge californien qui a gagné une médaille d'or à un concours international des vins (la San Francisco Chronicle Wine Competition) en 2017. Il a des odeurs intenses de cerise noire, de prune, de mûre, de fraise des bois et de vanille avec des notes boisées et grillées. Gouleyant, généreusement fruité et très frais en bouche, il continue longuement sur des tanins mûrs, un petit boisé bien intégré et quelques épices. Je l'ai dégusté avec un confit de canard, mais il ira bien aussi avec une volaille aux cèpes ou un magret de canard aux cerises.
★★★ **TD**

France, Bordeaux
aoc Bordeaux
Mascaron par Ginestet +10754527 - 18,60$
Ce vin bordelais est un assemblage à 60% du cépage merlot et à 40% de cabernet-sauvignon. Ce vin tout simple, facile et sans ambiguïté présente un nez de baies sauvages, de thym et de garrigue avec des notes boisées et grillées et une touche de réglisse. Gentiment fruité en bouche, avec des notes boisées bien intégrées et des tanins bien dessinés. Un vin aimable à servir en même temps

qu'une côte de bœuf sauce aux champignons, des rognons de veau sauce madère ou une lasagne à la viande.
★★(★) **TD**

Nouvelle-Zélande, South island, Marlborough
Pinot Noir, Kim Crawford
+10754244 - 19,95$
L'aventure Kim Crawford a débuté en 1996 dans un petit cottage d'Auckland en Nouvelle-Zélande. Bien connue pour son fameux sauvignon blanc (également commenté dans ce guide), elle s'est fait connaître aussi pour sa philosophie d'une production non conventionnelle, dont ce savoureux pinot noir est issu. Un bon vin qui présente des parfums concentrés de cerise et de baies noires avec des notes florales et une touche boisée et épicée. Gouleyant, fruité et frais en bouche, il évolue longuement sur des tanins mûrs. Un vin très agréable à boire légèrement frais (17°C) avec un canard aux cèpes ou un tournedos sauce béarnaise.
★★★ **TD**

VINS ROUGES À 20$ ET PLUS

France, Languedoc-Roussillon aop Coteaux du Languedoc, Pic-Saint-Loup
Bergerie de l'Hortus, Domaine de l'Hortus +00427518 - 20,30$
Depuis septembre 2016, Pic-Saint-Loup a obtenu le label AOC à part entière pour ses rouges et ses rosés. Situé à 30 km du littoral méditerranéen et implanté entre les deux montagnes sacrées du Pic Saint-Loup (658 m) et du Causse (512 m), le vignoble subit l'influence du climat continental et celle du climat méditerranéen. Une singularité qui se reflète dans ses vins! Issu des cépages syrah (55%), grenache (25%) et mourvèdre (20%), le millésime 2015 s'épanouit sur des parfums flatteurs et intenses de cerise griotte, agrémentés de senteurs de la garrigue environnante (thym, cade, ciste). Une belle fraîcheur et un fruité croquant caractéristiques du terroir soulignent la bouche; des tanins jeunes et encore austères en finale lui donnent du relief. Un cuissot d'agneau dans son jus naturel aromatisé de thym et de romarin saura vite comment l'amadouer.
★★★(★) **DJL**

Espagne, Castille Léon do Ribera del Duero
Celeste Crianza, Seleccion de Torres
+11741285 - 20,65$
L'appellation contrôlée Ribera del Duero concerne des vins d'excellente réputation et s'ils bénéficient, en plus, de l'appellation Crianza, là c'est l'extase. Celui-ci présente des odeurs concentrées de petits fruits noirs, de boisé, de grillé et d'épices. Arômes qu'on retrouve en bouche avec de la longueur, du corps et des tanins souples. Parfait pour accompagner un steak au poivre, une lasagne à la viande ou un poulet au cari.
★★★(★) **TD**

Espagne, Rioja, Alavesa doq Rioja
Ijalba reserva, Bodega Vina Ijalba
+00478743 - 20,85$
En 1975, Donisio Riuz Ijalba, un industriel espagnol de la Rioja, propriétaire d'anciennes mines à ciel ouvert devenues obsolètes, eut l'idée de les revaloriser en y plantant de la vigne. Cette terre pauvre et caillouteuse constituait un environnement idéal pour la vigne. Il décida également d'utiliser des cépages riojan classiques comme le tempranillo ainsi que des cépages autochtones peu utilisés comme le maturna tinta. Aujourd'hui, il y produit notamment un excellent vin rouge qui démontre, une fois de plus, qu'on peut

produire de grands vins avec des cépages domestiques sans l'ajout de l'éternel cabernet-sauvignon et autres cépages dits «améliorateurs». L'avantage des cépages autochtones est qu'ils donnent des vins dont le caractère est propre à leur région et à l'image du vigneron. Celui que je vous propose aujourd'hui ne dément pas la promesse d'un grand plaisir. Il offre des parfums intenses de fruits noirs, de pruneau, de cerise noire et de mûre, le tout bien marqué par la vanille et par des notes de boisé, de grillé et d'épices. Ample, fruité, gouleyant, frais et long en bouche, il évolue sur une bonne structure avec des tanins soyeux. Un vin brillant et élégant, qui se révèlera parfait pour accompagner un carré d'agneau rôti au thym, des enchiladas de bœuf, une fideua au poulet (sorte de paella) ou une entrecôte de bœuf sauce au poivre.
★★★ **TD**

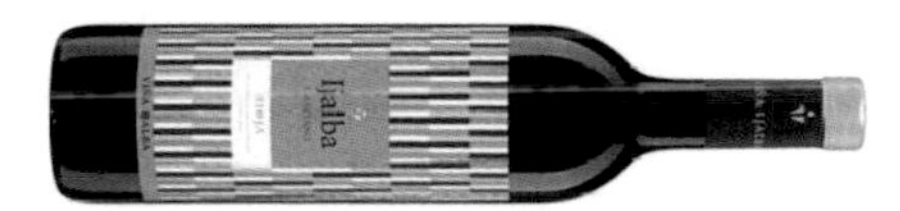

Espagne, Rioja
do Rioja
Rioja, graciano, Viña Ijalba +10360261 - 21,50$
Le graciano est un cépage autochtone espagnol dont le berceau est indubitablement la vallée de l'Ebre et de l'Oja (rio Oja). Utilisé comme cépage d'appoint (5 à 10%) dans l'assemblage des vins de la DOCa Rioja, il ajoute un supplément de fraîcheur, d'élégance, voire de grâce au tempranillo, qui manque souvent d'acidité. Quant au graciano de la viña Ijalba, on le vinifie en solo et les résultats sont des plus convaincants. Derrière sa bannière grenat foncé, le 2014 fait défiler une procession bigarrée de cacao, de mûre, de groseille et même de sureau. Souple à l'attaque, sur un boisé fin et bien intégré, ce vin monte en puissance avec une trame de tanins vanillés et bien ciselés; la bouche se fait alors chaleureuse, puis une vivacité tend la finale, donnant de l'allonge à l'ensemble et laissant augurer une bonne garde. Viendra vous réconforter cet hiver, avec un plat de résistance très roboratif: le cocido madrilène (sorte de pot-au-feu). ★★★ **DJL**

France, Beaujolais
aop Morgon
Domaine de la Chanaise, Dominique Piron +10272966 - 22,20$
Des dix crus du Beaujolais, Morgon est le deuxième en importance. La commune de Villié-Morgon, adossée aux monts du Beaujolais, bénéficie d'un ensoleillement optimal pour les terres pauvres et drainantes du terroir. Le cépage gamay noir à jus blanc y engendre donc des vins structurés, complexes et aptes au vieillissement. Dominique Piron, né à Morgon, au pied de la fameuse colline de Py, représente la 14e génération de vignerons. Élu président d'Inter Beaujolais en 2016, il prône une «modernisation environnementale». Puisse-t-il rendre au gamay qui coule dans ses veines, ses véritables lettres de noblesse. Issu de vignes de plus de 50 ans, le millésime 2015 se distingue par des fruits rouges et noirs bien mûrs. Tout aussi aromatique, le palais aux nuances de cerise et de framboise s'impose par son ampleur, tissé par des tanins encore fermes permettant une bonne garde, mais qui s'arrondiront avec le temps. En attendant, un magret de canard aux cerises, bien rosé, saura l'amadouer. ★★(★) **DJL**

Espagne, Rioja. Alta
doc Rioja Reserva
Marqués de Caceres Reserva, Union Viti-Vinicola +00897983 - 22,60$
La chose n'est peut-être pas assez connue, mais on pense que la viticulture espagnole aurait débuté à l'ère tertiaire. Selon les spécialistes, la vigne aurait été cultivée dès le 4e millénaire avant Jésus-Christ. Cela remonte assez loin dans le temps, il faut bien le dire. Il en résulte une expertise dont bénéficient les vins élaborés dans ce pays. Afin de définir les différentes qualités du vin, trois appellations sont aujourd'hui employées, soit Crianza, Reserva et Grand Reserva. Celle qui nous intéresse aujourd'hui est la

Reserva. Ne pas confondre Reserva avec Reserve, cette dernière mention n'étant soumise à aucun contrôle officiel. Un Reserva est un vin qui a vieilli au moins trois ans, dont un an en fût de chêne.
Celui que je vous propose est un vin rouge de la région Rioja, élaboré par Union Viti-Vinicola. Le Marqués de Carceres n'est vinifié en mode Reserva que lorsque le millésime est jugé excellent ou très bon. À la dégustation, il s'ouvre sur des odeurs intenses et profondes de baies sauvages, de fruits noirs (mûre, cassis), avec un léger boisé, un grillé et des notes animales. Fruité et frais en bouche, il évolue sur une belle structure, des tanins serrés et une finale doucement boisée et épicée. Un vin élégant et gourmand à servir en carafe avec des viandes grillées au barbecue ou des assiettes de charcuterie. Il fait merveille avec des rillettes de porc ou de canard. ★★★(★) **TD**

France, Bourgogne
aoc Bougogne
Les Coteaux des Moines rouge, Bouchard Père & Fils +10796516 - 23,95$
Un aimable pinot noir aux odeurs de cerise noire, de fruits à l'eau-de-vie et de confiture de framboise avec une note animale et minérale. Ample, fruité, long et gras en bouche, il évolue sur des tanins bien ficelés et finit sur une note délicatement épicée, notamment un peu de poivre. Le servir en carafe à 18°C lorsqu'on mange une daube de bœuf aux carottes, des rognons de veau sauce madère ou un poulet rôti sauce aux champignons. ★★★ **TD**

Espagne, Catalogne
doc Priorat
Laudis, Miguel Torres +12117513 - 24,40$
Je l'avoue... J'ai un petit faible pour les vins de la maison Torres, je n'en suis jamais déçu. C'est particulièrement le cas de ce vin rouge issu du Priora, une région où les moines cisterciens priaient et cultivaient aussi la vigne avec succès. Ce vin, donc, offre des parfums concentrés de prune, de mûre sauvage, de framboise et de vanille avec des notes de fumé, de torréfié et de boisé. Largement fruité, long et bien frais en bouche, il évolue longuement sur des tanins mûrs et quelques épices. Un vin que je bois volontiers en même temps qu'un confit de canard, un tournedos de bœuf à la mœlle ou un foie gras truffé. ★★★★ **TD**

France, Vallée du Rhône méridionale
aop Lirac
Château Mont-Redon, Lirac, Abeille - Fabre +11293970 - 24,75$
Ce vin, provenant de vignes plantées dans un terroir limitrophe de Châteauneuf-du-Pape, est composé majoritairement de grenache, d'un peu de syrah et de mourvèdre. Un vin gourmand aux odeurs intenses de mûre, de violette, de chocolat et de vanille avec des notes boisées et épicées. Largement fruité, ample, long et frais en bouche, il évolue tranquillement avec des tanins serrés. Le servir en carafe avec des charcuteries, des côtelettes d'agneau grillées ou un magret de canard. ★★★(★) **TD**

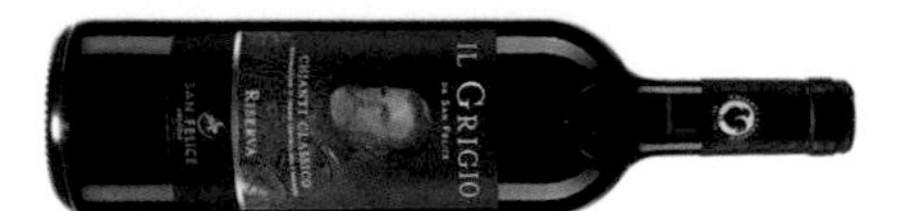

Italie, Toscane
docg Chianti Classico
Il Grigio Riserva, Società Agricola San Felice +00703363 - 26,30$
Le personnage, dont le portrait est reproduit sur l'étiquette, s'appelle Gregorio Vecellio, père du Titien, un illustre peintre italien du 15e siècle. Aux grands hommes, les grands vins. Alors, voici un excellent chianti au nez vineux avec des odeurs de mûre, de prune, de framboise et de violette et un léger boisé bien intégré, plus une petite touche végétale. Bien fruité, long et frais en bouche, il présente des tanins riches et soyeux, puis se termine avec une petite note boisée et épicée. Un vin racé et élégant que

j'aime boire servi en carafe, avec un risotto aux champignons des bois, une fricassée de foies de volaille ou encore des grillades d'agneau ou de porc.
★★★(★) **TD**

Canada, Colombie Britannique
vqa Vallée de l'Okanagan
Pétales d'Osoyoos, Osoyoos Larose
+11166495 - 27,65$
Il s'agit, en quelque sorte, d'un second vin d'Osoyoos Larose. Fait des cépages merlot, cabernet franc, cabernet-sauvignon et petit verdot, l'assemblage évoque la rive droite bordelaise. Ce vin présente un beau nez intense et complexe de mûre, de cassis, de poivron, de truffe et de violette avec des notes animales, aussi des notes de grillé et de boisé. Largement fruité et frais en bouche, il évolue longuement dans un très bel équilibre sur des tanins mûrs et une finale délicatement épicée. Le servir en carafe avec une côte de bœuf sauce au poivre, un gigot d'agneau à l'ail et aux flageolets ou des rognons de veau sauce madère.
★★★(★) **TD**

France, Bordeaux
aop Francs-Côtes de Bordeaux
Château le Puy, JP & P Amoreau
+00709469 - 28,15$
Le petit village de Francs est situé à une dizaine de kilomètres de Saint-Émilion dans la région de la Nouvelle-Aquitaine. Propriété familiale depuis 1610, le Château le Puy (54 hectares) met en œuvre les méthodes biologique et biodynamique. Comme pour l'ensemble des vins de la rive droite, le merlot est à l'honneur dans cette cuvée (85%). Elle donne naissance à un vin de couleur légèrement carminée, le nez déploie un bouquet déjà très expressif et complexe: fruits rouges bien mûrs mâtinés d'humus, d'épices et d'une touche animale. La bouche se montre charnue et élégante, étayée par des tanins à la fois denses et veloutés. Une bouteille qu'on pourra ouvrir aussi bien dans sa jeunesse que lorsque patinée par le temps. Une lamproie à la bordelaise se trémousse déjà de bonheur à l'idée de s'unir à ce vin. ★★★★ **DJL**

Italie, Piémont
docg Barolo
Barolo, Beni di Batasiolo
+10856777 - 28,55$
Voici un des grands vins du Piémont. Fait à 100% du cépage nebbiolo, cet agréable barolo offre des parfums intenses de petits fruits noirs, de fleurs, de chocolat et de vanille avec des notes de boisé, de grillé, de tabac et d'épices. Ample, puissant, fruité et long en bouche, il évolue sur des tanins serrés, une jolie acidité qui lui donne de la fraîcheur et il finit sur une petite note de réglisse. Un vin séveux, racé et élégant qui s'accordera bien avec un osso buco, un carré d'agneau au thym ou un magret de canard aux cèpes.
★★★(★) **TD**

Italie, Toscane
do Chianti Classico
Villa Antinori Riserva,
Marchese Antinori +12629666 - 29,95$
En 1928, le marquis Niccolò Antinori créa le Villa Antinori avec l'idée innovatrice pour l'époque de produire un chianti de longue garde. Son second fils, Piero Antinori, allait combler ses ambitions en créant, en 1971, le Tignanello. Plus modeste que cette illustre cuvée, mais offrant un excellent rapport qualité-prix-plaisir, ce cru est issu à 90% de sangiovese, complété par une touche de merlot et de cabernet-sauvignon. Une robe profonde, un joli bouquet, avenant et séducteur avec des arômes de fruits rouges et noirs, de menthol et d'épices douces. Le palais tient les promesses du nez: ample, étoffé, soutenu par une trame tannique fine et fraîche avant de finir sur un agréable retour des fruits rouges. Un bistecca alla fiorentina (bifteck à la florentine) cuit

à la braise et bien saignant me semble tout indiqué. ★★★★ **DJL**

France, Corse
aop Corse-Calvi
Domaine d'Alzipratu Calvi Pumonte, Anne-Marie & Pierre Acquaviva
+13000771 - 33,75$
Le domaine d'Alzipratu est ancré au pied du mont Grossu (1937 mètres), à 8 km de la pittoresque cité de Calvi. Cette distinguée cuvée Pumonte, drapée d'un rubis sombre intense et frangée de grenat, est née d'un assemblage des traditionnels cépages nielluciu et sciacarellu. Elle offre un bouquet expressif de fruits rouges aux accents de myrte; la bouche, riche et bien étoffée, s'appuie sur des tanins de qualité et une belle fraîcheur qui porte loin la finale. Je m'imagine à Calenzana en train de le savourer avec un civet de sanglier. ★★★(★) **DJL**

Espagne, Castille-et-Léon
do Ribera del Duero, Reserva
Reserva, Bodegas Protos
+13321541 - 35$
En 1927, 11 viticulteurs courageux et attachés à leur terroir ont fondé la Bodega Ribera del Duero, un nom qui identifiera tellement bien la qualité des vins qui y sont produits que le Conseil régional le leur a emprunté en 1982 pour créer la denominacion de origen Ribera del Duero. Mais ils étaient quand même les premiers. Ils ont donc rebaptisé leur maison Bodegas Protos; protos signifiant «premier» en grec. Et ils veulent le rester. Le travail de la vigne, la vinification, l'élevage, tout concourt à faire de ce vin le premier de son appellation. Fait à 100% de cépage tempranillo, il a passé 18 mois en fût de chêne puis 2 ans en bouteille avant d'arriver sur les tablettes de la SAQ. Au nez, ce sont des odeurs intenses de prune, de mûre et de framboise bien mûres, presque confiturées, avec des notes de violette et un léger boisé. Velouté, ample, concentré, long et fruité en bouche, il évolue sur des tanins serrés. Un très beau vin, racé, à servir en même temps qu'une entrecôte de bœuf sauce béarnaise, des brochettes d'agneau ou un feuilleté au fromage de chèvre.
★★★★(★) **TD**

France, Bougogne, Côte Chalonnaise
aop Mercurey

La Framboisière, J. Faiveley
+10521029 - 36,25$
En édifiant un temple à Mercure, dieu du commerce, les Romains ne se doutaient pas qu'un des plus importants producteurs et négociants de Bourgogne s'établirait un jour dans le village de Mercurey. Sept générations de vignerons se sont succédé depuis la création de cette maison de négoce en 1825. Aujourd'hui à la tête de l'entreprise familiale, Erwan Faiveley perpétue cette philosophie qu'un grand vin naît avant tout dans la vigne. Cette cuvée livre une palette de parfums mêlant la groseille et la griotte à des notes d'épices douces. Plein, solide et généreux, adossé à une structure tannique ferme, c'est un vin qui réclame un peu de patience mais qui, dès à présent, viendra s'assagir sur une joue de bœuf braisée. Laissons maintenant mon illustre compatriote s'exprimer: «Que ce Mercurey est excellent, sa robe me rappelle le ruban de la Légion d'honneur. Quant à son bouquet, il est comme l'odeur enivrante de la victoire» (Napoléon à son retour d'Elbe). ★★★★ **DJL**

Italie, Piemont
do Barbaresco
Barbaresco, Prunotto
+12361170 - 40,25$
Situé aux portes de la ville d'Alba, sur les collines des Langue, le Barbaresco est un vin aux origines très anciennes. La destinée de la société historique Prunotto est aujourd'hui entre les mains d'Albiera, fille

aînée du marquis Piero Antinori. Grâce aux moyens et à l'expertise de la célèbre maison familiale, le niveau d'excellence est, une fois de plus, atteint dans cette appellation piémontaise. Paré d'un grenat très soutenu, le millésime 2012, déjà expressif, associe des tonalités florales (pivoine) à des notes torréfiées (cacao). La bouche se révèle charnue et solidement charpentée, rehaussée par une jolie finale, où s'entremêlent réglisse noire et fruits rouges. Ne sera aucunement dépaysé de passer à table en compagnie d'agnolottis farcis de viande de veau et assaisonnés au beurre de sauge, ou encore, les jours de fête, agrémentés de quelques lamelles de truffe blanche.
★★★★ **DJL**

Canada, Colombie-Britanique
vqa Vallée de l'Okanagan
Le Grand Vin, Osoyoos Larose
+10293169 - 43,60$
Quand on associe l'un des meilleurs terroirs canadiens avec le savoir faire d'une grande maison bordelaise (Gruau Larose), il ne peut qu'en résulter un grand vin. C'est ce que nous offre Osoyoos Larose, certainement le plus grand vin rouge canadien. Un vin qui allie la force et la structure avec la finesse et l'élégance. Produit avec une grande rigueur, il est égal à lui-même d'une année à l'autre. Au nez, ce sont des odeurs de cassis, de mûre sauvage, de pruneau, de violette et de poivron avec une touche vanillée, boisée et grillée. Généreux, concentré, long, fruité et frais en bouche, il continue son parcours avec des tanins charnus et quelques épices. Un vin à mettre en cave ou à servir en carafe pour le boire avec un foie gras poêlé, des cailles aux raisins ou un camembert au lait cru.
★★★★(★) **TD**

France, Vallée du Rhône,
Rhône méridional
aop Châteauneuf-du-Pape
Château Mont-Redon
Châteauneuf-du-Pape 2012,
Abeille - Fabre +00856666 - 44,25$
Le roi des vins de la vallée du Rhône, le vin des papes en fait, lorsque ceux-ci sié-

geaient à Avignon, à quelques lieues de là. Ils y entretenaient quelques belles propriétés comme celle-ci, un domaine qui appartient aujourd'hui à la famille Abeille-Fabre. Sa philosophie, comme nous l'avons déjà écrit: «travailler dans le respect du terroir en privilégiant les arômes, l'équilibre et la couleur». Voici donc un vin rouge magnifique où chantent des cépages comme les grenache, syrah, mourvèdre et cinsault, un vin noble aux parfums de petits fruits noirs, de framboise, de mûre et d'olive noire avec des notes boisées bien intégrées, aussi des notes de réglisse, de tabac et d'épices. Fruit et équilibre sont les premières impressions en bouche, suivies de la finesse, des tanins charnus et d'une finale épicée avec une touche d'eucalyptus. Un vin élégant à servir en carafe lorsqu'on déguste un chapon farci aux cèpes, un cuissot de chevreuil, un gigot d'agneau au thym et à l'ail. ★★★★(★) **TD**

Italie, Toscane
igt Maremma Toscana
Le Mortelle, Poggio alle Nane,
Marchesi Antinori +12108772 - 57,25$
C'est dans le cœur de la basse Maremme, sur les collines côtières du sud-ouest de la Toscane, que se situe le domaine Le Mortelle. Lorsqu'en 1989 la famille Antinori en fit l'acquisition, cette zone de production était encore émergente; aujourd'hui, elle est devenue l'une des plus importantes de la Toscane. Ce nouvel eldorado de la vitiviniculture italienne, à l'instar du territoire de Bolgheri, a privilégié les variétés bordelaises. La cuvée Poggio alle Nane (colline aux canards) est issue des cépages cabernet franc (60%) et cabernet-sauvignon (40%). Une robe rubis aux reflets violines habille ce vin complexe, qui s'épanouit à l'aération sur des arômes très «ligériens» de fruits frais (framboise) assortis de senteurs de violette et d'une note réglissée. La bouche, au

diapason, ample et élégante, offre un beau relief et un bon potentiel de garde. L'élevage en fût, très maîtrisé, apporte un supplément d'âme. Il prendra son envolée avec des pappardelles de canard à la Toscane. ★★★★ **DJL**

VINS FORTIFIÉS

Espagne, Andalousie
do Jerez-Xérès-Sherry y Manzanilla-Sanlúcar de Barrameda
Dry Sack, Williams & Humbert
+00013565 - 14,95$
Sack est le nom donné en Angleterre au vin de xérès au 16e siècle. Ce nom ne vient pas de l'espagnol seco qui veut dire «sec», puisque le vin était doux à cette époque, mais probablement de sacar, traduire «sortir», au sens d'«exporté», exporté d'Espagne. Ce Dry Sack, ou encore xérès sec, est constant d'une production à l'autre. Il offre des odeurs de noix de Grenoble, de pruneau avec des notes de boisé et de tabac. Ample et rond en bouche, il évolue longuement sur quelques épices. Le servir en même temps que des gambas à la plancha, des gâteaux aux fruits arrosés de crème anglaise ou des macarons au chocolat.
★★(★) **TD**

Portugal, Douro
doc Porto
Porto LBV, Offley +00483024 - 20$
Dans la famille des vins de Porto Ruby, le late-bottled vintage (ou porto LBV) est issu d'une seule récolte et doit avoir séjourné sous bois pendant une période plus longue que celle d'un vintage, soit légalement de quatre à six ans. On trouve deux types de LBV, le «commercial» et le «traditionnel»; ce dernier est coiffé d'un long bouchon de liège, n'a pas été filtré et n'a pas non plus subi de traitement à froid, ce qui favorise son évolution et crée un léger dépôt avec le temps. Le LBV traditionnel d'Offley s'ouvre au nez sur des senteurs cacaotées, qui laissent place aux cerises burlat à l'eau-de-vie. La bouche se distingue par un joli fondu, une belle rondeur, sans excès de douceur, un tanin enrobé où la cerise revient, légèrement épicée. Pour un accord audacieux, ce vin gourmand et généreux viendra se frotter à des mets sucrés-salés, mais se laissera aussi courtiser par un mœlleux au chocolat et aux cerises.
★★ **DJL**

France, Poitou-Charentes
aoc Pineau des Charentes
Château de Beaulon 5 ans
+00066043 - 20,35$
On raconte que le pineau des Charentes est le résultat d'un déversement accidentel de cognac dans du jus de raisin non fermenté. Oublié, il aurait subi un vieillissement en tonneau où tous les éléments s'harmonisent et se fondent. Celui-ci, âgé de cinq ans, a passé quelque temps en fût de chêne. Il offre des odeurs de pain d'épices, de pâte de fruits, de grillé et de vanille avec des notes de fruits à l'eau-de-vie et de boisé. Onctueux, fruité, frais et long en bouche. Servi frais (8°C) ou sur glaçons, cet agréable pineau ira bien à l'apéro ou avec un gâteau à l'ananas et, pourquoi pas, une tarte Tatin.
★★★ **TD**

♥

Portugal, Haut-Douro
doc Porto LBV
LBV 2013 Taylor Fladgate, Vinhos Quinta and Vineyard Bottlers-Vinhos
+00046946 - 21,85$
LBV signifie «late-bottled vintage port». Il s'agit d'un porto millésimé, d'une seule année, mis en bouteille tardivement. Celui-ci, constant d'un millésime à l'autre, offre un très beau nez intense avec des odeurs de fruits secs, de pruneau, de chocolat et d'épices plus une note boisée. Onctueux, très long, ample et fruité

en bouche, il bénéficie d'un superbe équilibre. Parfait pour un tajine de pintade aux abricots secs, un fondant au chocolat ou un fromage bleu. ★★★(★) TD

France, Charente, Charente-Maritime
aop Pineau des Charentes
Vieille Réserve Or 10 ans, Château de Beaulon +00074633 - 32,50$ ♥
Dans la famille des vins de liqueur français, le pineau des Charentes occupe la première place depuis son accession à l'AOC en 1945. Il est issu de jus de raisins charentais non fermenté auquel on incorpore du cognac. La Vieille Réserve Or du Château de Beaulon comprend 80% de sémillon et 20% de sauvignon. Après dix longues années au cœur du chêne, on obtient ce nectar à la robe ambrée et aux parfums de fleurs miellées et d'agrumes confits (bergamote). Le palais d'une grande richesse, puissant et onctueux, mais sans aucune lourdeur, est adapté à toutes les gastronomies; votre imagination sera la seule limite: cailles au pineau des Charentes, galette charentaise à l'angélique, cannelés bordelais, tarte Tatin, chabichou du Poitou, foie gras... ★★★★ DJL

Portugal, Haut-Douro
do Porto
Tawny 10 ans, Taylor Fladgate & Yeatman Vinhos +00121749 - 33,75$
Le tawny est un porto qui a subi une oxydation au contact de l'air et prend une teinte fauve (tawny en anglais) lors de son vieillissement en barrique. Lorsqu'il porte un millésime comme celui-ci, il s'agit de l'âge moyen des différentes barriques qui entrent dans son assemblage. Voici un beau tawny 10 ans qui s'ouvre sur des parfums intenses de fruits confits, de pruneau sec, de violette et de chocolat. Intense, onctueux et fruité en bouche, il évolue sur des tanins fins et une finale de noix. Parfait pour un dessert au chocolat et aux figues, ou bien un fromage bleu. ★★★★ TD

Portugal, Porto
docp Porto tawny
Tawny 20 ans, Taylor Fladgate +00149047 - 69,75$
Le porto, lorsqu'on le fait vieillir très longtemps en fût, prend une couleur fauve (tawny en anglais). Le porto reste peu de temps en fût pour préserver la fraîcheur du fruit, mais il vieillit en bouteille, alors que le long passage en fût (minimum trois ans) du tawny permet une micro-oxydation qui lui confère d'autres qualités, comme pour celui-ci qui a passé 20 ans en barrique. Il offre des parfums intenses de fruits secs, de noisette, de caramel et de cuir avec des notes d'épices. Mœlleux, onctueux et très long en bouche avec un bel équilibre acide-sucre, il continue longuement sur des tanins soyeux. Le servir avec un fromage bleu, des brownies au chocolat, une tarte aux amandes ou un nougat glacé au chocolat. ★★★★★ TD

CIDRES

CIDRES MOUSSEUX OU PÉTILLANTS

Cette année, nous avons volontairement ciblé les produits de la Cidrerie du Minot qui représente pour nous l'une des meilleures fabrications artisanales sinon la meilleure, toutes catégories confondues.

Canada, Québec, Hemmingford
La Croisée, 7%, Cidrerie du Minot +12962063 - 9,60$/375ml
Ce cidre mousseux est élaboré avec un assemblage de cinq variétés de pommes du Québec, soit la mcIntosh, la cortland, l'empire, la liberty et la trent. Après deux

fermentations et une filtration, on y ajoute un peu de cidre de glace. Cela explique le nom de La croisée qui est un peu un croisement entre deux sortes de cidres. Un joli cidre qui pétille sur la langue avec des parfums de fruits, de fleurs, de miel et de brioche, le tout dans un très bel équilibre et une bonne longueur. On boira frais (9°C) cet élégant cidre, en dégustant un dessert au chocolat, un cake aux fruits confits ou pour le plaisir, tout simplement. Très bon rapport qualité-prix. ★★★(★) **TD**

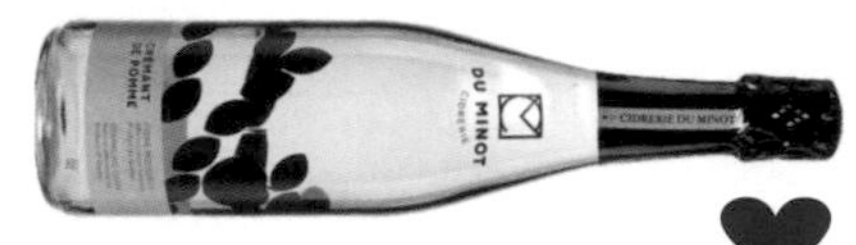

Canada, Québec, Hemmingford ♥
Crémant de pomme, 2,5%, Cidrerie du Minot +00245316 - 11,95$
Un cidre égal à lui-même d'une année à l'autre. Léger, fruité et frais, élaboré selon la méthode Charmat (en cuve close), il offre des parfums de pomme cuite, de fleurs et de crème pâtissière. Généreux, fruité et frais en bouche, il bénéficie d'un bel équilibre et d'une bonne longueur. Un cidre élégant et fin, à servir frais (8°C) à l'apéritif, ou en même temps qu'un mignon de porc à l'ananas ou qu'une tarte aux framboises.
★★(★) **TD**

Canada, Québec, Hemmingford
Crémant de pomme rosé, 2,5%, Cidrerie du Minot +00717579 - 14,05$
Voici un crémant de pomme rosé fait de geneva (pomme à chair rouge) et de mont-royal. Un crémant très bien fait, aux bulles fines et persistantes. Au nez, ce sont des parfums de fleurs, de petits fruits rouges et de pomme cuite qu'on retrouve en bouche avec générosité et cette petite amertume qui lui confère beaucoup de fraîcheur. Le servir frais (8°C) à l'apéritif, avec un boudin noir aux pommes ou une tarte aux fraises.
★★(★) **TD**

Canada, Québec, Hemmingford ♥
Du Minot Brut, 7%, Cidrerie du Minot +00733386 - 16,65$
Ce très bon cidre est produit selon la méthode traditionnelle, comme un vin de champagne. Habituellement, Du Minot élabore plutôt des cidres avec la méthode Charmat; dans ce cas, la deuxième fermentation, qui transforme le cidre en cidre effervescent, se fait non pas en bouteille comme pour le champagne, mais dans une cuve close en acier. Avec la méthode traditionnelle (en bouteille), on ira chercher probablement un peu plus de matière.
Vous aimerez ce cidre effervescent brut (faible teneur en sucre) dont les bulles fines présagent déjà une qualité certaine, vérifiable à la dégustation, qui commence par des parfums de fleurs et de pomme cuite avec des notes de vanille. Bien fruité, mœlleux et frais en bouche, il offre longuement une belle expression de la pomme en harmonie avec un bon équilibre. Un très beau cidre, généreux, élégant et fin, qu'on sert frais (8°C) à l'apéritif ou à un repas de poulet rôti, sauce aux pommes. Mais j'irais aussi avec un foie gras poêlé. ★★★(★) **TD**

CIDRES DE GLACE

Canada, Québec, Hemmingford
Du Minot des Glaces, 10,5%, Cidrerie du Minot +00733782 - 25$/375ml
Soyons fiers! Le cidre de glace est une invention québécoise. Il est à la pomme ce que le vin de glace est au raisin. Voici un superbe cidre de glace aux parfums intenses de pomme cuite, de fruits secs, de pâtisserie, de fleur d'oranger et de miel. Largement fruité, onctueux, long et frais en bouche, il évolue avec délicatesse et harmonie dans un magnifique équilibre. Un cidre de glace très élégant à servir frais (9°C) avec une charlotte aux fraises, un clafoutis aux cerises ou un gâteau aux amandes. ★★★★ **TD**

Canada, Québec, Hemmingford
Crémant de glace, 7,5%, Cidrerie du Minot +10530380 - 25,60$/375ml
Créateur du terme «crémant» pour un cidre (qu'il soit de glace ou effervescent), l'œnologue Robert Demoy propose ici un cidre de glace pétillant aux odeurs puissantes de pomme cuite, de fruits tropicaux, de fruits confits et de fleurs. Onctueux, long, puissant et généreusement fruité en bouche, il bénéficie d'une bonne acidité qui lui confère équilibre et fraîcheur. On le boira frais (8°C) avec une tarte au fromage blanc, un gâteau aux fruits ou un fromage bleu comme un grand roquefort. ★★★ **TD**

Canada, Québec, Hemmingford
Du Minot des Glaces,
Récolte d'hiver, 11%, (D) 40$/375ml
Un petit éloge de la lenteur! Pour faire ce cidre de glace, on a cueilli les pommes gelées (à -10°C) sur l'arbre, en plein hiver. À cette température, le fruit est déshydraté; on obtient ainsi un jus très con centré en sucre. Celui-ci fermentera lentement, pendant huit mois, à basse température. À l'ère où tout va si vite qu'on n'a même plus le temps de vivre, cette lenteur pourrait en exaspérer plus d'un. Mais c'est de cette lenteur que naîtra ce magnifique cidre de glace aux parfums de fleurs, de pomme cuite, de cassonade et d'épices. Intense, puissant, généreusement fruité, frais et long en bouche, il évolue dans un bel équilibre. Un produit exceptionnel! Servi frais (8°C), il ira bien avec une tarte aux abricots, un foie gras poêlé aux pommes ou un fromage bleu. Ce superbe cidre n'est malheureusement pas en vente à la SAQ. Pour vous le procurez, il faudra aller l'acheter à la **Cidrerie du Minot,** 376, chemin de Covey Hill, Hemmingford | 450-247-3111. www.duminot.com ★★★★★ **TD**

Info gourmande
www.debeur.com

SPIRITUEUX

France , Normandie
Le Gin de Christian Drouin
+12878582 - 50$
Ce gin fabriqué en France s'ouvre sur d'intenses odeurs de genièvre, de coriandre et d'épices. Fruité, corsé et épicé en bouche, il évolue dans un contexte des plus élégant. Christian Drouin, comme d'autres producteurs de gin qui ont le souci de bien faire, donne ici ses lettres de noblesse à un alcool populaire originaire des Pays-Bas et d'une partie de la Belgique. Connu au 17e siècle sous le nom de *genever,* il fut par la suite baptisé gin par les Anglais. Cette boisson fortement alcoolisée entre dans la composition de nombreux cocktails dont l'un des plus célèbres est le gin-tonic, la boisson des journalistes, dit-on. ★★★★★ **TD**

France , Normandie
aop Calvados Pays d'Auge

Pomme Prisonnière, Christian Drouin +12878611 - 164$
Le calvados est une eau-de-vie de pomme. Celle-ci est ajoutée après que la pomme a mûri dans sa propre bouteille sur l'arbre, comme dans une miniserre. (D'ailleurs, beaucoup de bouteilles sont brisées par les coups de vent; la démarche est donc un peu onéreuse.) Ensuite, on ajoute le calvados et on obtient une bouteille d'eau-de-vie renfermant une pomme ainsi prisonnière. Mais l'idée originale ne suffit pas. Encore faut-il la bonne variété de pomme et la grande qualité du calvados qui y est ajouté. Et c'est ce savoir-faire que la maison Drouin nous offre dans ce magnifique produit aux parfums intenses d'eau-de-vie de pomme et de fleur de pommier avec une petite note de pâtisserie. Il explose en bouche... non, il fait plutôt la queue-de-paon avec beaucoup d'intensité. Puissant, ample, fruité et floral tout à la fois, il évolue très, très longuement avec quelques épices délicates. Parfait comme digestif, tout simplement, ou comme partenaire d'un foie gras ou d'un dessert au chocolat. ★★★★★+ **TD**

INDEX DES VINS PAR PAYS

La Cadière d'Azur et Le Castellet

Deux villages de caractère qui se font face, mais dans l'harmonie

Par Huguette Béraud et Thierry Debeur
Photos © Debeur

La Cadière d'Azur ci-dessus à gauche et Le Castellet au fond à droite

Marché public de La Cadière d'Azur

Une boutique à La Cadière d'Azur

Deux villages médiévaux situés face à face, de part et d'autre de l'autoroute A50, en Provence, entre Marseille et Toulon, à quelques minutes de la mer. Ils semblent s'observer depuis des millénaires. Ont-ils été rivaux? Nul ne le sait vraiment. Tous deux sont classés dans les villages de caractère.

Au **Castellet,** on nous explique que **La Cadière d'Azur** veut dire «la chaise bleue», en vieux provençal. Et on raconte volontiers, avec un brin de malice, que c'est là que Dieu s'est assis pour admirer son chef-d'œuvre: Le Castellet. Bon! Mais une autre origine est aussi donnée: le nom de Cadière viendrait du mot «cade». Dans la vallée, on trouvait beaucoup de cades (une espèce de genévrier), très présents dans la garrigue provençale. Ces arbustes produisent de

Porte Mazarine à l'est du village de La Cadière d'Azur. Sur la droite, on peut voir d'anciennes tablettes en pierre servant d'étal pour la vente de fruits et légumes ou tout autre produit domestique

Porte fortifiée Saint-Jean, aux vantaux cloutés (1561), à La Cadière d'Azur. Au-dessus à gauche un fenestron en pierre taillée datant de 1570

Rue principale (Gabriel Péri) de La Cadière d'Azur

grosses baies rouges comestibles dont on tire, entre autres, une huile: l'huile de cade. Quant au Castellet, qui signifie «petit château», il s'agrippe telle une forteresse au sommet d'une colline au nord de La Cadière. Les deux villages sont dans l'aire de production du fameux Bandol, ce vin mythique haut de gamme des Côtes-de-Provence, dont le cépage principal est le mourvèdre. Nous y avons visité trois vignobles dont nous parlerons plus loin: le **Château de Pibarnon,** le **Château de la Bégude** et le **Domaine de Terrebrune.**

La Cadière d'Azur vue depuis Le Castellet

La Cadière d'Azur

Un véritable village provençal planté sur sa colline qui, au fil des ans, a su garder son caractère d'autrefois. Il comptait une vingtaine de moulins à vent pour le blé dont quatre moulins à eau (1620), un couvent des pères trinitaires (1640), une église avec les plus anciennes cloches de la région, beaucoup de bergeries au rez-de-chaussée des maisons qui maintenaient la chaleur à l'intérieur et des fours à cades entrant dans la composition du savon de Marseille. Aujourd'hui, on y circule, on y vit, et l'ambiance de village est restée intacte. Les pierres restantes de deux lignes d'enceinte ou remparts où se sont incrustées des boutiques, quelques passages voutés, venelles et fontaines, les trois grandes portes d'accès médiévales ou portails s'ouvrant vers la méditerranée, vers les vignes, vers Bandol continuent à nous raconter la vie de toutes les générations passées. Sa vue panoramique permet de découvrir la plaine, le massif de la Sainte-Baume au loin, le village du Castellet, les vignobles et cette campagne luxuriante s'étalant à ses pieds.

Hostellerie Bérard & Spa

Hôtel-restaurant-spa

Hostellerie Bérard & spa

Membre Châteaux & Hôtels Collection
6, rue Gabriel Péri, La Cadière d'Azur
04 94 90 11 43
www.hotel-berard.com

Situé au cœur du village, cet établissement renommé a connu une belle croissance. Il s'est doté d'un bistro, d'une terrasse en espalier, d'une piscine extérieure et d'un espace thermal d'une extrême élégance. La toute dernière technologie y est appliquée. Cela va jusqu'à rendre l'ambiance sonore d'une fine pluie ou d'un orage violent selon l'intensité et la forme du jet de la douche. Tout y est dans ce spa, mais c'est également la décoration et la propreté du lieu qui enlèvent notre adhésion.

Par ailleurs, l'hôtel, les chambres aux couleurs de la Provence et leurs meubles authentiques, la salle à manger élégante,

Chariot à fromages de l'Hostellerie Bérard

tout ici est beau jusque dans les moindres détails, et la vue sur la plaine, magnifique.

L'**Hostellerie Bérard & spa** est une affaire de famille. La renommée du restaurant a commencé avec le chef **René Bérard,** nommé Maître cuisinier de France, son épouse **Danièle** veillant sur la salle et leur fille **Sandra** sur la pro-

Dans l'esprit d'un carpaccio, Saint-Pierre, artichaut violet, crème d'anchois, vinaigrette au miel citron (Hostellerie Bérard)

Déclinaison rhubarbe et fraises (Hostellerie Bérard)

Cœur de ris de veau et morilles *(Hostellerie Bérard)*

motion et l'administration. Elle s'est poursuivie avec leur fils **Jean-François Bérard** qui a mérité une étoile au guide Michelin. Il a fait partie des Jeunes Restaurateurs d'Europe et a aussi reçu le titre de Maître cuisinier de France. Quant à l'assiette, elle est exceptionnelle et vaut franchement le détour. Assis à une table nappée de blanc dans une salle à manger qui s'ouvre sur la vallée, on peut voir en face Le Castellet, dont les vieilles pierres reçoivent les derniers rayons d'un soleil couchant. C'est magique! Le personnel du service, supervisé par madame Bérard elle-même, s'inquiète de votre bien-être puis vous apporte ensuite les assiettes contenant de petits chefs-d'œuvre gastronomiques. Seule ombre au tableau: le maître d'hôtel un peu coincé. Mais bon, personne n'est parfait.

Nous y avons mangé un excellent repas concocté par Jean-François Bérard, le chef du restaurant gastronomique: *Fleur de courgette farcie*, artistiquement présentée; *Saint-Pierre, artichaut violet, crème d'anchois, vinaigrette au miel citron*, servi sur une assiette noire, délicat, bien équilibré, une réussite; *Cœur de ris de veau et morilles* sur une sauce très concentrée de jus de viande, c'est savoureux; *Les pâturages*, un chariot de fromages frais et affinés, avec un assortiment de pains de campagne, un très beau choix comprenant de nombreuses découvertes d'artisans fromagers. Et en conclusion, *Rhubarbe et fraise*, une déclinaison de rhubarbe et de fraise, un dessert réellement délicieux, poétiquement ordonné dans l'assiette, réunissant tous les effluves de la Bastide des saveurs. Le tout arrosé de vins parmi les meilleurs de la région. Un très beau moment!

Potager et fines herbes de la Bastide des saveurs

Cours de cuisine et visite du jardin
Bastide des saveurs
850, ch. de Luquettes,
La Cadière d'Azur
04 94 90 11 43 (Hostellerie Bérard)

Les Bérard offrent également des cours de cuisine provençale à la Bastide des saveurs, une belle propriété (qui accueillait autrefois un couvent du 11e siècle) à quatre kilomètres de l'**Hostellerie Bérard & spa**. Une charmante petite bastide nichée dans la colline, au cœur d'un jardin d'Éden. Un lieu paradisiaque où le père et le fils donnent des cours de cuisine. Cette charmante maison a conservé l'âme de la Provence, celle de Marcel Pagnol. La cuisine aménagée comme autrefois ressemble pratiquement à un musée.

Atelier de cuisine de la Bastide des saveurs

Dès l'arrivée, on est séduit par les glycines qui croulent sur la terrasse, les haies de lavande, les oliviers, le potager bien découpé à la française, abondamment fleuri par des arceaux de rosiers en fleurs. Les légumes, les herbes se marient dans les senteurs et les couleurs. Un lieu magique!

Les clients apprennent à reconnaître les odeurs des fines herbes dans le jardin

Chef René Bérard

des senteurs et cueillent eux-mêmes les légumes, les fruits et les éléments aromatiques qui entreront dans les recettes que René Bérard leur démontre, dans son adorable cuisine à l'ancienne.

Le jour de notre passage, une délégation d'Américaines de l'**International Kitchen de Chicago** suivait avec attention et ravissement les tours de main professionnels du chef Bérard. Elles s'extasiaient devant la facilité avec laquelle il travaillait les ingrédients qui entraient dans les recettes. Un cours qui finit toujours par la dégustation de ce qui a été préparé, sur la terrasse, à l'ombre des glycines mauves.

Roseraie de la Bastide des saveurs

Nicolas Vincent, chef propriétaire du restaurant Le Regain et ses deux collaboratrices

Restaurant

Restaurant Le Regain

37-39, rue Marx Dormay,
La Cadière d'Azur ! 04 94 98 32 68
www.regain-cadiere.fr

Nous sommes au milieu du village, dans un tournant, en face de l'ancienne porte de La Colle (14e siècle) où se loge une fontaine. La façade couleur d'azur annonce ce restaurant de petite taille, chaleureux, avec une cheminée où faire cuire les viandes et les plats. **Nicolas Vincent,** le chef propriétaire, est pâtissier à la base. Après avoir travaillé dans de grandes maisons, il a décidé de s'installer dans le village de sa femme **Amélie.** Dans ses recettes, il utilise aussi les fromages frais de la chèvrerie locale des

Souris d'agneau au romarin, fettucini fraîches, feuilleté au fromage *(Le Regain)*

Magnaldi, ses beaux-parents... Il aime cuisiner directement à la chaleur intense d'un gril, où les mets prennent ici une dimension savoureuse imprégnée de tradition et d'authenticité.

Nous y avons dégusté une croquante *Salade du chevrier,* une délicieuse *Soupe de poisson maison,* une *Selle d'agneau aux fettucinis,* un *Magret de canard entier rôti à la cheminée, sauce au poivre, pomme de terre au four, fromage blanc et fines herbes, flan de légumes, salade* et, pour bien finir l'aventure, un *Macaron à la framboise.* Le tout arrosé d'une bière locale non filtrée et non pasteurisée, **La Bas Varoise,** fruitée et épicée, présentant une mousse assez persistante, elle était onctueuse en bou-

Magret de canard entier grillé, sauce au poivre et flan de légumes *(Le Regain)*

Macaron à la framboise *(Le Regain)*

che. Il est évident que nous n'avions plus faim en sortant de table.
Une belle adresse!

Chèvrerie

Fromagerie du Jas de Clare

Chèvrerie Magnaldi
4203, ch. de Cuges, La Cadière d'Azur
06 59 90 09 40
roger.magnaldi@orange.fr

La route non goudronnée nous amenant profondément dans la campagne, nous avons bien failli ne pas arriver à destination. Le GPS nous a abandonnés avant destination. Cependant, la visite vaut le déplacement. Le troupeau de **Roger** et **Christine Magnaldi** compte 170 animaux. Il est constitué de plusieurs races de chèvres très accueillantes et très curieuses surtout. Ayant l'avantage de brou-

Chèvrerie Magnaldi à La Cadière d'Azur

ter dans les collines avoisinantes, elles donnent un lait riche qui produit de très bons fromages. Christine Magnaldi a un projet: ajouter une construction où les visiteurs pourront se restaurer de plats simples, déguster du lait et du yaourt, des fromages (brousse, faisselle, cendré, etc.) de ses chèvres. Un conseil, apportez des chaussures plates confortables.

Vignes en amphithéâtre du Château de Pibarnon

Vignoble
Château de Pibarnon
410, ch. de la Croix des Signaux,
La Cadière d'Azur
04 94 90 12 73 | www.pibarnon.com

Éric Comte de Saint-Victor, le propriétaire, nous entraîne dans le dédale des caves de la propriété. Quelques bonnes bouteilles nous attendaient avec des verres pour faire une dégustation des derniers millésimes, notamment ceux que nous avons la chance de déguster cette année au Québec. Nous avions connu son père, il y a quelques années, un homme tout d'une pièce, éduqué à l'ancienne et la rude école, avec qui nous avions eu le privilège de déguster d'excellents vins alors que la propriété avait pris son envol grâce à la «découverte» d'un guide bien connu. Cette rigueur, il l'a semble-t-il transmise à son fils Éric. Celui-ci s'est fait la main dans de grandes maisons bordelaises, où il a appris à travailler différemment d'ici. «Les parcelles des vignes de Bandol ne sont pas très grandes et on y apporte beaucoup de soin, dit-il. Ce qui étonne le visiteur, c'est la maturité et la grande qualité des vins de cette appellation.»

Dans un vaste amphithéâtre naturel, à faible distance de la grande bleue, les vignes du Château de Pibarnon s'accrochent de restanque en restanque, offrant un spectacle d'une beauté indicible qui semble sorti tout droit d'un roman de Pagnol. Situé au centre du territoire de l'appellation, sur les hauteurs, ce domaine bénéficie d'un sol argilocalcaire du trias. Selon **Alexis Cornu*,** «c'est l'eau du sol qui fait les grands vins, plus

Éric Comte de Saint-Victor, propriétaire du Château de Pibarnon à La Cadière d'Azur

que la composition des vins eux-mêmes. C'est la capacité des sols à restituer l'eau à la vigne (une caractéristique du trias). Les tanins sont plus frais, plus fins, et le terroir produit des vins minéraux et frais naturellement.» Ils ont également des sols de marnes bleues du santonien (comme pour le Petrus), du jurassique et du crétacé.

Foudres en chêne

«Ce qui fait le succès du Bandol, c'est le climat chaud, un terroir calcaire et le cépage mourvèdre, explique **Éric de Saint-Victor.** Celui-ci crée des vins qui ont une finesse, un style, quelque chose de particulier, une vibration des tanins, une sorte de signature. Le mourvèdre est un cépage très romanesque, un cépage extraordinaire. Grâce à la chaleur, il a des tanins un peu plus mûrs, un peu plus soyeux, plus velours, tout en gardant ses épices et son côté sudiste.»

Sous la houlette d'Éric de Saint-Victor, les vins du domaine de 50 hectares sont régulièrement récompensés dans les concours vinicoles. On produit donc ici de très grands vins structurés, harmonieux et élégants, comme le **Château de Pibarnon rouge 2014, aoc Bandol (SAQ +12450148),** aux odeurs de mûre et de groseille avec des notes délicatement chocolatées et grillées. Fruité, épicé, gras en bouche, il évolue longuement sur des tanins bien ficelés.

Si possible, ne pas oublier de déguster aussi leur magnifique **Vieux Marc de Bandol, Château de Pibarnon,** une eau-de-vie noble, aromatique, florale et fruitée à la fois, mais toujours épicée, faite à partir de marc de mourvèdre. Un produit magnifique!

* Alexis Cornu, actuellement directeur des caves au Château de Berne, à Flayosc, près de Lorgues, a été maître de chais du Château de Pibarnon durant presque cinq ans, époque où nous l'avions rencontré.

Le Castellet

La commune du **Castellet** est constituée aujourd'hui de cinq villages ou hameaux: **Le Castellet-village, Le Brûlat, Sainte-Anne du Castellet, Le Camp du Castellet, Le Plan du Castellet.**

Le Castellet, perché au bord d'une falaise, à l'abri de ses remparts, dominant les vignobles de Bandol, a gardé son allure de vieux village médiéval en Provence. Tour à tour camp romain (*castellum*), cité templière et seigneurie, il a beaucoup de charme lui aussi. On y accède par deux portes fortifiées.

Lavoir public et fontaine du Castellet

Le Portail, entrée principale fortifiée dans les remparts du Castellet

Rue droite au Castellet

À l'arrivée, on laisse sa voiture dans un stationnement, à l'extérieur du village, et on pénètre à pied à l'intérieur de l'enceinte à la découverte des ruelles montant au château. Elles sont étroites et charmantes, fleuries, peuplées de boutiques d'artisans ou d'artistes, de magasins de vêtements ou de souvenirs, de cafés, de restaurants, etc. De nombreuses placettes ombragées invitent à la détente. Les commerces de proximité ayant disparu, cela en fait un lieu très touristique. Lors de notre passage, on était occupé à couvrir les ruelles avec des pavés.

Le château abritant la mairie du Castellet

Les amoureux d'histoire apprécieront la présence de l'église du 12e siècle sur la grande place du Champ de bataille où dominent les vestiges du donjon carré, souvenir du château d'origine, puis le château bâti au 15e siècle, ce dernier réhabilité en mairie et locaux municipaux. Le chemin de veille (de ronde) a été habilement transformé en promenade, on

Rue de l'Église et *Place du Jeu de paume* au Castellet

le *Portalet*, dit *Trou de Madame* au Castellet

y accède par le *Portalet*, ouverture en arcade dite *Trou de Madame*, où la gente **Dame du Castellet** guettait le retour de son chevalier. À partir de là, on a une vue magnifique sur le **Brûlat**, la **Sainte-Baume**, le **Gros cerveau** (montagne de randonnée), sur les vignes et les oliviers et sur la Cadière d'Azur. Il y a même une place du Jeu de paume.

Boulangerie-pâtisserie
La Femme du boulanger
5, rue Portail 83330 Le Castellet
04 94 32 65 33

Paul Bray, pâtissier et maître chocolatier, est un autre passionné qui façonne des gâteries dans la pure tradition provençale. Aidé de son épouse et d'une toute petite équipe dans son minuscule laboratoire, il fabrique des gâteaux aux amandes, à l'anis et au miel, de la nougatine, beaucoup de biscuits et même de la crème glacée. C'est dans ce village que **Marcel Pagnol,** réalisateur connu à l'époque, a tourné le film *La femme du boulanger* en 1938.

Restaurant
La Grange du Beausset
34 bis, boul. Chanzy, Le Beausset
04 94 90 40 22
www.lagrangedubeausset.fr/

Pas très loin du Castellet, au Beausset, ne manquez pas cet excellent restaurant. **Georges Ferrero,** chef propriétaire, spécialiste du gibier, travaille dans l'esprit d'une cuisine du terroir provençal authentique. Une belle cuisine pleine de goût, servie dans un décor rustique. La salle, au centre de laquelle trône une immense cheminée avec tournebroche, est ornée d'une multitude d'accessoires agricoles et autres antiquités. C'est le rendez-vous de nombreux vignerons de l'appellation Bandol.

Zézettes dessert provençal de l'Auberge du camp

Bouillabaisse façon Auberge du camp

Restaurant familial
Auberge du camp
14, route des Garrigues,
Le Camp du Castellet
04 94 04 71 52
www.aubergeducamp.fr

Ce restaurant, situé près du vignoble **Domaine de La Bégude** (*voir plus loin*), a connu ses heures de gloire avant que la commune ne décide d'en changer la route d'accès. Mais il en fallait bien plus pour amoindrir la fougue de la propriétaire et de sa famille. Originaire de Marseille (son papa était pêcheur, sa maman vendait son poisson sur le quai des Belges), **Annie Joia** est la joie personnifiée, tout un personnage, un véritable moulin à paroles. D'ailleurs, parce qu'elle parle beaucoup, on mange à sa table une baguette de pain baptisée *La Pipelette,* confectionnée par son mari dans la boulangerie **La Madeleine,** installée tout à côté. Et c'est vrai qu'elle parle beaucoup, mais avec grâce et passion pour son métier.

Annie Joia, propriétaire de l'Auberge du camp, découpant les poissons de la bouillabaisse

Aujourd'hui, sa fille, la chef **Céline Joia,** dirige les fourneaux. Encore jeune, mais pleine de talent et de passion comme sa mère, elle propose une assiette plutôt familiale, authentique, empreinte de tradition provençale et de saveurs. Avant la bouillabaisse, nous avons goûté un flan de courgette, tomate et poivron, accompagné d'une mousse de fromage un peu relevé, très goûteux et du fromage de brousse. Annie Joia a préparé devant nous, au guéridon, les poissons de la bouillabaisse, congre, saint-pierre, galinette (rouget grondin), vive (araignée de mer), rascasse blanche plus quelques moules. Après la découpe, l'arrosage au bouillon et nous avons frotté les croûtons d'une gousse d'ail. Les desserts furent l'apothéose, Annie voulant nous faire tout goûter, tarte aux figues et aux pistaches vertes, zezettes (orange, citron, vin blanc, huile d'olive et fleur d'oranger pour ces biscuits roulés dans le sucre de canne et enfournés), du nougat noir, des calissons et des suces-miel. Ouf! Un véritable tour d'horizon fantastiquement gustatif. Vaut la visite, assurément!

Hôtel-restaurant
Hôtel du Castellet
3001, RN8 des Hauts du Camp,
Le Castellet
04 94 98 37 77 et 78
www.hotelducastellet.net/fr/index.php

Cette propriété magnifique, insérée, tel un bijou dans son écrin, au bord du complexe du circuit Paul Ricard (un des meilleurs circuits d'entraînement de la formule 1), nous offre des chambres de luxe, un golf, des piscines (intérieure et extérieure), un centre de conditionnement physique, de la thalasso et un grand restaurant. L'assiette est excellente et créative. Belle carte des vins et sommelier compétent, tout comme le personnel de service d'ailleurs. Une très belle table!

Chèvrerie
La Cabro d'or
Producteurs de brousse du Rove (fromage frais de chèvre)
2507, route nationale 8, Cuges-les-Pins
04 42 73 97 67 | www.lacabrodor.net

Sur la route de Marseille, à quelques kilomètres de l'Auberge du camp, en tou-

Chèvre du Rove de la chèvrerie La Cabro d'or

te simplicité **Luc** et **Magali Falcot** élèvent des chèvres du Rove, une race à cornes plates et torsadées qui tient son nom d'un petit village à l'est de Marseille, et dont le lait est utilisé pour ce fameux fromage frais, la brousse du Rove. **La Cabro d'or** produit aussi du fromage du type faisselle. Des fromages à déguster avec un peu de sucre, de la confiture ou du miel. Un régal! Mettez de bonnes chaussures sans talon. Un croûton de pain, du gros sel dans vos poches et les chèvres vous adoreront!

Guillaume Tari préparant un casse-croûte sympathique sur une dalle de pierre au milieu des vignes

Vignoble-randonnées
Domaine de La Bégude
Route des Garrigues, Le Castellet
04 42 08 92 34
www.domainedelabegude.fr

Ce domaine est installé sur l'ancienne route entre Toulon et Marseille. C'était

Vignes du Domaine de La Bégude orientées vers la mer

Guillaume Tari, propriétaire du Domaine de La Bégude et président de l'aoc des vins de Bandol

un refuge où l'on s'arrêtait pour passer la nuit, à l'abri des détrousseurs de grands chemins. Il portait le nom de **Beguda** qui signifie «le lieu où l'on boit». Le chai de vieillissement du domaine est installé dans l'ancienne chapelle mérovingienne du 7e siècle, de la seigneurie du Conil, aujourd'hui disparue. La bastide elle-même date du 14e, il y avait une cave, des cuves et un four banal. On peut en voir les traces dans les caves près de l'enceinte extérieure. C'est un lieu chargé d'histoire, à la végétation provençale abondante que le propriétaire veut faire découvrir à ses visiteurs. Il a installé à cet effet plusieurs sentiers de randonnée.

Descendant d'une branche familiale du fameux **Château Giscours** à Bordeaux, **Guillaume Tari** rappelle un peu le style d'un gentleman-farmer. Vigneron propriétaire et président de l'appellation des vins de Bandol, c'est un homme qui sait vivre, ça oui! À peine sommes-nous arrivés chez lui, par une route improbable où les numéros n'existent pas encore, il nous embarque dans une vieille Jeep de l'armée américaine, un éventuel héritage de la Grande Guerre, pour nous faire visiter son domaine de 650 ha dont 22 ha planté en vignes.

Arcades des caves du Domaine de La Bégude

Tout au bout d'un chemin cahoteux serpentant au milieu des terres et sur lequel rebondissait son véhicule (et nous avec), il s'arrête près d'une énorme pierre plate, sorte de petit dolmen préhistorique, ressemblant de très loin à une table. Il y dépose un panier d'osier, en extirpe des couverts, des verres, des charcuteries, du pain frais et du vin. Nous étions au point le plus haut de l'appellation. Un point de vue grandiose, surplombant la vallée des vins de Bandol, une large étendue de vignes qui s'échoue sur la mer Méditerranée. «Une idée super», avons-nous pensé tout en

Ancienne cuisine et espace privé de Guillaume Tari au Domaine de La Bégude

admirant le paysage. Faire un piquenique au milieu des vignes avait quelque chose de simple et de convivial, mais aussi de très intense. En fait, ce n'était que l'apéro.

De retour à la bastide, le vigneron nous conduit dans son refuge à lui. Même son épouse n'y met pas les pieds. Une pièce avec un foyer carrelé où crépitait doucement une bûche de bois sec. Le centre est occupé par une grande table. Quelques trophées de chasse ornent les murs. Guillaume Tari est aussi chasseur. Il a d'ailleurs construit un petit pavillon de chasse pour lui et quelques chasseurs du coin, qu'il autorise à venir tirer le sanglier sur ses terres. «Ils étaient là avant que je m'installe ici», explique-t-il.

Le vrai repas était là, savoureux, plaisant, reposant. Tout en devisant sur l'état de l'appellation Bandol, on goûtait des mets simples et authentiques, et on buvait du vin de la propriété bien sûr, comme cet excellent **Domaine de la Bégude rouge 2015.** Un vin intense aux odeurs animales avec des notes de fruits rouges, de la vanille, de la truffe, du thym et de la garrigue. Ample et bien fruité en bouche, notamment avec une touche de framboise, il évolue longuement sur des tanins souples et une finale délicatement épicée. Un très beau vin. Mais quelle belle rencontre aussi!

Domaine de La Bégude

Domaine de Terrebrune orienté vers la mer

Vignoble
Domaine de Terrebrune
724, chemin de la Tourelle, Ollioules
04 94 74 01 30 | www.terrebrune.fr

En 1963, **Georges Delille** achète cette terre sans savoir qu'elle était installée au bord de l'appellation des vins de Bandol. «Vous avez de l'or sous les pieds!» lui dit **Lulu Peyraud,** du Domaine Tempier, président des vins de Bandol à l'époque. Un terroir d'influence marine, constitué de marnes argilocalcaires du trias, unique à Bandol, qui produit des vins fins et frais. Il décide alors d'y planter 8 ha de vigne dans un esprit avant-gardiste

Reynald Delille, vigneron propriétaire du Domaine de Terrebrune

de les cultiver en bio. Ainsi naquit le **Domaine de Terrebrune,** nom qui doit son originalité au fait que la terre de la propriété est constituée de calcaire et d'argile brune. Aujourd'hui, le domaine exploite 30 ha sous la direction de son fils **Reynald,** mais toujours dans la même philosophie.

Domaine de Terrebrune

Reynald Delille, œnologue, est aussi passionné que l'était son père. Très conscient de la chance de posséder un terroir exceptionnel, il considère qu'on peut parler de grands vins autant pour un vin rouge qu'un vin blanc et même un vin rosé. Par exemple, le jour de notre passage, il nous explique ceci en entrevue: «Notre rosé 2016 est un grand vin de gastronomie, de fraîcheur et d'élégance. Un rosé qui a demandé beaucoup de travail pour obtenir toute la finesse d'un grand terroir. C'est toujours un défi d'optimiser chaque millésime. La culture de la vigne est exigeante. Le domaine est travaillé dans un esprit de culture naturelle et traditionnelle. Mon père a instauré notre orientation biologique il y a plus de 50 ans, avant même le phénomène de mode. On peut dire que c'est dans nos gènes et notre philosophie. Car pour faire de grands vins, il faut absolument respecter le terroir.

«On a aussi la chance d'avoir un grand terroir calcaire du trias, une roche datant de 200 millions d'années, qui constituait les fonds marins de cette période. Le but, c'est donc d'en tirer toute la quintessence grâce à notre savoir-faire de vigneron.

«Cette empreinte du terroir est la colonne vertébrale de nos vins, poursuit-il. Une grande minéralité, une grande saveur, un grand potentiel aromatique, et des vins qui vont bien en gastronomie. C'est aussi très important, car les vins sont faits pour cette raison. Par exemple, ce rosé 2016 est à son plein potentiel pour donner du plaisir sur les belles tables. Celui-ci dans toute son évolution ira bien également avec les cuisines d'automne. Et, après plusieurs années, il deviendra plus complexe, plus velouté, plus long en bouche aussi. Il y aura en plus cette minéralité ayant la capacité dans le temps d'obtenir du gras, de la longueur et tout un équilibre gustatif qui permettra de l'apprécier pendant de nombreuses années.»

Outre le rosé, le Domaine de Terrebrune produit de grands vins blancs, comme ce 2016 au nez d'agrumes et de fleurs avec une touche iodée. Fruité et frais en bouche, il bénéficie d'une belle minéralité et d'une légère sucrosité qui lui donne un petit moelleux ajoutant à son équilibre.

Le domaine produit aussi de très grands vins rouges, comme le 2013, marqué par les fruits rouges et des tanins friands. Un vin tendu au départ, qui évolue vers le gras avec des goûts de mûre et de réglisse. Un vin d'une belle structure, tout en élégance et en finesse. Une très belle réussite.

Sur place, on pourra aussi se délecter à **La Promesse,** un restaurant installé au cœur du Domaine de Terrebrune

Valérie Costa, entre son mari et Reynald Delille

Restaurant
La Promesse – gastronomie et vins
04 94 98 79 39
www.restaurant lapromesse.fr

Le domaine abrite un restaurant créatif, **La Promesse.** La femme chef **Valérie Costa** y a déménagé un établissement réputé qu'elle tenait à Toulon avec son mari. Ses anciens clients font aujourd'hui volontiers une demi-heure de route pour venir y déguster ses créations. Une excellente cuisine, basée sur l'utilisation des produits frais de grande qualité, influencée par l'Italie, pays d'origine de la chef. Elle a également apporté sa cave à vins comportant pas moins de 450 références. Elle en cuisine, lui en salle, une formule gagnante!

Ouvert tous les jours sauf le lundi. Sur réservation seulement. **D**

Cuisine de la Bastide des saveurs

Chèvres du Rove de la chèvrerie La Cabro d'or

Une magnifique porte ancienne dans les rues du Castellet

Renseignements utiles

Office du tourisme
La Cadière d'Azur
Maison des Gardes, place Charles de Gaulle, La Cadière d'Azur
04 94 90 12 56
www.ot-lacadieredazur.fr

Office du tourisme
Le Castellet
2, rue du Portail, Le Castellet
04 94 32 79 13
www.ville-lecastellet.fr/office-de-tourisme.html

Transat Canada
Pour un vol direct Montréal-Marseille (vol identique pour Nice)
www.transat.com

Vogages Océane
Nous avons acheté nos billets à l'agence Voyages Océane
450-444-3100
ou 866-644-3100 (sans frais)
www.voyageoceane.com

Renault Eurodrive
Pour nos déplacements sur place, nous avons opté pour le plan achat-rachat de **Renault Eurodrive.** Ce dernier aspect du voyage, constitue un choix judicieux étant donné que nous bénéficions d'un kilométrage illimité, d'une assistance 24h/7 jours, d'une assurance multirisque sans franchise et d'une assistance dans 42 pays. Que demander de plus?
514-735-1808 et 1-800-361-2411
www.renault-eurodrive.com

Lire aussi:

Debeur Marseille-Nice et inversement (accès gratuit)
Un guide touristique numérique coécrit par Huguette Béraud et Thierry Debeur, un ouvrage où les auteurs font part de leurs expériences et leurs découvertes en suivant un circuit routier.
www.debeur.com/Debeur-Marseille-Nice.pdf